KB087349

How to
TEPS
intro
청해편

How to TEPS *intro* 청해편

지은이 강소영 · Jane Kim
펴낸이 안용백
펴낸곳 (주)넥서스

초판 1쇄 발행 2007년 11월 10일
초판 23쇄 발행 2016년 9월 5일

출판신고 1992년 4월 3일 제 311-2002-2호
10880 경기도 파주시 지목로 5
Tel (02) 330-5500 Fax (02)330-5588

ISBN 978-89-6000-331-6 18740

www.nexusbook.com

청해편

강소영 · Jane Kim 지음

넥서스

Preface

TEPS 시험이 회를 거듭하며 어려운 난이도로 진화하고 있습니다. 끊임없이 진화하고 변화하는 시험에 수험자들 역시 변화된 공부 방법으로 TEPS 시험에 임해야 할 것입니다. 이러한 필요에 부응하고자 TEPS 청해의 기본기를 다지는 것을 도와줄『How to TEPS *intro* 청해편』을 출간하게 되었습니다.

기본이 튼튼하면 두려울 것이 없습니다. 본 교재는 여러분의 기본기를 확실하게 잡을 수 있도록 하기 위해서, 교재의 전반부는 전략서로 편성하고, 최신 경향을 철저히 분석하고 반영한 5회분의 Actual Test를 후반부에 마련하였습니다. 본 교재의 장점은 전략서를 통해 기본기와 공략법을 세우고, 그것을 실전 문제에 적용해 볼 수 있다는 점입니다. 시중에 실전 연습을 할 수 있는 실전 문제집은 많지만, 기초를 닦고자 하는 학생들을 위한 실전서가 없기 때문에, 본 교재는 TEPS 청해를 처음 시작하는 학생들에게 매우 유용한 교재가 될 것입니다.

기본적으로 TEPS 청해의 고득점으로 가는 첫 걸음은 빈출하는 기출표현을 튼튼히 쌓아 놓는 것입니다. 보다 체계적인 기출표현 학습을 위해 상황별 초빈출 구어체 표현들을 정리해 놓았습니다. 또한 Part 4를 위한 전문용어들도 분야별로 정리해 놓았습니다. 알파벳 순서대로가 아닌 상황별, 분야별로 학습하는 어휘는 여러분의 청해 실력에 초석이 될 것입니다. 모르는 단어는 백번을 들어도 들리지 않습니다. 기출표현에 대한 지식을 탄탄하게 쌓아 놓으시길 바랍니다.

기출표현의 정리와 함께, 한국인들이 어려워하고 힘들어하는 발음들을 발음 법칙별로 정리하고, 이 발음이 실제 청해 시험에서 어떻게 활용될 수 있는지 연습문제까지 함께 실었습니다. 수년간 강의를 하며 학생들이 잘 듣지 못하는 발음을 꼼꼼히 정리한 노트를 바탕으로 정리했습니다. 스크립트를 보면 이해가 되는데, 들으면 이해가 안되는 현상을 효과적으로 해결 할 수 있으리라고 믿습니다.

마지막으로 이 책을 출판하게 해주신 넥서스 사장님과 넥서스와의 좋은 인연을 닿게 해주신 조상현 부장님, 책 구성에 많은 조언을 주신 넥서스 출판팀, 특히 임미정 부장님과 최지숙씨, 물심양면으로 많은 도움을 준 박상우씨와 사랑하는 가족들에게 감사를 드립니다.

강소영 · Jane Kim

Contents

Plus

- **책속의 책** Actual Test 5회분 Dictation Workbook
- Actual Test 5회분 Answer Sheet는 별도 제공
- MP3 CD

Structure

Tip 1 **받아쓰기를 하자**

● 핵심 포인트

Part 1, 2는 대화의 길이가 짧고 빠르게 진행된다. 워낙 짧고 빠르게 진행되다 보니, 정확하게 대화를 듣지
면 오답을 고르기 십상이다. 특히 Part 1의 경우, 첫 번째 화자의 말은 한 문장 혹은 두 문장으로 끝나므로 상
파악할 여지가 생기지 않는다. 즉, 조금만 놓쳐도 놓친 부분을 추론하기가 어렵다는 말이다. 그러므로 한 문징
문장을 정확하게 듣는 것이 관건이다. 대화를 정확하게 듣기 위해서는 받아쓰기를 통한 연습이 필요하다. Part
2를 받아쓰기 하는 것은 그리 많은 시간이 걸리지 않으면서도 정확하게 듣는 좋은 연습이 된다. 한 문장을
그 문장을 한꺼번에 쓰는 것이 힘들다면, 중간에 잠깐 음성을 멈추고 받아쓰기를 하거나 여러 번 반복을 해서
어도 괜찮다.

기출 문제

W It's all my fault. I should've listened to my mother.

M ________________

(a) That's the way mothers are.
(b) Come on. These things happen.
(c) You're always blaming someone else.
(d) Don't be critical of her.

1 파트별 핵심 전략

- 핵심 포인트: Part 1&2, Part 2, Part 3, Part 4로 나누어 각 파트별 핵심 전략을 실었습니다.
- 기출문제: 각각의 전략을 익힌 후, 기출문제를 통해 문제 유형을 파악할 수 있습니다.
- Basic Test & Warming-up Test: 전략 유형을 간단히 접해볼 수 있는 문제를 마련했습니다.
- Practice Test: 전략과 Basic Test & Warming-up Test를 통해 익힌 감각을 Practice Test를 통해 재확인할 수 있습니다.
- Dictation for Practice Test: Practice Test를 푼 후, 다시 한 번 들으면서 받아쓰기 할 수 있습니다. 중요한 어휘 및 구어체 표현들을 학습할 수 있습니다.

Actul Test 1

Part I Questions 1-15

You will now hear fifteen items, each made up of a single spoken statem
followed by four spoken reponses. Choose the most appropriate response
the statement.

1	(a)	(b)	(c)	(d)
2	(a)	(b)	(c)	(d)
3	(a)	(b)	(c)	(d)
4	(a)	(b)	(c)	(d)
5	(a)	(b)	(c)	(d)
6	(a)	(b)	(c)	(d)
7	(a)	(b)	(c)	(d)
8	(a)	(b)	(c)	(d)
9	(a)	(b)	(c)	(d)
10	(a)	(b)	(c)	(d)

2 Actual Test

- 청해는 별도의 문제지가 없으므로 MP3 CD를 들으면서 바로 답을 체크할 수 있는 Answer Sheets를 본책에 따로 첨부했습니다.

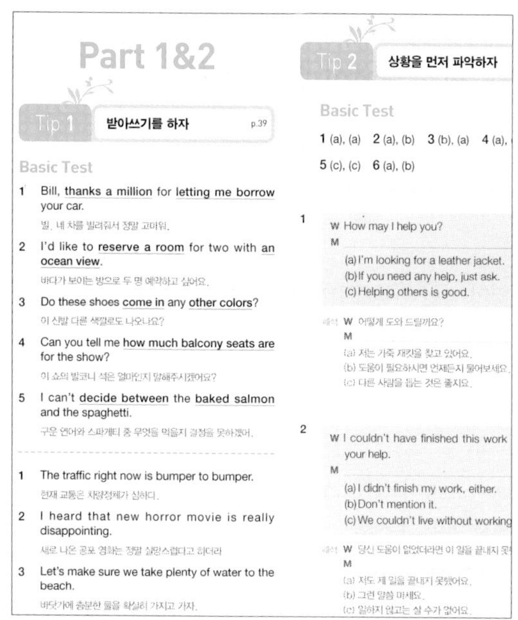

Part 1&2

Tip 1 받아쓰기를 하자 p.39

Basic Test

1 Bill, thanks a million for letting me borrow your car.
빌, 네 차를 빌려줘서 정말 고마워.

2 I'd like to reserve a room for two with an ocean view.
바다가 보이는 방으로 두 명 예약하고 싶어요.

3 Do these shoes come in any other colors?
이 신발 다른 색깔로도 나오나요?

4 Can you tell me how much balcony seats are for the show?
이 쇼의 발코니 석은 얼마인지 말해주시겠어요?

5 I can't decide between the baked salmon and the spaghetti.
구운 연어와 스파게티 중 무엇을 먹을지 결정을 못하겠어.

1 The traffic right now is bumper to bumper.
현재 교통은 차량정체가 심하다.

2 I heard that new horror movie is really disappointing.
새로 나온 공포 영화는 정말 실망스럽다고 하더라.

3 Let's make sure we take plenty of water to the beach.
바닷가에 충분한 물을 확실히 가지고 가자.

Tip 2 상황을 먼저 파악하자

Basic Test

1 (a), (a) 2 (a), (b) 3 (b), (a) 4 (a),
5 (c), (c) 6 (a), (b)

1 W How may I help you?
M
(a) I'm looking for a leather jacket.
(b) If you need any help, just ask.
(c) Helping others is good.

해석 W 어떻게 도와 드릴까요?
M
(a) 저는 가죽 재킷을 찾고 있어요.
(b) 도움이 필요하시면 언제든지 물어보세요.
(c) 다른 사람을 돕는 것은 좋지요.

2 W I couldn't have finished this work without your help.
M
(a) I didn't finish my work, either.
(b) Don't mention it.
(c) We couldn't live without working

해석 W 당신 도움이 없었더라면 이 일을 끝내지 못
M
(a) 저도 제 일을 끝내지 못했어요.
(b) 그런 말씀 마세요.
(c) 일하지 않고는 살 수가 없어요.

3 정답 및 해설

- Basic Test & Warming-up Test 정답 및 해석
- Practice Test 정답 및 해설
- Actual Test 정답 및 해설 (문제 난이도 표시)

Actual Test 1

Part I

1›› W ______________ ?
M ______________
(a) It was delicious.
(b) Great job, well done.
(c) I like it ______ .
(d) ______ salad first.

2›› M ______ take you home?
W ______________
(a) Don't bother.
(b) I am ______ .
(c) You should visit my place.
(d) ______ .

3›› W ______ ?
M ______________
(a) Can I ______ ?
(b) ______ is fine.
(c) ______ .
(d) ______ hear your opinion.

4 별책부록

- Actual Test Dictation Workbook : Actual Test 5회분에 대한 받아쓰기 연습을 할 수 있는 워크북을 별책 부록으로 마련했습니다.
- Actual Test Answer Sheets

*전략 파트의 기출문제와 Basic Test & Warming-up Test, Practice Test, Actual Test 5회분에 대한 MP3 파일이 하나의 CD안에 담겨있습니다.

TEPS 개요

TEPS란 Test of English Proficiency developed by Seoul National University의 약자로 서울대학교 언어교육원에서 개발하고, TEPS관리위원회에서 주관하는 국내 토종 영어 인증시험입니다.

- 서울대학교 언어교육원은 대한민국 정부가 공인하는 외국어 능력 측정 기관으로 32년간 정부기관, 각급 단체 및 기업체를 대상으로 어학능력을 측정해 왔습니다.

- TEPS는 국내외 유수한 대학에 종사하는 최고 수준의 영어 관련 전문가 100여명 가까운 인원이 출제하고 세계의 권위자로 구성된 자문위원회에서 검토하는 시험입니다.

- TEPS는 청해, 문법, 어휘, 독해에 걸쳐 총 200문항, 990점 만점의 시험입니다.

- TEPS는 언어 테스팅 분야의 세계적 권위자인 Bachman 교수(미국UCLA)와 Oller 교수(미국 뉴멕시코대)에게서 타당성을 검증받았으며, 여러 번의 시험적 평가에서 이미 그 신뢰도와 타당도가 입증된 시험입니다.

- TEPS는 우리나라 사람들의 살아 있는 영어 실력, 즉 의사소통 능력을 가장 효과적이고 정확하게 측정해 주는 시험이라고 할 수 있습니다.

- TEPS는 진정한 실력자와 비실력자를 확실히 구분할 수 있도록 구성된 시험으로서 변별력에 있어서 본인의 정확한 실력 파악에 실제적인 도움이 됩니다.

- TEPS 성적표는 수험생의 영어 능력을 영역별로 세분화한 평가를 해주기 때문에 수험자의 어느 부분이 탁월한지 잘 알 수 있을 뿐만 아니라 효과적인 영어공부 방향을 제시해 주기도 합니다.

- TEPS는 다양하고 일반적인 영어능력을 평가하는 시험으로 대학교, 기업체, 각종 기관 및 단체, 개인이 다양한 목적을 위해 응시할 수 있는 시험입니다.

TEPS의 구성

영역	파트별 내용	문항 수	총문항/시간	배점
청 해 Listening Comprehension	**Part I :** 질의응답(문장 하나를 듣고 이어질 대화 고르기) **Part II :** 짧은 대화(3개 문장의 대화를 듣고 이어질 대화 고르기) **Part III :** 긴 대화(6-8개 문장의 대화를 듣고 질문에 알맞은 답 고르기) **Part IV :** 담화문(담화문의 내용을 듣고 질문에 알맞은 답 고르기)	15 15 15 15	60문항 / 55분	400점
문 법 Grammar	**Part I :** 구어체(대화문의 빈칸에 적절한 표현 고르기) **Part II :** 문어체(문장의 빈칸에 적절한 표현 고르기) **Part III :** 대화문(대화에서 어법상 틀리거나 어색한 부분 고르기) **Part IV :** 담화문(담화문에서 문법상 틀리거나 어색한 부분 고르기)	20 20 5 5	50문항 / 25분	100점
어 휘 Vocabulary	**Part I :** 구어체(대화문의 빈칸에 적절한 단어 고르기) **Part II :** 문어체(문장의 빈칸에 적절한 단어 고르기)	25 25	50문항 / 15분	100점
독 해 Reading Comprehension	**Part I :** 빈칸 채우기(지문을 읽고 질문의 빈칸에 들어갈 내용 고르기) **Part II :** 내용 이해(지문을 읽고 질문에 가장 적절한 내용 고르기) **Part III :** 흐름 찾기(지문을 읽고 문맥상 어색한 내용 고르기)	16 21 3	40문항 / 45분	400점
총 계	13개의 세부 영역	200	140분	990점

* IRT(Item Response Theory)에 의하여 최고점은 990점, 최하점은 10점으로 조정됨.

TEPS의 특징

+ 한국인에게 알맞은 영어 시험

우리 국민 대다수가 초·중·고교에서 10년 동안 영어를 배우고, 대학과 직장에서 또다시 영어교육을 받지만 한국은 아시아에서도 한참 뒤떨어진 영어후진국 신세를 면치 못하고 있습니다.
미국과 영국에서 개발한 영어교육체계와 어학검정시험을 쫓아 매년 수십만 명이 동분서주하지만 눈에 띄는 성과를 거두지는 못했습니다. 사고방식과 언어 습관이 다른 외국인이 한국인의 고민을 알기는 어렵습니다.
TEPS는 영어와 한국어를 다 잘하는 국내 최고의 연구진이 영어와 한국어의 언어적 특성을 대조·분석하고 한국인들이 범하기 쉬운 오류를 찾아 출제에 적극 반영합니다. 따라서 TEPS는 한국인에게 가장 필요한 영어 학습 지침을 제공하는 시험이라고 할 수 있습니다.

+ 편법이 통하지 않는 시험

개인의 어학 능력은 결코 단기간에 급속도로 향상되지 않습니다. 그런데도 실력 배양은 아랑곳하지 않고 영어성적만을 올리기 위해 요령과 편법을 가르치는 교육기관이 많습니다.
TEPS는 있는 그대로의 영어 능력을 정확하게 진단합니다. 예를 들어 청해 시험은 인쇄된 질문지 및 선택지 없이 방송으로만 들려주기 때문에 미리 문제를 보고 답을 예측해 보는 요령이 통하지 않습니다. 또한 독해 시험에 있어서는 '1지문 1문항 원칙'을 지켜 한 문제로 다음 문제의 답을 유추할 수 있는 가능성을 원천적으로 배제하고 있습니다. 따라서 TEPS는 편법이 통하지 않는 시험입니다.

+ 활용 능력을 중시하는 시험

외국인과 영어로 대화할 때 상대방이 질문을 던질 경우, 한참동안 문법과 어휘를 고민해서 대답할 수는 없는 노릇입니다. 암기식으로 배운 영어로는 실제 상황에서 제 실력을 발휘할 수 없습니다.
TEPS는 일상생활에서의 활용능력을 정확하게 측정해 주는 시험입니다. TEPS는 기존의 다른 시험에 비해 많은 지문을 주고 이를 짧은 시간 내에 이해하여 풀어낼 수 있는지를 측정합니다. 이는 실제 생활에서 활용할 수 없는 암기식 영어가 아니라 완전히 습득되어 자유롭게 구사할 수 있는 '살아 있는' 영어 실력을 평가하기 위한 것입니다.

+ 경제성과 효율성을 갖춘 시험

TEPS는 서울대 언어교육원이 자체 개발한 시험으로 외국에 비싼 로열티를 지불하는 다른 시험과는 달리 응시 비용이 매우 저렴합니다.

채점방식이 다른 시험

TEPS는 첨단 어학 능력 검증 기법인 문항 반응 이론(IRT: Item Response Theory)을 도입했습니다. 문항 반응 이론은 문항을 개발할 때 문항별로 1차 난이도를 정의하고 시험 시행 후 전체 수험자들이 각각의 문항에 대해 맞고 틀린 것을 종합해 그 문항의 난이도를 재조정한 다음, 이를 근거로 다시 한 번 채점해 최종성적을 내게 됩니다. 이 과정에서 최고점은 990점, 최하점은 10점으로 조정됩니다.

문항 반응 이론은 맞은 개수의 합을 총점으로 하는 전근대적인 평가방식과는 달리, 각 문항의 난이도와 변별도에 대한 수험자의 반응 패턴을 근거로 영어 능력을 추정하는 확률 이론입니다.

문항 반응 이론을 적용할 경우, 낮은 난이도의 문제를 많이 틀린 수험자가 높은 난이도의 문제를 맞힐 경우 실력에 관계없이 추측이나 우연히 맞힐 가능성이 높다고 보고 감점 처리합니다. 이러한 문항 반응 이론은 가장 선진적인 검정 방식으로서 TEPS는 이 이론에 기초한 국내 최초의 영어 능력 평가 시험입니다.

실용영어 능력 평가

실용영어는 사소한 대화를 위주로 하는 생활영어와는 다른 범주입니다. 평균적인 교양을 갖춘 일반인이 가정, 직장, 공공장소 등 일상적인 환경과 생활에서 사용하는 영어를 뜻합니다. 일상적인 대화는 물론, 신문, 잡지, 방송, 매뉴얼, 예약, 주문, 구매, 일반적인 상담 등이 모두 실용영어의 범주에 포함됩니다.

TEPS는 누구나 쉽게 접하는 상황에서 추출된 소재를 중심으로 문제를 구성하여, 범용적인 영어 능력을 평가합니다. 따라서 성별, 직업, 나이에 관계없이 일반 대중들의 영어 능력을 객관적으로 평가할 수 있는 시험입니다.

신속한 결과 통보, 학습 방향을 제시해주는 성적 진단

TEPS는 점수만 알려주고 끝나는 시험이 아닙니다. 청취, 문법, 어휘, 독해 등 영역별로 점수를 산출하고, 다시 각 영역을 기능, 소재, 문체별로 세분하여 18개 부문에서 항목별 성취도를 알려 줍니다. 따라서 성적표를 통해 수험자의 강점, 약점은 물론 추후 학습 방향을 명확하게 제시합니다.

TEPS 출제 원칙

통합식 시험 (Integrative Test)

지엽적인 학습을 조장할 우려가 있는 분리식 시험(Discrete-Point Test) 유형을 배제하고 실제 의사소통 상황과 문맥 파악을 중시하는 통합식 시험(Integrative Test) 유형을 강조함으로써 수험자의 폭넓은 어학 능력을 평가할 수 있습니다.

국부 독립성 (Local Independence)

첨단 테스트 기술인 문항 반응 이론(IRT: Item Response Theory)을 활용하여 각 부분의 독립성을 보장합니다. 예를 들어 '1지문 1문항'의 원칙에 따라 다양한 내용의 지문을 수험생들이 접할 수 있게 하고, 동시에 어느 한 지문을 이해하지 못함으로써 몇 개의 문항을 연이어 틀리는 일이 없도록 했습니다. 국부 독립성에 따른 문항 반응 이론은 환상의 어학 능력 평가로 기대를 모으고 있는 컴퓨터 개별 적응 언어 평가(CALT: Computer Adaptive Language Test)의 핵심 요소이기도 합니다.

속도화 시험 (Speeded Test)

간접적인 의사소통 능력 평가로서 문법 및 어휘 시험에서는 속도 시험의 속성을 극대화하여 언어학적 지식(Learning)이 아닌 잠재적인 의사소통 능력(Acquisition)을 평가합니다.

진단 평가 (Diagnostic Test)

세부 영역별로 평가 결과를 제시하여 수험자 개인의 능력을 정확하게 진단합니다. 교육과 평가가 마치 실과 바늘처럼 서로 맞물려 발전해야 한다는 원칙에 따라 최대한 자세히 검정 결과를 분석해 수험생들의 향후 학습 방향을 알려줍니다.

TEPS 출제 경향

청해 (Listening Comprehension) - 60문항

정확한 청해 능력을 측정하기 위하여 문제와 보기 문항을 문제지에 인쇄하지 않고 들려줌으로써 자연스러운 의사소통의 인지 과정을 최대한 반영하였습니다. 다양한 의사소통 기능(Communicative Functions)의 대화와 다양한 상황(공고, 방송, 일상 생활, 업무 상황, 대학 교양 수준의 강의 등)을 이해하는 데 필요한 전반적인 청해력을 측정하기 위해 대화문(dialogue)과 담화문(monologue)의 소재를 균형 있게 다루었습니다.

문법 (Grammar) - 50문항

밑줄 친 부분 중 오류를 식별하는 유형 등의 단편적이며 기계적인 문법 지식 학습을 조장할 우려가 있는 분리식 시험 유형을 배제하고, 의미 있는 문맥을 근거로 오류를 식별하는 유형을 통하여 진정한 의사소통 능력의 바탕이 되는 살아 있는 문법, 어법 능력을 문어체와 구어체를 통하여 측정합니다.

어휘 (Vocabulary) - 50문항

문맥 없이 단순한 동의어 및 반의어를 선택하는 시험 유형을 배제하고 의미 있는 문맥을 근거로 가장 적절한 어휘를 선택하는 유형을 문어체와 구어체로 나누어 측정합니다.

독해 (Reading Comprehension) - 40문항

교양 있는 수준의 글(신문, 잡지, 대학 교양과목 개론 등)과 실용적인 글(서신, 광고, 홍보, 지시문, 설명문, 도표, 양식 등)을 이해하는 데 요구되는 총체적인 독해력을 측정하기 위해서 실용문 및 비전문적 학술문과 같은 독해 지문의 소재를 균형 있게 다루었습니다.

TEPS 영역별 유형

청해 (Listening Comprehension)-60문항

PART I (15문항)

영역 설명　Part I은 질의 응답 문제를 다루며 한 번만 들려줍니다. 내용 자체는 단순하고 기본적인 수준의 생활 영어 표현으로 구성되어 있지만 교과서적인 지식보다는 재빠른 상황 판단 능력을 요구합니다. 따라서 Part I에서는 속도 적응 능력뿐만 아니라 순발력 있는 상황 판단 능력이 요구됩니다.

Listen and choose the most appropriate response to the statement.

M How shall I address you?
W ______________________

(a) Just call me John.
(b) 39 Morrison Avenue.
(c) Don't send me a letter.
(d) I don't like making speeches.

정답 : (a)

PART II (15문항)

영역 설명　Part II는 짧은 대화 문제로서 두 사람이 A-B-A-B 순으로 보통 속도로 대화하는 형식이며, 소요 시간은 약 12초 전후로 짧게 구성되어 있습니다. Part I과 마찬가지로 한 번만 들려줍니다.

Listen and choose the most appropriate response to comlpte the conversation .

M How long were you thinking of renting a car?
W For ten days in September.
M When exactly do you have in mind?
W ______________________________

(a) I thought of it last Monday.
(b) The end of September.
(c) I'm too young to rent one yet.
(d) Nothing is further from my mind.

정답 : (b)

PART III (15문항)

영역 설명　Part III는 앞의 두 파트에 비해 다소 긴 대화를 들려줍니다. 대신 대화 부분과 질문을 두 번씩 들려주기 때문에 길이가 긴 데 비해 많이 어렵다고 할 수는 없습니다.

Listen and choose the option that best answers the question.

W The conference is only two months away and we still don't have a venue.
M Maybe we should reserve the same hall we used last time.
W I think it might be too small this year.
M You're probably right. The company has really grown over the past year.
W How about looking into one of the rooms at the convention center?
M Sure. I heard they have connections with a good caterer, too.

Q What is the conversation mainly about?

(a) Hiring new employees
(b) Organizing an annual event
(c) Expanding an office building
(d) Catering a party in two months

정답 : (b)

PART IV (15문항)

영역 설명 Part IV는 담화문을 다룹니다. 영어권 국가에서 영어로 뉴스를 듣거나 강의를 들을 때와 비슷한 상황을 설정하여 얼마나 잘 이해하는지를 측정합니다. 이야기의 주제, 세부 사항, 사실 여부 및 이를 근거로 한 추론 등을 다룹니다. 직청 직해 실력, 즉 들으면서 곧바로 내용을 이해할 수 있는지를 평가합니다. 담화 부분과 질문을 두 번씩 들려줍니다.

Listen and choose the option that best answers the question.

Hello, everyone. We'll continue our discussion of American newspapers today. Does anyone care to guess what the most popular section of the paper is? Well, it's not the front page, the weather report, or even - sorry to disappoint you sports fans - the sports page. It's the comics. Now, my bet is that even those of you who rarely read the paper at all can't resist glancing at the comics. True?

Q According to the talk, what is the most popular section of the paper?

(a) The front page
(b) The weather report
(c) The sports page
(d) The comics

정답 : (d)

TEPS 영역별 유형

문법 (Grammar)-50문항

PART I (20문항)

영역 설명 Part I은 A, B 두 사람의 짧은 대화를 통해 전치사 표현력, 구문 이해력, 품사 이해도, 시제, 접속사 등 문법에 대한 이해력을 묻는 형태로 되어 있습니다. 주로 후자(B)의 대화 중에 빈칸이 있고, 그 곳에 들어갈 적절한 표현을 고르는 형식입니다.

Fill in the blank with the most appropriate word or phrase.

A Have you read the book italics, no quotes?
B No. Who ______________ it?
(a) wrote
(b) writes
(c) has written
(d) had written

정답 : (a)

PART II (20문항)

영역 설명 Part II는 문어체 질문을 다룹니다. 서술문 속의 빈칸을 채우는 문제로 총 20문항으로 되어 있습니다. 이 파트에서는 문법 자체에 대한 이해도는 물론 구문에 대한 이해력이 중요합니다.

Fill in the blank with the most appropriate word or phrase.

On reaching ______________ four, Mozart was given harpsichord lessons by his father.
(a) age of
(b) the age
(c) an age of
(d) the age of

정답 : (d)

PART III (5문항)

영역 설명 Part III는 대화문에서 어법상 틀리거나 어색한 부분이 있는 문장을 고르는 다섯 문항으로 구성되어 있습니다. 이 영역 역시 문법뿐만 아니라 정확한 구문 파악, 회화 내용의 식별능력이 대단히 중요합니다.

Identify the grammatical error in the dialogue.

(a) A: That cold sounds pretty bad.
(b) B: Yeah, it is. Don't get too close.
(c) A: Let me make you a cup of herbal tea.
(d) B: Gee, that's nice for you!

정답 : (d)

PART IV (5문항)

영역 설명 Part IV는 한 문단을 주고 그 가운데 문법적으로 틀리거나 어색한 문장을 고르는 다섯 문항으로 되어 있습니다. 틀린 부분을 신속하게 골라야 하므로 속독 능력도 중요한 작용을 합니다.

Identify the ungrammatical sentence in the passage.

(a) Put an ice cube into a glass of water.
(b) Look through the side of the glass.
(c) You will see that most ice cube is under the surface of the water.
(d) The little ice cube in the glass acts just like a giant iceberg in the ocean.

정답 : (c)

어휘 (Vocabulary)-50문항

PART I (25문항)

영역 설명 Part I은 구어체로 되어 있는 A, B의 대화 중 빈칸에 가장 적절한 단어를 넣는 25문항으로 구성되어 있습니다. 단어의 단편적인 의미보다는 문맥에서 쓰인 상대적인 의미를 더 중요시합니다.

Choose the most appropriate word or expression for the blank in the conversation.

A Could you tell me how to get to First National Bank?
B Sure, make a left ________ at the first light and go straight for two blocks.

(a) stop
(b) turn
(c) way
(d) path

정답 : (b)

PART Ⅱ (25문항)

영역 설명 Part Ⅱ는 하나 또는 두 개의 문장으로 구성된 글 속의 빈칸에 가장 적당한 단어를 골라 넣는 부분입니다. 어휘를 늘릴 때 한 개씩 단편적으로 암기하는 것보다는 하나의 표현으로, 즉 의미구로 알아 놓는 것이 15분이라는 제한된 시간 내에 어휘 시험을 정확히 푸는 데 많은 도움이 될 것입니다.

Choose the most appropriate word or expression for the blank in the statement.

This videotape ______________ for three and a half hours.

(a) gets
(b) views
(c) runs
(d) takes

정답 : (c)

독해 (Reading Comprehension)-40문항

PART Ⅰ (16문항)

영역 설명 Part Ⅰ은 빈칸 넣기 유형입니다. 한 단락의 글을 주고 그 안에 빈칸을 넣어 알맞은 표현을 고르는 16문항으로 이루어져 있습니다. 글 전체의 흐름을 파악하여 문맥상 빈칸에 들어 갈 내용을 찾는 문제입니다.

Read the passage and choose the option that best fits the blank.

Athletes look good while they work out, but they may not feel so great. A report suggests that up to 70% may experience stomach distress during exercise. Competitive runners are prone to lower-bowel problems like diarrhea, probably because blood rushes from the intestines to their hardworking leg muscles. Weight lifters and cyclists, for their part, tend to ______________________.

(a) feel stronger
(b) exercise too much
(c) strive for weight loss
(d) suffer from heartburn

정답 : (d)

PART Ⅱ (21문항)

영역 설명 Part Ⅱ는 글의 내용 이해를 측정하는 문제로 21문항으로 구성되어 있습니다. 주제나 대의 혹은 전반적 논조 파악, 세부내용 파악, 논리적 추론 등이 있습니다.

Choose the option that correctly answers the question.

Parents who let kids surf online without supervision may want to think again. Though most children and teens know they shouldn't give strangers personal information, a new study finds that many young people feel it's OK to reveal potentially sensitive family data in exchange for a prize. Nearly two out of every three children were willing to name their favorite stores, and about a third would tell about their parents' driving records, alcohol consumption, political discussions, work attendance and church-going habits.

Q What is the best title for the passage?

(a) Unsupervised Children Reveal Personal Information
(b) Parents Have Difficulty Controlling Their Children
(c) Prizes Given to Children on the Internet
(d) Internet Privacy: a Thing of the Past

정답 : (a)

PART Ⅲ (3문항)

영역 설명 Part Ⅲ는 한 문단의 글에서 내용의 흐름상 어색한 곳을 고르는 문제로 3문항으로 이루어져 있습니다. 전체 흐름을 파악하여 흐름상 필요 없는 내용을 고르는 문제입니다. 이런 유형의 문제는 응집력 있는 영작문 실력을 간접적으로 측정할 수도 있습니다.

Identify the sentence that least fits the context of the passage.

The emphasis on winning-whether a soccer game or spelling contest-is especially inappropriate for school-age children. (a) This is a time when they're mastering basic skills, both in sports and academic subjects. (b) The real challenge is when children grow up and become teenagers. (c) Children should be encouraged for doing their best, no matter what. (d) Building confidence is what's important, not just winning.

정답 : (b)

TEPS 등급표

등급	점수	영역	능력검정기준(Description)
1+급 Level 1	901-990	전반	외국인으로서 최상급 수준의 의사소통능력 : 교양 있는 원어민에 버금가는 정도로 의사소통이 가능하고 전문분야 업무에 대처할 수 있음. (Native Level of Communicative Competence)
1급 Level 1	801-900	전반	외국인으로서 거의 최상급 수준의 의사소통능력 : 단기간 집중 교육을 받으면 대부분의 의사소통이 가능하고 전문분야 업무에 별 무리 없이 대처할 수 있음. (Near-Native Level of Communicative Competence)
2+급 Level 2	701-800	전반	외국인으로서 상급 수준의 의사소통능력 : 단기간 집중 교육을 받으면 일반분야 업무를 큰 어려움 없이 수행할 수 있음. (Advanced Level of Communicative Competence)
2급 Level 2	601-700	전반	외국인으로서 중상급 수준의 의사소통능력 : 중장기간 집중 교육을 받으면 일반분야 업무를 큰 어려움 없이 수행할 수 있음. (High Intermediate Level of Communicative Competence)
3+급 Level 3	501-600	전반	외국인으로서 중급 수준의 의사소통능력 : 중장기간 집중 교육을 받으면 한정된 분야의 업무를 큰 어려움 없이 수행할 수 있음. (Mid Intermediate Level of Communicative Competence)
3급 Level 3	401-500	전반	외국인으로서 중하급 수준의 의사소통능력 : 중장기간 집중 교육을 받으면 한정된 분야의 업무를 다소 미흡하지만 큰 지장은 없이 수행할 수 있음. (Low Intermediate Level of Communicative Competence)
4+급 Level 4	201-400	전반	외국인으로서 하급수준의 의사소통능력 : 장기간의 집중 교육을 받으면 한정된 분야의 업무를 대체로 어렵게 수행할 수 있음. (Novice Level of Communicative Competence)
5+급 Level 5	101-200	전반	외국인으로서 최하급 수준의 의사소통능력 : 단편적인 지식만을 갖추고 있어 의사소통이 거의 불가능함. (Near-Zero Level of Communicative Competence)

TEPS 성적표

TEPS Test of English Proficiency developed by Seoul National University

SCORE REPORT

NAME	REGISTRATION NO.
HONG GIL DONG	0123456
DATE OF BIRTH	TEST DATE
JAN. 01. 1980	MAR. 02. 2008
GENDER	VALID UNTIL
MALE	MAR. 01. 2010

NO : RAAAA0000BBBB

TOTAL SCORE AND LEVEL

SCORE	LEVEL
768	2+

SECTION	SCORE	LEVEL	%
Listening	307	2+	77 / 59
Grammar	76	2+	76 / 52
Vocabulary	65	2	65 / 56
Reading	320	2+	80 / 61

0% 100% ■ your percentage ■ average

OVERALL COMMUNICATIVE COMPETENCE

89.89%

A score at this level typically indicates an advanced level of communicative competence for a non-native speaker. A test taker at this level is able to execute general tasks after a short-term training.

SECTION			PERFORMANCE EVALUATION
Listening	PART I PART II PART III PART IV	86% 66% 86% 66%	A score at this level typically indicates that the test taker has a good grasp of the given situation and its context and can make relevant responses. Can understand main ideas in conversations and lectures when they are explicitly stated, understand a good deal of specific information and make inferences given explicit information.
Grammar	PART I PART II PART III PART IV	84% 75% 99% 21%	A score at this level typically indicates that the test taker has a fair understanding of the rules of grammar and syntax and has internalized them to a degree enabling them to carry out meaningful communication.
Vocabulary	PART I PART II	72% 56%	A score at this level typically indicates that the test taker has a good command of vocabulary for use in everyday speech. Able to understand vocabulary used in written contexts of a more formal nature, yet may have difficulty using it appropriately.
Reading	PART I PART II PART III	68% 90% 66%	A score at this level typically indicates that the test taker is at an advanced level of understanding written texts. Can abstract main ideas from a text, understand a good deal of specific information and draw basic inferences when given texts with clear structure and explicit information.

THE TEPS COUNCIL

TEPS-TOEIC-TOEFL 비교

등 급	TEPS	TOEIC	TOEFL (iBT)
시험명	Test of English Proficiency developed by Seoul National University	Test of English for International Communication	Test of English as a Foreign Language (Internet-Based Test)
개발기관	서울대학교 언어교육원	미국 ETS (Educational Testing Service)	미국 ETS (Educational Testing Service)
개발목적	한국인의 실용 영어능력 평가	비즈니스 커뮤니케이션 영어 능력 평가	미국 등 영어권 국가의 대학 또는 대학원에서 외국인의 영어능력 평가
시행기관	TEPS 관리위원회	재단법인 국제교류진흥회	ETS
시험시간	2시간 20분	2시간	약 4시간
문항수	200문항	200문항	78~129문항
만점	990점	990점	120점
구성	청해: 60문항 / 55분 / 400점 문법: 50문항 / 25분 / 100점 어휘: 50문항 / 15분 / 100점 독해: 40문항 / 45분 / 400점	L/C: 100문항 / 45분 / 495점 R/C: 100문항 / 75분 / 495점	Reading: 36~70문항 / 60~100분 / 0~30점 Listening: 34~51문항 / 60~90분 / 0~30점 Speaking: 6문항 / 20분 / 0~30점 Writing: 2문항 / 50분 / 0~30점
검정 기준	Criterion-referenced Test (절대 평가)	Norm-referenced Test (상대 평가)	Norm-referenced Test (상대 평가)
시행방법	정기시험: 연 12회 특별시험: 수시	정기시험: 연 12회 특별시험: 수시	연 30~40회
성적통보	정기시험: 2주 특별시험: 5일	정기시험: 20일 특별시험: 10일 이내	15일
성적 유효기간	2년	2년	2년
응시료	36,000원	42,000원	$170

TEPS-TOEIC-TOEFL 점수환산표

TEPS	TOEIC	IBT	TEPS	TOEIC	IBT	TEPS	TOEIC	IBT
953~	990	120	756~763	850	100	582~587	710	83
948~952	985	120	750~755	845	100	578~571	705	83
941~947	980	119	743~749	840	98	572~577	700	82
935~940	975	118	736~742	835	98	567~571	695	82
928~934	970	118	729~735	830	96	561~566	690	80
922~927	965	117	723~728	825	96	557~560	685	80
915~921	960	116	716~722	820	95	551~556	680	78
908~914	955	114	710~715	815	95	546~550	675	78
901~907	950	114	702~709	810	94	541~545	670	76
894~900	945	114	696~701	805	94	536~540	665	75
887~893	940	113	689~695	800	94	532~535	660	75
880~886	935	113	684~688	795	93	527~531	655	75
872~879	930	111	677~683	790	93	521~526	650	73
865~871	925	110	671~676	785	91	517~520	645	71
857~864	920	110	664~670	780	91	512~516	640	71
851~856	915	109	658~663	775	91	508~511	635	70
843~850	910	109	652~657	770	89	503~507	630	70
836~842	905	107	646~651	765	89	498~502	625	70
828~835	900	107	640~645	760	89	494~497	620	68
822~827	895	105	634~639	755	89	490~493	615	65
814~821	890	105	628~633	750	87	485~489	610	64
807~813	885	103	622~627	745	87	481~484	605	57
799~806	880	103	616~621	740	87	476~480	600	57
793~798	875	103	611~615	735	87	472~475	595	57
785~792	870	101	605~610	730	85	468~471	590	57
778~784	865	101	600~604	725	85	464~467	585	56
771~777	860	100	593~599	720	83	460~463	580	51
764~770	855	100	588~592	715	83	456~459	575	50

TEPS FAQ

1. TEPS의 성적 유효 기간은 어떻게 되나요?

-2년입니다.

2. TEPS 관리위원회에서 인정하는 신분증은 무엇인가요?

▶ **주민등록증 발급자 〈만 17세 이상〉** - 주민등록증, 운전면허증, 기간 만료 전의 여권, 공무원증

기타 장교라면 → 장교신분증
사병이라면 → TEPS 정기시험 신분확인증명서
주민등록증을 분실했다면 → 주민등록증 발급확인서(동, 읍, 면사무소에서 발급)
외국인이라면 → 외국인 등록증

▶ **주민등록증 미발급자 〈만 17세 미만〉** - 기간 만료 전의 여권, TEPS 정기시험 신분확인증명서, 청소년증

기타 외국인이라면 → 기간 만료 전의 여권, 외국인 등록증

※ 시험당일 신분증 미지참자 및 규정에 맞지 않는 신분증 소지자는 시험에 절대로 응시할 수 없습니다. 중 · 고등학교, 대학교 학생증은 신분증으로 인정되지 않습니다.

3. TEPS 문제지에 메모해도 되나요?

- 네. 그러나, 별도의 용지(좌석표, 수험표 등)에 메모를 하면 부정행위로 간주되어 규정에 의거하여 처리됩니다.

4. TEPS의 고사장 변경은 어떻게 하나요?

▶ **변경 기간** - 응시일 13일 전부터 7일 전까지

▶ **변경 방법** - www.teps.or.kr → 나의 시험 정보 → 접수 정보 관리

▶ **변경 조건**

① 1회에 한하여 변경 가능합니다.
② 고사장의 지역을 변경할 경우에만 가능합니다. (같은 지역 내 고사장 변경은 불가함)
③ 고사장의 여분에 맞춰 선착순 신청이며 조기에 마감될 수 있습니다.

※ 추가 접수의 경우에는, 시험일 5일 전까지 유선을 통하여 신청해야 합니다.

5. TEPS 시험 볼 때 사용할 수 있는 필기구는 무엇인가요?

- 컴퓨터용 사인펜, 수정테이프 (컴퓨터용 연필, 수정액은 사용 불가)

6. TEPS 시험을 연기할 수 있나요?

- 아니오. 접수 취소를 해야 합니다.

7. TEPS는 추가 접수를 할 수 있나요?

- 네. 시험일자 10일 전부터 4일간 추가 접수 기간이 있습니다. 추가 접수 응시료에는 일반 응시료의 10%가 특별 수수료로 부가됩니다.

8. TEPS는 인터넷으로 접수 취소할 수 있나요?

- 네. www.teps.or.kr에 회원가입을 해야 합니다.
- **접수 기간 내** - 전액 환불
- **접수 기간 1일 후 ~ 2주** - 18,000원 환불
- **접수 기간 2주 후 ~ 시험 당일** - 12,000원 환불
- **추가 접수 기간 1일 후 ~ 시험 당일** - 12,000원 환불

9. 수험표는 흑백프린터를 사용해도 되나요?

- 수험표는 흑백, 칼라 아무거나 사용하셔도 상관없습니다.

10. OMR Sheet에 기재한 비밀번호가 생각나지 않을 때는 어떻게 해야 하나요?

- www.teps.or.kr에 로그인 하신 다음 비밀번호 입력란에 로그인 password를 다시 한 번 입력하시면 성적확인이 가능합니다.

11. 성적표 주소 변경은 어떻게 해야 하나요?

- **변경 기간** - 응시일 13일 전부터 7일 전까지
- **변경 방법** - www.teps.or.kr → 나의 시험 정보 → 접수 정보 관리

12. 시험 점수는 얼마 후에 알게 되나요?

- 정기시험의 성적은 시험일로부터 15일 이후 ARS나 www.teps.or.kr에서 확인이 가능합니다. 정기시험 성적표는 시험일로부터 대략 20일 안에 우편으로 발송되고, 특별시험 성적표는 시험일로부터 7일 이내에 해당 기관이나 단체로 통보됩니다.

TEPS 활용 기업 및 정부 기관

국내 기업 - 신입사원 채용

(주)포스코, (주)현대오토넷, CJ그룹, GM 대우, GS건설, GS칼텍스(주), GS홀딩스, KTF, KTFT, LG CNS, LG PHILIPS, LG전자, LG텔레콤, LG화학, LS산전, LS전선, SK그룹, SPC그룹, 경남기업(주), 교원그룹, 국도화학, 국민일보, 금강고려화학, 남양유업, 농심, 대림산업, 대우건설, 대우인터내셔널, 대우자동차판매(주), 대우정보시스템(주), 대우조선해양, 동부그룹, 동부제강, 동양그룹, 동양시멘트(주), 동원 F&B, 삼성그룹, 새한그룹, 신세계, 쌍용건설, 오뚜기, 오리온, 유한킴벌리, 일진그룹, 제일화재, (주)벽산, (주)코오롱, (주)태평양, 코리아나화장품, 포스코건설, 풀무원, 하이닉스반도체, 하이마트, 한솔그룹, 한진중공업, 한진해운, 현대건설, 현대기아자동차그룹, 현대모비스(주), 현대상선, 현대오일뱅크, 현대종합상사, 현대하이스코, 효성그룹

공기업 - 신입사원 채용

KOTRA, KT, KT&G, 공무원연금관리공단, 교통안전공단, 국립공원관리공단, 국민연금관리공단, 국민체육진흥공단, 근로복지공단, 농수산물유통공사, 농업기반공사, 대한광업진흥공사, 대한법률구조공단, 대한주택공사, 대한주택보증, 대한지적공사, 마사회, 서울메트로, 서울시농수산물공사, 서울시도시철도공사, 수출보험공사, 에너지관리공단, 인천관광공사, 인천국제공항공사, 인천항만공사, 자산관리공사, 중소기업진흥공단, 중소기업협동조합중앙회, 한국가스공사, 한국공항공사, 한국관광공사, 한국국제협력단, 한국남동발전(주), 한국남부발전(주), 한국농촌공사, 한국도로공사, 한국동서발전(주), 한국방송광고공사, 한국산업단지공단, 한국산업안전공단, 한국서부발전(주), 한국석유공사, 한국소방검정공사, 한국수력원자력, 한국수자원공사, 한국수출입은행, 한국원자력연료(주), 한국인삼공사, 한국전력, 한국조폐공사, 한국주택금융공사, 한국중부발전(주), 한국지역난방공사, 한국철도공사, 한국철도시설공단, 한국컨테이너부두공단, 한국토지공사, 한국환경자원공사, 한전기공(주), 환경관리공단

금융권 - 신입사원 채용

SK생명, 광주은행, 교보생명보험(주), 기술신용보증기금, 기업은행, 농협중앙회, 대우캐피털, 동양화재, 새마을금고연합회, 수협은행, 수협중앙회, 신동아화재보험, 신한은행, 신한카드, 쌍용화재, 알리안츠생명, 우리은행, 제일화재, 푸르덴셜생명(주), 하나은행, 현대해상화재보험(주), LIG 손해보험(주), 부산은행, 대우증권, 대신증권, 동부화재(주), 대구은행, 매리츠증권, 현대카드, 현대캐피털, 경남은행, 비씨카드

언론사 - 기자, 아나운서, 직원 채용

기자, 아나운서, 직원 채용 - 경기방송, CBS, EBS, GTB(강원방송), KBS, MBC, PSB(부산방송), SBS, UBC(울산방송), YTN

기자, 직원 채용 - 경상일보, 대구매일신문, 동아일보, 매일신문, 부산일보, 서울경제신문, 연합뉴스, 영남일보, 전자신문, 조선일보, 중앙일보, 충청투데이, 파이낸셜 뉴스, 한국일보

직원 채용 - 한국방송위원회

외국계 - 직원 평가, 신입사원 채용

직원 평가 - (주)스타벅스커피 코리아, AB코리아, ABB코리아, 토비스, 푸르덴셜생명보험, 한국썬마이크로시스템즈, 한국하인즈, 한국화이자

신입사원 채용 - 마이크로소프트코리아(인턴), 소니코리아, 한국쓰리엠(주), 한국아스트라제네카, 한국 IBM, P&G Korea, 유한킴벌리, 볼보건설 기계코리아(주), 한국 후지쯔, 한국 다이이찌산쿄(주), 한국알박(주), 앰코코리아(주)

정부 기관 - 직원 채용, 해외 파견, 해외 연수, 직원 평가 등

강원도 교육청, 건설공제조합, 경기도 교육청, 경기도청, 경남교육청, 광주시교육청, 교육과학기술부, 국립암센터, 국립의료원, 국방부, 국방기술품질원, 국세청, 국립국제교육원, 국회사무처, 금융감독원, 금융결제원, 기술표준원, 농촌진흥청, 대구시교육청, 대전시교육청, 경호처, 대한상공회의소, 대한적십자사, 대한체육회 대한올림픽위원회, 법무부, 법원행정처, 보건복지가족부, 부산시교육청, 부산시청, 산림청, 산재의료관리원, 서울대병원, 서울시교육청, 서울시청, 서울지방경찰청, 한국소방안전협회, 여성부, 외교통상부, 인천시교육청, 전남교육청, 전북교육청, 지식경제부, 중앙공무원교육원, 충남교육청, 충북교육청, 충북지방경찰청, 한국감정원, 한국산업은행, 한국원자력연구원, 한국은행, 한국정보사회진흥원, 한국전자통신연구원, 해양경찰청, 행정안전부

Sound Training

스크립트 보면 이해가 되는데 듣기만 하면 이해가 안 된다구요? 그것은 너무나 당연한 현상입니다. 여러분이 기대하는 발음과 실제 원어민이 하는 발음이 다르기 때문입니다. 쓰인 그대로 소리나지 않는 다소 까다로운 발음 법칙을 익히고 연습한다면 이러한 문제가 해결이 될 것입니다. 많이만 듣는다고 해결되는 것이 아닙니다. 열심히 따라 읽으셔야 잘 들린다는 사실을 명심하세요.

Rule 1. [강모음 + t + 약모음]: 모음 사이에서 [t]는 [r]로 소리 난다

*강모음: 강세가 오는 모음

't'가 모음 사이에 있을 때 'r' 사운드로 변화되어 소리가 납니다. 흔히들 말하는 굴리는 소리가 나는 거죠. 't' 사운드를 'r' 사운드로 변화시켜 소리를 내면 훨씬 편하기 때문에, 이렇게 변화가 된 것입니다. '워터'보다 '워러'로 소리를 내는 것이 편하죠?

Word Pronunciation Practice

다음 단어를 듣고 빈칸에 적어 보세요.

1 ________ 2 ________ 3 ________

4 ________ 5 ________ 6 ________

7 ________ 8 ________ 9 ________

10 ________ 11 ________ 12 ________

Pronunciation Practice in Sentences

다음 문장을 듣고 빈칸에 받아쓰기 해 보세요.

1 ________________________________

2 ________________________________

3 ________________________________

4 ________________________________

5 ____________________

6 ____________________

7 ____________________

8 ____________________

9 ____________________

10 ____________________

Rule 2. [강모음 + d + 약모음]: 모음 사이에서 [t]가 [r]로 소리 난다

'd' 사운드는 't' 사운드의 친척이라고 생각하면 됩니다. 그래서 't'가 가지고 있는 특징을 'd'도 가지고 있죠. 1번 법칙에서 't'가 모음 사이에 있으면 굴러가는 'r'소리가 난다고 했는데, 'd'도 마찬가지입니다. 'd'도 모음 사이에 있으면, 편하게 굴러가는 'r' 사운드 소리가 납니다.

Word Pronunciation Practice

다음 단어를 듣고 빈칸에 적어 보세요.

1 __________ 2 __________ 3 __________

4 __________ 5 __________ 6 __________

7 __________ 8 __________ 9 __________

10 __________ 11 __________ 12 __________

Pronunciation Practice in Sentences

다음 문장을 듣고 빈칸에 받아쓰기 해 보세요.

1 ____________________

2 ____________________

3 ____________________

4 ______________________

5 ______________________

6 ______________________

7 ______________________

8 ______________________

9 ______________________

10 ______________________

Rule 3. 자음이 뒤의 모음과 합해져서 발음이 된다

단어 끝 자음이 뒤이어 나오는 모음과 합해져서 소리가 납니다. 우리나라 말도 '점심을'이라고 말하면 자연스럽게 '점시믈'이라고 발음이 됩니다. 영어도 마찬가지인데, 'keep in shape'은 마치 '키핀 쉐입'처럼 들립니다. 이렇게 뒤따라 나오는 모음에 어울려 소리를 내면 발음을 하기가 편해집니다. 이 법칙은 영어를 안 들리게 하는 아주 큰 요소 중에 하나입니다.

Word Pronunciation Practice

다음 단어를 듣고 빈칸에 적어 보세요.

1 ________ 2 ________ 3 ________

4 ________ 5 ________ 6 ________

7 ________ 8 ________ 9 ________

10 ________ 11 ________ 12 ________

Pronunciation Practice in Sentences

다음 문장을 듣고 빈칸에 받아쓰기 해 보세요.

1 ______________________________

2 ______________________________

3 ______________________________

4 ______________________________

5 ______________________________

6 ______________________________

7 ______________________________

8 ______________________________

9 ______________________________

10 ______________________________

Rule 4. 자음 뒤 단어의 끝소리 [t]는 약해지거나 발음되지 않는다

자음 뒤 단어의 마지막에 오는 't'는 약하게 소리가 나거나 거의 발음이 되지 않습니다. 특히 단어가 짧으면 더 알아듣기 어려워집니다. 단어 자체도 짧은데 't'까지 생략되어 리스닝을 더 방해하게 되죠.

Word Pronunciation Practice

다음 단어를 듣고 빈칸에 적어 보세요.

1 ________	2 ________	3 ________
4 ________	5 ________	6 ________
7 ________	8 ________	9 ________
10 ________	11 ________	12 ________

Pronunciation Practice in Sentences

다음 문장을 듣고 빈칸에 받아쓰기 해 보세요.

1 ____________________
2 ____________________
3 ____________________
4 ____________________
5 ____________________
6 ____________________
7 ____________________
8 ____________________
9 ____________________
10 ____________________

Rule 5. [d]는 끝소리가 될 때 약화 되거나 탈락 된다

'd' 사운드는 't' 사운드와 친척이라고 2번 법칙에서 배웠습니다. 바로 전에 공부 했던 4번 법칙처럼 'd'가 끝소리로 나오면 약하게 소리가 나거나, 아예 발음을 안 하는 것처럼 들리기도 합니다. 'd'가 들리지 않는다고 'd'를 무시해 버리면, 어떤 단어를 발음하고 있는지 전혀 들리지 않게 됩니다.

Word Pronunciation Practice

다음 단어를 듣고 빈칸에 적어 보세요.

1 ________ 2 ________ 3 ________
4 ________ 5 ________ 6 ________
7 ________ 8 ________ 9 ________
10 ________ 11 ________ 12 ________

Pronunciation Practice in Sentences

다음 문장을 듣고 빈칸에 받아쓰기 해 보세요.

1 ____________________

2 ____________________

3 ____________________

4 ____________________

5 ____________________

6 ____________________

7 ____________________

8 ____________________

9 ____________________

10 ____________________

Rule 6. 2음절, 3음절 강세 단어에 유의하자

단어의 강세가 1음절에 있으면 2음절이나 3음절에 강세가 있는 단어에 비해 잘 들립니다. 그러나 강세가 2음절이나 3음절에 있으면 1음절의 소리는 강하게 나지 않아, 어떤 단어를 소리냈는지 알기 어렵게 됩니다. 예를 들어 'emergency'는 실제로 들을 때 마치 '머전시'처럼 들리기도 합니다.

Word Pronunciation Practice

다음 단어를 듣고 빈칸에 적어 보세요.

1 ________	2 ________	3 ________
4 ________	5 ________	6 ________
7 ________	8 ________	9 ________
10 ________	11 ________	12 ________

Pronunciation Practice in Sentences

다음 문장을 듣고 빈칸에 받아쓰기 해 보세요.

1 ______
2 ______
3 ______
4 ______
5 ______
6 ______
7 ______
8 ______
9 ______
10 ______

Rule 7. -t-n 과 같은 단어는 (t)는 비음으로 발음된다

'-tain', '-ton', '-ten', '-tin'으로 끝나는 단어는 't'가 콧속으로 먹혀들어 가는 소리가 납니다. 'cotton' 같은 경우에 (캇은)의 1음절에 강세를 두고 (캇)까지 발음 한 후, 콧소리로 (은)과 같은 소리를 내주면 됩니다.

Word Pronunciation Practice

다음 단어를 듣고 빈칸에 적어 보세요.

1 ______	2 ______	3 ______
4 ______	5 ______	6 ______
7 ______	8 ______	9 ______
10 ______	11 ______	12 ______

Pronunciation Practice in Sentences

다음 문장을 듣고 빈칸에 받아쓰기 해 보세요.

1 ______

2 ______

3 ______

4 ______

5 ______

6 ______

7 ______

8 ______

9 ______

10 ______

Rule 8. -tly, -tely에서 [t]는 약해지거나 소리가 나지 않는다

't' 사운드는 정말 변화가 큽니다. 주로 부사를 만드는 '-tly', '-tely'에서도 't' 소리가 거의 들리지 않습니다. '-tly', '-tely'를 포함하고 있는 단어는 나오는 것이 정해져 있고, 또한 그 수가 그리 많지 않으므로 아래의 12개의 단어를 확실히 익혀 두면 많은 도움이 될 것입니다.

Word Pronunciation Practice

다음 단어를 듣고 빈칸에 적어 보세요.

1 ______ 2 ______ 3 ______

4 ______ 5 ______ 6 ______

7 ______ 8 ______ 9 ______

10 ______ 11 ______ 12 ______

Pronunciation Practice in Sentences

다음 문장을 듣고 빈칸에 받아쓰기 해 보세요.

1 ______________________________

2 ______________________________

3 ______________________________

4 ______________________________

5 ______________________________

6 ______________________________

7 ______________________________

8 ______________________________

9 ______________________________

10 ______________________________

Rule 9. 발음에 주의해야 할 1음절 단어

단어가 짧으면 오히려 듣기 쉽겠다라고 많이 생각하지만, 1음절만으로 구성된 단어는 너무 짧아서 어떤 단어인지 예상을 불가능하게 할 때가 많죠. TEPS 청해에 빈출하는 1음절 단어들을 아래에서 익혀 봅시다.

Word Pronunciation Practice

다음 단어를 듣고 빈칸에 적어 보세요.

1 ________ 2 ________ 3 ________

4 ________ 5 ________ 6 ________

7 ________ 8 ________ 9 ________

10 ________ 11 ________ 12 ________

Pronunciation Practice in Sentences

다음 문장을 듣고 빈칸에 받아쓰기 해 보세요.

1 ______
2 ______
3 ______
4 ______
5 ______
6 ______
7 ______
8 ______
9 ______
10 ______

Rule 10. 한국인이 틀리기 쉬운 발음

영어 단어를 음성으로 듣다보면 자신이 예상했던 음성과 원어민이 내는 음성이 판이하게 다른 경우가 많습니다. 한국인들이 잘못 발음하기 쉽고, TEPS 청해에 잘 나오는 단어들을 모아 봤습니다.

Word Pronunciation Practice

다음 단어를 듣고 빈칸에 적어 보세요.

1 ______ 2 ______ 3 ______
4 ______ 5 ______ 6 ______
7 ______ 8 ______ 9 ______
10 ______ 11 ______ 12 ______

Pronunciation Practice in Sentences

다음 문장을 듣고 빈칸에 받아쓰기 해 보세요.

1 ______________________________

2 ______________________________

3 ______________________________

4 ______________________________

5 ______________________________

6 ______________________________

7 ______________________________

8 ______________________________

9 ______________________________

10 ______________________________

Practice Questions

• 정답 및 해설 p.52

Part 1

1 (a) (b) (c) (d)

2 (a) (b) (c) (d)

3 (a) (b) (c) (d)

4 (a) (b) (c) (d)

5 (a) (b) (c) (d)

Part 2

6 (a) (b) (c) (d)

7 (a) (b) (c) (d)

8 (a) (b) (c) (d)

9 (a) (b) (c) (d)

10 (a) (b) (c) (d)

Sound Training 정답 및 해설

Rule 1

Word Pronunciation Practice

1 water	2 city	3 diabetes	4 lottery
5 status	6 exotic	7 patio	8 literature
9 digital	10 sweater	11 celebrity	12 community

Pronunciation Practice in Sentences

1 The city is much larger than I originally thought.
그 도시는 내가 원래 생각했던 것 보다 훨씬 크다.

2 My father has recently been diagnosed with diabetes.
우리 아버지는 최근에 당뇨 진단을 받으셨다.

3 I really hope I win the lottery tonight.
오늘 밤 복권 당첨이 되길 정말로 바란다.

4 Many people think an expensive car will raise their social status.
많은 사람들은 고급 차가 자신들의 사회적 신분을 높일 것이라고 생각한다.

5 I really like trying new and exotic foods.
나는 새롭고 이국적인 음식을 먹어보는 것을 좋아한다.

6 It would be nice to have dinner outside on the patio.
밖의 테라스에서 저녁을 먹으면 근사할 거야.

7 Reading more literature helps to expand your vocabulary.
많은 문학작품을 읽으면 어휘력을 늘리는데 도움이 된다.

8 Can I borrow your wool sweater tonight?
오늘밤 네 울 스웨터를 빌려가도 되니?

9 I didn't see a single celebrity when I was in Los Angeles.
LA에 있을 때 유명 인사를 한 명도 보지 못했다.

10 This community has the best schools in the city.
이 지역에는 시에서 가장 훌륭한 학교들이 있다.

Rule 2

Word Pronunciation Practice

1	adult	2	pedal	3	tedious	4	editor
5	adequate	6	video	7	lady	8	model
9	modern	10	daddy	11	steady	12	comedy

Pronunciation Practice in Sentences

1 Children should have adult supervision when using scissors.
아이들이 가위를 쓸 때는 어른들의 감시가 필요하다.

2 One of the pedals on my bike has broken.
내 자전거 페달 중 하나가 고장났다.

3 Having to do the same chores every day is tedious.
매일 같은 집안일을 해야 하는 것은 지루하다.

4 Every writer needs an editor to help write a book.
모든 작가는 책 쓰는 것을 도와줄 편집자가 필요하다.

5 Did you return the video to the rental store?
그 비디오를 대여점에 반납했니?

6 Some people think ladies shouldn't smoke.
어떤 사람들은 여자들이 담배를 피워서는 안된다고 생각한다.

7 When I was younger I wanted to be a model.
어렸을 때 나는 모델이 되고 싶었다.

8 My daddy is turning 50.
나의 아버지는는 50살이 된다.

9 When the water is calm the boat is steady.
물이 잠잠할 때 배는 흔들리지 않는다.

10 I prefer to watch a comedy over a horror movie.
나는 공포영화보다 코미디 보는 것을 더 좋아한다.

Rule 3

Word Pronunciation Practice

1 keep it down
2 keep in shape
3 pick it out
4 make it up
5 what you eat
6 fill in
7 stuck in traffic
8 look into
9 call us
10 treat you
11 half an hour
12 wrap it

Pronunciation Practice in Sentences

1 It's too loud. Could you please keep it down?
너무 소리가 커. 소리 좀 줄여 줄 수 있겠니?

2 Since I've had a baby, I want to keep in shape.
아기를 가진 후로, 몸매를 유지하고 싶다.

3 Please give me an opportunity to make it up to you.
너에게 만회할 기회를 줘.

4 You have to watch what you eat.
먹는 것을 조절해야 한다.

5 I'm going to be late since I'm stuck in traffic.
교통정체에 갇혀서 늦을 것 같아.

6 He wanted to look into her eyes for a long time.
그는 그녀의 눈을 오랫동안 들여다보고 싶어했다.

7 If you have any questions, please feel free to call us.
혹시 궁금한 게 있으시면 주저하지 마시고 저희에게 전화주세요.

8 Since it's your birthday, I'll treat you to dinner.
너의 생일이니까 내가 너한테 저녁을 살게.

9 It's going to be half an hour before the doctor can see you.
의사선생님에게 진료를 받기까지는 30분이 걸릴 거에요.

10 I bought a birthday gift, but I need to wrap it now.
생일선물을 가져왔는데 지금 포장을 해야 해.

Rule 4

✳ Word Pronunciation Practice

1	payment	2	interest	3	went	4	contact
5	requirement	6	engagement	7	installment	8	last
9	transcript	10	flight	11	convenient	12	apartment

✳ Pronunciation Practice in Sentences

1 Did you send the rent payment today?
렌트비를 오늘 보냈니?

2 I have no interest in seeing that movie.
나는 저 영화 보는데 흥미가 없어.

3 I think your alarm went off this morning.
오늘 아침에 네 알람이 울렸던 것 같은데.

4 I like to keep in contact with old friends.
나는 오랜 친구들과 연락을 하며 지내는 것이 좋다.

5 Are you going to Bill and June's engagement party?
빌과 준의 약혼 파티에 갈거니?

6 The next installment of the movie trilogy is out today.
오늘 3부작 영화의 다음 편이 나온다.

7 Last night I went to the opera.
어젯밤에 나는 오페라를 보러 갔다.

8 This flight is longer than I thought it would be.
이 항공편의 비행거리는 내가 생각했던 것 보다 더 길다.

9 The new closet in my room is very convenient.
내 방의 새로운 옷장은 정말 편리하다.

10 I really want to move to a new apartment.
난 정말 새로운 아파트로 이사가고 싶어.

Rule 5

Word Pronunciation Practice

1 cold winter
2 old lady
3 brand
4 afford
5 stand
6 blind
7 diamond
8 blonde
9 expand
10 attend
11 pretend
12 absurd

Pronunciation Practice in Sentences

1 There is going to be a very cold winter this year.
올해는 매우 추운 겨울이 될 것이다.

2 The old lady across the street is really kind.
길 건너편에 그 할머니는 정말 친절하시다.

3 I prefer name-brand products over generic.
나는 상표 없는 상품보다 이름 있는 브랜드 제품이 더 좋다.

4 My family can't afford to go on vacation this year.
우리 가족은 올해에 휴가를 갈 여유가 없다.

5 People should stand up for their beliefs.
사람들은 그들의 믿음을 지켜야 한다.

6 Blind people can lead normal lives.
맹인들도 평범한 삶을 살 수 있다.

7 The diamond in my ring is very small.
내 반지에 있는 다이아몬드는 아주 작다.

8 I want to dye my hair blonde.
내 머리카락을 금발로 염색하고 싶다.

9 When my brother moves out I'm going to expand my room.
내 남동생(형)이 이사 나가면 난 내 방을 넓힐 것이다.

10 Will you be attending the movie festival this year?
올해 영화축제에 참가할 거니?

Rule 6

Word Pronunciation Practice

1 attend	2 emergency	3 alert	4 alarm
5 amend	6 award	7 adopt	8 aware
9 insomnia	10 unwise	11 avoid	12 appeal

Pronunciation Practice in Sentences

1 Only dial 911 for an emergency.
비상상황의 경우에만 911에 전화를 하십시오.

2 If you see a criminal, you should alert the police.
범죄자를 보면 경찰에 알려야 한다.

3 The fire alarm in my room doesn't work.
내 방에 있는 화재경보기는 작동하지 않는다.

4 There is an award for students with perfect attendance.
완벽한 출석을 한 학생에게 주는 상이 있다.

5 My wife and I want to adopt a baby.
나와 내 아내는 아기를 입양하고 싶다.

6 I wasn't aware that I couldn't park here.
여기 주차할 수 없다는 것을 몰랐다.

7 My insomnia is getting worse.
내 불면증은 더 심해지고 있다.

8 Buying many useless things is unwise.
쓸모없는 것들을 많이 사는 것은 현명하지 못하다.

9 I can never avoid a sale at the department store.
나는 백화점 세일을 결코 피할 수가 없다.

10 I don't understand the appeal of sky diving.
나는 스카이다이빙의 매력을 알지 못한다.

Rule 7

Word Pronunciation Practice

1 fountain
2 certain
3 shorten
4 forgotten
5 mountain
6 Latin
7 beaten
8 written
9 glutton
10 button
11 cotton
12 important

Pronunciation Practice in Sentences

1 The fountain in the park is beautiful.
공원에 있는 분수는 아름답다.

2 I am not certain that I got a good grade.
내가 좋은 점수를 받았는지 잘 모르겠다.

3 My professor told me to shorten my essay.
교수님은 나에게 내 글을 줄이라고 말씀하셨다.

4 Have you forgotten what day it is?
오늘이 무슨 날인지 잊은 거야?

5 I would love to go mountain climbing.
나는 등산가고 싶어.

6 Studying Latin is more difficult than I thought.
라틴어를 공부하는 것은 내가 생각했던 것보다 더 어렵다.

7 The directions were written down in my notebook.
지시 사항들이 내 수첩에 적혀 있었다.

8 You are such a glutton at the buffet.
너는 뷔페에서 정말 대식가야.

9 I lost a button on my coat.
내 코트의 단추를 잃어버렸어.

10 Cotton clothing is more comfortable than silk.
실크보다 면 옷이 더 편하다.

Rule 8

✳ Word Pronunciation Practice

1	fortunately	2	absolutely	3	recently	4	immediately
5	greatly	6	lately	7	promptly	8	apparently
9	definitely	10	completely	11	privately	12	appropriately

✳ Pronunciation Practice in Sentences

1 Fortunately nobody was hurt in the accident.
다행스럽게도 그 사고에서 아무도 다치지 않았다.

2 I absolutely forbid you from going to the party.
난 네가 그 파티에 가는 것을 절대로 허락할 수 없어.

3 There have been many plane crashes recently.
최근에 많은 비행기 추락 사고들이 있었다.

4 The fire was immediately put out.
그 불은 즉시 꺼졌다.

5 I greatly appreciate you helping me out.
저를 도와줘서 정말 감사합니다.

6 Lately I have been so tired during the day.
최근에 나는 낮 동안에 정말 피곤했었다.

7 You must arrive promptly for your interview.
너는 인터뷰에 정확히 시간을 맞춰서 도착해야 한다.

8 This house is definitely larger than the other one.
이 집이 다른 집보다 확실히 더 크다.

9 I am completely unorganized in the morning.
나는 아침에 정말 어수선하다.

10 The money was privately donated to the organization.
그 돈은 개인적으로 그 단체에 기부되었다.

Rule 9

Word Pronunciation Practice

1	court	2	cold	3	ad	4	seed
5	left	6	half	7	last	8	lift
9	aid	10	weigh	11	cease	12	card

Pronunciation Practice in Sentences

1 The court date is set for next month.
재판일이 다음 달로 정해졌다.

2 It's too cold outside to go to the store.
상점에 가기에는 밖이 너무 춥다.

3 It only takes one seed to grow a plant.
식물을 기르는 데는 씨앗 하나만이 필요하다.

4 Take a left at the next traffic light.
다음 신호등에서 좌회전을 하세요.

5 There is half a cake left in the kitchen.
주방에 반 남은 케이크가 있다.

6 I missed class last week.
난 지난주에 수업에 빠졌다.

7 Can you help me lift this box?
이 상자 드는 것 좀 도와줄 수 있니?

8 I weigh myself every day.
나는 매일 내 몸무게를 잰다.

9 I wonder when this terrible weather will cease.
언제쯤 이 끔찍한 날씨가 끝날 지가 궁금해.

10 Don't forget to send your mother a birthday card.
당신 어머니에게 생일 카드를 보내는 것을 잊지 말아요.

Rule 10

✻ Word Pronunciation Practice

1 infamous	2 predator	3 marathon	4 applicant
5 fertile	6 mandatory	7 catering	8 entree
9 vitamin	10 allergy	11 herb	12 margarine

✻ Pronunciation Practice in Sentences

1 Las Vegas is an infamous city.
라스베가스는 악명높은 도시이다.

2 The predator chases its prey.
포식자가 그것의 먹이를 쫓는다.

3 I am training to run in a marathon.
나는 마라톤에서 달리려고 훈련을 하고 있다.

4 The land in this area is very fertile.
이 지역의 땅은 매우 비옥하다.

5 It is mandatory for all students to take this course.
모든 학생들이 이 수업을 듣는 것은 필수적이다.

6 I want to get catering for my birthday party.
내 생일파티에 출장요리로 음식을 마련하고 싶다.

7 I take a daily vitamin supplement.
나는 날마다 먹는 비타민 보충제를 복용한다.

8 Do you think you have an allergy to seafood?
당신은 해산물에 알레르기가 있다고 생각하세요?

9 My herb garden is really growing.
내 허브 정원의 식물들은 정말 잘 자란다.

10 I prefer real butter over margarine.
나는 마가린보다 진짜 버터가 더 좋다.

Practice Questions

Part 1

1 **W** How's your British literature class going so far?
M ______________________________

(a) I'm taking British literature this semester.
(b) I really enjoy the professor's lectures.
(c) British history is really interesting to me.
(d) What did you think of the test in that class?

해석 **W** 영국문학 수업은 어떻게 돼 가고 있니?
M ______________________________
(a) 난 이번 학기에 영국문학 수업을 듣고 있어.
(b) 나는 교수님의 강의가 참 좋아.
(c) 영국 역사는 정말 흥미 있어.
(d) 그 수업의 시험은 어땠니?

어구 British 영국의
literature 문학

해설 여자는 남자의 수업이 어떻게 되가는지 묻고 있다. 그러므로, 남자는 수업이 잘 되가는지, 힘든지 등의 대답을 해 주어야 하므로 정답은 (b)이다. 영국문학 수업을 듣는 것이지 역사 수업이 아니므로 (c)는 정답이 될 수 없다.

발음 Tip 1번 발음 법칙에서 배웠듯이, 여자의 말에서 literature는 맨 처음 't'가 강모음인 'i'와 약모음인 'e' 사이에 껴서 'r' 사운드가 난다.

정답 (b)

2 **M** I loved that medieval art museum.
W ______________________________

(a) The museum is free of charge.
(b) The museum is in the middle of town.
(c) Am I allowed to take pictures here?
(d) I'd prefer to see more modern art.

해석 **M** 나는 그 중세 예술 박물관이 좋았어.
W ______________________________
(a) 그 박물관은 무료야.
(b) 그 박물관은 도시 중앙에 있어.
(c) 여기서 사진을 찍어도 되나요?
(d) 나는 현대 미술작품을 더 보고 싶어.

어구 free of charge 무료의
medieval 중세의, 중세풍의
in the middle of ~중앙에, ~중간에

take pictures 사진을 찍다

해설 남자의 말이 평서문이므로 여자의 대답은 다양하게 나올 수 있다. 반드시 4개의 보기를 비교해서 가장 논리적으로 긴밀한 것을 골라야 한다. 남자의 취향은 중세 시대의 박물관을 좋아 한다고 했으므로, 여자는 자신의 취향을 얘기한 (d)가 정답이 된다.

발음 Tip 이 문제에 쓰인 medieval, middle, modern은 2번 법칙에 따라, 'd'가 강모음과 약모음 사이에 껴서 'd' 발음이 약화 되어 'r' 사운드가 난다.

정답 (d)

3 **W** Could you please keep it down?

M ________________________

(a) I'm sorry. I promise to be quiet.

(b) That noise is bothering me.

(c) Sure, the store is down the street.

(d) How do you keep in shape?

해석 **W** 소리 좀 줄여 주시겠어요?

M ________________

(a) 미안해요. 조용히 할게요.

(b) 그 소리는 귀에 거슬려요.

(c) 당연하죠, 가게는 길 아래 있어요.

(d) 당신은 어떻게 몸매를 유지하나요?

어구 keep down 소리 등을 줄이다

keep in shape 몸매를 유지하다

해설 여자는 남자에게 조용히 해달라고 부탁을 하고 있으므로, 부탁을 들어주는 (a)가 정답이 된다.

발음 Tip keep it down, keep in shape은 3번 법칙에서 배웠듯이, 끝자음과 이어지는 모음이 어우러져 [ki:pindaun], [ki:pinʃeip]으로 소리 난다는 것을 알아 두자.

정답 (a)

4 **M** Our records show you didn't pay your rent.

W ________________________

(a) I set a record in a race.

(b) I'd like to pay rent in advance.

(c) I'm sure I sent in my payment this month.

(d) Can you show me another style?

해석 **M** 저희 기록을 보니, 집세를 내지 않으셨군요.

W ________________

(a) 경주에서 새로운 기록을 세웠어요.

(b) 집세를 일찍 내고 싶은데요.

(c) 이번 달에 확실히 지불했는데요.

(d) 다른 스타일을 보여 주시겠어요?

어구 rent 집세
set a record 기록을 세우다
in advance 미리

해설 남자는 여자에게 집세를 내지 않았다고 하고 있다. 여자는 그 사실에 대해서 확인해 주어야 하는데, 집세를 냈다고 확인하는 (c)가 정답이 된다. (a)는 남자의 말에서 record를 그대로 반복하여 만든 오답이며, (b)는 집세를 내는 기한일은 이미 지났으므로 정답이 될 수 없다.

발음 Tip 이 대화에 쓰인 rent, sent, payment에서 맨 뒤에 쓰인 't'는 소리가 약화되어 거의 소리가 나지 않으므로 주의해야 한다.

정답 (c)

5 W I heard it will be a very cold winter this year.
M ______________________

(a) Oh no, I hate cold weather.
(b) The weather will let up.
(c) This year I'm going to the lake.
(d) It's almost freezing today.

해석 W 이번 해에는 매우 추운 겨울이 될 거래.
M ______________________
(a) 안 돼, 난 정말 추운 겨울이 싫은데.
(b) 날씨가 갤 거야.
(c) 올해에 난 호수에 갈 거야.
(d) 오늘 너무 추워.

어구 let up (폭풍우 등이) 잦아 들다, 가라앉다
freezing 몹시 추운

해설 여자는 올해에 겨울이 추울 것이라는 소식을 남자에게 전하고 있다. 이것에 대해 반기지 않는 반응을 보이는 남자의 말 (a)가 정답이 된다. 지금 날씨가 좋지 않은 것이 아니므로 (b), (d)는 정답이 될 수 없다.

발음 Tip 여자의 말의 cold winter에서 끝소리 'd'는 소리가 아주 약하게 나거나, 소리가 나지 않으므로 잘 들리지 않을 수 있다. 특히 cold처럼 1음절로 짧게 소리나는 단어는 듣기가 더 힘들 수 있으니 조심해야 한다.

정답 (a)

Part 2

6 M Where've you been? I called you four times.
W I'm sorry, I had no idea since my phone was off.
M You need to keep your phone on just in case.
W ______________________

(a) Thanks for the message.
(b) OK. I'll keep that in mind.
(c) I've been really worried about you.
(d) In case of an emergency, use the stairs.

해석 M 어디 있었니? 네 번이나 전화 했었어.
W 미안해, 전화가 꺼져 있어서 몰랐어.
M 혹시 모르니 전화를 켜 두어야해.
W ______________________

(a) 메시지 고마워.
(b) 알았어. 명심할게.
(c) 네 걱정 많이 했어.
(d) 응급시에는 계단을 이용해.

어구 in case 만일을 생각하여

해설 남자는 여자에게 항상 전화기를 켜 두어야 한다고 당부하고 있다. 당부를 받아들이는 (b)가 정답이 된다. 남자가 여자에게 메시지를 전한 것이 아니므로 (a)는 정답이 될 수 없고, (c)는 여자가 할 말이 아니라 남자가 할 말이므로 답이 아니다.

발음 Tip emergency란 단어는 강세가 2음절에 있기 때문에, 1음절의 'e'는 매우 약하게 들린다. 발음이 과장된다면 거의 들리지 않을 수도 있으므로 여러 번 따라 읽어 봐야 한다.

정답 (b)

7 W Do you have any plans this weekend?
M No, I'm free. Why, what's up?
W I'm going hiking in the mountains. Want to come?
M ______________________

(a) Don't you have plans this weekend?
(b) The mountains here are so beautiful.
(c) No, I don't have anything to do.
(d) Sure, where can we meet?

해석 W 이번 주말에 계획 있니?
M 아니, 한가해. 왜, 무슨 일 있어?
W 산으로 도보 여행 갈 건데, 너도 같이 갈래?
M ______________________

(a) 이번 주말에 계획 없니?
(b) 여기 산이 참 아름답다.
(c) 아니, 난 할 일이 없어.
(d) 당연하지, 어디서 만나?

어구 What's up? 안녕, 무슨 일이니?

해설 여자는 남자에게 도보 여행을 가자고 초대를 하고 있다. 이에 대해 초대에 응하는 (d)가 정답이 된다. 아직 산에 온 것이 아니므로 (b)는 정답이 될 수 없고, (c)는 No 대신에 Yes가 된다면 정답이 된다.

발음 Tip 7번 법칙에서 배웠듯이 mountain 처럼 -tain, -ton, -ten, -tin 로 끝나는 단어는 't'가 콧속으로 먹혀들어 가는 소리가 나므로 't' 소리가 거의 나지 않을 수 있다. 쉬운 단어도 들리지 않을 수 있으므로 입으로 많이 연습해 두어야 한다.

정답 (d)

8 **M** Mary, are you alright?
W I don't know. Lately I've been so tired all the time.
M Maybe you should go see the doctor.
W ______________________________

(a) I'm exhausted by the journey.
(b) Right. You really need to have checkups.
(c) You're right. I'll visit my doctor today.
(d) I forgot about my doctor's appointment.

해석 **M** 메리, 괜찮니?
W 몰라. 요즘에 항상 피곤해.
M 병원에 가봐야겠다.
W ______________________________

(a) 여행 때문에 피곤해.
(b) 맞아. 너는 검진을 받아야 해.
(c) 네 말이 맞아. 오늘 병원에 갈 거야.
(d) 병원에 가는 것을 잊어 버렸어.

어구 exhausted 피곤한, 지친
journey 여행
checkup 검진
doctor's appointment 병원 진료 예약

해설 남자는 여자에게 병원에 가보라고 충고하고 있으므로 충고를 받아들이는 (c)가 정답이 된다. (b)는 여자가 할 말이 아니라 남자가 할 말이므로 정답이 될 수 없다.

발음 Tip lately와 같이 –tely로 끝나는 단어의 경우 't' 소리가 안 나는 경우가 많으므로 쉽게 들리지 않는 발음이니 여러번 연습해 두도록 하자.

정답 (c)

9 **W** How do you like your new DVD player?
M It's a total ripoff. It doesn't even work.
W Maybe you should return it to the store.
M ______________________________

(a) Did you appeal to the court?
(b) That's exactly what I'm going to do today.
(c) This DVD player was such a bargain.
(d) I don't have to go to work today.

해석 **W** 새로 산 DVD 플레이어는 어떠니?
M 바가지 썼어. 작동조차 안 돼.
W 가게에 반납해야 할 거야.
M ______________________________

(a) 법정에 항소했니?

(b) 그게 바로 정확히 내가 오늘 할 일이야.
(c) 이 DVD 플레이어는 정말 저렴하게 산거야.
(d) 오늘은 일하러 가지 않아도 돼.

어구 ripoff 갈취, 사기, 비싸게 산 것
work 작동하다
return 반납하다, 반환하다
appeal 항소하다, 상고하다
bargain 싼 물건, 특가품

해설 물건을 비싸게 산 남자에게 여자는 가게에 반납하라고 충고하고 있다. 여자의 충고를 받아들이는 (b)가 정답이 된다. 남자는 이미 바가지를 썼다고 했으므로 (c)는 일관적인 답변이 될 수 없다.

발음 Tip 1음절 단어는 짧기 때문에 순간적으로 지나가 버려 듣기를 어렵게 만든다. 이 대화에서 쓰인 court나 work 같은 단어들은 놓치기 쉬운 1음절 단어이니 입으로 따라 읽어 익숙해지도록 하자. 또한 appeal 과 같은 단어는 2음절에 강세가 있어 맨 앞의 'a'가 잘 안 들릴 수 있으니 조심해야 한다.

정답 (b)

10 **M** I'm never going to pass my biology class.
W But it's mandatory if you want to take an advanced class.
M I know, but the work is just so difficult for me.
W ______________________________

(a) If you want help, we can get together tomorrow.
(b) Are you going to take an upper level class?
(c) I didn't think this class was required.
(d) Let's study together for the French test.

해석 **M** 생물학 수업에 통과하지 못할 거야.
W 고급 과정을 수강하길 원한다면, 생물학은 필수야.
M 나도 알아, 그렇지만 수업이 나에게 너무 어려워.
W ______________________________

(a) 도움이 필요하다면, 내일 만나자.
(b) 고급 과정을 들을 예정이니?
(c) 나는 이 수업이 필수 과정이라고 생각하지 않았어.
(d) 불어 시험공부를 함께 하자.

어구 mandatory 강제의, 의무의
advanced 고급의, 고등의, 고도의
upper 상위의, 상급의

해설 남자가 수업을 어려워하고 있으므로, 여자가 도움을 제안하는 (a)가 정답이 된다. 생물 공부가 어렵다고 한 것이므로 불어 공부를 함께 하자는 (d)는 정답이 될 수 없다.

발음 Tip 대화에 쓰인 mandatory는 한국 사람들이 잘못 발음 하는 발음 중에 하나이다. [mændətɔːri] 라고 발음하는 것이 정확하다. [mændeitɔːri]가 아니라는 점을 명심하자.

정답 (a)

Part 1 & 2

Tip **1** 받아쓰기를 하자

Tip **2** 상황을 먼저 파악을 하자

Tip **3** 구어체 표현을 많이 알아두자

Tip **4** 의문사를 놓치지 말자

Tip **5** 시제를 놓치지 말자

Tip **6** 주체가 바뀌는 것을 조심하자

Tip 1 받아쓰기를 하자

● 핵심 포인트

Part 1, 2는 대화의 길이가 짧고 빠르게 진행된다. 워낙 짧고 빠르게 진행되다 보니, 정확하게 대화를 듣지 않으면 오답을 고르기 십상이다. 특히 Part 1의 경우, 첫 번째 화자의 말은 한 문장 혹은 두 문장으로 끝나므로 상황을 파악할 여지가 생기지 않는다. 즉, 조금만 놓쳐도 놓친 부분을 추론하기가 어렵다는 말이다. 그러므로 한 문장 한 문장을 정확하게 듣는 것이 관건이다. 대화를 정확하게 듣기 위해서는 받아쓰기를 통한 연습이 필요하다. Part 1, 2를 받아쓰기 하는 것은 그리 많은 시간이 걸리지 않으면서도 정확하게 듣는 좋은 연습이 된다. 한 문장을 듣고 그 문장을 한꺼번에 쓰는 것이 힘들다면, 중간에 잠깐 음성을 멈추고 받아쓰기를 하거나 여러 번 반복을 해서 들어도 괜찮다.

기출 문제

W It's all my fault. I should've listened to my mother.

M ______________________________

(a) That's the way mothers are.

(b) Come on. These things happen.

(c) You're always blaming someone else.

(d) Don't be critical of her.

해석 W 다 내 탓이야. 엄마 말을 들었어야 했는데.
M ______________

(a) 엄마들은 원래 그래.
(b) 힘내. 이런 일이 있을 수도 있지.
(c) 넌 항상 다른 사람 탓을 하더라.
(d) 그녀를 비난 하지 마.

어구 should have p.p ~ 했었어야 했는데
blame 나무라다, 비난하다
critical 호되게 비판하는, 혹평적인, 흠을 잘 잡는

해설 여자는 일이 잘못 된 것에 대해 자신에게로 잘못을 돌리며 후회를 하고 있다. 이것에 대해 위로를 해주는 (b)의 응답이 자연스럽다. 이 문제에서 should've listened가 듣기가 어려우므로 여러 번 따라 읽으면서 정확히 들어야 한다. should've listened를 정확히 듣지 못하면 과거에 대한 후회라고 이해하기 힘드므로 정답을 고르기가 어려워진다.

정답 (b)

✱ 받아쓰기를 하는 요령

Step 1 의미 파악을 염두에 두며, 음성을 들어본 후 받아쓰기를 시도한다.

대략적인 의미 파악을 해 보기 위해, 일단 먼저 음성을 한번 들어 본다. 의미는 생각하지 않고 들리는 대로만 받아쓰기를 하면 의미는 전혀 연결이 되지 않은 채 비슷한 발음을 가진 단어 중 자신이 가장 익숙한 것을 적고 있게 될 것이다. 예를 들어 "I bought a pen in the store yesterday."라는 문장을 받아쓰기 하는데, 생각없이 들리는 대로만 적는다면 "bought a"를 "butter"와 같은 단어로 받아쓰기를 하게 된다. 의미를 생각하며 받아쓰기를 한다면 "butter"는 의미상 이 문장에는 전혀 어울리지 않는다는 것을 알 수 있다.

Step 2 음성을 여러 번 반복하며 받아쓰기를 한다.

처음 받아쓰기를 시작할 때, 한 문장을 듣고 그 문장을 머릿속에서 그대로 재생해서 적기란 쉽지 않다. 음성을 두세 번 정도 반복하거나, 문장이 너무 길다면 중간에 잠깐 끊어서 받아쓰기를 해보자.

Step 3 받아쓰기를 한 것과 스크립트를 대조해 본다.

받아쓰기만 하고 스크립트와 대조를 해 보지 않는다면 받아쓰기를 하는 의미가 없다. 그만큼 이 세 번째 단계는 반드시 필요한 것이다. 자신이 한 받아쓰기와 스크립트를 대조해서 자신이 잘못 받아적은 부분을 반드시 확인해 보아야 한다. 이런 과정을 통해서 자신의 취약점을 파악할 수 있다.

Basic Test

• 정답 및 해석 p.250

다음 문장을 듣고 빈칸을 채워 보세요. (음성은 3번 반복됩니다.)

1 Bill, ______ for ______ your car.

2 I'd like to ______ for two with ______.

3 Do these shoes ______ any ______?

4 Can you tell me ______ for the show?

5 I can't ______ the ______ and the spaghetti.

다음 문장을 듣고 전체를 받아쓰기 해 보세요. (음성은 3번 반복됩니다.)

1 ______.

2 ______.

3 ______.

4 ______.

5 ______.

Practice Test

• 정답 및 해설 p.270

Part 1

Choose the most appropriate response to the statement.

1 (a) (b) (c) (d)

2 (a) (b) (c) (d)

3 (a) (b) (c) (d)

4 (a) (b) (c) (d)

5 (a) (b) (c) (d)

Part 2

Choose the most appropriate response to complete the conversation.

6 (a) (b) (c) (d)

7 (a) (b) (c) (d)

8 (a) (b) (c) (d)

9 (a) (b) (c) (d)

10 (a) (b) (c) (d)

Dictation for Practice Test

• 스크립트 p.270

문제를 다시 한 번 듣고 빈칸을 채우세요.

Part 1

1 **W** It's ______. ______________ my umbrella.
M ______________________________

(a) You should ______________________.
(b) Don't worry. You can use mine.
(c) __________ is going to start next week.
(d) What should I do?

2 **M** ____________ some other time?
W ______________________________

(a) Sure, no problem.
(b) Sorry, I can't. __________.
(c) ______ might take a long time.
(d) He and I talked ________.

3 **M** Why don't we ______?
W ______________________________

(a) That sounds great.
(b) I am not _________ crab.
(c) ____________.
(d) I don't like _____.

4 **M** Would it be okay if I just ________?

W ______________________________

(a) Sure, let's go shopping together.

(b) Of course. ______________.

(c) Don't spend too much money, OK?

(d) The department store is ________________.

5 **M** ______________ right after eating.

W ______________________________

(a) I don't like swimming at all.

(b) OK. I'll __________.

(c) ________________________.

(d) Right. ______ is not good.

Part 2

6 **W** Hello, Steven. You look ________.

M I was at a party until four last night.

W ____________ such a thing?

M ______________________________

(a) It won't happen again.

(b) Because I have a ______ today.

(c) ______________.

(d) Because I really __________.

7 **M** What movie do you want to watch?

W ________ a horror movie.

M But that's exactly ____________.

W ______________________________

(a) ________________________.

(b) But I can't sleep after watching a scary movie.

(c) Great. ___________ is horror.

(d) What kind of movie do you have in mind?

8 **W** What can I do for you, sir?

M I'm looking for __________.

W Do you know ________?

M ______________________________

(a) I don't like poodles.

(b) I am not sure.

(c) Sorry, _________.

(d) Hold on, _________.

9 **W** Hey, long time no see.

M Hi, ______________________.

W ____________________________________.

M ____

(a) Take care, bye.

(b) I went to __________.

(c) ___________ now?

(d) What happened to you?

10 **W** I can't believe ______________.

M Why didn't you _______?

W I woke up late. I am not sure that _______________.

M ____

(a) You are ________________________.

(b) _________ I always set two alarms.

(c) _________________.

(d) I'll buy a new alarm clock.

Tip 2 상황을 먼저 파악하자

● 핵심 포인트

Part 1, 2는 대화 내용이 들리지 않아서 오답을 고르는 일도 많지만, 들려도 헷갈려서 틀리는 경우가 많다. 대화와 보기를 모두 완벽하게 들었는데도 불구하고 정답을 고르지 못하는 일만큼 안타까운 일도 없을 것이다. 따라서 혼돈스럽게 하는 보기들을 피해 정답을 고르는 일이 중요하다. 정답을 고르는 중요한 전략 중 하나는 대화를 들으면서 상황을 먼저 파악해 보는 것이다. 상황이 파악된다면 화자가 말하는 의도를 정확하게 파악할 수 있기 때문이다. 예를 들어, "You always come to my class late."라고 교수가 말했다면, "너는 내 수업에 항상 늦게 오는 구나"라고 사실을 확인시켜 주기 위함이라기 보다는, 분명 학생을 꾸짖고자 하는 의도를 가진 문장임을 알아채야 한다. 또한 이에 대한 응답으로는 변명을 하거나 다음부터는 이런 일이 없을 거라는 식의 대답이 적절할 것이다.

기출 문제

M **I like your garden.**

W ______________________________

(a) I'm not a gardener.

(b) I can't really say.

(c) Thanks, but it's a lot of work.

(d) I wish I had time for one.

해석 M 네 정원 마음에 든다.
W ____________________
(a) 나는 정원사가 아니야.
(b) 나는 정말 말할 수 없어.
(c) 고마워, 그렇지만 손이 많이 가.
(d) 그것을 위한 시간이 있다면 얼마나 좋을까.

어구 gardener 정원사

해설 이 대화는 칭찬을 해 주는 상황이다. 남자가 여자에게 정원이 예쁘다고 칭찬을 해 주었으므로, (c)에서처럼 여자가 고맙다고 응답을 해 주는 것이 자연스럽다.

정답 (c)

Basic Test

• 정답 및 해석 p.250

다음 문장을 듣고, 어떤 상황에 적합한지 찾아본 후, 그 문장에 알맞은 응답을 고르세요.

1 (a) 쇼핑 (b) 학교 (c) 길안내

응답으로 적절한 것은? (a) (b) (c)

2 (a) 감사 (b) 불평 (c) 칭찬

응답으로 적절한 것은? (a) (b) (c)

3 (a) 위로 (b) 불평 (c) 사과

응답으로 적절한 것은? (a) (b) (c)

4 (a) 처음 만나는 사람과 헤어질 때 하는 인사

(b) 친구와 만나서 하는 인사

(c) 오랜만에 만나서 하는 인사

응답으로 적절한 것은? (a) (b) (c)

5 (a) 사과 (b) 소개 (c) 칭찬

응답으로 적절한 것은? (a) (b) (c)

6 (a) 위로 (b) 사과 (c) 불만

응답으로 적절한 것은? (a) (b) (c)

Practice Test

• 정답 및 해설 p.273

Part 1

Choose the most appropriate response to the statement.

1 (a) (b) (c) (d)

2 (a) (b) (c) (d)

3 (a) (b) (c) (d)

4 (a) (b) (c) (d)

5 (a) (b) (c) (d)

Part 2

Choose the most appropriate response to complete the conversation.

6 (a) (b) (c) (d)

7 (a) (b) (c) (d)

8 (a) (b) (c) (d)

9 (a) (b) (c) (d)

10 (a) (b) (c) (d)

Dictation for Practice Test

• 스크립트 p.273

문제를 다시 한 번 듣고 빈칸을 채우세요.

Part 1

1 **M** Wow, ____________________ with your dress.

W ____________________________________

(a) I like necklaces ________ earrings.

(b) Thanks ____________.

(c) ______________________.

(d) I just bought a ______.

2 **M** I'm so sorry about _________________.

W ____________________________________

(a) Don't worry. My father is _________.

(b) Thank you ________________.

(c) ______________________.

(d) Yeah. He ______ again.

3 **W** _____________ for ____________ with the project.

M ____________________________________

(a) That's a good idea.

(b) _________________.

(c) I need to ____________ the project.

(d) I'll give you ____________ on the project.

4 **M** My father ______________________________.

W ______________________________

(a) ________________?

(b) I am sorry. How is he doing?

(c) People __________ should ________________.

(d) ______ is the best exercise.

5 **W** Does this skirt __________________?

M ______________________________

(a) Navy ______________.

(b) We have a nice blouse ________________.

(c) Yes, but the other colors are ______.

(d) Can you ______________________________?

Part 2

6 **W** ______________ with my steak, please.

M __________________________________ with that?

W What kind ______________________?

M ____

(a) Steak _________________________ with sour cream.

(b) Cajun chicken salad is __________.

(c) Oil and vinegar is ____________.

(d) It's your first time to be here?

7 **M** I think _______. ________________ City Hall?

W You need to ____________________________.

M __________ do I go after that?

W ____

(a) ______________ two more blocks.

(b) _______________.

(c) You can't walk out like that.

(d) You might want to __________.

8 **W** Where is the ______________ for flight 872?

M Baggage claim is __________.

W Is that for _______________________?

M ____

(a) ____.

(b) Are you planning on ______________?

(c) You need to ________ your baggage first.

(d) You need to hurry ___________________.

9 **M** I ______ Professor Marshall's class.

W Oh, no. Are you going to __________ next semester?

M I can't because ______________________________.

W ____________________________________

(a) I couldn't _____________.

(b) Then ________________________________?

(c) You need to _________________ next semester.

(d) _______________ in the spring semester.

10 **W** _________________ today, Mr. Bryan?

M ________________________.

W Have you ___________________ lately?

M ____________________________________

(a) ___________________.

(b) It has never happened before.

(c) __________________ yesterday.

(d) That's strange that ________________.

Tip 3 구어체 표현을 많이 알아두자

● 핵심 포인트

TEPS 청해는 구어체 표현을 중요하게 생각하기 때문에 구어체 표현들이 많이 출제된다. 그러므로 TEPS 청해에 빈출하는 idiomatic expression(숙어 표현), phrasal verbs(두 단어 이상으로 이루어진 동사)와 collocation(연어)을 꼼꼼히 정리하고 숙지해 두어야 한다.

● Idiomatic expression을 숙지하자.

숙어적 표현도 관용적으로 굳어진 것이라고 무조건 외우기보다, 왜 이런 숙어적 표현이 생겼을까 생각해 보고 이해하면서 외워 나간다면 머릿속에 훨씬 오래 기억될 것이다.

● Phrasal verbs를 숙지하자.

학생들은 phrasal verb보다 한 단어로 구성된 어려운 단어에 더 익숙해하는 경향이 있다. 그러나 구어체에서는 어려운 한 단어 동사보다 쉽게 풀어쓴 phrasal verb가 더 많이 쓰인다. 따라서 phrasal verb에 익숙해지도록 해야 구어체 표현에 강해질 수 있다.

● Collocation을 숙지하자.

Collocation이란 함께 조화를 이루는 특정어휘 간의 결합이다. 쉽게 말하면 짝을 이루어 다니는 표현들이다. 잘 어울리는 결합에는 '동사+명사', '형용사+명사', '명사+명사'가 있다. 예를 들어, '복사를 하다'라고 할 때 'make a copy'라고 하지 'do a copy'라고는 하지 않는다. 이런 collocation들을 정확히 외워 두지 않으면, 문법적으로는 어색하게 보이지 않을 지라도 영어답지 않게 들리므로 정확하게 알아 두어야 한다.

기출 문제

W **Hi, Jack.**

M **How are you, Judy?**

W **Couldn't be better! How about you?**

M ______________________

(a) I believe so.

(b) Doing great.

(c) Better safe than sorry.

(d) Long time, no see.

해석 W 안녕, 잭.
M 어떻게 지내, 주디?
W 아주 잘 지내! 넌 어떻게 지내?
M ______________

(a) 나도 그렇게 믿어.
(b) 잘 지내.
(c) 나중에 후회하지 말고 미리 조심해.
(d) 오랜만이네.

어구 Couldn't be better. 너무 좋다.
Better safe than sorry. 후회하는 것 보다는 미리 조심하는 게 낫다.
Long time, no see. 오래간만이다.

해설 만나서 안부를 묻는 인사를 하는 상황이다. 여자는 마지막 응답에서 자신이 아주 잘 지낸다는 couldn't be better로 응답을 했다. 관용적인 표현이니 반드시 익혀두어야 한다. 그리고 How about you?라고 상대방의 근황을 되물었으므로 정답은 잘 지낸다는 (b)이다. (d)로 속기 쉬운데, (d)는 오랜만에 만나 하는 인사로, 남자가 이미 여자에게 인사를 했으므로 또 인사를 하면 어색하다.

정답 (b)

Basic Test

• 정답 및 해석 p.251

음성을 듣고, 들은 내용을 알맞게 바꿔 말한 것을 고르세요.

1	(a)	(b)	(c)	(d)
2	(a)	(b)	(c)	(d)
3	(a)	(b)	(c)	(d)
4	(a)	(b)	(c)	(d)
5	(a)	(b)	(c)	(d)
6	(a)	(b)	(c)	(d)
7	(a)	(b)	(c)	(d)
8	(a)	(b)	(c)	(d)
9	(a)	(b)	(c)	(d)
10	(a)	(b)	(c)	(d)

Practice Test

• 정답 및 해설 p.276

Part 1

Choose the most appropriate response to the statement.

1 (a) (b) (c) (d)

2 (a) (b) (c) (d)

3 (a) (b) (c) (d)

4 (a) (b) (c) (d)

5 (a) (b) (c) (d)

Part 2

Choose the most appropriate response to complete the conversation.

6 (a) (b) (c) (d)

7 (a) (b) (c) (d)

8 (a) (b) (c) (d)

9 (a) (b) (c) (d)

10 (a) (b) (c) (d)

Dictation for Practice Test

• 스크립트 p.276

문제를 다시 한 번 듣고 빈칸을 채우세요.

Part 1

1 **W** I'm so tired. I think I'll ______ early tonight.
M ______________________________

(a) Sure, you should __________ tomorrow.
(b) ________________?
(c) I am too tired. ____________.
(d) You are ____________.

2 **W** ____________ tonight.
M ______________________________

(a) I'll __________ in front of your building tonight.
(b) No, let's ________.
(c) ________________.
(d) You __________ last time.

3 **W** Wow, these shoes __________!
M ______________________________

(a) __________ first.
(b) I like the style and color.
(c) Then ____________ this glove?
(d) You already have __________.

4 **M** So when will you two __________?

W ____

(a) Next month ____________________.

(b) We are going to Hawaii _________________.

(c) ____________________.

(d) ___________.

5 **W** Oh, no. That singer really ________________.

M ____

(a) Is she really a singer?

(b) I don't think _________________.

(c) ________________ like that singer.

(d) _________________________.

Part 2

6 **W** ____________________?

M Sure. What's up?

W ____________________ to move some boxes?

M ______________________________________

(a) ________________________ the other night.

(b) OK. Give me ten minutes.

(c) Then can you help me this Saturday?

(d) No problem. __________ making boxes.

7 **W** How much did you pay for a flight to Philadelphia?

M It was around $500 ____________.

W Really? I think the travel agency ___________.

M ______________________________________

(a) ________________ any longer.

(b) It can't be. ________________________.

(c) Don't worry. I can introduce you to __________________.

(d) _____________ my ticket.

8 **W** How's your biology class this semester?

M I think ______________.

W Don't worry. Just study as much as you can.

M ______________________________________

(a) ______________________.

(b) ______________________.

(c) ____________ tonight.

(d) Did you finish preparing for an exam?

9 M Hey, Martha. ____________________.

W Really? What's up?

M Classmates from our history class __________________ tonight. ________?

W ____

(a) Just thinking about history class is ______________.

(b) Sorry, let me _______________ on that.

(c) I am not on campus now.

(d) Sorry, _____________________________ tomorrow.

10 W What's wrong? ________________________.

M I have an audition this afternoon.

W Don't be nervous. _____________.

M ____

(a) I heard ____________ in the school play.

(b) _______________________ for me.

(c) I ____ my audition.

(d) The audition ________________.

Tip 4 의문사를 놓치지 말자

● 핵심 포인트

의문사가 있는 의문문은 When, Where, What, How, Why, Who 등의 의문사로 시작하는 의문문을 말한다. 의문사를 포함하고 있는 질문의 경우, 특히 의문사가 중요하다. 예를 들어, When으로 시작하여 질문을 했다면 화자는 시점에 대해 궁금한 것이므로 시점에 대해 언급한 응답이 정답이다. 따라서 의문사 의문문에서 의문사를 절대로 놓치지 말고 들어야 한다. 그러나 난이도가 높은 문제의 경우에서는 의문사와 관계없이 제3의 답을 할 수 있다. "What time do you go to bed?(몇 시에 잠자리에 드니?)"라고 물어도, It depends on how tired I am.처럼 시점이나 시간이 아니라, "얼마나 피곤하냐에 따라 달라요"가 정답이 될 수도 있으니 여러 가지 가능성 또한 열어 두어야 한다. 일반의문문으로 시작한 의문문의 경우는 Yes/No로 답할 수 있다. 그러나 의문사로 시작한 질문인 경우, Yes나 No로는 응답을 할 수 없다는 점도 명심하자. 마지막으로 의문사로 시작해 질문을 할 수도 있지만, Do you know where the classroom is?처럼 일반의문문으로 시작해서 의문사가 들어있는 질문을 할 수 있다. 이 경우에도 마찬가지로 의문사에 유의해서 들어야 정답을 고를 수 있다. 의문사 별로 주의해야 할 점을 아래에서 정리해 보겠다.

- **의문사를 포함하는 질문은 의문사 중심으로 들어야 한다.**
- **의문사로 시작된 의문문은 Yes, No로 답할 수 없다.**
- **일반의문문으로 시작해서 중간에 의문사가 들어가는 질문(간접의문문)도 의문사가 중요하며, 이 경우에는 Yes/No로 답할 수 있다.**
- **의문사 중심으로 답변이 나오지만, 난이도가 높은 문제에서는 제3의 답변이 나올 수도 있다.**

✱ What 의문문

What 의문사로 시작하는 의문문은 다른 의문사에 비해 출제 빈도가 높으므로 중요하다. What으로 시작하는 의문문은 what이라는 의문사 하나만 잘 들어서는 정답을 고르기가 어렵다. What 뒤에 나오는 명사 또는 동사를 함께 들어야 정답을 고를 확률을 높일 수 있다. 이와 더불어 의문사 what으로 시작해 관용적으로 굳어진 표현들을 잘 익혀 두어야 한다.

① What +명사

A What course did you enjoy most this semester? 이번 학기에 가장 재미있었던 수업이 뭐였니?

B Introduction to archeology was most interesting. 고고학 입문이 가장 재밌었어.

② 관용적으로 굳어진 표현

- **What if ~?** (만약 ~한다면?)

A What if it rains tomorrow? 내일 비가 오면 어쩌지?

B We'll have to push back our plan. 우리 계획을 미뤄야겠지.

- **What do you think?** (어떻게 생각해?)

A I'm ordering a pizza. What do you think? 나 피자 시키려고 하는데, 어떻게 생각해?

B That's fine with me. 나는 좋아.

- **What ~ like?** (~은 어때?)

A What does your boss look like? 너희 상사는 어떻게 생겼어?

B He's very tall with a mustache. 키가 크고 콧수염이 있어.

- **What for?** (뭐 하러?)

A She decided to work at the campus bookstore. 그녀는 학교 서점에서 일하기로 했대.

B What for? 뭐 하러?

③ 이유를 묻는 표현

A What brings you here today? 오늘 무슨 일로 오셨습니까?

B I am here to get a regular checkup. 정기 검진을 받으러 왔어요.

A What makes you so happy? 왜 그렇게 기분이 좋아?

B Finally, I got promoted. 드디어 승진을 했어.

✱ How 의문문

How를 '어떻게'라고 해석해서 주로 방법을 묻는다고 단순히 생각할 수도 있겠지만, 방법을 묻는 것 이외에도 상태, 정도, 빈도, 안부, 교통수단 등 다양한 내용을 물을 수 있다.

① 방법

A How can I disconnect my electricity? 전기를 어떻게 끊죠?

B You can call the electricity company. 전기 회사에 전화하시면 돼요.

② 정도나 빈도

A How often do you go to an art exhibition? 얼마나 자주 전시회에 가시나요?

B Roughly once a month. 대개 한 달에 한 번 정도요.

③ 상태와 안부

A How are things with you? 어떻게 지내?

B Everything is going well. 다 잘 되고 있어.

A How's your headache this morning? 오늘 아침엔 두통이 좀 어때?

B It's getting better. Thanks for asking. 점점 나아지고 있어. 물어봐 줘서 고마워.

④ 교통수단

A How did you get to your aunt's place? 고모네 집은 어떻게 갔어?

B I drove myself. 차 가지고 갔어.

- 상대방의 의견, 취향 묻기

A How was the film on cable yesterday? 어제 케이블 방송에서 한 영화 어땠어?

B It was dragging. 지겨웠어.

A How do you like your coffee? 커피는 어떻게 드십니까?

B I like it black. 블랙으로 주세요.

- 상대방의 경험 묻기

A How did your interview go? 인터뷰는 어땠어?

B I blew it. 망쳤어.

● 상대방에게 제안하기

A How about going swimming today? 수영하러 가지 않을래?

B That sounds good to me. 좋아.

● 이유를 물을 때

A How come Bill is at home? 빌이 왜 집에 있어?

B He isn't feeling well. 빌이 몸이 좋지 않아.

✱ Why 의문문

Why 의문문은 이유를 묻는다. 그렇지만 why만 이유를 물을 수 있는 것은 아니다. Why 이외에도 How come~?, What for~?, What makes~? 등으로도 이유를 물을 수 있으며, 응답으로는 because, because of, due to, to 부정사 등이 나올 수 있지만, 이유를 묻는다고 반드시 위의 표현으로 응답을 해야 하는 것은 아니다. Why로 시작하지만, Why don't we~?, Why don't you~?, Why not~?은 상대방에게 제안을 하는 기능 의문문 (Function Questions)에 속한다.

● 이유를 물을 때

A Why didn't you tell me earlier? 왜 나에게 일찍이 말해 주지 않았어?

B I just thought you already knew it. 네가 이미 알고 있다고 생각 했었지.

● 제안을 할 때

A Why don't we go for a walk? 산책을 하는 것은 어떨까?

B That sounds great. 그거 좋은데.

A Why not relax and take a shower? 좀 쉬고 샤워를 하는 게 어떻겠니?

B I'd love to, but I have many things to take care of. 그러고 싶은데, 할 일이 너무 많아.

✱ When 의문문

When 의문문은 when 뒤에 나오는 be 동사나 조동사를 정확하게 듣고 시제까지 제대로 파악해야 한다. When으로 시작하는 의문문은 시제를 혼동 시켜 오답으로 유도하는 문제가 많기 때문이다. 그리고 시점을 물을 때에는 when과 더불어 what time으로도 물을 수 있는데, what time으로 물으면 구체적인 시간이 나와야지 tomorrow, next month 등으로는 대답할 수 없다는 것도 명심해 두자.

- 특정 시간으로 응답하는 경우

  A What time did you have dinner? 몇 시에 저녁을 먹었어?

  B Around 7 p.m. 7시 즈음 먹었어.

- 특정한 시점으로 응답하는 경우

  A When will you have summer vacation? 언제 여름휴가를 갈 예정이니?

  B I'm going on vacation at the beginning of September. 나는 9월 초에 휴가를 갈 거야.

- 제3의 응답을 하는 경우

  A When will we have a meeting together? 회의는 언제 하게 되나요?

  B After I finish this report. 이 보고서를 끝내고서요.

- 현재를 묻는 경우

  A When do you usually go to bed? 대개 언제 주무세요?

  B I try not to pass midnight. 자정을 넘기지 않으려 노력하죠.

- 과거를 묻는 경우

  A When did the bus leave? 버스가 언제 떠났죠?

  B You just missed it. 지금 막 떠났어요.

- 미래를 묻는 경우

  A When shall we leave? 우리 언제 떠나요?

  B As soon as you are ready. 당신이 준비가 되자마자요.

✱ Where 의문문

Where는 다른 의문사에 비해 출제 빈도가 낮고, 장소라는 구체적인 정보를 묻고 있어 응답도 한정적이기 쉬워, 비교적 낮은 난이도의 문제들이 출제되고 있다. 주로 길 안내나 위치나 장소를 묻는 문제에서 많이 출제 되는 유형이다. 장소나 길을 가르쳐 주는 대답이 대부분을 이루지만, 때로는 제 3의 답변이 나올 수 있으니 주의하자.

A Where can I find cookbooks? 요리책은 어디에서 찾을 수 있어요?

B We keep them on the bookshelf around the corner. 코너에 있는 책장에 있어요.

A Where to, Ma'am? 어디로 모실까요, 부인?

B Western and Wilshire street, please. 웨스턴과 윌셔가 교차로요.

✱ Who 의문문

Who 의문문도 출제 빈도가 높지 않고, 누구라는 인물에 대한 구체적 정보를 묻기 때문에, 어렵지 않게 정답을 선택할 수 있다. Who 의문사로 물으면 사람 이름뿐만 아니라 manager, vice president 등 직책으로 대답이 나올 수도 있다.

A Who do I need to contact? 제가 누구와 연락을 해야 합니까?

B The manager next to the door. 문 옆에 계신 부장님이요.

기출 문제

M How about a game of tennis sometime this Friday?

W That sounds great. We haven't played for a while.

M What time is good for you?

W ____________________

(a) I need more practice.

(b) I'm free all afternoon.

(c) Do you play tennis?

(d) Where shall we meet?

해석 M 이번 금요일에 테니스 한 게임 어때?
W 좋아. 우리 한 동안 테니스 안 쳤잖아.
M 몇 시가 좋겠어?
W ____________________

(a) 연습이 더 필요해.
(b) 오후 내내 시간이 비어.
(c) 너 테니스 치니?
(d) 우리 어디서 만날까?

어구 That sounds great. 좋아.

해설 남자의 마지막 말에서 몇 시가 좋겠냐고 약속 시간을 잡으려 하고 있다. 따라서 정답은 (b)가 된다. What time~?으로 물었다고, 반드시 정확한 시간이 나와야 하는 것은 아니다.

정답 (b)

Basic Test

• 정답 및 해석 p.253

다음 문장을 듣고, 어떤 의문사로 시작했는지 의문사를 빈칸에 적은 후, 그 의문문에 알맞은 응답을 고르세요.

1 ____________ (a) (b) (c)

2 ____________ (a) (b) (c)

3 ____________ (a) (b) (c)

4 ____________ (a) (b) (c)

5 ____________ (a) (b) (c)

6 ____________ (a) (b) (c)

Practice Test

• 정답 및 해설 p.279

Part 1

Choose the most appropriate response to the statement.

1 (a) (b) (c) (d)

2 (a) (b) (c) (d)

3 (a) (b) (c) (d)

4 (a) (b) (c) (d)

5 (a) (b) (c) (d)

Part 2

Choose the most appropriate response to complete the conversation.

6 (a) (b) (c) (d)

7 (a) (b) (c) (d)

8 (a) (b) (c) (d)

9 (a) (b) (c) (d)

10 (a) (b) (c) (d)

Dictation for Practice Test

• 스크립트 p.279

문제를 다시 한 번 듣고 빈칸을 채우세요.

Part 1

1 M ______________________ on Sunday?

W ______________________________

(a) Did you ask Stephen?

(b) You should ________.

(c) ____________?

(d) Around 3 p.m.

2 M ___________ want to be a teacher?

W ______________________________

(a) I thought ________________.

(b) I will go to Teachers' college.

(c) I teach at Fairfax high school.

(d) My father is __________.

3 M ______________________ on Sundays?

W ______________________________

(a) It's _________.

(b) _________ every Sunday.

(c) ___________.

(d) Take bus number 11 here.

4 **M** ______________ where I can find room 309?

W ____

(a) Follow me. __________________.

(b) I'd rather ____________.

(c) __________?

(d) Yes, I found it.

5 **W** ____?

M ____

(a) ___________.

(b) I'll be at my parents' house.

(c) ______________ Dr. Jason's class.

(d) _______________.

Part 2

6 **M** Excuse me, I think ______.

W Where are you going?

M ____________ Connor's department store from here?

W ________________________________

(a) That store is very big, isn't it?

(b) You need to take the number 9 bus.

(c) ________________.

(d) That's right.

7 **W** Hi, you are already here.

M Yeah. Good morning.

W ______________ today?

M ________________________________

(a) I must have ________.

(b) I found it hard to be on time every day.

(c) ____________________.

(d) There was no ________, strangely.

8 **M** I saw you at the park yesterday.

W Why didn't you say hello?

M You were ______________. __________________?

W ________________________________

(a) ___________.

(b) It was my mother.

(c) I was ________.

(d) I met Jane at the park.

9 **W** Would you like some tea and cake ________?

M That sounds great. ________________.

W ________________________ with your cake?

M ________________________________

(a) I prefer it __________.

(b) You are so kind.

(c) I'll have the cheese cake, please.

(d) Green tea __________, thank you.

10 **W** Excuse me, can you tell me ________________________?

M There's one ______________, but I think __________.

W Well, ______________________?

M ________________________________

(a) Go straight 3 blocks and ________.

(b) ______________ every day.

(c) Next stop is Central station.

(d) Please __________________________.

Tip 5 시제를 놓치지 말자

● 핵심 포인트

Part 1, 2에서 시제를 혼동시켜 오답을 유도하는 문제들을 흔하게 볼 수 있다. 시제를 정확히 파악하려면, 시제를 알려주는 단서들을 정확히 들어야 할 것이다. 예를 들면, 시제를 나타내는 부사나 부사구를 통해 시제를 표시할 수도 있을 것이고, 동사를 변형 시킬 수도 있을 것이다. 과거를 나타낼 땐 평서문의 경우 규칙 동사 뒤에 -ed나 조동사 did 등을 들어야 할 것이다. 완료를 나타낼 땐 have+p.p를 들어야 할 것이고, 미래를 나타낼 때는 be going to 아니면 will을 이용하기 쉬울 텐데, 요점은 조동사 did나 will에는 강세가 잘 가지 않고, 동사 뒤에 -ed 붙은 것도 놓치기 쉬우므로 정확히 들어야 한다는 것이다. 대충 의미만 파악하고 시제를 정확히 듣지 않는다면 과거의 사실을 묻는데, 미래의 행동을 대답하는 등의 엉뚱한 답을 고를 수도 있다.

기출 문제

W When did you arrive in Chicago, Mr. Keiser?

M ______________________________

(a) I don't like big cities.

(b) It's been a couple of days.

(c) I'll be there next Monday.

(d) I visited the city last month.

해석 W Keiser씨는 언제 시카고에 도착 하셨어요?
M ______________________
(a) 저는 대도시를 좋아 하지 않습니다.
(b) 며칠 됐어요.
(c) 다음 주 월요일에는 거기 있을 거에요.
(d) 저는 그 도시에 지난달에 들렀어요.

어구 a couple of 두 셋, 두어 개

해설 여자는 남자에게 언제 시카고에 도착 했느냐고 묻고 있다. (b)에서 남자가 며칠 됐다고 하는 것은 바꾸어 말하면, 며칠 전에 왔다는 것이므로 정답이 된다. (c)는 다음 주에는 거기 있을 것이라는 것은 미래를 나타내므로 정답이 될 수 없다.

정답 (b)

Basic Test

• 정답 및 해석 p.254

다음 문장을 듣고, 문장의 시제를 고른 후, 시제를 잘 생각하며 이어질 응답으로 알맞은 것을 고르세요.

1 (a) 현재 (b) 과거 (c) 미래

응답으로 알맞은 것은? (a) (b) (c)

2 (a) 현재 (b) 과거 (c) 미래

응답으로 알맞은 것은? (a) (b) (c)

3 (a) 현재 (b) 과거 (c) 미래

응답으로 알맞은 것은? (a) (b) (c)

4 (a) 현재 (b) 과거 (c) 미래

응답으로 알맞은 것은? (a) (b) (c)

5 (a) 현재 (b) 과거 (c) 미래

응답으로 알맞은 것은? (a) (b) (c)

6 (a) 현재 (b) 과거 (c) 미래

응답으로 알맞은 것은? (a) (b) (c)

Practice Test

• 정답 및 해설 p.282

Part 1

Choose the most appropriate response to the statement.

1 (a) (b) (c) (d)

2 (a) (b) (c) (d)

3 (a) (b) (c) (d)

4 (a) (b) (c) (d)

5 (a) (b) (c) (d)

Part 2

Choose the most appropriate response to complete the conversation.

6 (a) (b) (c) (d)

7 (a) (b) (c) (d)

8 (a) (b) (c) (d)

9 (a) (b) (c) (d)

10 (a) (b) (c) (d)

Dictation for Practice Test

• 스크립트 p.282

문제를 다시 한 번 듣고 빈칸을 채우세요.

Part 1

1 **W** It's nearly 7 p.m., so ________.
M ____________________

(a) OK. Let me just ________.
(b) Oh, no. It's already ______.
(c) I wasn't ________.
(d) ____________________.

2 **M** ________ did you stay?
W ____________________

(a) I'll be there next week.
(b) ____________ stay for a day.
(c) For about two weeks.
(d) ____________.

3 **W** Let's stop and ____________________.
M ____________________

(a) _______? I'd love to.
(b) Why don't you stop?
(c) Our place is ______________.
(d) You are at home now.

4 **M** ________________ so much at the buffet.

W ________________________________

(a) What's your __________?

(b) Let's ______ someday.

(c) ________.

(d) What would you like to have?

5 **M** Hey, Sarah. ______________?

W Oh, ___________. I'm just going to get some dinner.

M Already? ______________?

W ________________________________

(a) Well, ________.

(b) I'm not hungry.

(c) ___________.

(d) I had it already.

Part 2

6 **W** What should I do about my car accident?

M ____________________.

W I _________ another car yesterday.

M ______________________________________

(a) Oh, gosh. Did anybody ______?

(b) __________________________.

(c) Are you at the accident?

(d) Look both ways _____________________.

7 **M** When are you _________________ our project?

W Anytime after 7 p.m. this weekend is __________.

M I'm busy this weekend. ___________________________?

W ______________________________________

(a) Good morning.

(b) _________. Sounds OK.

(c) ______________.

(d) I was busy on Monday.

8 **W** _____________________?

M I was so nervous but I think I did alright.

W When will you ________________?

M ______________________________________

(a) ______________.

(b) I'm not sure.

(c) They'll _______________.

(d) It was last month.

9 **M** I'm going to the store soon. ____________________?

W I __________ yesterday so I don't think so.

M ______________________?

W ____

(a) I am going _______________.

(b) No, ________________.

(c) Yes, I see.

(d) Yes, I have two dogs.

10 **W** When are you going to the beach?

M Sometime this weekend, _______________________.

W But ______________________________ all weekend.

M ____

(a) I hope not.

(b) _________ outside.

(c) _________________________.

(d) I'll take a bus instead.

Tip 6 주체가 바뀌는 것을 조심하자

● 핵심 포인트

Part 1, 2는 짧은 대화이지만 화자 각각의 입장이 그 짧은 순간에도 있다. 예를 들어 부탁을 하는 사람이 등장하면, 상대는 부탁을 들어주거나 거절하는 입장에 놓이게 된다. 여기서 조심해야 할 것은 Part 1, 2에서 오답을 선택하도록 하는 함정 중 하나가 A가 해야 할 말을 B가 한다거나, B가 해야 할 말을 A로 바꾸어 놓는 경우가 있다는 것이다. 화자의 입장을 정확히 파악하지 않으면, 아차 하는 실수를 범하게 된다. 그러므로 대화를 들으면서 의미파악과 함께, 화자가 어떤 입장을 가진 사람인지 확실히 파악해 둔다면 정답을 고르는데 혼동되는 일은 없을 것이다.

기출 문제

W **You made a fabulous speech.**

M **Thank you.**

W **I really mean it. I felt caught up in the moment.**

M ______________________________

(a) It must have been a praiseworthy speech.
(b) It's a compliment to know you liked it.
(c) I admire all of your hard work.
(d) You're trying to flatter him, but it won't work.

해석 W 정말 대단한 연설이었어요.
M 고마워요.
W 진심이에요. 순간 연설에 빠져 드는 것 같았어요.
M ______________________

(a) 정말 훌륭한 연설이었음에 틀림없어요.
(b) 당신이 좋아했다니 기쁘네요.
(c) 당신의 수고에 찬사를 보내요.
(d) 그에게 아부하려고 하는데 소용없어요.

어구 make a speech 연설하다
fabulous 굉장한, 멋진
praiseworthy 칭찬할 만한, 감탄할
compliment 찬사, 칭찬
flatter 아첨하다

해설 남자가 훌륭한 연설을 한 사람이고, 여자는 칭찬을 해 주는 사람이라는 것을 명심하자. 남자가 연설을 자신이 해 놓고 정말 훌륭한 연설임에 틀림없다는 것은 어색하므로 (a)는 정답이 되지 않는다. 남자가 연설을 한 사람인데, 여자가 수고했다는 것 또한 어울리지 않는다. 주체를 정확히 파악해 두어야 하겠다. 여자가 칭찬을 해 주었으므로, 남자는 칭찬에 대해 기쁘다고 응답을 하는 (b)가 정답이다.

정답 (b)

Basic Test

• 정답 및 해석 p.255

음성을 듣고, 화자가 누구인지 고른 후, 이어질 응답으로 알맞은 것을 고르세요.

1 남자는 누구인가? (a) 손님 (b) 상점 직원

응답으로 알맞은 것은? (a) (b) (c)

2 여자는 누구인가? (a) 전화를 건 사람 (b) 전화를 받은 사람

응답으로 알맞은 것은? (a) (b) (c)

3 남자는 누구인가? (a) 호텔 손님 (b) 호텔 직원

응답으로 알맞은 것은? (a) (b) (c)

4 여자는 누구인가? (a) 부탁을 하는 사람 (b) 부탁을 받는 사람

응답으로 알맞은 것은? (a) (b) (c)

5 남자는 누구인가? (a) 초대를 하는 사람 (b) 초대를 받은 사람

응답으로 알맞은 것은? (a) (b) (c)

6 여자는 누구인가? (a) 사과를 해야 하는 사람 (b) 화가 난 사람

응답으로 알맞은 것은? (a) (b) (c)

Practice Test

• 정답 및 해설 p.285

Part 1

Choose the most appropriate response to the statement.

1 (a) (b) (c) (d)

2 (a) (b) (c) (d)

3 (a) (b) (c) (d)

4 (a) (b) (c) (d)

5 (a) (b) (c) (d)

Part 2

Choose the most appropriate response to complete the conversation.

6 (a) (b) (c) (d)

7 (a) (b) (c) (d)

8 (a) (b) (c) (d)

9 (a) (b) (c) (d)

10 (a) (b) (c) (d)

Dictation for Practice Test

• 스크립트 p.285

문제를 다시 한 번 듣고 빈칸을 채우세요.

Part 1

1 **M** Why didn't you come to class today? There was a ________.
W ____

(a) Oh, no! I hope ______________.
(b) Thank you for the useful information.
(c) ______________________?
(d) ______________________________.

2 W Can you help me ____________________ in the office?
M ____

(a) ________________ the furniture?
(b) I'm going back to the office.
(c) OK. ______________________.
(d) Thank you for _____________.

3 **M** I'd like to _________________ for this Sunday at 8 p.m.
W ____

(a) _____________ your reservation.
(b) Do you have any ____________?
(c) I go to church every Sunday.
(d) Sure. ________________________?

4 **W** That model is ______________. Do you have ____________?

M ______________________________

(a) ______________.

(b) Let me show you another one.

(c) This is __________________.

(d) This model is _______.

5 **M** Have you ____________________ for the cruise?

W ______________________________

(a) The cruise ship __________.

(b) I think so.

(c) ________________.

(d) This is __________.

Part 2

6 **W** I'm so sorry. ______________ today.

M Again? ____________________?

W I guess __________.

M ________________________________

(a) I hate __________.

(b) Sorry to keep doing it.

(c) You should be careful.

(d) ______________.

7 **M** Dolphin Hotel, how can I help you?

W ____________________ for June 29th.

M Would you like ____________?

W ________________________________

(a) We are __________.

(b) Double, please.

(c) ______________.

(d) ______________.

8 **W** How did your __________ go?

M My doctor told me I need to ____________ but ______ I'm fine.

W I need to lose weight, too. Maybe __________________.

M ________________________________

(a) That sounds ____.

(b) You should ______________.

(c) Maybe ______________.

(d) ____________ is downtown.

9 **M** ______________________ for dinner tonight?
W Let's go to that ____________________ down the street.
M But _____________________ the other day.
W ____

(a) How about Italian?
(b) Then ________________________?
(c) He is an Italian.
(d) _________ having Italian.

10 **M** I'm _________________ today.
W Yeah, ________. What's wrong?
M My neighbors ______________ until 2 a.m. ___________________.
W ____

(a) So you ____________ in the morning.
(b) That would be __________.
(c) ______________________________.
(d) I went to a party the other night.

MEMO

Part 2

Tip **1** 첫 두 문장에서 대화의 상황을 파악하자

Tip **2** 마지막 화자의 말에 중심을 두자

Tip **3** 일관성을 유지하고 있는 것이 정답이다

Tip 1 첫 두 문장에서 대화의 상황을 파악하자

● 핵심 포인트

Part 2는 Part 1보다는 조금 길어진 대화이지만, 여전히 짧고, 빠르게 진행된다. 정답을 고르기 위해서는 마지막 화자의 말이 가장 중요하지만, 첫 번째 두 번째 말을 들어야지만 정답을 고를 수 있을 때도 있으므로 첫 번째 두 번째 말을 잘 들어야 하겠다. 많은 경우 마지막 화자의 말만 들어도 정답을 고를 수 있는데, 마지막 화자의 말을 잘 듣기 위해서 첫 번째 두 번째 화자의 말이 큰 도움이 된다. 대화의 흐름이 어떻게 진행 될 것인지, 대화의 주제는 무엇인지를 파악할 수 있도록 해 주기 때문이다. 예를 들어, 첫 번째 화자가 "What happened to you, you don't look good." 이렇게 화두를 열었다면, 두 번째 화자에게 좋지 않은 일이 일어날 확률이 크고, 첫 번째 화자는 좋지 않은 일에 대해서 위로를 해 주거나, 해결책 혹은 충고 등을 해 주기 쉬울 것이다.

기출 문제

M I sprained my ankle again during the holiday.

W How did you do that?

M I twisted it walking down the stairs.

W ______________________________

(a) I'm glad you enjoyed your holiday.

(b) Your uncle could have been worse!

(c) I hope everything's better now.

(d) You should take your uncle to a doctor.

해석
M 휴가 기간에 발목을 또 삐었어.
W 어떻게 하다가 그랬니?
M 계단을 내려오다가 삐었어.
W ______________

(a) 휴가를 즐겁게 지냈다니 기쁘다.
(b) 너희 삼촌은 더 안 좋으셨을 수도 있어.
(c) 모든 것이 나아지길 바래.
(d) 삼촌을 병원에 모시고 가야해.

어구 sprain 〈발목 · 손목 등을〉 삐다
twist 비틀다, 삐다

해설 처음 남자 여자의 대화에서 남자가 아픈 상황이라는 것을 빨리 감지해야 한다. 화자가 아픈 것에 대해서는, 쾌유를 빌어주거나, 병원에 가보라고 하는 등의 조언이 나오기 쉽다. 그러므로 쾌유를 빌어주는 (c)가 정답이 된다. (b)와 (d)는 대화의 ankle을 uncle이라는 발음으로 착각하게 하려는 오답이다. 이 대화는 삼촌에 대한 얘기가 아니고, 남자의 발목부상이다. 그러므로 모두 오답이 된다.

정답 (c)

Basic Test

• 정답 및 해석 p.256

두 문장으로 이루어진 대화를 듣고, 음성으로 주어지는 보기 두 개 중 대화에 대한 묘사로 맞는 것을 고르세요.

1 (a) (b)
2 (a) (b)
3 (a) (b)
4 (a) (b)
5 (a) (b)
6 (a) (b)
7 (a) (b)
8 (a) (b)
9 (a) (b)
10 (a) (b)

Practice Test

• 정답 및 해설 p.288

Part 2

Choose the most appropriate response to complete the conversation.

1 (a) (b) (c) (d)
2 (a) (b) (c) (d)
3 (a) (b) (c) (d)
4 (a) (b) (c) (d)
5 (a) (b) (c) (d)

Dictation for Practice Test

• 스크립트 p.288

문제를 다시 한 번 듣고 빈칸을 채우세요.

Part 2

1 **M** ______________ so happy?

W Guess what! ________________ law school!

M Congratulations! ___________.

W ______________________________________

(a) There's a __________________.

(b) ________________.

(c) Thanks, I am so excited.

(d) I will ____ New York.

2 **W** I'm so _________ today.

M What seems to be the problem?

W I don't know ___________________________.

M ______________________________________

(a) How about ____________________?

(b) I paid my tuition every semester.

(c) Did you ______________?

(d) You can pay it __________________.

3 M ______________ so much recently.

W What happened to you?

M ______________ last weekend.

W ______________________________

(a) ________.

(b) ________.

(c) You are lucky.

(d) ________!

4 W Why are you so ____________?

M My girlfriend ____________ last night.

W Cheer up, ______________________.

M ______________________________

(a) But ______________.

(b) You like going fishing, don't you?

(c) But it's not ______________.

(d) ____________________.

5 M I really __________________.

W Why? ______________ to meet new people.

M I get so nervous and I feel very __________.

W ______________________________

(a) I don't like them, either.

(b) ____________.

(c) I am going to ________.

(d) I guess ________________.

Tip 2 마지막 화자의 말에 중심을 두자

● 핵심 포인트

Part 2 문제를 풀면서 마음속에 깊이 새겨야 할 것은 첫 번째 두 번째 대화의 흐름을 잘 기억하되, 정답을 고르기 위해서 마지막 세 번째 말에 가장 중심을 두어야 한다는 것이다. Part 2에서 마지막 화자의 말만 잘 들어도 정답을 고를 수 있는 문제가 전부는 아니다. 문제에 따라서는 첫 번째 두 번째 말도 잘 들어야 정답을 고를 수 있을 때가 있지만, 많은 경우 세 번째 말만 잘 들어도 정답을 고를 수 있거나, 세 번째 말에 가장 중심을 두어야 다른 보기들과 헷갈리지 않는 경우가 많으므로, 세 번째 화자의 말에 특히 집중하자.

기출 문제

W What do you study here?

M Biochemistry.

W Are you an undergrad or a grad student?

M ______________________

(a) It's undecided.

(b) I'm working on my Ph.D.

(c) I'm in the Chemistry department.

(d) It doesn't matter to me.

해석 W 여기서 무엇을 전공하세요?
M 생화학이요.
W 학부생이세요? 아니면 대학원생이세요?
M ______________

(a) 미결정입니다.
(b) 저는 박사 과정을 밟고 있어요.
(c) 저는 화학과에 다니고 있어요.
(d) 저에게는 상관없어요.

어구 biochemistry 생화학
undergrad (undergraduate의 준말) 학부생
grad (graduate student의 준말) 대학원생
Ph.D 박사 과정
department 과, 부서

해설 여자의 마지막 말이 가장 중요하다. 여자가 남자에게 학부생인지 대학원생인지 물었다. 둘 중에 하나일 수도 있고, 제3의 답변이 나올 수도 있다. 남자는 박사 과정을 밟고 있으므로 제3의 답변을 한 것이다 정답은 (b)가 된다. 지금 현재 자신의 위치를 물어 보는 것이므로 (a)의 결정이 되지 않았다거나, (d)처럼 상관이 없다고 대답하는 것은 어색하다.

정답 (b)

Basic Test

• 정답 및 해석 p.258

다음 질문을 듣고, 음성으로 주어지는 각각의 응답이 옳으면 O, 틀리면 X를 표시하세요.

1 (a) ____ (b) ____ (c) ____

2 (a) ____ (b) ____ (c) ____

3 (a) ____ (b) ____ (c) ____

4 (a) ____ (b) ____ (c) ____

5 (a) ____ (b) ____ (c) ____

6 (a) ____ (b) ____ (c) ____

7 (a) ____ (b) ____ (c) ____

8 (a) ____ (b) ____ (c) ____

9 (a) ____ (b) ____ (c) ____

10 (a) ____ (b) ____ (c) ____

Practice Test

• 정답 및 해설 p.290

Part 2

Choose the most appropriate response to complete the conversation.

1 (a) (b) (c) (d)

2 (a) (b) (c) (d)

3 (a) (b) (c) (d)

4 (a) (b) (c) (d)

5 (a) (b) (c) (d)

Dictation for Practice Test

• 스크립트 p.290

문제를 다시 한 번 듣고 빈칸을 채우세요.

Part 2

1 **M** This biology class is really ________.
W Is there anything ______________?
M _________________________ with my homework tonight?
W ____

(a) I've got __________________.
(b) Sure, ______________________?
(c) I took biology class last semester.
(d) Biology class is ____________.

2 **W** _______________ a cafe latte.
M Do you want anything else?
W ____________________________?
M ____

(a) Do you like cheese cake?
(b) Sure, _____________.
(c) _______________________.
(d) _______________________?

3 **M** What's the matter? ____________.

W I don't think ____________________________.

M Why don't you ________________________?

W ____________________________________

(a) Don't ask me such a question.

(b) ______________________________.

(c) OK, let me find ____________.

(d) ______________ at school.

4 **M** Do you ____________?

W Sure, what's up?

M I have no idea ________________________.

W ____________________________________

(a) Is this __________ again?

(b) It's easy, ____________________.

(c) You can use the one _________.

(d) ____________________________.

5 **M** Long time no see. __________________________?

W I'm ____________________________ to Greece.

M Wow, how long are you going to _____?

W ____________________________________

(a) It's October 12th.

(b) ______________.

(c) I am also going to Italy.

(d) _____________.

Tip 3 일관성을 유지하고 있는 것이 정답이다

● 핵심 포인트

Part 2는 답으로 고른 보기를 제외하면 A-B-A의 세 문장 정도의 대화로 구성이 된다. 이때도 짧은 대화이긴 하지만, A와 B의 각각의 의견이 생긴다. 두 화자의 의견은 일치할 수도 있고, 불일치할 수도 있지만, 한 화자의 입장은 일관적이어야 한다. 예를 들어, 유학을 가는 것에 대해 대화를 하고 있는데, A, B 화자 모두 유학에 대해서 부정적인 의견을 가지고 있었다면, 정답을 고를 때에도 유학에 대해서 부정적인 의견을 제시한 보기만이 정답이 될 수 있다는 말이다. 앞에서는 유학에 대해서 좋지 않은 점을 말했다가, 막상 보기에서는 유학에 대해 긍정적인 의견이 나왔다면 정답이 될 수가 없다.

기출 문제

M **Well, this apartment has a big living room, but no storage space.**

W **And it's not as cheap as the last one we saw.**

M **That one was larger, too.**

W ______________________________

(a) Let's look at that last one again.

(b) We should rent this right away.

(c) I doubt we can find anything cheaper.

(d) I think we need to get something smaller.

해석 M 이 아파트는 거실이 크지만, 수납공간이 없네.
W 지난번에 본 것만큼 싸지도 않아.
M 지난번에 본 것이 크기도 더 컸어.
W ______________

(a) 지난번 것을 다시 보자.
(b) 이 아파트를 당장 얻자.
(c) 더 저렴한 것을 찾을 수 있을지 의문이야.
(d) 우리는 좀 더 작은 것이 필요해.

어구 living room 거실
storage space 수납공간

해설 아파트를 구하고 있는 상황이다. 남자 여자 모두 지금 보고 있는 아파트 보다 지난번에 본것이 가격이나, 크기 면에서 마음에 들어 하므로 정답은 (a)가 된다. 남자 여자 모두 지금 보고 있는 아파트가 별로 라고 얘기 했으므로 갑자기 입장을 바꾸어 (b)나 (c)로 응답하는 것은 어색하다.

정답 (a)

Basic Test

• 정답 및 해석 p.260

A-B-A로 이어지는 대화를 들려 드립니다. 마지막 A의 말에 대해 6개의 응답이 따라 나옵니다. 각각의 응답에 대해 이어지는 B의 말로서 일관적이면 O, 일관적이지 않으면 X를 표시하세요.

1 (a) ______
(b) ______
(c) ______
(d) ______
(e) ______
(f) ______

2 (a) ______
(b) ______
(c) ______
(d) ______
(e) ______
(f) ______

3 (a) ______
(b) ______
(c) ______
(d) ______
(e) ______
(f) ______

4 (a) ______
(b) ______
(c) ______
(d) ______
(e) ______
(f) ______

Practice Test

• 정답 및 해설 p.292

Part 2

Choose the most appropriate response to complete the conversation.

1 (a) (b) (c) (d)

2 (a) (b) (c) (d)

3 (a) (b) (c) (d)

4 (a) (b) (c) (d)

5 (a) (b) (c) (d)

Dictation for Practice Test

• 스크립트 p.292

문제를 다시 한 번 듣고 빈칸을 채우세요.

Part 2

1 **W** I'd like to buy both of these sweaters.

M I think you should ________________ since it's ______.

W But I like both of them, and ______________________.

M ________________________________.

(a) How about buying that jacket?

(b) Then you would be ____________.

(c) I heard there is __________.

(d) ______________________?

2 **M** ______________________. I think I'll go and play some golf.

W ____________________ doesn't mean ________________.

M I don't have any other projects for today, though.

W ________________________________

(a) ____________________, you can leave.

(b) ______________________?

(c) Do you want to play golf with me some day?

(d) You have to be aware that __________________.

3 **W** ____________________?

M I know a place ______________________.

W I don't want to eat something _______.

M ______________________________

(a) I'm going to _________.

(b) I'd like to _____________.

(c) This looks delicious.

(d) They have excellent salad, too.

4 **M** I know you said _________________ but it's hard.

W You should consider _____________________________.

M Can't I just ______________?

W ______________________________

(a) _________ is important.

(b) That's exactly ______________.

(c) You should get a professional's help.

(d) _____________________.

5 **W** What would you say _________?

M I think you would ______________________.

W I'm really ________________, though.

M ______________________________

(a) I thought you have healthy long hair.

(b) _________________ instead?

(c) Your hair is really dry.

(d) But short cuts are ___________.

Part 3

Type I 대의파악 문제

Tip **1** 대화의 주제는 주로 앞쪽에 있다

Tip **2** 대화의 주제는 전체를 포괄할 수 있어야 한다

Type II 세부사항 문제

Tip **1** 대화를 두 번 들을 수 있다는 점을 최대한 활용한다

Tip **2** 남녀 화자가 언급한 정보를 구별하여 외워두자

Type III 추론 문제

Tip **1** 추론 문제는 반드시 4개의 보기를 비교해 본다

Tip **2** 상상과 추론을 확실히 구분하자

Type I 대의파악 문제

Part 3에서 대화의 주제를 묻는 문제는 보통 앞부분, 31-37번 정도에 위치하고 있으며 적게 나오면 5문제에서 많이 나오면 7문제까지 출제 된다. 전체적인 주제를 묻는 문제는 구체적인 세부사항을 묻는 것이 아니기 때문에, 대화의 흐름을 잡는 것이 관건이다. 상세한 부분까지 듣지 못해도 정답을 고를 수 있는 문제가 많기 때문에, 대화의 내용을 완전히 파악하지 못했다고 지레 겁을 먹고 포기 하지 말자.

sample

Q What is the main topic of the conversation?

Q What are the speakers mainly talking about?

Q What is taking place in this conversation?

Q What is the conversation about?

Q What is the main subject of the conversation?

Q What is the conversation mainly about?

Q What is happening in this conversation?

Warming-up Test

• 정답 및 해석 p.261

두 문장으로 이루어진 대화를 듣고, 음성으로 제시되는 두 개의 보기 중 대화를 잘 요약한 것을 고르세요.

1 (a) (b)

2 (a) (b)

3 (a) (b)

4 (a) (b)

5 (a) (b)

6 (a) (b)

7 (a) (b)

8 (a) (b)

9 (a) (b)

10 (a) (b)

Tip 1 대화의 주제는 주로 앞쪽에 있다

● 핵심 포인트

대화의 주제는 앞부분의 첫 두세 번째의 대화를 통해서 알 수 있는 경우가 많다. 그러므로 대화의 앞부분을 놓쳐 버리면 중요한 정보를 놓쳐 버리기 쉽다. 그리고 오히려 중간부터 잘 듣고, 중간부터 마지막까지의 대화 부분만 가지고 전체 주제를 파악하면 오답을 고르기기 십상이니 반드시 앞 부분을 놓치지 말아야 한다. 다행히 Part 3는 두 번 들려주니, 처음 들을 때 앞부분을 놓쳤다면, 두 번 째 들을 때 앞부분을 다시 한 번 확인 할 수 있을 것이다.

기출 문제

M Carol, I didn't get promoted.
W Really? So sorry to hear that.
M I can't believe that they gave it to Anderson.
W Well, you can't always predict things like this.
M Yes, but I still think that I deserved it.
W Well, all you can do is continue working hard.
M Right. They can't ignore me forever.

Q What are the speakers talking about?

(a) The man's loss of a job
(b) The man's failure to get promoted
(c) The man's new business
(d) The man's idea about changing jobs

해석 M 캐롤, 나 승진하지 못했어.
W 정말? 안 됐다.
M 앤더슨에게 돌아가다니 믿을 수가 없어.
W 글쎄, 항상 앞일을 알 수는 없지.
M 맞아, 그렇지만 나도 승진할 만한데.
W 네가 할 일은 계속해서 열심히 일하는 것이야.
M 그래. 그들이 날 계속 모른 체하진 않겠지.
Q 화자들은 무엇에 대해 이야기하고 있는가?
(a) 남자의 실직
(b) 남자의 승진 실패
(c) 남자의 새로운 사업
(d) 남자의 이직 계획

어구 get promoted 승진 하다
Sorry to hear that 듣고 보니 안 됐다, 유감이다

해설 맨 첫 번째 남자의 말에서 알 수 있듯이, 남자는 승진을 하지 못했다. 이것에 대해 여자가 위로를 해 주고 있으므로 정답은 (b)가 된다.

정답 (b)

Practice Test

• 정답 및 해설 p.294

Part 3

Choose the option that best answers the question.

1 (a) (b) (c) (d)

2 (a) (b) (c) (d)

3 (a) (b) (c) (d)

4 (a) (b) (c) (d)

5 (a) (b) (c) (d)

Dictation for Practice Test

• 스크립트 p.294

문제를 다시 한 번 듣고 빈칸을 채우세요.

Part 3

1 **M** I've been thinking about ________.
W Really? Do you know what kind?
M ________________________.
W Since you're ________________, that's a good idea.
M Also, I think I'm going to ____________.
W ____________________________.

Q **What are the speakers talking about?**

(a) ________________
(b) ________________________
(c) ________________
(d) ______________________

2 **W** ____________. What's wrong?
M ________________ this computer program yet.
W Did you ________ on it?
M Not yet. I thought ____________________.
W I always try to take a tutorial for new programs.
M I think I'm going to ________________.

Q **What are the speakers talking about?**

(a) ________________
(b) ________________
(c) ______________
(d) ______________

3 **M** I'm calling ______________________.

W When was your reservation for?

M ___________________________.

W ________. Since it's ________________________, we won't ______ ________.

M __________. I was worried about that.

W You called well ahead of time, so _________________.

Q **What is the man mainly doing?**

(a) __________________

(b) __________________

(c) ________________

(d) ____________________

4 **W** __________________________ for your trip?

M Actually, I need someone ___________ my cat.

W But __________ cats and dogs.

M All you have to do is __________________ and _____________.

W __________________________.

M It takes _______ five minutes.

Q **What is the conversation mainly about?**

(a) _______________________

(b) _______________________

(c) ____________________ during the vacation

(d) ________________________________

5 **M** I bought a new TV but ______________________.

W Does it ______________?

M Yeah, it works fine.

W You could ______________ to sell it.

M It's so old. I don't think ______________ for it.

W Then advertise that it's free to ______________.

Q **What is the main focus of the conversation?**

(a) ______________

(b) ______________

(c) How much money ______________

(d) ______________

Tip 2 대화의 주제는 전체를 포괄할 수 있어야 한다

● 핵심 포인트

대화 내용을 확실히 이해했다 하더라도, 대화의 주제를 잘못 고를 수 있다. 주제를 고르는 문제에서 가장 흔하게 오답을 만드는 유형은, 대화의 주제가 되기에 너무 좁게, 혹은 너무 넓게 보기를 만드는 경우이다. 또는 대화에 나왔던 핵심적인 단어들을 이용해 엉뚱한 주제를 만들어 낼 수 있다. 대화의 주제는 4개의 보기 중에 가장 구체적이면서도 전체 대화의 내용을 포괄 할 수 있어야 한다.

기출 문제

M **Mark, I've noticed that your monthly sales are down.**

M **That's right, Ms. Moore. Let me explain.**

W **Okay.**

M **My daughter was sick, so I had to stay with her.**

W **I understand. But what do you intend to do for next month?**

M **First, I will work an hour longer each day.**

W **That sounds good.**

M **Also, I'll work on Saturdays to make up for this month.**

Q **What is the topic of the conversation?**

(a) The man's plan to make up for his poor performance

(b) The man's sick daughter

(c) The woman's low sales figures

(d) The woman's excellent job performance

해석 W 마크, 당신의 월매출이 떨어졌군요.
M 맞습니다. 무어씨. 제가 설명을 드리죠.
W 좋아요.
M 저희 딸이 아파서, 딸 곁에 있어야 했어요.
W 그랬군요. 그러면 다음 달에는 어떻게 하실 거죠?
M 일단, 매일 한 시간씩 더 일을 할 것입니다.
W 좋아요.
M 이번 달에 빠진 시간을 채우기 위해 토요일에도 일하겠어요.

Q 대화의 주제는 무엇인가?
(a) 남자의 부진한 실적을 만회할 계획
(b) 남자의 아픈 딸
(c) 여자의 좋지 않은 판매 실적
(d) 여자의 훌륭한 직무 수행 능력

어구 monthly sales 월매출
intend ~할 작정이다, ~하려고 생각하다
make up 보충하다, 만회하다
poor performance 부진한 실적
job performance 직무 수행

해설 여자는 남자의 부진한 판매 실적에 대해서 묻고 있다. 이에 대해 남자는 구체적으로 다음 달에 부진한 판매 실적을 어떻게 보충 할지 조목조목 계획을 밝히고 있다. 그러므로 정답은 (a)가 된다. (b)는 이 대화에 부합하는 내용이지만, 전체 내용의 일부에 해당하는 것이므로 주제가 되기에는 범위가 너무 좁다.

정답 (a)

Practice Test

• 정답 및 해설 p.296

Part 3

Choose the option that best answers the question.

1 (a) (b) (c) (d)

2 (a) (b) (c) (d)

3 (a) (b) (c) (d)

4 (a) (b) (c) (d)

5 (a) (b) (c) (d)

Dictation for Practice Test

• 스크립트 p.296

문제를 다시 한 번 듣고 빈칸을 채우세요.

Part 3

1 **W** Did you get the invitation for ______________________________?

M Is it this coming Sunday?

W Right. ______________?

M Of course __________.

W Great. _________________________ seeing you there.

M By the way, ______________________________?

W __________________________________.

M Wow, that's ______________________.

Q **What is the main focus of the conversation?**

(a) ______________________

(b) ______________________________

(c) _____________________________

(d) ______________________________

2 **M** Which house did you like best today?

W I liked the first one ________________.

M But ____.

W I know, but __________________________________.

M Me too, but that place was also more expensive.

W That's true. I wish ____.

Q **What is the main subject of the conversation?**

(a) _______________ the man and the woman have seen

(b) _________________________________

(c) ___________________________

(d) _____________________________

3 **M** Good morning, Miss.

W Hi, ____________ with my pancakes, please.

M Sure thing. ____________?

W ____________ would be fine.

M No problem. ____________?

W Could I just have some hot tea instead?

M I'm sorry, ____________.

Q **What is happening in the conversation?**

(a) The woman ____________.

(b) The woman ____________.

(c) The woman ____________.

(d) The woman ____________.

4 **M** ____________ going to Dover Street. Can you help me?

W Sure. There are ____________ you could take.

M ____________?

W It's ahead one block. But you might have to ____________.

M ____________?

W Yes, but it's ____________.

Q **What are the speakers mainly talking about?**

(a) ____________ Dover Street by bus

(b) ____________

(c) ____________

(d) ____________

5 **W** ______________ do you think we'll have to wait?

M I'm not sure. ________________ for 3 hours.

W Isn't there a way we can ________________?

M The airline worker told me ______________________________.

W __________________________________.

M Okay, _________ we can get onto another flight.

Q **What is the main focus of the conversation?**

(a) ______________

(b) ____________

(c) ___________

(d) __________________

Type II 세부사항 문제

세부 사항을 묻는 문제는 주제를 묻는 문제 뒤에 이어 나오며 5~7문제 정도 출제 된다. 세부사항을 묻는 문제는 주로 대화의 내용에 맞는지 틀리는지의 진위를 가리는 것이 자주 등장 한다. 세부사항 문제라 하더라도 대화의 큰 줄기를 잘 이해하면 풀 수 있는 문제도 있지만, 날짜, 요일, 시간 등 놓치기 쉬운 구체적인 정보를 물을 때도 있다.

sample

Q Which is correct according to the conversation?

Q What should the man do according to the woman's advice?

Q What does the woman ask the man to do?

Q Which is correct about John?

Q What can we learn from the conversation?

Warming-up Test

• 정답 및 해석 p.263

다음 대화를 듣고, 음성으로 주어지는 6개 각각의 응답에 대해, 사실과 일치하면 O, 사실과 일치 하지 않으면 X를 표시하세요.

1 (a) ________ (b) ________ (c) ________
(d) ________ (e) ________ (f) ________

2 (a) ________ (b) ________ (c) ________
(d) ________ (e) ________ (f) ________

Tip 1 대화를 두 번 들을 수 있다는 점을 최대한 활용한다

● 핵심 포인트

Part 1, 2와 달리 Part 3는 대화를 두 번 들을 수 있다는 것을 최대한 활용해야 한다. 특히 세부사항을 묻는 문제는 대화를 두 번 들을 수 있다는 점이 큰 도움이 된다. 질문을 듣고 다시 대화를 들을 때, 그 질문에 초점을 맞춰서 대화를 들으면 세부사항을 놓치지 않게 될 것이다. 예를 들어, What should the man do according to the woman's advice? 질문을 들었다면, 여자의 충고를 통해 정답을 쉽게 선택할 수 있을 것이다. 또한, 놓쳐 버리기 쉬운 세부 정보들도 있다. 날짜, 요일, 시간, 돈, 액수 등은 간단히 메모를 해 두는 것도 큰 도움이 될 것이다.

기출 문제

M I need more money.
W What do you mean?
M I'm always in the red.
W Why don't you spend less then?
M Well, it's easier said than done.
W But that's the best you can do at the moment.

Q What should the man do according to the woman's advice?

(a) Earn more money.
(b) Have a second job.
(c) Decrease his spending.
(d) Invest in stock.

해석 M 난 돈이 더 필요해.
W 무슨 말이야?
M 난 항상 적자야.
W 그러면 보다 적게 써보지 그래?
M 글쎄, 말이 쉽지.
W 그래도 그게 네가 지금 할 수 있는 최선이야.

Q 여자의 충고에 따르면 남자는 무엇을 해야 하는가?
(a) 돈을 더 벌어야 한다.
(b) 직업을 하나 더 가져야 한다.
(c) 그의 지출을 줄여야 한다.
(d) 주식에 투자해야 한다.

어구 in the red 적자인(↔in the black 흑자인)
It's easier said than done. 말하기는 쉽지만 실천하기는 어렵다.
at the moment 당장에, 바로 지금, 현재
second job 두 번째 일자리 (기존 직장을 그대로 유지면서 또 얻는 일자리)
decrease 감소시키다, 줄이다
spending 지출, 소비
invest 투자하다
stock 주식

해설 적자로 고민하는 남자에게 여자가 돈을 적게 쓰라고 충고하고 있다. 질문이 구체적으로 제시되고 있다. 여자의 충고가 뭐냐고 물었으므로, 두 번째 대화를 들을 때, 여자의 충고가 무엇인지 파악하려는 마음으로 대화를 들어야한다. 여자는 남자에게 돈을 적게 쓰라고 조언했으므로, 정답은 (c)가 된다.

정답 (c)

Practice Test

• 정답 및 해설 p.299

Part 3

Choose the option that best answers the question.

1 (a) (b) (c) (d)

2 (a) (b) (c) (d)

3 (a) (b) (c) (d)

4 (a) (b) (c) (d)

5 (a) (b) (c) (d)

Dictation for Practice Test

• 스크립트 p.299

문제를 다시 한 번 듣고 빈칸을 채우세요.

Part 3

1 **M** ______________________________ for Friday's 6 p.m. show on June 8th.

W I'm sorry, but all balcony seats are _______.

M Well, is there ___________________?

W Actually it's _________ on Friday ___________________.

M Then how about Saturday night on the 9th?

W There are ____________________________.

Q **When will the man probably see the show?**

(a) ___________________

(b) ______________________

(c) _________________________

(d) __________________.

2 **W** Good morning, Aston Hotel. How can I help you?

M ________________________________.

W Okay. ________________________ with us?

M One week. What's the difference between rooms ___________________ _____?

W ______________________ is $125 a night and without is $75 a night.

M That's fine. I'd prefer _______________, please.

W All right then. There is $20 ______, sir. ______________________?

Q **How much is the room rate for an ocean view per night?**

(a) It is ____.

(b) It is ___.

(c) It is ___.

(d) It is ____.

3 **M** Is your reception ________________?

W Actually ________________ 4 p.m. and the reception is a little later.

M ________________?

W 6 p.m. because I wanted to ________________.

M That's a good idea. And ________________?

W ________________.

Q **Which is correct according to the conversation?**

(a) The reception will ________________.

(b) The reception will ________________.

(c) The reception will ________________.

(d) The ceremony will ________________.

4 **W** Hi, ________________ the French lessons. ________________?

M Well, I have ________________.

W I'd like to get lessons ________________. I really need the help.

M ________________, it's $20 an hour.

W ________________?

M I'll discount $5 ________________. So twice a week would be $35.

Q **Which is correct according to the conversation?**

(a) The woman wants to ________________.

(b) The woman wants ________________.

(c) ________________ are $20 per hour.

(d) ________________ are $35 per hour.

5 W Standard Art Supply, how can I help you?

M ____________ in the paper.

W Okay, ____________?

M I'd like to know about ____________.

W ____________ and it's from 10 a.m. to 2 p.m., ____________.

M ____________?

W We're open until 6 p.m.

Q **What does the man want to know from the woman?**

(a) ____________

(b) ____________

(c) ____________

(d) ____________

Tip 2 남녀 화자가 언급한 정보를 구별하여 외워두자

● 핵심 포인트

Part 3는 등장하는 남녀 화자를 중심으로 대화가 이루어진다. 세부사항을 묻는 문제에서 오답의 보기를 만들 때 남자에 대한 사실을 여자에 대한 것으로 묘사한다거나, 여자에 관련된 사실을 남자에 관련된 사실로 묘사하는 경우가 많다. 그러므로 남녀 화자가 어떤 사실에 대해 다른 의견을 가지고 있다면, 여자의 의견과 남자의 의견을 구분해서 외워 두어야 하며, 여자에 대한 정보, 남자에 대한 정보를 정확히 구분해서 알아 두어야 세부사항을 묻는 문제를 정복할 수 있다.

기출 문제

M Excuse me. You're new here, aren't you?

W Yes, I am. I'm Karen King. I'm working in sales.

M Hi, Karen. I'm Bill Davis. Nice to meet you.

W Nice to meet you, too. What department do you work in?

M Personnel.

W Really? I'm surprised that we didn't meet sooner.

Q Which is correct according to the conversation?

(a) The man is new to the company.

(b) The two people work in different departments.

(c) The man hired the woman for the job.

(d) The woman has met the man before.

해석 M 실례합니다. 여기 새로 오셨죠?
W 네, 저는 캐런 킹입니다. 영업부에서 일하고 있어요.
M 안녕하세요, 빌 데이비스입니다. 만나서 반가워요.
W 저도 만나서 반가워요. 어느 부서에서 일하세요?
M 인사과요.
W 그러세요? 우리가 더 빨리 만나지 못 했다는 게 놀라운데요.

Q 이 대화에 따르면 어느 것이 옳은가?
(a) 남자는 회사에 새로 들어 왔다.
(b) 두 사람은 다른 부서에서 일한다.
(c) 남자는 그 일에 여자를 고용했다.
(d) 여자는 이전에 남자를 만난 적이 있다.

어구 new 새로 온, 신임의, 신참의
personnel 인사의, 직원의
hire 고용하다

해설 여자가 회사에 새로 들어 왔다. (a)는 그 반대이다. 여자는 영업부에 그리고 남자는 인사과에서 일한다.

정답 (b)

Practice Test

• 정답 및 해설 p.301

Part 3

Choose the option that best answers the question.

1 (a) (b) (c) (d)

2 (a) (b) (c) (d)

3 (a) (b) (c) (d)

4 (a) (b) (c) (d)

5 (a) (b) (c) (d)

Dictation for Practice Test

• 스크립트 p.301

문제를 다시 한 번 듣고 빈칸을 채우세요.

Part 3

1 **W** This year let's go to Jamaica for our vacation.

M But we went on a Caribbean cruise last year. ________________ ________.

W What would you like to do?

M ______________________________ through Europe.

W But ____________________?

M The challenge is ________________________.

Q **What does the man want to do?**

(a) He wants to go to Jamaica.

(b) ___________________________.

(c) He prefers __________.

(d) He'd like to ______________.

2 **M** Hi, Judy. ________________ now?

W Sorry, but _______________. _______________________.

M Really? _________________________. We've been waiting for 10 minutes.

W I'm really sorry, but ________________.

M ____________________ before you're here?

W ____________________.

Q **Which is correct according to the conversation?**

(a) The woman is waiting for the man.

(b) The man ________ in the morning.

(c) The man __________.

(d) The woman is at home now.

3 **W** ______________ Vietnamese noodles for dinner tonight.

M I don't like Vietnamese food. What about Japanese? ______________ ______.

W ______________________________________?

M Let's go to that new burger place around the corner. ______________ ____.

W ______________________________________?

M _________ they have salads and pasta, too.

Q **Which is true about the man?**

(a) He is ______________ Vietnamese food.

(b) ______________________________________.

(c) He likes to have Japanese food.

(d) ______________________________________.

4 **M** I heard ______________________ all weekend.

W That's okay. We can still go on the trip.

M But I guess ______________.

W ________________________________.

M ________________________ the weather, are you?

W Not really. __________________________________.

Q **Which is correct about the woman?**

(a) The woman is worried about the weather.

(b) The woman doesn't __________________________.

(c) The woman __________________________________.

(d) The woman wants to _____________.

5 **W** Oh, no. ______________!

M I thought ______________________.

W __________, but I watched TV all night.

M You knew this test was important. ______________?

W __________. The show was so funny.

M ____________________.

Q **What is correct about the man and the woman?**

(a) The man ________________.

(b) The woman is ______________.

(c) ______________________.

(d) The woman was late for the test.

Type Ⅲ 추론 문제

추론 문제는 Part 3에서 1~3문제 정도 출제 되며, 대의 파악이나, 세부 사항을 묻는 문제보다 난이도가 높은 경향이 있다. 추론 문제는 정답이 대화 속에 숨겨져 있기 때문에 대화를 정확히 이해하지 못하면 정답을 고를 수가 없다. 특히 정답은 대화의 내용을 그대로 표현하기 보다 이를 paraphrase(바꿔 표현하기)하는 경우가 많기 때문에 같은 의미를 가진 여러 표현을 아는 것이 문제를 푸는데 핵심 요소가 될 것이다.

sample

Q **What can be inferred from the conversation?**
Q **What can be inferred from this talk?**
Q **What can be inferred from the lecture?**
Q **What can be inferred from the speaker?**
Q **What can be inferred from the report?**
Q **What can be inferred from the announcement?**
Q **What will the man probably do next?**
Q **What will the woman probably do?**

Warming-up Test

• 정답 및 해석 p.264

다음 대화를 듣고, 음성으로 주어지는 4개 각각의 보기에 대해, 대화를 통해 추론할 수 있는 사실이면 O, 추론이 아닌 상상이면 X를 표시하세요.

1 (a) ________ (b) ________
(c) ________ (d) ________

2 (a) ________ (b) ________
(c) ________ (d) ________

Tip 1 추론 문제는 반드시 4개의 보기를 비교해 본다

● 핵심 포인트

앞서 언급했지만, 추론 문제의 정답은 대화 속에 숨겨져 있고, 정답이 되는 대화의 내용을 완전히 paraphrase하여 보기로 제시한다. 정답의 보기를 들어도, "아, 이게 정답이구나"하는 생각이 바로 들지 않을 것이다. 그러므로 정답을 고를 때 가장 안전한 방법은 4개의 보기를 전부 듣고 소거법을 이용해서 문제를 푸는 것이다. 정답이다 싶으면, 나머지 보기는 듣지도 않고 답안지에 마킹을 해 버리는 것은 추론 문제에서는 특히 위험하다. 오답을 소거하면서 가장 가능성 있는 것을 정답으로 고르는 것이 추론 문제를 푸는 가장 안전한 방법이다.

기출 문제

W **Thanks, dad, for watching the kids today.**

M **Oh, that's all right. I know it was an important seminar for you.**

W **Yes, but it must have been really tiring for you.**

M **No, not at all. So how was the seminar?**

W **It was great! I got a lot of practical information that will help me on my job.**

M **That's good.**

Q **What can be inferred from the conversation?**

(a) The man is supportive of his daughter.

(b) The woman runs her own business.

(c) The woman hosted the seminar.

(d) The seminar was for parents.

해석 W 오늘 애들 봐 주셔서 고마워요, 아빠.
M 괜찮아. 너한테 중요한 세미나였지 않니.
W 네, 그렇지만 정말 피곤하셨을 텐데.
M 아냐, 전혀. 그래 세미나는 어땠니?
W 대단했어요! 일하는데 도움이 될 아주 많은 실용적인 정보를 얻었어요.
M 잘 됐구나.

Q 이 대화에서 무엇을 추론할 수 있는가?
(a) 남자는 그의 딸에게 협조적이다.
(b) 여자는 자신의 사업을 운영한다.
(c) 여자가 세미나를 주회했다.
(d) 세미나는 부모님들을 위한 것이었다.

어구 tiring 고된, 지루한, 피로하게 하는
practical 실용적인, 실제적인, 현실적인
supportive of 협조하는, 격려하는
run a business 사업을 (운영)하다
host 개최하다, 주최하다

해설 딸이 세미나에 참석하는 동안 아버지가 아이들을 돌봐주고 돌아온 딸에게 자상하게 대하고 있다. 아버지가 딸의 아이들을 돌봐주는 것은 딸에게 협조적이라는 것을 알 수 있다. 그러므로 정답은 (a)이다. 여자가 자신의 사업체를 운영하는지는 알 수 없고, 여자는 세미나에 참석한 것일뿐 주최하지는 않았다. 그러므로 (b), (c)는 정답이 될 수 없다.

정답 (a)

Practice Test

• 정답 및 해설 p.304

Part 3

Choose the option that best answers the question.

1 (a) (b) (c) (d)

2 (a) (b) (c) (d)

3 (a) (b) (c) (d)

4 (a) (b) (c) (d)

5 (a) (b) (c) (d)

Dictation for Practice Test

• 스크립트 p.304

문제를 다시 한 번 듣고 빈칸을 채우세요.

Part 3

1 **M** Let's hurry, it's already 6 o'clock!

W ______________ 8:30.

M Yeah, but ______________ and ______________.

W Opening night! ______________!

M But I really want to see this movie.

W Okay, but ______________.

Q **What can be inferred from this conversation?**

(a) The woman doesn't like to watch movies.

(b) The man wants to ______________.

(c) The woman ______________.

(d) The man and the woman are ______________.

2 **M** Anna, ______________?

W ______________. Why are you asking?

M ______________ and he doesn't have many friends.

W You want to ______________?

M Yeah, he's really funny and ______________.

W I don't know. ______________.

Q **What can be inferred from the talk?**

(a) The man wants to ______________ Anna.

(b) The woman doesn't have many friends.

(c) The man's friend ______________.

(d) The woman ______________.

3 **M** Sorry, but ________________.

W But ____________________________.

M Yeah, but I have an important meeting at 2.

W ________________ then. It's already 1:30.

M ________________________________. I'll stay for just five more minutes.

W I hope _____________________________.

Q **What can be inferred from this conversation?**

(a) The man ________________.

(b) _________________________.

(c) The man doesn't like the woman's place.

(d) The man is ________________.

4 **W** I'm not sick anymore, so _________________________.

M ___________. You were _________________________.

W But I feel fine and I'm not in the hospital anymore.

M That may be true, but _______________________.

W I guess you're right. I don't want to go back to the hospital.

M ____________________.

Q **What can be inferred about the woman?**

(a) The woman is _________________.

(b) The woman is _________________.

(c) The woman is ____________.

(d) The woman is ______________.

5 **M** ________________ the bread knife?

W This one?

M No, that's a steak knife.

W ________________?

M __________ is the bread knife.

W OK. Here it is.

Q **What can be inferred from the conversation?**

(a) The woman is ________________.

(b) ________________________.

(c) The woman will ________________.

(d) The man ________________.

Tip 2 추론과 상상을 확실히 구분하자

● 핵심 포인트

많은 학생들이 추론 문제를 풀면서, 상상을 하기 때문에 정답을 고르지 못한다. 사실 많은 경우 상상과 추론의 기준을 확실히 구분할 수가 없어서 정답을 고르는 것이 힘들다. 추론이라는 것은 대화의 내용에서 확실히 알 수 있는 내용이다. 비록 직접적인 언급은 없더라도 대화를 통해서 누구나 알 수 있는 내용을 추론이라고 한다면, 상상은 그럴 수도 있고, 아닐 수도 있는 내용이다. 상상한 내용은 100% 확신할 수 없으므로 정답이 될 수 없다. 문제를 풀면서 자기도 모르게 앞서나가 상상해서 정답을 고르는 일이 없도록 하자.

기출 문제

M **I'd like to make an appointment to see Dr. Hauser.**
W **What seems to be the problem?**
M **I woke up with a sore throat.**
W **Well, Dr. Hauser is quite busy today. I can fit you in tomorrow at 10 a.m.**
M **No, I can't make it. I have an important meeting then.**
W **Let's see. I have 3 o'clock tomorrow.**
M **Okay. That'll be fine.**

Q **What can be inferred from the conversation?**

(a) The man will reschedule his meeting.
(b) The man is going to see another doctor.
(c) The man cannot leave the office tomorrow.
(d) The man will see the doctor tomorrow afternoon.

해석 M 하우저 박사님께 진료 예약을 하고 싶은데요.
W 어디가 안 좋으신가요?
M 일어났는데 목이 아팠어요.
W 하우저 박사님은 오늘 매우 바쁘십니다. 내일 오전 10시로 약속 잡아드릴 수 있어요.
M 아뇨, 안 되겠는데요. 그때 중요한 모임이 있어요.
W 어디 볼까요. 내일 3시에 시간이 있네요.
M 네, 그게 좋겠네요.

Q 이 대화에서 무엇을 추론할 수 있는가?
(a) 남자는 그의 모임 일정을 변경할 것이다.
(b) 남자는 다른 의사에게 진료를 받을 것이다.
(c) 남자는 내일 사무실에서 나올 수가 없다.
(d) 남자는 내일 오후에 그 의사한테 진료를 받을 것이다.

어구 see a doctor 의사에게 진료를 받다
have a sore throat[foot] 목(발)이 아프다
fit in 끼워 넣다, 꼭 맞다, 들어맞다
reschedule 일정(예정)을 변경하다

해설 마지막 두 대화가 중요하다. 병원 진료 예약 상황이다. 이 대화뿐 아니라, 호텔의 예약이나, 영화나 연극 등의 예약이 나오면, 결국 언제 예약이 이루어지는지 주의 깊게 들어야 한다. 여자가 내일 3시에 예약이 가능하다고 했고, 남자가 긍정적인 답변을 했으므로 정답은 (d)가 된다. 다른 의사에게 진료를 받을 것인지는 대화에서는 알 수 없는 상상이므로 (b)는 정답이 될 수 없다.

정답 (d)

Practice Test

• 정답 및 해설 p.306

Part 3

Choose the option that best answers the question.

1 (a) (b) (c) (d)

2 (a) (b) (c) (d)

3 (a) (b) (c) (d)

4 (a) (b) (c) (d)

5 (a) (b) (c) (d)

Dictation for Practice Test

• 스크립트 p.306

문제를 다시 한 번 듣고 빈칸을 채우세요.

Part 3

1. **W** Jeff told me you're going to England this winter.
M It's true. ______________________.
W ______________________ our California winters.
M Yeah, I'll have to ______________________.
W ______________ a few hats and gloves.
M That's a good idea. ______________.
Q **What can be inferred from this conversation?**
(a) During the winter, __________ in England.
(b) ______________________ in California.
(c) The man will ______________ to England.
(d) The man will ______________.

2. **M** ______________________ this weekend?
W ______________?
M I think Shakespeare. ______________.
W Isn't it expensive? How much does it cost?
M __________. ______________________.
W Okay, then. Sounds great.
Q **What can be inferred from this conversation?**
(a) The woman ______________________.
(b) The woman doesn't like Shakespeare.
(c) The man likes Shakespeare most.
(d) ______________________.

3 **W** Hello, this is Fancy Florist calling for Mr. Ross.

M Yes, ____________?

W Yes, it is. ____________________________.

M _________ at 7:30, so I can be there by 8.

W Okay, but we close right at 8, so ______________.

M _______. __________. Thanks.

Q **What can be inferred from this conversation?**

(a) The flower shop closes early.

(b) The woman is __________.

(c) The man ________________________.

(d) The man will _____________________.

4 **W** _____________________ about a bed?

M I'm not sure. How about you?

W Well, _____________________.

M But I think ________________.

W You're right, but the brown one is cheaper.

M Let's try another store and _________________________.

Q **What can be inferred from this conversation?**

(a) ______________________________.

(b) The man thinks that the black one is expensive.

(c) The woman ______________________.

(d) The man wants to _____________________.

5 **M** Hi, Liz. Busy?

W Not really. What's up?

M ______________________ and have some cake I just made.

W Sounds good, but ______________________.

M ______________________ then?

W ______________. Thanks!

Q **What is probably going to happen?**

(a) The woman ______________, too.

(b) The woman is not going to have the cake.

(c) ______________.

(d) The man ______________.

MEMO

이 표현만은 익히고 시험장 가자!

1 Greeting and Introduction (인사와 소개)
2 Thanks, Apologies and Compliments (감사, 사과와 칭찬)
3 Reservation, Appointment and Invitation (예약, 약속과 초대)
4 Condolences (위로)
5 Complain (불평, 불만)
6 Shopping (쇼핑)
7 At the restaurant (식당에서)
8 Travel (여행) / At an airport (공항에서)
9 Phone conversation (전화 대화)
10 Health (건강)
11 School life (학교 생활)

1 Greeting and Introduction (인사와 소개)

아는 사람을 만났을 때

How are you? 안녕?
What's up? 무슨 일이니? 안녕?
What are you up to? 별일 있니?
How's everything going? 다 잘 되가니?
How's it going? 안녕?
What's new? 별일 있니?
How's life treating you? 잘 지내니?
What's happening? 별일 있니?

오랜만에 만났을 때

How have you been? 그 동안 어떻게 지냈니?
It's really been a long time since I saw you last. 마지막 본 후로 참 오래 됐구나.
I haven't seen you for ages. 오랫동안 못 봤네.
You haven't changed a bit. 하나도 안 변했네요.
Long time no see. 오랜 만이다.

우연히 만났을 때

What a (nice) surprise to meet you here! 여기서 만나다니 놀랍다.

Fancy meeting you here! 널 이런 곳에서 만나다니 반갑다.
I didn't expect to see you here. 여기서 만날 줄은 몰랐는데.

처음 만났을 때

How do you do? 처음 뵙겠습니다.
I'm very glad to meet you. 만나서 반갑습니다.
It's nice to meet you, Mr. Lee. 만나서 반갑습니다, 미스터 리.
It's a pleasure to meet you. 만나 뵙게 돼서 기쁩니다.
I'm honored to meet you. 만나 뵙게 되어서 영광이에요.
Haven't we met before? 우리 만난 적이 있지 않나요?
Have we met before? 우리 전에 만나 적이 있죠?
Do I know you? 혹시 저 아세요?
You look familiar. 당신은 낯이 익어요.
Nice to make your acquaintance. 당신을 알고 지내게 되어서 기쁩니다.

일반적인 작별 표현

See you later. 나중에 만나.
(I'll) talk to you later. 나중에 만나.
Take it easy! 쉬어가면서 해. 잘 지내.
Take care! 조심해.
Catch you later! 나중에 보자.
Talk to you soon! 또 얘기하자.
= Talk to you later.
I guess I'd better go. 난 이만 가봐야 할 것 같아.
= I guess I should be going now.
= I'm afraid I have to go.
I've been here way too long. 너무 오래 있었나 봐요.
Please come and see us again soon. 또 놀러 오세요.
= Don't be a stranger.
We can get together another time. 다음에 또 만나요.
Let's stay in touch. 연락 하고 지내요.
See you soon. 또 봐요.
I'll call you later. 나중에 전화 할게
Give me a call (later). 전화 줘.

안부에 대한 응답

Couldn't be better. 이보다 더 좋을 순 없어요. 매우 좋아요.

I'm doing OK. 잘 지내요.

= I'm fine.

Can't complain. 그저 그래. 불평할 정도는 아니야.

Getting by. 그냥 그렇게 지내

Not much. 똑같지 뭐. 그냥 그렇게 지내.

= Nothing special.

= Same old same old.

= Same as usual.

2 Thanks, Apologies and Compliments (감사, 사과와 칭찬)

감사를 표현하는 경우

I appreciate it. 감사합니다.

I can't thank you enough. 어떻게 감사를 드려야 할지.

= I don't know how to thank you.

I'm grateful to him. 나는 그에게 너무 고마워.

It's very kind of you to say so. 그렇게 말해 주다니 정말 친절하구나.

Thanks a million. 너무 고마워.

Thanks for the tip. 정보를 줘서 고마워.

You've been a great help. 네가 너무 큰 도움이 되었어.

Thanks for the ride[lift]. 차 태워 주어 고마워.

Thanks for saying so. 그렇게 말해 주어 고마워.

How can I ever repay you? 너에게 은혜를 어떻게 갚을까?

How can I ever thank you? 어떻게 은혜에 보답하죠?

Thanks for your hospitality. 환대에 정말 감사드립니다.

How thoughtful of you! 정말 사려 깊으세요.

How kind of you. 정말 친절 하세요.

상대방의 감사에 대한 응답

You're welcome. 천만에요.

Don't mention it. 그런 말씀 마세요.

Don't give it a thought. 별거 아닙니다.

My pleasure. 제가 더 기쁩니다.

= It's my pleasure.

The pleasure is all mine. 천만의 말씀입니다. 제가 더 기쁩니다.

Think nothing of it. 별거 아닙니다.(감사하다고 말하는 사람에게 "별거 아니라고 생각 하세요"라는 의미)

Anytime. 언제든지요.

No problem. 별거 아닙니다.

= Not a problem.

It's nothing. 별일 아니에요.

사과를 할 때

I'm terribly sorry. 정말 죄송해요.

Sorry to trouble you. 귀찮게 해드려 죄송해요.

Please accept my apology. 사과를 받아 주세요.

I can't tell you how sorry I am. 너무나 죄송합니다.

I didn't mean it. 정말 그러려고 한 게 아니에요.

How can I make it up to you? 당신에게 어떻게 보상을 해야 할까요?

I'm sorry to have kept you waiting. 기다리시게 해서 죄송합니다.

It's all my fault. 다 제 잘못이에요.

I'm to blame for that. 제 잘 못이에요.

It won't happen again. 다시는 이런 일 없을 거에요.

I owe you an apology. 죄송합니다.

= My apologies.

I didn't mean to hurt you. 당신 마음 상하게 하려고 한 것은 아니에요.

사과를 받아 줄 때 하는 응답

That's all right. 괜찮아요. 됐어요.

That's okay. 괜찮아요.

No problem. 별 일 아니에요.

= No big deal.

No sweat. 별 일 아니에요. (땀 한 방울도 안 흘릴 일이에요.)

It happens. 그럴 수도 있죠.

No trouble at all. 천만에요, 전혀 어렵지 않습니다.

Don't worry. 걱정하지 마세요.

No harm done. 아무렇지도 않아요. 이상 없습니다.

Please don't be sorry. 미안해하지 말아요.

It doesn't matter at all. 아무런 상관도 없습니다. 아무렇지도 않습니다.

I accept your apology. 당신의 사과를 받아들이겠습니다.

사과를 받아주지 않을 때 하는 응답

Don't make any excuses. 변명 늘어놓지 마.

I don't want to hear any excuses. 변명 듣고 싶지 않아.

칭찬하는 말

You look great. 좋아 보이는데. 멋져.

You look fabulous/terrific/gorgeous/marvelous. 정말 멋진데. 아름다운데.

It's awesome. 아주 멋진데.

That's really cool. 정말 근사하다.

You did a good job. 잘했어.

= Good job!

You've got a good point there. 좋은 지적이야.

= You've got a valid point there.

It looks good on you. 너한테 잘 어울린다.

= It goes well with you.

Green is a good color for you. 초록색이 잘 어울려요.

You have good taste in cooking. 너는 요리에 센스가 있어.

He's out of this world. 그 사람 참 좋아.

I like your jeans. 네 청바지 예쁘다.

I am so impressed with your presentation. 네 발표에 정말 감동받았어.

칭찬을 받았을 때의 응답

Thank you. 고마워.

Thank you. I am flattered. 감사합니다. 과찬이십니다.

How nice of you to say so. 그렇게 말씀해 주시다니 정말 친절하시네요.

= It's very kind of you to say so.

Thanks for your compliment. 칭찬해 주셔서 감사합니다.

3 Reservation, Appointment and Invitation (예약, 약속과 초대)

예약

make a reservation 예약하다

ex) How soon should I make a reservation? 얼마나 빨리 예약을 해야 하나요?

confirm the reservation 예약 확인하다

ex) I would like to confirm my reservation. 예약을 확인하고 싶습니다.

cancel the reservation 예약을 취소하다

ex) You can cancel the reservation without penalty. 벌금 없이 예약 취소 가능합니다.

have a reservation 예약이 되어있다

ex) Do you have a reservation? 예약이 되어 있으신가요?

under the name of ~ ~의 이름으로

ex) I made a reservation under the name of Janice Smith.

제니스 스미스라는 이름으로 예약을 했습니다.

약속 잡기

When can we get together for a drink? 언제 술 한잔 할 수 있나?

Can I make an appointment with Dr. Breton for today?

오늘 브렌턴 박사님에게 진료 예약을 할 수 있을까요?

Sorry, he's all booked up today. But, he is available tomorrow.

죄송합니다만, 오늘 그 분은 예약이 다 찼습니다. 하지만, 내일 예약 가능하십니다.

When are you free? 언제 시간이 되세요?

When is the most convenient time for you? 언제가 제일 편하세요?

How does three sound? 세 시는 어떠세요?

Do you have time right now? 지금 시간 되세요?

Will you be free this weekend? 주말에 시간 되세요?

I can make it this evening. 오늘 저녁에 시간이 되는데요.

I am looking forward to seeing you. 만나 뵙길 기대하고 있습니다.

Can you squeeze me into your schedule? 당신 스케줄에 저 좀 끼워 주실 수 있으세요?

He's on time. 그는 시간 약속을 잘 지키는 사람이야.

= He's punctual.

Do you have plans for this weekend? 주말에 무슨 계획 있니?

초대

Thank you for inviting me. 초대해 주셔서 감사합니다.

Can you make it to my birthday party? 내 생일 파티에 올 수 있니?

Why don't you come over to my place for dinner tonight?

오늘 밤에 우리 집에서 저녁 먹을래?

How about playing basketball tonight? 오늘 저녁에 농구 할래?

You're welcome to come over anytime. 너는 언제든지 와도 환영이야.

I hope you can make it. 네가 올 수 있다면 좋겠어.

I hope you can come. 네가 온다면 좋겠어.

Mark your calendar. 달력에 표시해 둬.

초대를 수락할 때의 응답

Sure, why not? 물론이지, 왜 아니겠어.

That would be great. 그거 정말 좋겠는데.

That's a great idea. 그거 훌륭한 생각인데.

With pleasure. 기꺼이 갈게.

Thank you. I'd be glad to come. 고마워요. 기꺼이 가겠습니다.

Of course, I'll be there. 물론이지, 갈게.

I wouldn't miss it for the world.

세상없어도 놓치지 않을 거야. 무슨 일이 있더라도 갈게.

No way I'd miss it. 내가 못 가는 일은 없을 거야..

초대를 거절 할 때의 응답

I'd love to go, but I am overwhelmed with too much work.

정말 가고 싶은데, 난 할 일이 너무 많아.

I am sorry, but I can't make it. 미안하지만, 난 못 갈 것 같아.

I wish I could make it. 갈 수 있으면 좋겠는데.

Maybe another time. 다음 기회에 갈게.

Let me take a rain check. 다음에 갈게.

I'm afraid I won't be able to come. 갈 수가 없을 거 같은 데요.

4 Condolences (위로)

위로의 표현

I am sorry. 유감이에요.

I am sorry for your loss. 조의를 표합니다. 삼가 애도의 뜻을 표합니다.

= You have my condolences.

= Please accept my deepest sympathy.

= Please accept my sincere condolences.

= I offer my deepest condolences.

I'll keep you in our prayers. 당신을 위해 기도할게요.

If there's anything I can do for you, please let me know.

제가 도와드릴 일이 있으면, 말씀하세요.

위로를 받았을 때의 응답

Thank you for kind words. 친절한 말씀 감사합니다.

Thank you for your sympathy. 위로해 주셔서 감사합니다.

= Thank you for your condolences.
Thanks for coming to my father's wake. 아버지 상 치르는데 와 주셔서 감사합니다.
Thanks for your concern. 걱정해 주셔서 감사합니다.

유감의 표현

I'm sorry to hear that. 안됐다.
= It's a shame!
= What a pity!
= That's too bad.
= That's terrible.
= What a shame!
= That's painful.

용기를 북돋아 주는 표현

Don't lose heart. 용기 잃지 마, 낙담 하지 마.
Cheer up! 힘내!
Keep your chin up! 힘내.
It's not the end of the world. 세상이 끝난 건 아니잖아.
I hope it works out for you. 잘 되길 바랄게.
Look on the bright side. 긍정적으로 생각해.
That's the way it is. 사는 게 다 그렇죠.
Don't give up! 포기 하지 마.
Hang in there! 참고 견뎌.
Stick with it. 견뎌 봐.
Give it another shot[chance]. 다시 한 번 해봐.
Don't lose hope. 희망을 잃지 마.
= Keep hope alive.
Keep trying. 계속 노력해 봐.

5 Complain (불평, 불만)

He is driving me crazy. 그 사람 때문에 미치겠어.
I'm sick and tired of having hamburger every day. 매일 햄버거 먹는 거에 질렸어.
This is not what I ordered. 이건 내가 주문한 게 아닌데요.
I'm fed up with waiting. 기다리는데 지겨워.
I can't believe you forgot my birthday. 네가 내 생일을 잊다니 믿을 수가 없어.
How could you say such words to me? 네가 나한테 어떻게 그런 말을 할 수 있어?

Excuse me, the food is cold. 죄송하지만, 음식이 차가운데요.
I can't take it any more. 더 이상은 못 참아.
I've had it with all your complaining. 나는 모든 너의 불평에 진절머리가 나.

6 Shopping (쇼핑)

점원이 손님에게 하는 말

What price range do you have in mind? 가격대를 어떻게 잡고 계신가요?
Are you being helped? 도와 드릴까요?
= May I help you?
Plastic or paper? 비닐봉지에 넣어 드릴까요, 종이 가방에 넣어 드릴까요?
The dressing room[fitting room] is over there. 피팅룸은 저기에요.
That sweater looks great on you. 스웨터가 잘 어울리세요.
Let me know if you need any help. 도움이 필요하면 말씀 하세요.
What can I do for you? 무엇을 도와 드릴까요?
How can I help you? 어떻게 도와 드릴까요?
Will that be cash or credit? 현금으로 하시겠습니까, 신용카드로 하시겠습니까?
You need a receipt to make a refund. 환불을 하시려면 영수증이 필요합니다.

손님이 점원에게 하는 말

Do you carry leather jackets? 가죽 재킷 파세요?
Can I try it on? 입어 봐도 될까요?
I'm just looking around. 그냥 구경하는 거에요.
= Just browsing.
I'm looking for a doll for my daughter. 제 딸한테 줄 인형을 찾습니다.
Do you have this shirt in different colors? 이 셔츠 다른 색도 있어요?
Do you have this in a smaller size? 작은 사이즈로 있나요?
How late are you open on weekends? 주말에는 몇 시까지 문을 여세요?
What are your (business) hours? 영업시간이 어떻게 되죠?
I'll take it. 사겠습니다.
I'd like to return this jacket. 이 재킷 반품 하고 싶어요.
Do you take credit cards? 신용카드 받나요?
I want to get a refund. 환불 받고 싶어요.
I want to exchange this for another one. 다른 것으로 교환 하고 싶어요.
Can you gift-wrap it? 선물 포장 해 주실 수 있나요?
Can you wrap them separately? 따로 따로 포장 해 주실 수 있어요?

It doesn't fit me well. 저에게 잘 맞지 않습니다.
What is your return policy? 환불규정은 무엇입니까?
Can you tell me where ~ is? ~가 어디에 있어요?
Do you have any more ~? ~가 더 있나요?

세일의 종류

Going-out-of business sale 폐업 세일
= Closing down sale
Clearance sale 재고 정리 세일
Grand Opening Sale 개업 세일
Anniversary sale 기념 세일
Back-to-school sale 개학 세일
Christmas sale 크리스마스 세일
After Christmas sale 크리스마스 후 세일
New Year's sale 새해 세일
Thanksgiving sale 추수감사절 세일
Labor Day sale 노동절 세일
Presidents' Day sale 대통령의 날 세일
Fourth of July sale 독립기념일 세일

가격에 대한 표현

It's a good deal. 정말 잘 사시는 거에요.
= It's a good buy.
It's a real bargain. 정말 싸요.
It's a steal. 거저에요.
How much do I owe you? 얼마에요?
= How much altogether?
Can you come down a little? 할인 해주세요.
= Can you give me a discount?
= Can you make it cheaper?
It's too steep. 너무 비싸요
It's out of my price range. 제가 살 수 있는 범위 밖에 있네요.
It's 50 percent off the regular price. 소비자가에서 50% 세일입니다.
= It's 50 percent off the retail price.
It's on sale. 세일 중이에요.
I got ripped off. 바가지 썼어.

7 At the restaurant (식당에서)

Let's eat out. 외식 하자.

Let's grab a bite. 간단히 뭘 먹자.

= Let's grab a snack.

Let's have our lunch delivered. 점심 시켜 먹자.

What do you want for dinner? 저녁으로 뭐 먹고 싶어?

Let's get a quick bite. 간단하게 먹자.

술에 관련된 표현

be drunk 술 취하다

drink and drive 음주 운전하다

= DUI (Driving under the Influence)

= DWI (Driving While Intoxicated)

Cheers. 건배

Let's toast to our future success. 우리의 미래의 성공을 위하여 건배 합시다.

식당의 종류

fancy restaurants 고급식당

family restaurants 가족 식당

fast food restaurants 패스트푸드 점

diner 작고 저렴한 식당

drive-thru 차에 탄 채 이용할 수 있는 영화관 · 은행 · 상점 · 식당 등

= drive through

= drive-in

cafe 커피점, 다방, 간이식당

deli(=delicatessen) 치즈나 조제된 고기, 수입식품 등의 판매점

bistro 작은 식당, 음식이 나오는 작은 바

식당에서 자리 잡기

How many in your party? 일행이 몇 명이십니까?

Party of three? 일행이 세 분 이시라고요?

I would like a nonsmoking table for two. 두 명이 앉을 금연석을 원합니다.

A table for four, please. 일행이 네 명입니다.

Smoking or nonsmoking? 흡연석으로 드릴까요, 금연석으로 드릴까요?

식사 주문

Are you being served? 이미 주문 하셨습니까?

= Are you being helped?
May I take your order? 주문하시겠어요?
= Are you ready to order?
Have you decided? 결정 하셨어요?
→ I don't know what to order. 무엇을 주문해야 할지 잘 모르겠어요.
→ How about the special of the day? 오늘의 스페셜은 어떤가요?
Do you have any recommendations? 뭘 추천 하시겠어요?
What do you specialize in? 뭘 잘하죠? 무슨 요리 전문입니까?
= What is your specialty?
For here or to go? 여기서 드실 거예요? 포장해 드릴까요?
→ For here, please. 여기서 먹을 거예요.
→ To go, please. 포장해 주세요.
I'll have the chef's special. 주방장의 추천 요리로 할게요.
What's the soup of the day? 오늘의 수프는 뭐죠?
May I have a refill? 리필 해 주세요.
This is not what I ordered. 제가 주문한 것은 이게 아닌데요.
Same here. 저도 같은 걸로 주세요.
Would you like to hear tonight's special? 오늘밤의 특별요리를 말씀드릴까요?
Tonight's special is ~. 오늘밤의 특별요리는 ~입니다.
Would you like soup or salad? 스프나 샐러드를 드시겠습니까?
What kind of dressing would you like? 어떤 드레싱을 드릴까요?

식사에 대한 요구 사항

How do[would] you like your steak? 스테이크 어떻게 익혀 드릴까요?
→ Well-done. 바싹 익혀 주세요.
→ Med-Well. 중간 보다 좀 더 익혀 주세요.
→ Medium. 중간 정도로 익혀 주세요.
→ Med-rare. 중간 정도에서 덜 익혀 주세요.
→ Rare. 살짝만 익혀 주세요.
How would you like that cooked? 어떻게 익혀드릴까요?
How do you like your coffee? 커피 어떻게 해 드릴까요?
→ Just plain[black] please. 그냥 블랙으로 주세요.
→ With cream and sugar. 크림이랑 설탕을 넣어 주세요.
→ Decaf, please. 디카페인으로 주세요.
How do you like your eggs? 계란 요리는 어떻게 해 드릴까요?

→Over easy, please. 양쪽을 잘 익혀 주세요.

→Sunny-side up. 한 면만 익혀 주세요.

→Hard boiled / Soft boiled. 완전히 삶아서 주세요. / 살짝 삶아서 주세요.

→Scrambled. 계란을 휘저어 익혀 주세요.

→Poached. 수란으로 해 주세요.

식사비용 지불에 관련된 표현

I'm buying this time. 이번에 제가 사겠습니다.

= I'll pick up the tab. *tab: 계산서

= I'll foot the bill.

= Let me pick up the tab.

= This is my treat.

I'll treat you to dinner. 제가 저녁을 살게요.

Let's go Dutch. 각자 먹은 것을 부담하죠.

Let's go fifty fifty. 반반씩 내죠.

= Let's split the bill.

= Let's go halves.

Do you accept[take] credit card? 카드 받나요?

Do you take Visa? 비자카드 받으시나요?

Cash or charge? 현금 결제 이신가요, 아님 카드로 결제 하실 건가요?

That comes to $35.33. 35달러 33센트입니다.

= That will be $35.33.

How much? 얼마에요?

기타 레스토랑에 관련된 표현

leftovers 남은 음식

dress code 복장 규정

Can you wrap this up for me? 이것 좀 싸주세요.

= Doggy bag, please.

This is on the house. 서비스입니다. *house: 가게, 음식점

8 Travel(여행) / At an Airport (공항에서)

항공편 예약/확인에 관련된 표현

I'd like to make a reservation for a flight to New York.

뉴욕행 항공편을 예약하고 싶은데요.

I'd like a one-way[single] ticket. 편도 티켓으로 하고 싶어요.

I'd like a round-trip[return] ticket. 왕복 티켓으로 주세요.
I'm calling to cancel my reservation. 예약을 취소하고 싶습니다.
I want to change my reservation. 예약을 변경하고 싶습니다.
Can you put me on the waiting list? 대기자 명단에 올려 주실래요?
Are you in our frequent flyer program? 마일리지를 가지고 계신 고객인가요?
*frequent flyer: 정기적인 여객기 승객
How much is a round-trip ticket? 왕복 항공권은 얼마인가요?
Could you book me on the next flight? 다음 비행기로 예약해 주시겠어요?
I'd like to confirm my reservation to Miami. 마이애미 행 예약을 확인하려고 합니다.
Do you want to fly economy class? 보통 석으로 하시겠습니까?
I'm sorry, that flight is fully booked. 죄송합니다만, 예약이 다 됐습니다.
= I'm afraid we're all booked up. 죄송합니다만, 예약이 꽉 찼습니다.
Is there a layover? 경유지를 거치나요?
Would you prefer an aisle or a window seat?
통로 옆의 좌석과 창문 좌석 중 어느 것을 원하세요?
I'd like to upgrade my seat to first class. 좌석을 일등석으로 옮기고 싶은데요.
Are there any seats available for standby? 대기자를 위한 좌석이 있나요?
Would you like to fly first class/business/coach/economy?
일등석/비지니스석/2등석/이코노미석으로 여행하시겠습니까?

탑승, 비행기내 표현

May I see your boarding pass? 탑승권을 보여 주세요.
Buckle up please. 안전벨트를 매세요.
= Fasten your seat belt.
This is your captain speaking. 기장이 말씀 드립니다.
We are due to take off in five minutes. 5분 후 이륙 예정입니다.
I'd like to give you a demonstration of the safety precautions.
안전 조치 시범을 보여 드리겠습니다.
carry-on luggage 기내 휴대 수화물
baggage claim area 수화물 찾는 곳
flight attendant 기내 승무원
May I change my seat? 제 좌석을 바꿀 수 있을까요?
Do you mind if I lean back? 의자 좀 젖혀도 될까요?
= Do you mind if I put my seat back?
I feel like vomiting. 토할 것 같아요.
= I feel like throwing up.

= I feel like I'm going to be sick.
What cigarette brand would you like? 어떤 종류의 담배를 드릴까요?
Would you mind showing me your selection of perfume? 향수 좀 보여주시겠어요?
Please fill out this customs declaration. 이 세관 신고서를 작성하세요.
How long is the layover? 얼마나 경유하게 되나요?

공항 관련 표현 정리

Do you have any baggage to check in? 부치실 짐이 있나요?
I'm terribly sorry, but I've lost my customs declaration form.
죄송한데요, 세관 신고서를 잃어 버렸습니다.
Where do I go through customs? 세관 검사는 어디서 하죠?
I missed my connecting flight to Seattle, what should I do?
시애틀로 가는 연결항공편을 놓쳤는데, 어떻게 해야 하나요?
How much carry-on luggage is permitted?
기내에 가지고 가는 가방은 얼마나 허용 되나요?
Is the plane on schedule? 비행기는 정시에 운행합니까?
Where is the baggage claim area? 수하물 찾는 곳이 어디죠?
My luggage is missing. 내 짐이 없어졌어요.
Where is Gate 34? 34번 게이트가 어디에요?
Immigration 입국 심사대
What is your purpose of your visit? 방문 목적이 뭐죠?
→ I'm here on business. 사업차 왔습니다.
→ I'm here for sightseeing. 관광을 하러 왔습니다.
If you have more than 10,000 dollars, you should declare it.
만 달러 이상을 소지하시면 신고하셔야 합니다.
Do you have anything to declare? 세관에 신고하실 물건이 있나요?
→ Nothing to declare. 신고할 것이 없습니다.

9 Phone conversation

전화를 건 사람이 쓰는 표현

Is Mr. Park around? 미스터 박 계십니까?
= Is Mr. Park in?
= Is Mr. Park there?
I am returning your call. 당신이 전화하신 것에 대한 회답전화입니다.
May I call you back at a better time? 더 나은 시간에 전화 드릴까요?

Did you call me while I was away? 제가 외출 중일 때 전화 하셨었어요?
Can I speak to your supervisor? 당신 상관하고 이야기하고 싶습니다.
= I want to speak to your boss.
Could I speak to ~? ~와 통화할 수 있을까요?

전화를 받았을 때 쓰는 표현

May I ask who's calling, please? 전화 하시는 분이 누구시죠?
Who's on the phone now? 지금 전화 받으시는 분은 누구시죠?
May I ask what this is regarding? 무슨 일로 전화하셨는지 물어봐도 될까요?
One moment, please. 잠시만 기다리세요.
Can you hold on for a second? 잠시만 기다려 주시겠습니까?
He's on another call now. 그는 지금 다른 전화를 받고 있습니다.
Could you hold on? 기다려 주실래요?
You've got the wrong number. 잘못 거셨습니다.
I'll transfer you. Please don't hang up. 연결시켜 드리겠습니다. 끊지 마세요.
Hold on. I'll transfer your call. 잠시 만요. 연결해 드릴게요.
I'm sorry to have you wait. 기다리시게 해서 죄송합니다.
I'll put you through (to him) right away. 바로 (그에게) 연결시켜 드릴게요.
Where are you calling? 어디로 전화 거셨어요?

전화 통화 할 수 없을 때

That's OK. I'll call you back. 괜찮아요. 다시 전화할게요.
I'll give you a ring later. 나중에 전화할게요.

찾는 사람의 부재를 알리는 표현

She's just stepped out. 그녀는 방금 나갔습니다.
Do you know when James will be back today? 제임스가 오늘 언제 돌아올지 아세요?
I think he went out for lunch now. He'll be back soon.
그가 지금 점심 먹으러 나간 것 같은데요. 곧 돌아올 거에요.
He is gone for the day. 그는 퇴근 했어요.
= He left for the day.
He'll be back in a moment. 그는 곧 돌아올 것입니다.
= He'll be right back.

메시지의 전달

I'm sorry, he's not here right now. May I take your message?
죄송합니다만, 그는 지금 여기에 안 계십니다. 메시지를 받아도 되겠습니까?

I'll tell him that you called. 전화 왔었다고 그에게 전하겠습니다.

Please have him call me back as soon as possible.

그가 가능한 빨리 저에게 전화하게 해 주세요.

Would you like to leave a message? 메시지를 남기시겠어요?

Can I have your name and number? 성함과 전화번호를 남겨 주시겠어요?

Please have him call me when he comes in.

그가 돌아오면 나에게 전화하게 해 주세요.

Can I leave a message? 메시지를 남길 수 있을까요?

I'll make sure he gets your message. 그가 확실히 당신의 메시지를 받게 하겠습니다.

기타 표현

I just called to make sure. 확인하려고 전화했습니다.

Could you give me another phone number? 다른 전화번호를 알려 주시겠어요?

Can you spell your name, please? 성함의 철자 좀 말해 주시겠습니까?

The line has been busy all day. 전화가 하루 종일 통화 중이네요.

You've got the wrong number. Let me give you the number that you need.

전화 잘못 거셨는데요. 필요하신 전화번호를 알려드릴게요.

Who do you want to speak with? 누구랑 통화하시고 싶으세요?

I'm sorry, I can't hear you well. Will you speak up, please?

뭐라고요, 안 들리는데요. 크게 말씀해 주시겠습니까?

It's an emergency. 급한 일입니다.

He is very busy. Could you call back 10 minutes later?

그는 지금 매우 바쁩니다. 10분 후에 다시 전화주시겠습니까?

10 Health

건강에 관련된 표현

You look in shape. 건강해 보인다.

↔You look out of shape. 건강하지 않아 보인다.

I am under the weather. 몸이 좋지 않아.

I am not feeling well. 몸이 좋지 않아.

I work out at the gym every day. 난 매일 헬스클럽에서 운동을 해.

I'm on a diet. 난 다이어트 중이야.

You should go on a diet. 너 살 빼야 해.

You should see a doctor. 너 병원에 가야겠다.

Do you have a doctor's appointment? 병원 예약 했니?

general[regular] checkup 정기 검진
I need to watch my weight. 체중에 신경을 써야해.
Looks like you lost weight. 너 살 빠진 것 같아.
I gained 5 pounds. 5파운드 쪘어.
I got injured from a car accident. 차 사고로 다쳤어요.
I feel great/wonderful. 몸이 좋아요.
I feel ill/terrible. 아파요/ 몸이 안 좋습니다.

약에 관련된 표현

prescription drug 처방전 약
over-the-counter (OTC) drug 처방전 없이 살 수 있는 약
How often should I take this medicine? 얼마나 자주 이 약을 복용해야 하나요?
→Two times a day. 하루에 두 번씩 드세요.

의사가 하는 말

What brings you here? 어디가 아파서 오셨나요?
= Can you describe the problem?
= What seems to be the problem?
= What's bothering you today?
Is there a history of diabetes in your family? 가족 중 당뇨병에 걸린 사람이 있나요?
You need to take a few tests. 몇 가지 검사를 받으셔야겠습니다.
= We need to run some tests.
How are you today? 몸은 어떠신가요?
= How are you feeling?
Take this to the pharmacy and have it filled.
처방전을 약국으로 가져 가셔서 조제하세요.

병에 관련된 표현

I have a cold. 감기에 걸렸어요.
I'm coming down with a cold. 감기에 걸렸어요.
I have a runny nose. 콧물이 흘러요.
= My nose is running.
I have a stuffy nose. 코가 막혔어요.
= My nose is stuffed up.
I have a sore throat. 목이 따가워요.
I have a fever. 열이 나요.
My arm hurts. 팔이 아파요.

My arm is killing me. 팔이 아파 죽겠어요.
I broke my leg. 다리가 부러 졌어요.
I have a broken arm. 팔이 부러 졌어요.
I have a cramp in my stomach. 위경련이 일어났어요.
My leg is asleep. 다리에 쥐가 났어요.
I'm going to throw up. 토할 것 같아요.
=I'm going to be sick.
=I feel like vomiting.
I'm allergic to pork. 돼지고기에 알레르기가 있어요.
I'm diagnosed with diabetes. 당뇨라고 진단 받았습니다.
My back aches. 등이 아파요.
My vision is blurry. 시야가 흐릿해요.
I have no appetite. 식욕이 없어요.
I'm always fatigued[tired]. 항상 피곤해요.
I can't sleep at night. 밤에 잠을 잘 수가 없어요.

11 School life

학년/ 학위

freshman 1학년
sophomore 2학년
junior 3학년
senior 4학년
diploma 학위
the bachelor's degree 학사 학위
the master's degree 석사 학위
the doctor's degree 박사학위
= doctorate

강의, 수업

Are you taking politics this semester? 이번 학기에 정치학 수업을 들을 거니?
How much is the registration fee? 등록비가 얼마죠?
Have you turned in your term paper? 기말 보고서를 냈니?
elective course 선택 과목 / mandatory course 필수 과목
prerequisite 선수 과목

시험

I have my final in 3 weeks. 3주 있다가 기말고사가 있어.

pass / fail the exam 시험에 통과 / 실패하다

fail 낙제하다

= flunk

= get an F

ex) I flunked chemistry. 화학 시험을 망쳤어요.

What grade did you get on the exam? 시험에 어떤 학점을 받았니?

전공

What was your major? 무엇을 전공하셨어요?

= What did you major in?

= What did you study?

major 전공

minor 부전공

double major 복수 전공

전공명

-logy

biology 생물학

sociology 사회학

psychology 심리학

paleontology 고생물학

anthropology 인류학

archeology 고고학

geology 지질학

meteorology 기상학

ecology 생태학

mineralogy 광물학

neurology 신경학

pedagogy 교육학

theology 신학

zoology 동물학

-(t)ics

politics 정치학

economics 경제학

electronics 전자공학
mathematics 수학
linguistics 언어학
physics 물리학

기타

engineering 공학
education 교육
agriculture 농학
literature 문학
law 법학
botany 식물학
journalism 신문학
geography 지리학
philosophy 철학
chemistry 화학
accounting 회계
architecture 건축학
astronomy 천문학
resources 자원학
computer sciences 컴퓨터 공학
environmental engineering 환경 공학
fine arts 미술
history 역사
literature 문학
medicine 의학
nutrition 영양학

Vocabulary Test

• 정답 및 해설 p.182

Part 1

1 (a) (b) (c) (d)

2 (a) (b) (c) (d)

3 (a) (b) (c) (d)

4 (a) (b) (c) (d)

5 (a) (b) (c) (d)

Part 2

6 (a) (b) (c) (d)

7 (a) (b) (c) (d)

8 (a) (b) (c) (d)

9 (a) (b) (c) (d)

10 (a) (b) (c) (d)

Vocabulary Test 정답 및 해설

Part 1

1 **W** Jeff, is that you? I haven't seen you in ages!
M ______________________________

(a) I look older than I really am.
(b) Kathy, long time no see.
(c) I haven't seen it, either.
(d) Nice to meet you, too.

해석 **W** 제프, 너구나? 한참 동안을 못 만났네!
M ______________________________

(a) 난 실제보다 늙어 보여.
(b) 케씨, 오랜만이야.
(c) 나도 그것을 보지 못했어.
(d) 만나서 반갑습니다.

어구 long time no see (오랜 만에 만나서 하는 인사) 오랜 만이야

해설 여자는 남자와 오랜 만에 만나서 인사를 하고 있다. 오랜 만에 만나서 하는 인사에 대한 답변으로 (b)가 알맞으므로 정답은 (b)가 된다. 인사도 어렵게 출제 되면 어려울 수 있다. 오랜만에 하는 인사, 처음 만나서 하는 인사, 헤어질 때 하는 인사 등 모두 나누어서 정리해 두어야 한다. 단어장에 정리 된 것을 잘 익혀 두자.

정답 (b)

2 **M** How can I ever repay you for this kind gift?
W ______________________________

(a) It's really no big deal.
(b) You can repay me whenever.
(c) I couldn't decide on a gift.
(d) When is your birthday?

해석 **M** 이 친절한 선물에 내가 어떻게 보답해야 할까요?
W ______________________________

(a) 정말 별거 아니에요.
(b) 언제든지 나한테 갚을 수 있어.
(c) 무슨 선물을 살지 결정을 못했어.
(d) 네 생일은 언제니?

어구 repay 〈돈을〉 갚다, 상환하다, 〈사람에게〉 보답하다
no big deal 별 거 아니에요.

해설 대표적인 감사의 상황이다. 남자는 여자에게 선물을 받고, 여자에게 고마움을 표하고 있으므로, 별게 아니라는 응답이

남자의 말에 어울리므로 정답은 (a)이다. (b)는 돈을 빌려준 사람이 돈을 빌려간 사람에게 할 수 있는 말이므로 정답이 될 수 없다. 남자 말의 repay를 그대로 넣어서 혼동용 오답을 만든 것이다.

정답 (a)

3 **W** Sorry to trouble you, but could I borrow a pen?
M ______________________________

(a) I can't let you borrow any money right now.
(b) Do you have a spare pen in your bag?
(c) I am going to be in so much trouble.
(d) Of course. Would you like black or blue?

해석 **W** 귀찮게 해드려 죄송합니다만, 펜을 빌릴 수 있을까요?
M ______________________________

(a) 지금은 돈을 빌려 줄 수 없어.
(b) 가방에 여분의 펜 있니?
(c) 나 큰 곤란에 빠질 것 같아.
(d) 당연하지, 검정색 아니면 파란색 줄까?

어구 spare 여분의

해설 답을 고르는 데는 "Sorry to trouble you"보다 "but could I borrow a pen?"이 더 중요하지만, 어떤 대화건 "Sorry to trouble you"로 시작하면, 부탁을 하려 하는 것이므로 부탁 내용을 잘 듣고, 답변은 부탁을 들어 주는지 그렇지 않은지 파악하도록 하자. 이 대화에서는 부탁을 들어주는 (d)가 정답이 된다.

정답 (d)

4 **M** Are you free this weekend to play some basketball?
W ______________________________

(a) It's free to play basketball at my gym.
(b) Yeah, how about Saturday morning?
(c) I hope you can join us this weekend.
(d) Basketball season starts this weekend.

해석 **M** 주말에 농구 할 수 있니?
W ______________________________

(a) 우리 체육관에서 농구 경기하는 것은 무료야.
(b) 그럼, 토요일 아침은 어떠니?
(c) 이번 주말에 네가 우리와 함께 했으면 좋겠어.
(d) 이번 주말부터 농구 시즌이 시작해.

어구 gym 체육관

해설 남자는 여자에게 농구를 하자고 제안 했다. 이것에 수락을 하는 (b)가 정답이 된다. (c)는 여자가 할 말이 아니라, 남자가 할 말이다.

정답 (b)

5 **W** I feel so hopeless about my Spanish class!
M ______________________________

(a) I'm planning to take a trip to Spain.
(b) I'm so glad your Spanish is going well.
(c) It might be hard now, but don't give up.
(d) I hope I get to take Spanish.

해석 **W** 스페인어 수업은 희망이 없어.
M ______________________________

(a) 나는 스페인으로 여행을 갈 계획이야.
(b) 네 스페인어가 잘 된다니 기쁘다.
(c) 지금은 힘들 거야, 그렇지만 포기하지 마.
(d) 나는 스페인어 수업을 듣기를 바래.

어구 take a trip 여행가다
give up 포기하다

해설 여자가 스페인어 수업이 잘 안되고 있다고 실망하고 있으므로, 남자는 위로를 해주는 것이 자연스러운 응답이 될 것이다. 그러므로 정답은 (c)가 되며, 포기 하지 말라는 것으로 "give up"과 더불어 "hang in there"이라는 표현도 함께 익혀 두자. (b)와 (d)는 여자의 말에 Spanish를 그대로 넣어서 만든 오답이다.

정답 (c)

Part 2

6 **W** Why are you so quiet? Are you mad at me?
M I can't believe you forgot my birthday!
W Oh no, I'm so sorry. I've just been so busy.
M ______________________________

(a) How could you forget our anniversary?
(b) No excuses. You forgot last year, too!
(c) Don't you think I've been really busy lately?
(d) It's OK. At least you tried to do your best.

해석 **W** 너 왜 그렇게 조용하니? 너 나한테 화났니?
M 네가 내 생일을 잊어버리다니 믿을 수가 없어.
W 오 이런, 미안해. 내가 너무 바빴어.
M ______________________________

(a) 너는 어떻게 우리의 기념일을 잊어버릴 수 있니?
(b) 변명하지 마. 넌 작년에도 잊어 버렸잖아.
(c) 내가 너무 바쁘다고 생각하지 않니?
(d) 괜찮아. 적어도 넌 최선을 다했잖아.

어구 be mad at ~ ~에게 화나다

해설 남자는 자신의 생일을 잊어버린 여자에게 화가 난 상태 이다. 이것에 대해 여자는 사과를 하고 있다. 남자는 여자의 사과를 받아 주는 경우가 훨씬 많지만 이 문제에서처럼 그렇지 않을 수도 있다. 여자의 바빴다는 핑계에, 남자는 사과를 받아 주지 않는 (b)가 정답이 된다. 여자는 남자의 생일을 잊어버린 것이지, 기념일을 잊은 것이 아니므로 (a)는 정답이 될 수 없고, 바쁜 것은 여자지 남자가 아니므로 (c)는 정답이 될 수 없다. (d)는 여자가 열심히 노력했지만, 이루어 지지 않은 일에 대해 위로할 때 쓸 수 있는 말이므로 정답이 될 수 없다.

정답 (b)

7 **M** What can I do for you today, ma'am?
W I'm looking for a pair of boots.
M Are you looking for any particular style?
W ______________________________

(a) I would like some boots for winter.
(b) There are so many boots to choose from.
(c) I think blue looks really good on you.
(d) I'd like some brown leather ones.

해석 **M** 어떻게 도와드릴까요, 부인?
W 저는 부츠를 찾고 있어요.
M 특별하게 찾는 스타일이 있으세요?
W ______________________________

(a) 저는 겨울에 신을 부츠를 찾고 있어요.
(b) 선택할 수 있는 많은 부츠들이 있네요.
(c) 제 생각에 파란색이 당신께 잘 어울릴 것 같아요.
(d) 저는 갈색 가죽 부츠를 원해요.

어구 look great on ~ ~에게 잘 어울리다
leather 가죽

해설 신발 가게에서의 대화이다. 손님인 여자에게 남자는 특별하게 찾는 것이 있는지 묻고 있다. 자신이 원하는 부츠 스타일을 애기해준 (d)가 정답이 된다. (a)는 특별한 스타일에 대한 언급이 아니기 때문에 정답이 될 수 없고, (c)는 손님인 여자가 할 수 없는 말이므로 정답이 될 수 없다.

정답 (d)

8 **W** I'm starving. Let's get something to eat.
M Okay, do you want to stay in or eat out?
W What do you think about ordering in Chinese food?
M ______________________________

(a) Sounds good to me. Let's call.
(b) I thought you wanted Chinese food.
(c) I want to stay in when the weather is bad.
(d) Okay, let's try that new restaurant downtown.

해석 W 너무 배고파. 뭘 좀 먹자.
M 좋아. 집에서 먹을래 아니면 외식할까?
W 중국 음식을 시켜 먹는 건 어떠니?
M ____________________

(a) 좋아. 전화하자.
(b) 나는 네가 중국 음식을 먹고 싶어 하는 줄 알았는데?
(c) 날씨가 좋지 않을 때에는 안에 있고 싶어.
(d) 좋아, 다운타운에 새로 생긴 레스토랑에 가자.

어구 eat out 외식하다
order 주문하다

해설 여자는 남자에게 중국 음식을 시켜 먹자고 제안 했으므로, 남자는 여자의 제안에 수락을 하는지 거절을 하는지 의사를 밝혀 주는 것이 좋다. (a)는 여자의 제안에 수락하는 것이므로 정답이 된다. (c)로 정답으로 하지 않도록 조심해야 한다. (c)는 남자의 일반 적인 선호를 말한 것이지, 중국 음식을 시켜 먹는 것이 좋다고 말한 것이 아니다. 그러므로 정답이 될 수 없다.

정답 (a)

9 M How was your doctor's appointment?
W It was okay. Not good, not bad.
M So what did the doctor say?
W ____________________

(a) My doctor's appointment is today.
(b) I feel as healthy as I've ever been.
(c) He said I need to watch my weight.
(d) There is nothing else to say.

해석 M 병원 갔던 것은 어땠니?
W 괜찮았어. 좋지도 나쁘지도 않았어.
M 그래서 의사가 뭐라고 했니?
W ____________________

(a) 진료 예약은 오늘이야.
(b) 예전처럼 건강해진 느낌이야.
(c) 체중을 조절해야 한 대.
(d) 할 말이 없어.

어구 doctor's appointment 진료 예약
watch one's weight 몸무게에 신경 쓰다

해설 남자는 여자의 의사가 한 말을 묻고 있다. 그러므로 정답은 (c)가 된다. 남자가 진료 예약이 언제냐고 물은 것이 아니므로 (a)는 정답이 될 수 없다. (a)는 남자의 말에 doctor's appointment를 반복시켜 오답을 만들었다. (d)는 의사가 아무 말도 하지 않았다는 것이 아니라, 여자 자신이 할 말이 없다는 것이므로 정답이 될 수 없다.

정답 (c)

10 **W** I don't know what I'm going to do.
M Calm down. What's wrong?
W I flunked my history exam!
M ______________________________

(a) Don't worry, you'll do better on the next test.
(b) I think I should have studied more.
(c) If I were you, I'd take a history class.
(d) I think you're going to do really well.

해석 **W** 어떻게 해야 할지 모르겠어.
M 진정해. 뭐가 잘못됐니?
W 역사 시험에 낙제했어.
M ______________________________

(a) 걱정 마. 다음 시험에서는 잘할 거야.
(b) 나는 공부를 더 열심히 했었어야 했어.
(c) 내가 너라면 역사 수업을 듣겠어.
(d) 내 생각에 넌 정말 잘할 거 같아.

어구 calm down 진정해

해설 여자는 역사 시험을 잘 보지 못해서 낙담하고 있다 이것에 가장 적절한 응답은 (a)의 위로가 될 것이다. (b)의 역사시험을 못 본 것은 여자 이므로 남자가 공부를 더 했어야 했다고 말하는 것은 어색하다. 이것은 여자가 해야 할 말이다. (d)는 역사 시험은 이미 끝났으므로 시제가 맞지 않다.

정답 (a)

Part 4

유형 미리보기

Tip **1** 독해력을 증강하자

Tip **2** 분야별 전문 어휘를 익히자

Tip **3** 구체적인 정보는 간단한 메모를 이용하자

Tip **4** 보기를 받아쓰기해본다

Tip **5** 지문안의 신호(Signals)를 잡자

Tip **6** 한 문장씩 끊어서 들어보자

Part 4 유형 미리보기

Part 4는 20~30초 정도 길이의 담화문으로 한 사람이 한 주제에 대해서 독백처럼 말하는 형식으로 주어진다. 광고, 학술문, 인물소개, 공고, 방송 등 여러 가지 형식으로 다양한 주제로 나오기 때문에 익숙해지는데 더 많은 노력이 필요하다.

Question Type 대의 파악

담화문의 주제를 찾는 유형이다. 5~7문제 정도 출제되며 46~52번 정도에 나온다.

sample

What is this talk (mainly) about?

What is the main topic/idea/point of the talk/speaker?

What is the speaker mainly talking about?

What is the main purpose of this speech?

What is the main point given in this talk?

What is being advertised?

Question Type 세부 사항 묻기

담화문에 부합하는 사실을 고르는 유형이다. 5~7문제 정도 나오며, 50~57번 정도에 나온다.

sample

Which is correct according to the talk?

Which is correct according to this advertisement?

Which is correct according to the message?

According to the instructions, what should managers do?

Question Type 추론

담화문에 직접 나와 있는 사실을 고르는 것이 아니라 언급은 없지만 추론할 수 있는 바를 고르는 것이다. 1~3문제 정도 출제 되며, 58~60번에 나온다.

sample

What can be inferred from this lecture?

What can be inferred from this report?

What can be inferred from this talk?

What can be inferred from this announcement?

Step 1 실전처럼 두 번 들어보고 문제 풀이에 도전해 본다. 세부사항이 나와 노트 필기가 필요하다면 간단히 메모도 해보자.

Step 2 지문을 두 번 들어보고 바로 이해하기가 어렵기 때문에, 문장과 문장 사이에 2초의 공백들 두었다. 2초의 시간 동안 들었던 문장을 의미로 전환하도록 노력해 보자. 점차 2초의 공백이 없어도 의미로 빠르게 전환이 가능할 것이다. 세부사항이 나오는 경우 노트 필기가 필요하다면 간단히 메모도 해보자.

Step 3 Part 4에서는 전문적인 어휘가 많아서 이해가 잘 안될 수 있다. 따라서 그 지문에 포함된 어려운 단어를 연습하고 다시 지문을 2회 들어본다. 어휘가 학습이 되었다면 훨씬 이해하기 편할 것이다.

Step 4 대략의 의미 파악이 되었다면, 이제 빈 칸을 채우며 받아쓰기를 해본다. 받아쓰기 한 후, 스크립트와 대조해 보고 자신이 틀린 부분 까지 확인해 봐야 한다. 또한 자신이 어느 부분에서 안 들렸는지 파악 해 보는 것도 필요하다.

Step 5 지문을 아무리 잘 들었어도 보기를 정확히 듣지 못했다면 정답을 고를 수 없다. 보기는 조금만 놓쳐도 의미가 변할 수 있으므로 정확하게 듣는 것이 관건이다. 전체 문장을 완벽히 받아써 보자.

Step 6 마지막으로, 스크립트를 빨리 읽는 것으로 마무리 한다. 빠른 독해는 Part 4 듣기의 초석이 된다는 점을 잊지 말자. 이 연습을 열심히 하면 청해 Part 4 뿐 아니라 Reading 실력도 향상될 것이다.

Warming-up Test

• 정답 및 해설 p.265

Paragraph 1

Step 1 **실전처럼 음성을 2회 들어 보고 문제를 풀어 봅시다.**

(a) (b) (c) (d)

Step 2 **문장과 문장 사이에 2초의 공백이 있는 음성으로 다시 2회 들어보세요. 문장 사이의 공백 시간 동안 최대한 문장의 의미를 생각해 봅시다. 필요하다면 메모를 해도 좋습니다.**

Step 3 **어려운 어휘를 들어 보고 큰 소리로 따라 읽어보세요. 그 후 다시 한 번 지문을 들어 봅시다.**

어구

molecular 분자
genetics 【생물】 유전학
interaction 상호 작용
biochemistry 생화학
participation 참여
attendance 출석

Step 4 빈 칸을 채우며 받아쓰기 한 후 스크립트와 대조해 봅니다.

Welcome to the first day of ____________. In this class we will talk about biology and chemistry, especially aspects of __________ and __________. We will mostly be concerned with the ____________, __________ including information about DNA. There are two major tests in here, as well as two papers. You will also be graded on ____________ and ____________, so please try not to miss any classes. Although you do have a textbook, most test information will come from lectures.

Step 5 보기를 받아쓰기 해보세요.

(a) ____

(b) ____

(c) ____

(d) ____

Step 6 이제 스크립트를 의미 단위별로 끊어서 빨리 읽어보세요.

Welcome to the first day of Molecular Biology. In this class / we will talk about biology and chemistry, / especially aspects of genetics and biochemistry. We will mostly be concerned with / the interactions within the cell, / including information about DNA. There are two major tests in here, / as well as two papers. You will also be graded on participation and attendance, / so please try not to miss any classes. Although you do have a textbook, / most test information will come from lectures.

Q What would the test mainly be based on?

(a) Class discussion

(b) Two papers

(c) Lectures

(d) Textbook

Paragraph 2

• 정답 및 해설 p.265

Step 1 **실전처럼 음성을 2회 들어 보고 문제를 풀어 봅시다.**

(a) (b) (c) (d)

Step 2 **문장과 문장 사이에 2초의 공백이 있는 음성으로 다시 2회 들어보세요. 문장 사이의 공백 시간 동안, 최대한 문장의 의미를 생각해 봅시다. 메모가 필요하다면 메모를 하세요.**

Step 3 **어려운 어휘를 들어 보고 큰 소리로 따라 읽어 봅시다. 그런 후 다시 한 번 지문을 들어 봅시다.**

✲ 어구

divorce rate 이혼율
affair 사건, 일거리, 불륜의 정사, 연애사건, 추문
strain 압력, 압박, 스트레스
physical abuse 육체적 폭행, 학대
drug abuse 마약 남용, 약물 남용
initiate 시작하다, 제기하다

Step 4 빈 칸을 채우며 받아쓰기 해 봅시다. 받아쓰기 한 후 스크립트와 대조해 봅니다.

In a study of 47 countries, it was found that the U.S. was ____________ as having the sixth highest ____________. The country with the smallest percentage was India, with 1.1%. According to lawyers in the U.K. the top three reasons were extramarital affairs, ____________, and ____________. About 60% of divorces in the U.K. are ________ by women that come from families with children.

Step 5 보기를 받아쓰기 해 봅시다.

(a) ____

(b) ____

(c) ____

(d) ____

Step 6 이제 스크립트를 의미 단위별로 끊어서, 빨리 읽어 봅시다.

In a study of 47 countries, / it was found that/ the U.S. was ranked as having the sixth highest divorce rate. The country with the smallest percentage was India, / with 1.1%. According to lawyers in the U.K., / the top three reasons were affairs, family strains, and physical abuse. About 60% of divorces in the U.K. / are initiated by women /that come from families with children.

Q What is one of the main reasons of divorce in the U.K?

(a) A bad economic situation

(b) Domestic violence

(c) Drug abuse

(d) Heavy work load

Paragraph 3

• 정답 및 해설 p.266

Step 1 실전처럼 음성을 2회 들어 보고 문제를 풀어 봅시다.

(a) (b) (c) (d)

Step 2 문장과 문장 사이에 2초의 공백이 있는 음성으로 다시 2회 들어 봅시다. 문장 사이의 공백 시간 동안, 최대한 문장의 의미를 생각해 봅시다. 메모가 필요하다면 메모를 하세요.

Step 3 어려운 어휘를 들어 보고 큰 소리로 따라 읽어 봅시다. 그런 후 다시 한 번 지문을 들어 봅시다.

✲ 어구

psychiatrist 정신과 의사
be known for ~로 유명하다
unconscious mind 무의식
repression 억압, 억제
psychoanalysis 정신 분석학

Step 4 빈 칸을 채우며 받아쓰기 해 봅시다. 받아쓰기 한 후 스크립트와 대조해 봅니다.

Sigmund Freud was a ___________ best known for his theories about the _______________, especially aspects concerned with ___________ and dreams. He is called the father of ___________ and his theories are still taught in classrooms all over the world today. He has also been a large ___________ in other fields like film, ___________, and philosophy.

Step 5 보기를 받아쓰기 해 봅시다.

(a) ____

(b) ____

(c) ____

(d) ____

Step 6 이제 스크립트를 의미 단위별로 끊어서, 빨리 읽어 봅시다.

Sigmund Freud was a psychiatrist / best known for his theories / about the unconscious mind, / especially aspects concerned with repression and dreams. He is called the father of psychoanalysis / and his theories are still taught in classrooms / all over the world today. He has also been a large influence / in other fields like film, literature, and philosophy.

Q What can be inferred from this lecture?

(a) Freud was a successful philosopher.

(b) People rarely know Freud's theories.

(c) Freud's theories are generally accepted.

(d) Freud wrote a great deal of poems.

Paragraph 4

• 정답 및 해설 p.266

Step 1 실전처럼 음성을 2회 들어 보고 문제를 풀어 봅시다.

(a) (b) (c) (d)

Step 2 문장과 문장 사이 2초의 공백이 있는 음성으로 다시 2회 들어 봅시다. 문장 사이의 공백 동안, 최대한 문장의 의미를 생각해 봅시다. 메모가 필요하다면 메모를 하세요.

Step 3 어려운 어휘를 들어 보고 큰 소리로 따라 읽어 봅시다. 그런 후 다시 한 번 지문을 들어 봅시다.

어구

feedback 반응, 의견, 감상
manuscript 원고
character 등장인물
publisher 출판업자, 출판사, 발행자
push back 뒤로 미루다, 연기하다
keep something in mind ~을 기억하다, 유의하다

Step 4 빈 칸을 채우며 받아쓰기 해 봅시다. 받아쓰기 한 후 스크립트와 대조해 봅니다.

Hi, Derek. This is your ____________ calling. First, I just wanted to give you some ____________ on your ____________. Instead of having the ____________ meet in the very beginning, work on the background story first. Next, I wanted to remind you that the meeting with the publisher is this Thursday, however, there is a chance that the time may get ____________ an hour, so ________________. I'll let you know. Talk to you soon.

Step 5 보기를 받아쓰기 해 봅시다.

(a) ____

(b) ____

(c) ____

(d) ____

Step 6 이제 스크립트를 의미 단위별로 끊어서 빨리 읽어 봅시다.

Hi, Derek. This is your editor calling. First, I just wanted to give you some feedback on your manuscript. Instead of having the characters meet in the very beginning, / work on the background story first. Next, I wanted to remind you / that the meeting with the publisher is this Thursday, / however, there is a chance that / the time may get pushed back an hour, / so keep that in mind. I'll let you know. Talk to you soon.

Q What can be inferred from this phone call?

(a) Derek is a song writer.

(b) The publisher will meet the characters this Thursday.

(c) The editor has read his manuscript.

(d) The editor called Derek several times.

Tip 1 독해력을 증강하자

● 핵심 포인트

Part 4는 청해의 다른 Part 보다도 점수가 눈에 띄게 오르지 않을 뿐더러 어렵기까지 하다. Part 4는 청해 실력이 부족해서 점수가 오르지 않을 수도 있지만, 사실 독해 실력이 선행되지 않아서 점수가 오르지 않는 경우가 대부분이다. 예를 들어, 어떤 지문이 이해가 되지 않고 들리지 않아 스크립트를 확인해 봤더니, 눈으로 읽어도 이해가 되지 않는다면, 그것은 청해의 문제가 아니라 독해에 문제가 있다는 반증이다. Part 4를 정복하기 위해서 무엇보다 먼저 갖춰야 할 능력은 독해력이다. 독해도 빠른 독해가 청해를 정복하는데 유용하다. 눈으로 쭉 읽으면서 독해를 하는 능력이 빠른 독해를 위해 필요한데, 열심히 듣고 문제를 푼 후에는 반드시 스크립트를 의미 단위로 끊어서 영어 어순 그대로 읽는 연습을 하면 많은 도움이 될 것이다.

기출 문제

Among the many contributions made by the Egyptian culture / is the hieroglyphic writing system. This is one of the earliest writing systems known, / and it was used from about 3200 B.C. until 350 A.D. Hieroglyphics is a form of picture writing, / in which each symbol stands for either a single object or a single sound. Other cultures, such as the Hittites, the Cretans, and the Mayans, / also developed picture writing, / but these systems are not related to the Egyptian system.

Q What is the main topic of the lecture?

(a) The hieroglyphic writing system
(b) The inventions of ancient civilizations
(c) The strengths of picture writing systems
(d) The symbols of hieroglyphics

해석 이집트 문화에 의해 만들어진 많은 공헌 중에 하나는 상형문자 기록체계이다. 이것은 지금까지 알려진 것 중에서 가장 오래된 기록 체계이고, 기원전 3200년부터 서기 350년까지 사용되었다. 상형문자는 각 상징이 하나의 물체나 하나의 소리를 나타내는 그림 기록의 한 형태이다. 히타이트, 크레타, 그리고 마야와 같은 다른 문화들도 그림 기록을 개발했지만, 이 체계들은 이집트의 체계와는 연관이 없다.

Q 이 강의의 주제는 무엇인가?
(a) 상형문자 기록 체계
(b) 고대 문명의 발명들
(c) 그림 기록체계의 강점들
(d) 상형문자의 상징들

어구 contribution 기여, 공헌, 기부
hieroglyphic 상형문자, 상형문자의
symbol 상징, 심벌, 기호
stand for 대표하다, 나타내다, 상징하다
develop 개발하다, 발달시키다, 발전시키다
be related to ~와 관계가 있다
civilization 문명, 문화
strength 강점, 세기, 힘

해설 상형문자(hieroglyphic)라는 어렵고 생소한 단어가 등장하는 만만치 않은 문제이다. 그러나 이런 어려운 단어가 나오더라도 당황하지 말자. 어렵고 생소한 단어가 처음에 등장하면 거의 대부분 그 뒤에 오는 문장에서 부연설명이 이루어지는데, 이것을 놓치지 않도록 귀를 더 기울여야 한다. 첫 문장에서 상형문자 기록체계를 소개했고, 이어지는 두 문장에서 이것에 대해 자세히 설명해 주고 있다. 따라서 상형문자 기록체계가 주된 강의 주제가 된다.

정답 (a)

Practice Test

• 정답 및 해설 p.309

Part 4

Choose the option that best answers the question.

1 (a) (b) (c) (d)

2 (a) (b) (c) (d)

3 (a) (b) (c) (d)

4 (a) (b) (c) (d)

5 (a) (b) (c) (d)

Dictation for Practice Test

• 스크립트 p.309

문제를 다시 한 번 듣고 빈칸을 채우세요.

Part 4

1 In today's class, ______________ John Steinbeck's novel of *Mice and Men*. It is ______________, Lennie and George, ______________. Their dream is ______________ ______ so that they can live and work on a farm together, but ______________ when Lennie, ______________, accidentally kills someone.

Q What is being discussed in the class?

(a) The life of John Steinbeck
(b) ______________
(c) ______________
(d) ______________ by Steinbeck

2 In today's business class ______________ of Bill Gates, the chairman of Microsoft, a software company. ______________ one of the leaders of the personal computer revolution, and ______________. Despite his wealth, Gates ______________ ______________. For example, since 2000 ______________ ______ over $29 billion dollars ______________.

Q According to this talk, what is true about Bill Gates?

(a) He is ______________.
(b) ______________.
(c) ______________.
(d) He ______ in 2000.

3 ______________________________, including microeconomics and macroeconomics, and mainstream economics. One purpose of economics is ______________ and ______________ ______________, whether those groups are small businesses or large countries.

Q What is the speaker mainly talking about?

(a) ______________

(b) ______________ microeconomics and macroeconomics

(c) ______________

(d) ______________

4 Come to Burrington's this weekend ______________. ______________ ______________ all the coats and jackets in our store ______________. This includes all men's, women's, and children's coats, ______________. ______________ ____, including leather jackets, fake fur coats, baby coats, and outerwear accessories as well. So ______________ ______ and get a hat ________, too.

Q According to this announcement, which is true?

(a) The coat sale is ______________.

(b) The sale ends Monday morning.

(c) The coats will be ______________.

(d) ______________.

5 ________________________ with African monkeys __ ________________________. They are doing the same with mice and ____________ for Parkinson's disease ______ ________. Scientists expect to have a mouse ____________ ____________, which could be an advantage since ________ ________________________.

Q What is the main topic of the talk?

(a) ________________

(b) French scientists' research to find cures

(c) ________________________

(d) African monkeys in a French zoo

Tip 2 분야별 전문 어휘를 익히자

● 핵심 포인트

Part 4는 Part 1, 2, 3과 같이 일상적인 대화보다는, 전문적인 내용을 다루는 경우가 많다. 특히 뉴스, 회의, 세미나, 서평, 강의 등에서 전문적인 어휘가 등장하기 쉬운데, 지나치게 전문적인 어휘는 담화 안에서 설명을 해 주기 때문에 크게 걱정하지 않아도 되지만, TEPS 청해에서 요구하는 정도의 난이도가 있는 어휘들은 미리 숙지해 두어야 들을 수 있다. 모르는 단어는 아무리 많이 들어도 들리지 않는다. Part 4에 등장하는 어휘들도 마구잡이로 외우기보다는 분야별로 묶어서 외워 두는 것이 훨씬 효율적이다. 예를 들어, 기상예보라는 주제를 다루는 지문에 특히 자주 나오는 어휘나 표현들이 있을 것이다. 기상예보에 자주 등장하는 어휘들을 미리 숙지하고 있다면, 시험때 기상예보와 관련된 주제의 담화문이 나왔을 때 자신 있게 들을 수 있을 것이다.

기출 문제

Australian scientists discovered an amazing collection of fossilized bones. The bones form one of the most complete humanoid skeletons ever discovered. Scientists, while not having identified if the creature is a human ancestor, are excited by the prospect of retrieving DNA from cells found within the skull. Incomplete fossilization has left organic material which failed to decompose due to the anaerobic environment of the burial site. The DNA could lead to evidence of a "missing link".

Q Which is correct according to the lecture?

(a) The skeleton's DNA is important to evolutionary science.

(b) Ancient human skeletons were found in Australia.

(c) The fossils were found buried in a place with ample oxygen.

(d) The fossilized bones are the remains of ancient humans.

해석 호주의 과학자들이 어마한 양의 화석화된 뼛더미를 발견했습니다. 이들은 지금까지 발견된 것 중 가장 완벽하게 인간의 모양에 가까운 뼈대입니다. 그 창조물이 인간의 조상이었는지 아직 밝혀지지 않고 있는 동안, 과학자들은 두개골 내부에서 발견된 세포들로부터 DNA를 복원할 가능성에 흥분했습니다. 불완전한 화석화가 매장지의 공기가 희박한 환경 때문에 분해되지 못한 유기물질을 남겼습니다. DNA가 "잃어버린 고리"의 증명으로 이끌 수도 있습니다.

Q 강의에 따르면 옳은 것은 무엇인가?
(a) 두개골의 DNA는 진화 과학에 있어서 중요하다.
(b) 고대 인류의 뼈대가 호주에서 발견되었다.
(c) 화석은 풍부한 산소가 있는 곳에 묻힌 채로 발견되었다.
(d) 화석화된 뼈들은 고대 인류의 유해이다.

어구 collection 수집, 수집물, 퇴적, ~더미
fossilized 화석화된
humanoid 인간에 가까운
skeleton 골격, 뼈대
creature 생물, 동물, 창조물
ancestor 선조, 조상
prospect (성공의) 가망, 가능성, 예상, 기대
retrieve 회수하다, 복구하다, 갱생시키다
cell 세포
skull 두개골
fossilization 화석화
organic material 유기 물질
decompose 분해시키다, 썩게 하다
anaerobic 산소(공기)가 없어도 자라는, 산소 결핍의
burial site 매장지
evidence 증거, 근거, 증명
ample 충분한, 풍부한, 남아도는

해설 난해한 단어가 많이 등장한다. 독해는 물론 청해에서도 어휘력이 뒷받침 되어야 한다. 물론 이 문제를 접하는 수험생에게는 다소 어려울 수도 있겠지만 실제 기출되었던 문제이므로 이 정도의 수준임을 염두에 두고 공부를 해 나가는 것이 좋겠다. 우선 발견된 화석화된 뼈들이 인류의 조상의 것인지는 아직 밝혀지지 않았다고 했으므로 (b)와 (d)는 정답이 아니다. 화석은 산소가 희박한 환경(anaerobic environment)에서 부패에 실패해서 유기물질이 남았다고 했으므로 (c)도 오답이다. 발견된 화석에서 DNA를 복원할 수 있다면 "잃어버린 고리"를 증명, 즉 연결할 수 있다는 이야기이므로 진화과학에 매우 중요한 것임을 알 수 있다.

정답 (a)

Practice Test

• 정답 및 해설 p.311

Part 3

Choose the option that best answers the question.

1 (a) (b) (c) (d)

2 (a) (b) (c) (d)

3 (a) (b) (c) (d)

4 (a) (b) (c) (d)

5 (a) (b) (c) (d)

Dictation for Practice Test

• 스크립트 p.311

문제를 다시 한 번 듣고 빈칸을 채우세요.

Part 4

1 ________________________. There will be heavy snow all weekend, and ________________ by Monday afternoon. ________________________, the airport is expecting to cancel many flights ____________. ________________ ________________________. ________________ all night tonight sanding the roads, but ____________.

Q Which is correct according to the announcement?

(a) ____________ throughout this weekend.

(b) ____________________________.

(c) ____________________ this weekend.

(d) The airport will open ____________.

2 Although meningitis is ____________________ that affects less than 3000 people a year in the U.S., ________________ ____________. There is a vaccine available but ____________ ________________, many people do not get it. The disease attacks and ____________ and ____________. Survivors of the infection may still ________________________ ____________.

Q What does the speaker mainly talk about?

(a) ____________________

(b) The survivors from the disease

(c) ______________

(d) ________

3 Drivers on the road should avoid Highway 67 right now at all costs. ______________________________, there is a traffic jam __________ ____. It seems ________ ___________________ and then caused another wreck because of that. ____. Fortunately __________________ in this incident and ______________ ___________________________.

Q Which is correct according to this message?

(a) Highway 67 is ____________________.

(b) ______________ from the incident.

(c) ___________________________.

(d) The highway is ______________________.

4 With global warming, _____________________________________, and the growing hole in the ozone, ____________________________ __________. But it's not too late. Some scientists say that we are killing our planet, but _________________________________. For example, _________________________ is a simple and easy way ____________ _______, and _______________________________.

Q What is the main point of the speaker?

(a) We should find out ______________________.

(b) We can still ________________________.

(c) We need to ___________________________________.

(d) _____________________________.

5 ______________________ might also want to ______________________ as well. For example, if you have a concentration in civil rights, you will study much about ______________________ of the 1960s. Or ______________________, you can learn a lot about ______________________ in the country.

Q What is the benefit from choosing a specific concentration?

(a) You can ______________________.

(b) You can ______________________.

(c) You can ______________________.

(d) You can ______________________.

Tip 3 구체적인 정보는 간단한 메모를 이용하자

● 핵심 포인트

구체적인 정보를 묻는 문제는 간단한 메모가 도움이 된다. 다만 메모를 간단히 해야 한다. 너무 많은 정보를 받아쓰기 하듯이 다 적다 보면 뒤 내용을 놓치기 쉽기 때문에, 아주 간단히 자신이 알아볼 정도만 하는 것이 좋다. 특히 많은 정보가 쏟아질 수 있는 일기예보, 교통 방송 등의 담화문을 들을 때는 세부 정보를 묻는 질문이 나올 확률이 크기 때문에 잘 대비를 해 두어야 한다. 특히 놓치기 쉬운 날짜, 요일, 금액, 수치 등을 중심으로 메모하자.

기출 문제

Thanks for using DW Airline's information service. If you're looking for daily specials, please check our web page. For other information, please listen carefully to our automated menu. To check on flight arrivals, please press 1. To make a reservation for domestic travel, please press 2. To make a reservation for international travel, please press 3. Otherwise, please stay on the line and one of our representatives will be with you shortly. Thank you.

Q What should a caller do to find out about daily specials?

(a) Press 1.

(b) Press 2.

(c) Stay on the line.

(d) Check the web page.

해석 DW 항공사의 정보 서비스를 이용해 주셔서 감사합니다. 오늘의 스페셜을 찾으신다면, 저희 웹 페이지를 참고하세요. 다른 정보를 원하신다면, 자동화된 선택 사항을 주의 깊게 들어 주십시오. 항공편 도착을 확인하시려면, 1번을 눌러주십시오. 국내 여행편을 예약하시려면, 2번을 눌러주십시오. 국제 여행편을 예약하시려면, 3번을 눌러주십시오. 그 외에 다른 것을 원하시면, 전화를 끊지 말고 기다려 주십시오, 그러면 저희 상담원 중 한 명이 곧 응대해 드리겠습니다. 감사합니다.

Q 전화를 건 사람이 오늘의 스페셜을 알아보려면 무엇을 해야 하는가?

(a) 1번을 누른다.
(b) 2번을 누른다.
(c) 끊지 않고 기다린다.
(d) 웹페이지를 찾아본다.

어구 arrival 도착, 입항
domestic travel 국내 여행
otherwise 다른 경우라면, 그렇지 않다면
representative 대표자, 대리인, 전화 상담원

해설 전화를 건 사람에게 선택할 수 있는 여러 사항을 언급하고 있다. 꼼꼼하게 구체적 사항을 놓치지 말고 들어야 하겠다. 지문을 두 번 듣는 동안 간단하게 메모를 하는 것이 이런 문제를 푸는 데 많은 도움이 된다. 물론 너무 메모하는 데 치중해서 문제를 못 듣는 일은 없어야 한다. 간단하게 "스페셜-web, 도착-1번, 국내여행-2번, 국제-3번, 기타-기다려" 이정도로 메모하면 충분하겠다. 순서대로 나열되는 경우에는 굳이 번호까지 안 쓰더라도 도착, 국내, 국제 등으로 간단하게 메모해도 된다.

정답 (d)

Practice Test

• 정답 및 해설 p.314

Part 4

Choose the option that best answers the question.

1 (a) (b) (c) (d)

2 (a) (b) (c) (d)

3 (a) (b) (c) (d)

4 (a) (b) (c) (d)

5 (a) (b) (c) (d)

Dictation for Practice Test

• 스크립트 p.314

문제를 다시 한 번 듣고 빈칸을 채우세요.

Part 4

1 It is estimated that ________________________ in Britain. ________________________. As the demand for chicken increases, ________________________. Fifty years ago ________________________ before it would be slaughtered. Now it only takes about six weeks. ________________________, that won't stop chicken farmers from ________________________.

Q How long does it take for a chicken to be full grown today in Britain?

(a) About 11 weeks

(b) About 11 months

(c) About 6 weeks

(d) About 6 months

2 Valentine's Day, February 14th, is a holiday ________________________. Though it is seen as ________________________, for businesses it's seen as ________________________. ________________ around 1 billion cards are sent each year worldwide for the holiday, ________________________ after Christmas. It is also estimated that ________________________.

Q According to this talk, which is correct about Valentine's Day?

(a) ________________________.

(b) It is estimated that ________________________.

(c) It is the biggest holiday in Europe.

(d) ________________________ celebrate this holiday.

3 Many countries in Asia and Europe ______________________. This means that within the next twenty years ______________ ______________________________, with the average age close to 50. This is attributed to two factors: ____________ and ______________.

Q Which is true according to this passage?

(a) ________________________.

(b) ________________________________ than European countries.

(c) ______________ is one of the reasons of population aging.

(d) __________ is one of the reasons of population aging.

4 Your age and weight would change ________________________ ______________. For example, a person who weighs 130 pounds on Earth would weight about 50 pounds on Mars ______________ __. Also, __________________________________ your age would be different, too. For instance, ________________________ would be 2.5 years old on Jupiter, ________________________ ____________________.

Q According to the speaker, which is correct?

(a) ________________________.

(b) All planets have ______________.

(c) It takes 2.5 years ____________________.

(d) ______________________________.

5 ________________________ spend more time preparing food than men do, and if a couple gets married then ______________ ______________. For example, ________________________ ________________________ while full time working single women spend about 36 minutes a day ________________. ________ ________________________, who spend about 96 minutes a day cooking. __________!

Q Who spends more than an hour a day making food?

(a) ________________

(b) ________________

(c) ________________

(d) ________________

Tip 4 보기를 받아쓰기 해보자

● 핵심 포인트

담화의 내용을 완전히 이해했다 하더라도, 보기를 못 듣거나 보기의 내용을 잘못 이해한다면 정답을 골라 낼 수가 없다. 그러므로 보기를 정확히 듣는 능력은 반드시 필요하다. 보기는 한 문장내로 이루어져 있고, 또한 빠르게 진행된다. 지문은 두 번 들을 수 있는 반면, 보기는 한 번밖에 들을 수 없으므로 놓치기 쉽다. 그러므로 평소에 정확히 듣는 연습을 해 두어야 하는데, dictation을 통해서 정확히 듣는 연습을 해 보자. 지문을 이해할 때는 전체의 흐름이 중요하지만, 보기의 내용 또한 정확히 듣는 것이 중요하므로, 듣고 문제를 풀어 본 후, 보기는 따로 받아쓰기를 해 보는 것이 큰 도움이 된다. 받아쓰기를 한 후 반드시 자신이 받아쓰기 한 것과 스크립트를 대조해서 자신의 취약한 부분을 확인하는 것도 잊지 말자.

기출 문제

Not all germs are bad, some have positive relationships with the human body. Evidence suggests that many germs can be helpful to humans. For example, bacteria in the mouth that cause tooth decay also inhibit some throat infections and pneumonia. Germs in the intestine help prevent food poisoning. And exposure to germs during early childhood may prevent allergies later in life.

Q What is the main idea of the lecture?

(a) Everyone should avoid germs by all means.
(b) Many germs benefit the human body in some ways.
(c) Medicines have been developed to combat germs.
(d) Some germs cause allergic reactions in children.

해석 모든 세균들이 나쁜 것은 아니다. 일부는 인체와 긍정적인 관계를 갖고 있다. 많은 세균들이 인간에게 이로울 수 있다는 증거들이 있다. 예를 들면, 입 속의 박테리아는 충치를 일으키기도 하지만 목 감염과 폐렴을 억제하기도 한다. 장 속의 세균들은 식중독을 억제하는 것을 돕는다. 그리고 이른 어린 시절 동안의 세균에의 노출은 훗날 나이들어서 알레르기를 방지할 수도 있다.

Q 이 강의의 주제는 무엇인가?

(a) 모든 사람들은 어떻게든 세균을 피해야 한다.
(b) 많은 세균들이 인체에 일정한 방법으로 도움을 준다.
(c) 세균과 싸우기 위해서 약들이 개발되었다.
(d) 몇몇 세균들은 아이들에게 알레르기 반응을 유발한다.

어구 germ 세균, 미생물, 병균
evidence 증거, 근거
decay 부패, 쇠퇴
inhibit 못하게 막다, 억제하다
infection 감염, 전염
pneumonia 폐렴
intestine 장, 창자
food poisoning 식중독
allergy 알레르기, 이상 민감증
by all means 무슨 일이 있어도, 반드시, 꼭

해설 지문이 쉽더라도 방심하지 말고 들어야 한다. 위의 지문도 세균 중에는 좋은 것도 있다는 이야기로서 그 예 몇 가지를 들고 있는 비교적 쉬운 내용이다. 보기가 지문보다 어려운 수준의 관용어구나 단어가 몇 개 나오는데 방심 않고 풀면 정답을 쉽게 찾을 수 있을 것이다. 모든 세균들이 다 나쁘고 피해야만 하는 것은 아니므로 (a)는 답이 아니다. 또 약이 개발되었다는 이야기는 없었으므로 (c)도 오답이다. 어린 시절 세균에 노출되면 나중에 커서 알레르기가 예방될 수 있다고 했으므로 (d)도 답이 아니다.

정답 (b)

Practice Test

• 정답 및 해설 p.316

Part 3

Choose the option that best answers the question.

1 (a) (b) (c) (d)

2 (a) (b) (c) (d)

3 (a) (b) (c) (d)

4 (a) (b) (c) (d)

5 (a) (b) (c) (d)

Dictation for Practice Test

• 스크립트 p.316

문제를 다시 한 번 듣고 빈칸을 채우세요.

Part 4

1 Arlington Community College's 10th annual French Festival ________ ____________________. This is the perfect opportunity ________ ______________________. The French department is ___________ _____ and there will be many fun events this year, ________________ _________________________ on Saturday night _______________ _________________________________.

Q What can be inferred from the talk?

(a) The French Festival is ____________.

(b) You need to go to France to participate.

(c) ____________________________________.

(d) ____________________________________.

2 *The Dead Are Alive* is ______________________! This movie about zombies may seem silly at first, but ________________________ ______ in the film. ____. And with the dramatic sound effects, ___________________________ ___ the whole time. ___________________________, so be sure to leave the kids at home.

Q What is being talked about?

(a) ________________

(b) ________________

(c) ____________________

(d) The film called 'The Dead are Alive'

3 ______________________________ today during rush hour. Of course ______________________________ but at least there aren't any accidents. Drivers should remember that the Thornton Freeway will have ______________________ at 9 p.m. so ____. You could also take Highway 114 ______________.

Q According to the report, which is correct?

(a) There is an accident on Highway 114.

(b) ________________ on Thornton Freeway tonight.

(c) ________________________.

(d) ________________ since 9 p.m. on the freeway.

4 Claude Monet was ______________________________ and his work clearly reflects that. Early in his career Monet painted ________________, but as his work progressed ______________________________ throughout the year. For example, he would paint ______________________________________. He is probably most famous for his series of water lilies, __________________________.

Q What is the main topic of the talk?

(a) ______________

(b) ______________

(c) __________________

(d) Monet and his work

5 Although most people know that ______________________________,
there are ______________________________. Astronomy covers
______________________________, but other studies are
more specific. For example, cosmology is ____________________
____________________. Another branch of sky science
is astrometry, ______________________________
______.

Q According to the talk, what is true about astronomy?

(a) ______________________________.

(b) Astronomy is ____________________.

(c) Astronomy is ____________________.

(d) Astronomy ____________________.

Tip 5 지문안의 신호(Signals)를 잡자

● 핵심 포인트

Part 4는 한 지문 당 70~100단어 정도로 구성되고 평균적인 길이는 30~35초이다. 길이가 많이 긴 것은 아니지만, Part 4 문제를 푸는 내내 한결같이 집중하기란 쉽지가 않다. 그러므로 지문안에 주어지는 신호(Signals)를 잘 잡는 것은 중요하다. Signal이란 뒤이어 어떤 내용이 나올 것이다라고 미리 신호를 주는 역학을 하는 단어나 표현 등을 말한다. 중요한 말을 하기 전에 signal을 주고 시작하는 경우가 많기 때문에, signal을 잘 들으면 뒤에 나오는 내용에 보다 집중을 해서 중요한 정보를 놓치지 않을 수 있다. Signal은 그 자체로 중요하다기 보다는, 뒷내용을 잘 듣기 위해서 중요하다고 할 수 있다. 오른쪽에서 signal의 종류에 대해서 자세히 알아보도록 하자.

기출 문제

Today we're going to be talking about teenage alcohol abuse, especially among males. Unfortunately, our study revealed that teenage binge drinking, drinking 5 or more drinks at one time, among male teens is on the rise. After some basic background information, we'll explain a pilot program we have developed to combat the situation. So, let's get started.

Q What is the topic of the presentation?

(a) Ways to discuss teenage violence

(b) A new training program for policemen

(c) Alcohol abuse among male teens

(d) The problem of alcohol abuse in the army

해석 오늘 우리는 십대의 알코올 남용, 특히 남자아이들 사이에서의 알콜 남용에 대해서 이야기하려 합니다. 불행하게도, 연구에 의하면 한 번에 5잔 이상 마시는 십대의 흥청망청 마시기가 십대 남자아이들 사이에서 증가한다고 합니다. 몇 가지의 배경 정보를 설명한 후에, 우리가 이 상황과 싸우기 위해 개발한 시험 프로그램에 대해 설명하겠습니다. 그럼, 시작하겠습니다.

Q 이 발표의 주제는 무엇인가?

(a) 십대 폭력에 관한 토의법

(b) 경찰을 위한 새로운 훈련 프로그램

(c) 십대 남자아이들 사이에서의 알콜 남용

(d) 군대에서의 알콜 남용 문제

어구 teenage 10대의
abuse 남용, 악용, 오용
reveal 드러내다, 밝히다, 나타내다
binge 진탕, 흥청망청하는 판, 주연(酒宴-술파티)
on the rise 올라, 오름세에, 증가하는 추세의
combat 싸우다

해설 주제를 묻는 문제는 첫 문장만 잘 들어도 답을 고를 수 있는 문제가 많다. "Today we're going to be talking about teenage alcohol abuse, especially among males."에서 답을 찾을 수 있다. 하지만 문제를 듣기 전까지는 방심해서는 안 된다. 뒤 이어서 화자가 할 말을 찾으라는 문제가 나올 수도 있기 때문이다.

정답 (c)

● 주제를 소개하기 전에 등장하는 signals

담화문의 주제를 소개하기 전에 상투적으로 나오는 말들이 있다. 주제를 잘 파악하면 대의 파악을 묻는 문제에서는 직접적인 도움이 되고, 세부사항이나 추론 문제를 풀 때도 간접적으로 도움을 받을 수 있다. 그만큼 지문의 주제를 파악하는 것은 중요하므로, 주제를 말하기 전에 등장하는 signals를 잘 알아두자.

Today, we're going to examine ~

Let's take a look at ~

First of all, let's talk about ~

Today we're going to be talking about ~

Let's continue on our discussion on ~

My talk on ~ today will focus on ~

In today's class ~

What I will be presenting today ~

Today's seminar will focus on ~

● 단계, 과정을 언급하는 signals

Part 4에서는 단계, 과정, 이유, 절차 등을 설명할 때가 종종 있다. 문제에서 각각의 단계나 과정, 이유, 절차 등을 물을 수 있기 때문에, 이들 각각을 기억하는 것은 매우 중요하다. 각각의 단계 등을 언급할 때, First, Second, Third와 같이 signals를 줄 수도 있고, First~, Another ~, Finally와 같은 식으로 언급될 때도 있다. 이러한 signals를 잘 듣고 각각의 단계나 절차를 기억해 두도록 하자.

● 전환 어구(Transitional Words)

이야기가 진행되다가 전환 어구를 넣어 뒤에 나올 내용이 중요하다는 것을 알릴 때가 있다. 예를 들어 But, However, Nevertheless, On the other hand, Instead, Rather, Although, In fact, While, Now 등의 전환 어구들을 들으면 뒤 내용을 주의 깊게 들어야 한다.

Practice Test

• 정답 및 해설 p.319

Part 4

Choose the option that best answers the question.

1 (a) (b) (c) (d)

2 (a) (b) (c) (d)

3 (a) (b) (c) (d)

4 (a) (b) (c) (d)

5 (a) (b) (c) (d)

Dictation for Practice Test

• 스크립트 p.319

문제를 다시 한 번 듣고 빈칸을 채우세요.

Part 4

1 Although ____________________________, you're wrong. With the new CookMaster Oven ____________________________ ________________. It's a high powered oven that fits right in your kitchen! You can cook a 15 pound turkey in three hours and ________ ___. ____________________________. Also, __________ ________________ of $150. So give us a call now.

Q What is the purpose of this talk?

(a) ________________ CookMaster Ovens

(b) To encourage people ____________

(c) To encourage people ______________

(d) To encourage people ______________

2 Galileo Galilei was an Italian scientist ____________________ ____________. Also, Galileo has been called the "__________ ____". And ________________________________ all over the world. His great works, however, ________________ ______. Moreover, Galileo ________________________ ______________________.

Q According to the talk, what is true about Galileo Galilei?

(a) ______________ at schools in Italy.

(b) ____________________ in his time.

(c) ______________ during his lifetime.

(d) ____________________________.

3 In today's class we will discuss dream interpretation, ____________________ ____________________. Although many of you may think that a dream has no meaning, ____________________ ____________________. In ancient Egypt and Greece ____________ ____________________.

Q What is the class mainly about?

(a) Greek mythology
(b) The interpretation of dreams
(c) The way to communicate with gods
(d) The psychological effects of dreams

4 This announcement is for all students ____________________. First, you must ____________________. After you have 50 signatures you must ____________________. You may then ____________________. Posters and signs ____ ____________________ by the student government office. Also, ____________________ ____________.

Q When can a candidate put up posters and signs?

(a) After ____________________
(b) After ____________________
(c) After ____________________
(d) After ____________________

5 ______________________ about Pierre Luna's newest movie, *The Darkness*. Although it is a horror movie, ______________________. Also, ____, they said that they wouldn't ____________________. Moreover, ______ ____, despite the adult rating.

Q According to the talk, what is correct about the movie?

(a) Many viewers ______________ about the movie.

(b) ________________, teenagers can't watch the film.

(c) Most viewers say that __________________.

(d) ____.

Tip 6 한 문장씩 끊어서 들어보자

● 핵심 포인트

Part 4는 각각의 문장이 길고 또한 내용이 어려워서 듣지 못하는 경우도 있지만, 여러 내용이 쉼없이 한꺼번에 나와서 이해하기 힘든 경우도 많다. 한 문장을 듣고 의미파악이 되는 데까지 시간이 걸리기 때문이다. 청취력이 바탕 된다면 다소 긴 내용이더라도 바로바로 의미파악이 되겠지만, 그렇게 되기 까지는 많은 시간이 필요하다. 처음 시작할 때에는 어려울 수 있으니, 들은 문장의 의미파악이 되는 시간을 2초 정도 주는 연습을 해보자. 이 연습은 혼자서 하기 힘들기 때문에, 본 교재에서 수험생의 단계적인 연습을 위해 문장과 문장 사이에 2초를 주고 편집을 했다. 이 연습을 꾸준히 한다면 2초라는 시간이 점점 줄어서, 정지 하는 시간이 없어도 이해할 수 있게 될 것이다.

기출 문제

Today I want to talk to you about Dr. David Suzuki. You may have seen him on television in his show called "The Nature of Things." If not, you can probably guess from the title of his show that he is a biologist. He is also a hard-working crusader for the environment and one of our most prominent figures of science, right up there with people such as Carl Sagan.

Q Which is correct about David Suzuki from the talk?

(a) He is invited to the class as a guest lecturer.
(b) He is an environmental activist.
(c) He hosts a TV show in his name.
(d) He is a space scientist like Carl Sagan.

해석 오늘 데이비드 스즈끼 박사에 대해서 얘기 하고 싶습니다. 여러분은 아마 이 분의 TV 프로그램 "사물의 본질"에서 그를 보셨을지 모르겠습니다. 아니면, 여러분은 프로그램의 이름에서 그가 생물학자라고 예상 할 수 있을 것입니다. 그는 칼 세이건과 같은 사람처럼 환경을 위해 열심히 노력하는 개혁 운동가이고, 과학계의 저명한 인물 중 한 명입니다.

Q 데이비드 스즈끼 박사에 대해 맞는 것은 무엇인가?
(a) 그는 이 수업의 초빙 강사로 초대되었다.
(b) 그는 환경 운동가이다.
(c) 그는 자신의 이름을 내건 TV 프로그램을 하고 있다.
(d) 그는 칼 세이건과 같은 우주 과학자이다.

어구 hard-working 열심히 일하는
crusader 개혁 운동가
prominent 탁월한, 저명한
figure 인물

해설 인물의 소개가 나올 때에는 그 인물의 업적 중심으로 들어야 한다. 스즈끼 박사는 생물학자이며, 환경을 위해 일한다고 했으므로 정답은 (b)가 된다. 이 수업에서 스즈끼 박사에 대해 얘기하는 것이지, 그가 강사로 초빙되어 온 것은 아니므로 (a)는 정답이 될 수 없다. 스즈끼 박사의 TV 프로그램 이름은, "사물의 본질"이므로 (c)는 정답이 될 수 없다.

정답 (b)

Practice Test

• 정답 및 해설 p.321

Part 4

Choose the option that best answers the question.

1	(a)	(b)	(c)	(d)
2	(a)	(b)	(c)	(d)
3	(a)	(b)	(c)	(d)
4	(a)	(b)	(c)	(d)
5	(a)	(b)	(c)	(d)

Dictation for Practice Test

• 스크립트 p.321

문제를 다시 한 번 듣고 빈칸을 채우세요.

Part 4

1 The Department of Health announced yesterday ______________________ ______________________. Most people know that ______________ ______________________________________. However, most people don't know ______________________________________. Lettuce is _______ ______________, but other green vegetables like spinach and broccoli are ______________________________.

Q What can be inferred from this talk?

(a) __________________________.

(b) __________________________.

(c) Lettuce is good __________________________.

(d) ____.

2 ____, tomorrow it's all going to change. ____ and we will have our first real cold weather of the season. Nothing's going to freeze, but ____. But this cold weather ______________________________________. So next week it will be less cold.

Q Which is correct according to the talk?

(a) Cold weather will __________________________.

(b) The weather will ___________________.

(c) The temperature __________________________.

(d) Cold weather will ____________________.

3 Fellow boaters, thank you for taking the time today ______________ ______________________________, John Waters. John has been ____. We are proud to have him ___________________________. Now let's give John ______________________________. Ladies and gentlemen, please welcome Mr. John Waters.

Q What is the main purpose of this speech?

(a) ___________ to the new president

(b) _________________________

(c) ______________ the boat club

(d) _____________________________

4 Hey, Paula, this is Jimmy. I was just calling ____________________ ________. I've got the plane tickets. _____________________ by 9 a.m. _______________ at 11:10 a.m. And we will arrive in Miami at around 1:30 p.m. _______________________ at 6 p.m. so ______ _______________ by 4 p.m. ________. __________________ _____ so call me back when you get this message. Bye!

Q Who is the speaker?

(a) _________

(b) ___________

(c) ________________ with Paula

(d) _________________

5 Yellowstone National Park, located in Wyoming, Montana, and Idaho, is ___ ________________. The park is ________________.
It has lakes, canyons, rivers, and mountains. The animals in Yellowstone are ________________. Grizzly bears, wolves, bison, elk, and ________________, ________________ ________________.

Q What is correct according to the talk?

(a) Yellowstone National Park is ________.

(b) Yellowstone National Park is ________.

(c) Yellowstone National Park has ________.

(d) Yellowstone National Park has ________.

Part 4를 위한 전문 어휘

1 뉴스

reporter 기자
stay tuned 채널고정 하세요.
station 방송국
breaking news 뉴스 속보
anchorman 앵커
anchorwoman 앵커우먼
bulletin 뉴스 속보, 보고, 공보
headline (신문 기사 등의) 큰 표제, [종종 pl.] (방송 뉴스의) 주요 제목
newscast (라디오 · 텔레비전의) 뉴스 방송, (뉴스를) 방송하다
information 정보
top story 주요 뉴스
evening news 저녁 뉴스

2 일기예보

weather forecast 일기 예보
blizzard 심한 눈보라, 폭풍설
storm 폭풍(우)
shower 소나기
snowstorm 눈보라
chilly 쌀쌀한, 한기가 드는
freezing 어는, 몹시 추운
scorching 태우는, 몹시 더운
warm 따뜻한
sunny 화창한
Fahrenheit 화씨의
Celsius 섭씨의
pour 비가 억수로 내리다
below zero 영하
above zero 영상
clouds roll in 구름이 끼다

clear up 날씨가 개다
sprinkles 후두두 내리는 가벼운 비(very light rain)
hail storm 우박을 동반한 폭풍
gale 질풍, 사나운 바람, 큰바람
gust 한바탕 부는 바람, 질풍, 돌풍
hurricane 폭풍, 허리케인
tornado 토네이도
eye of the storm[tornado, hurricane] 태풍의 눈
drop in temperature 온도가 내려가다
bundle up 따뜻하게 몸을 감싸다

3 교통방송

back up 정체 되다
southbound (고속도로 등의) 남쪽 방향
northbound (고속도로 등의) 북쪽 방향
eastbound (고속도로 등의) 동쪽 방향
westbound (고속도로 등의) 서쪽 방향
expressway 고속 도로
head for~ ~로 향하다
traffic jam 교통 정체
bumper to bumper 교통이 매우 복잡한(교통이 너무 혼잡해서 범퍼와 범퍼가 닿을 정도)
highway 고속도로(=freeway)
alternate route 우회로(=detour)
wreck (열차 · 자동차 등의) 충돌, 파괴
high speed 고속의
congested (사람 · 교통이) 혼잡한, 정체된
gridlock 자동차 교통망의 정체《일정 지역 내의 모든 교차점이 막힘에 따른 교통의 정체》
traffic ticket《미》교통 위반 딱지
crawl (기차 · 교통 등이) 서행하다, 느릿느릿 달리다
stand still 정지, 휴지, 멈춤
speed limit (자동차 등의) 제한 속도, 최고 속도
transportation 교통, 수송, 운송

4 광고

remarkable 주목할 만한, 놀랄 만한, 두드러진
incredible 놀라운, (믿기 어려울 만큼) 훌륭한
Why not try this? 한번 사용해 보세요.
on sale 세일 중
limited time 한정된 시간
buy one get one free 하나를 사면 하나를 공짜로 드려요.
refund 환불, 상환
exchange 교환하다, 교환
clerk 점원
customer service 고객 서비스 센터
one time offer 한 번뿐인 기회
return policy 환불 정책
ad 광고
advertisement 광고
coupon 쿠폰
promotion 판매 촉진, 판촉
merchandise 상품, 제품, 재고품
marketing 마케팅
mark down 가격을 내리다
clearance sale 재고 정리 세일
back to school sale 개학 세일
going-out-of-business sale 폐점세일
apparel 의류
intimate apparel 속옷, 실내복, 잠옷
Christmas sale 크리스마스 세일
Thanksgiving sale 추수 감사절 세일
Easter sale 부활절 세일

5 학술문

역사

influential 영향을 미치는, 유력한
legendary 전설(상)의, 전설적인, 유명한(=renowned)
legend 전설적인 인물, 전설

innovative 혁신적인
innovate 혁신(쇄신)하다
innovation 혁신, 쇄신
inspire 고무(격려)하다, 영감을 주다
inspiration 영감, 창조적 자극, 고무
decade 10년
for the last few decades 지난 20~30년 동안
dictator 독재자
tyranny 전제 정치, 폭정, 학정
tyrannical 폭군의, 압제적인
tyrant 전제 군주, 폭군
nationalism 민족주의
nationality 국적
execute 사형에 처하다, 실행하다, 집행하다
execution 처형, 집행, 수행
assassination 암살(행위)
assassinate 암살하다
imperialism 제국주의
colonization 식민지화
annals 연대기, 연사(年史)
historian 역사가, 사학자
epoch 신기원, 신시대, 중요한 사건, 획기적인 일
era (역사 · 정치상의) 연대, 시대
chronicle 연대기

생물

hypothesis 가설, 가정
species 【생물】 (분류상의) 종
endangered 위험(위기)에 처한, (동식물이) 멸종될 위기에 이른
extinct (생명 · 생물이) 멸종된, 절멸한
ozone 【화학】 오존
photosynthesis 광합성
poisonous 유독한, 유해한
vegetation (집합적) 초목, 한 지방 식물
organism 유기물, 생물, 인간, 생체

cell 세포
classify 분류하다
mammal 포유류
crustacean 갑각류
amphibia 양서류
reptile 파충류
rodent 설치류
warm-blooded 【동물】 온혈(溫血)의
invertebrate 【동물】 척추가 없는
vertebrate 척추가 있는, 척추동물
variety 【생물】 (유전적 차이에 의한) 변종
ecosystem 생태계
mutation 돌연변이
sperm 정액
egg 난자
reproduction 【생물】 생식(작용), 번식
breed (동식물의) 품종, 종속, 새끼를 낳다
prey (잡아먹는) 먹이
predator 포식자
carnivore 육식동물
herbivore 초식동물
dissect 절개하다, 해부하다
dissection 절개, 해부, 해체
foliage (한 그루 초목의) 잎
life cycle 【생물】 생활환(環), 생활사(史)
conservation (자원 등의) 보존, 유지
hibernate 동면(冬眠)하다, 겨울잠 자다
creature 창조물, 생물
toxic 유독한(=poisonous), 치명적인
host 숙주
parasite 기생충, 기생균
organic 유기체(물)의, 생물의
biodiversity 생물의 다양성
critter 동물, 생물(=creature)

사회

protest 항의 하다, 이의를 제기하다
anarchy 무정부 상태, (정권의 부재에 따른) 정치적 · 사회적 혼란
caste 카스트 제도, 폐쇄적 사회 제도
community 공동 사회, 공동체
domestic violence 가정 폭력
society 사회
upper class 상류층
lower class 하류층
middle class 중산층
aristocracy 귀족정치
nobility 귀족 계급
working class 노동 계층
race relations (한 사회 내의) 인종[이민족] 관계
social welfare 사회 복지
utopia 유토피아, 이상적 사회
divorce rate 이혼율
ethnicity 민족성
ethnic 민족[인종]의, 민족 특유의
an ethnic minority (미국 내에서의) 소수 민족파
nationality 국적
civilization 문명
humanity 인류, 인간성
civil rights 공민권, 민권
disabled 신체장애가 있는, 불구의
demographic 인구 통계학의
demography 인구 통계학
Census Bureau 인구 조사국
inhumane 잔인한, 비인도적인
racial 인종의, 종족의
injustice 부정, 불공평 *cf.* unjust 불공평한, 부당한
prejudice 편견(=bias), 선입관
ignorance 무지
ignorant 무지의, 모르는

정치

sovereign 주권자, 독립국
domestic 국내의
international 국제적인
policy 정책
democratic 민주주의의
republican 공화국의
independent 독립한, 자치적인
political party 정당
conservative 우익, 보수당(=right wing)
liberal 좌익, 진보당(=left wing)
moderate 온건한
justice 정의, 공정
debate 논쟁하다, 논쟁
Congress 의회
House of Representatives 하원
Senate 상원
ruling 지배하는, 우세한
the ruling party 여당 *cf.* the opposition party 야당
legislate 법률을 제정하다
legislation 법률, 입법
legislature 입법부 *cf.* executive 행정부
judiciary 사법부
autonomy 자치(권), 자율
corruption 부정부패, 타락
corrupt 타락시키다, 부패한, 타락한
bureaucracy (복잡한 규칙과 절차를 가진) 관료제도, 관료정치, 관료
bureaucratic 관료정치의, 관료적인
constitution 헌법, 체질, 구성
constitute 구성하다, 제정하다
constitutional 합헌의, 헌법의, 체질상의
restrict 제한[한정]하다
restriction 제한, 한정
impeachment 탄핵, 고발
impeach (고위 공무원을) 탄핵하다, 고발하다

breach (법률, 약속 등의) 위반, 불이행(=violation)

경제

record-high 최고기록의 *cf.* record-low 최저기록의
deficit 적자, 부족액
trade deficit 무역 적자 *cf.* in the red 적자의 ↔ in the black 흑자의
surplus (필요양보다 많은) 잉여, (쓰고 남은) 나머지, 잉여의
donate (자선단체 등에) 기증하다, 기부하다
donation 기증(품), 기부(금)
donor 기증(기부)자
restore (원래의 상태, 장소, 지위로) 되돌리다, 회복시키다
restoration 회복, 복구
deplete 고갈시키다, 써버리다
depletion 고갈, 소모
currency 통화, 유통화폐, (화폐의) 유통(=circulation)
current 현재의, (화폐가) 유통되고 있는
foreign currency 외화
recession 경기후퇴, 침체 *cf.* depression 불경기, 불황
exchange rate 환율
fluctuation 변동, 동요
fluctuate (물가 등이) 오르내리다, 변동하다
fiscal 재정의, 회계의
fiscal year 회계연도
bankrupt 파산한, 지불능력이 없는
bankruptcy 파산, 도산
go bankrupt 파산하다(=become insolvent)
monopoly 독점, 전매
monopolize 독점하다, 전매(독점)권을 얻다
corporate 회사의, 공동의(=collective)
corporation 회사, 기업

천문학

asteroid 소행성
comet 혜성
solar system 태양계
crater (화산의) 분화구

constellation 별자리
black hole 블랙홀
light year 광년
satellite 위성
eclipse (해 · 달의) 식, 빛의 소멸
meteor 유성, 운석
planetary 행성의, 행성의 작용에 의한
planet 행성, 혹성 *cf.* the heavenly bodies 천체
orbit (천체, 인공위성의) 궤도; 궤도를 돌다
universe 우주
mission (우주선에 의한) 탐사 임무
moon (천체의) 달
rotate 회전[순환]하다
revolution 공전
gravity 중력
Copernicus 코페르니쿠스
Galileo 갈릴레오
Kepler 케플러《독일의 천문학자; 행성 운동에 관한 세 가지 법칙(Kepler's laws)을 발견》
shooting star 유성, 운석
galaxy 은하, 은하수
Milky Way 은하수
telescope 망원경
cosmos 우주

심리학

unconscious 무의식의, 의식 불명의
psychoanalysis 정신 분석학
therapy 치료
suicidal 자살 충동을 느끼는
breakup 붕괴, 와해, 불화, 이혼
traumatic (장기간 영향을 미칠 정도로) 충격적인, 외상의
trauma 심한 쇼크, 외상
chronic (병이) 만성의, 고질의 *cf.* acute 급성의
depression 의기소침, 우울
depress 우울하게 하다

depressed 우울한, 풀이 죽은
disorder 무질서, 혼란, 질병
phobia 공포증, 병적 혐오
alleviate (고통 등을) 덜다, 완화하다
symptom 증상
abnormal 비정상적인
child psychology 아동 심리학
psychologist 심리학자
psychiatrist 정신과 의사
behavior 행동

의학

*병명

stroke 뇌졸중
anorexia 거식증
cardiovascular disease 심장 혈관병
heart disease 심장병
AIDS(Acquired Immune Deficiency Syndrome) 에이즈
diabetes 당뇨
osteoporosis 골다공증
leukemia 백혈병
breast cancer 유방암
lung cancer 폐암
blood poisoning 패혈증
high blood pressure 고혈압(=hypertension)
low blood pressure 저혈압
amnesia 기억상실증
Alzheimer's disease 알츠하이머
asthma 천식
acne 여드름(=pimple)
arthritis 관절염
stomach ulcer 위궤양
food poisoning 식중독
heart attack 심장 마비, 심근 경색
head cold 코감기

depression 우울증
bronchitis 기관지염
*증상
vomit 구토하다(=throw up, puke)
insomnia 불면증
puffy 부은 *ex.* puffy eye 부은 눈
swell (up) 붓다
swelling 붓기
sprain 삐다(=twist)
cut 상처, 베임, 베다 *ex.* I cut my finger. 손을 베었어.
hoarse 목이 쉰
fever 열 *cf.* feverish 열이 있는
heartburn (위산에 의한) 가슴 쓰림
itching 간지러움증
allergy 알레르기
be allergic to ~에 알레르기가 있다
addiction 중독
itchy 간지러운
cramp 쥐나다
clogged 막힌
indigestion 소화불량
paralysis 마비
diarrhea 설사
constipation 변비
nauseous 구역질나는
rash 발진
dizzy 어지러운
lump 혹
chill 한기, 추위
stuff up 막히다
bruise 멍
migraine 편두통
headache 두통
ex. a splitting headache 머리가 깨질듯한 두통, a persistent headache 끈질긴 두통

toothache 치통
backache 요통
stomachache 복통
earache 귀아픔
* 신체 기관
intestines 장
bladder 방광
bone-marrow 골수
liver 간
pancreas 췌장
heart 심장
kidney 신장
stomach 위
* 의학에 관련된 표현
prescription 처방
immunity 면역
bacteria 박테리아
virus 바이러스
injection 주입, 주사
vaccine (접종용의) 백신
tissue 조직
diagnosis 진단
terminal (병 등이) 말기의, 말기 증상의
malignant 악성의
benign 양성의
hereditary 유전하는, 세습의, 물려받은
heredity 유전, 유전형질
pharmacist 약제사
pharmacy 약학, 조제술, 약국 *cf.* drugstore 약방 (약 이외에 담배, 화장품, 잡지 등도 판매함)
dose (약의 1회분) 복용량, 투약량
epidemic (전염병 등의) 유행, 유행(전염)병, 유행(전염)병의 *cf.* endemic 풍토병
consult (전문가에게) 의견을 묻다, 상담하다, (사전 등을) 찾아보다
consultation 상담, 협의
life expectancy 기대 수명

hangover 숙취, (약의) 부작용
stethoscope 청진기
antidote 해독제
sprain 삠, 염좌, 삐다
fracture 골절
cramp 쥐
antibacterial 항균성의
antibiotic 항생제
physical therapy 물리치료
blood pressure 혈압
blood sugar 혈당
cholesterol 콜레스테롤
obesity 비만
obese 살찐, 뚱뚱한
antidote 해독제
euthanasia 안락사
mental illness 정신병
malignant tumor 악성 종양
contagious 전염성의
affected area 환부
side effect 부작용(=adverse effect)
antibody 항체
respiration 호흡
heartbeat 심장박동
take a temperature 열을 재다
blow one's nose 코풀다
terminal illness 불치병
sedative 진정제
therapy 치료요법
anesthetic 마취제
onset 병의 발병
act up 병이 나타나다
get worse 병이 악화되다
infection 감염 *ex.* minor infection 경미한 감염
alternative medicine 대체 의학

acupuncture 침술
complexion 안색
shake off 병 혹은 증상이 없어지다(=disappear, go away)
ex. Take vitamin C to shake off a cold. 감기를 떨어뜨리려면 비타민 C를 복용해라.
beat 병을 극복하다(=get over, recover)
dosage 복용량
overdose 과다 복용
medical attention 치료(=medical procedure)
plastic surgery 성형 수술(=cosmetic surgery)
feel better 병이 호전되다(=improve)
sleeping pill 수면제
sanitary 위생의
relieve 고통이 덜어지다(=soothe)
develop complications 합병증에 걸리다
treat 치료하다(=give medical care)
ex. He is being treated for a rare skin disease. 그는 희귀 피부병 때문에 치료받고 있다.
treatment 치료
low-fat diet 저지방 식사
cure all 만병통치약
toxic 독성의
fitness 건강
apply the ointment 연고를 바르다
dental appointment 치과 예약
doctor's appointment 병원 예약
cavity 충치
dental floss 치실
plaque 치석
checkup 진단 *ex.* eye checkup 눈 검사
chemotherapy 화학 요법
coma 혼수상태
direction 사용법
health care 의료 보험
healthcare facility 의료 시설
immunization 면역
vaccination 예방 접종

family history 가족력
a medical history of the patient 환자의 병력
die of ~ 병: ~병으로 죽다
* 의사의 종류
cardiologist 심장전문의
dermatologist 피부과 의사
gynecologist 부인과 의사
orthopedist 정형외과 의사
pediatrician 소아과의사
psychiatrist 정신병 의사
surgeon 외과의사
physician 내과의사
dentist 치과 의사
veterinarian 수의사
optometrist 검안사

환경

pollution 오염
global warming 지구 온난화
rain forest 다우림
habitat (동물의) 서식지, (식물의) 자생지
destruction 파괴, 파멸, 멸망
tropical 열대(지방)의
wildlife 야생 생물
agriculture 농업
endangered species 멸종 위기의 생물
evolve 진화하다
evolution 진화
marine 해양의
sustain (생명을) 유지하다
deforestation 삼림 벌채, 산림 개간
ecology 생태계
erode (바닷물 · 바람 등이) 침식하다
rare 희귀한
acid rain 산성비

adapt 적응 시키다
earth friendly 환경 친화적인(=eco-friendly)
recycling 재활용
biodegradable 미생물에 의해 무해 물질로 분해되는

Basic Test & Warming-up Test
정답 및 해설

Part 1&2

Tip 1 받아쓰기를 하자

p.62

Basic Test

1 Bill, thanks a million for letting me borrow your car.
빌, 네 차를 빌려줘서 정말 고마워.

2 I'd like to reserve a room for two with an ocean view.
바다가 보이는 방으로 두 명 예약하고 싶어요.

3 Do these shoes come in any other colors?
이 신발 다른 색깔로도 나오나요?

4 Can you tell me how much balcony seats are for the show?
이 쇼의 발코니 석은 얼마인지 말해주시겠어요?

5 I can't decide between the baked salmon and the spaghetti.
구운 연어와 스파게티 중 무엇을 먹을지 결정을 못하겠어.

---

1 The traffic right now is bumper to bumper.
현재 교통은 차량정체가 심하다.

2 I heard that new horror movie is really disappointing.
새로 나온 공포 영화는 정말 실망스럽다고 하더라.

3 Let's make sure we take plenty of water to the beach.
바닷가에 충분한 물을 확실히 가지고 가자.

4 It is so costly to mail a package to France.
프랑스까지 소포를 보내는데 비용이 많이 든다.

5 I dropped my cell phone in the water and now it doesn't work.
핸드폰을 물에 빠뜨려서 작동이 되지 않는다.

어구
Thanks a million. 정말 고맙다.
bumper to bumper (범퍼와 범퍼가 맞닿아 있을 정도로) 차량정체가 심한
plenty of 많은
cell phone 핸드폰
not work 작동이 되지 않다

Tip 2 상황을 먼저 파악하자

p.69

Basic Test

1 (a), (a) **2** (a), (b) **3** (b), (a) **4** (a), (b)
5 (c), (c) **6** (a), (b)

1

W How may I help you?
M ______________________
(a) I'm looking for a leather jacket.
(b) If you need any help, just ask.
(c) Helping others is good.

해석 **W** 어떻게 도와 드릴까요?
M ______________________
(a) 저는 가죽 재킷을 찾고 있어요.
(b) 도움이 필요하시면 언제든지 물어보세요.
(c) 다른 사람을 돕는 것은 좋지요.

2

W I couldn't have finished this work without your help.
M ______________________
(a) I didn't finish my work, either.
(b) Don't mention it.
(c) We couldn't live without working.

해석 **W** 당신 도움이 없었더라면 이 일을 끝내지 못했을 거에요.
M ______________________
(a) 저도 제 일을 끝내지 못했어요.
(b) 그런 말씀 마세요.
(c) 일하지 않고는 살 수가 없어요.

3

M Excuse me. I ordered my steak well-done but it is medium-well.
W ______________________
(a) Sorry, I'll get you another one.
(b) Your order will be right out.
(c) What would you like with your steak?

해석 **M** 저기요, 스테이크를 바싹 구워 달라고 주문했는데, 중간 정도로 익혀 나왔어요.
W ______________________
(a) 죄송합니다. 다른 것으로 가져다 드릴게요.

(b) 주문한 음식이 금방 나올 것입니다.
(c) 스테이크와 함께 무엇을 드릴까요?

4

W Nice meeting you!
M ______________________________
(a) I don't know where the meeting is.
(b) Same here.
(c) I haven't seen you in ages.

해석 W 만나서 반가웠어요.
M ______________________________
(a) 회의를 어디서 하는지 몰라요.
(b) 저도요.
(c) 오랜만이에요.

5

M Your presentation was really informative.
W ______________________________
(a) It happens all the time
(b) It's my pleasure.
(c) Thanks, I worked all month on it.

해석 M 당신의 프레젠테이션은 정말 유익했어요.
W ______________________________
(a) 그런 일은 늘 있게 마련이죠.
(b) 제 기쁨이죠.
(c) 고마워요, 한 달 내내 작업 했었어요.

6

W I'm sorry for your loss.
M ______________________________
(a) Please don't lose my things.
(b) Thank you for your concern.
(c) I need to lose weight.

해석 W 조의를 표합니다.
M ______________________________
(a) 제 물건을 잃어버리지 마세요.
(b) 염려해 주셔서 감사합니다.
(c) 몸무게를 줄여야겠어요.

어구 Don't mention it. 그런 말씀 마세요.
well-done 스테이크가 잘 구워진
medium-well 스테이크가 중간보다 조금 더 익혀진
Nice meeting you. (처음 만난 사람끼리 헤어지면서) 만나서 반가웠어요.
Same here. 저도 그래요, 저도 마찬가지에요.
I haven't seen you in ages. 오랜 만이에요.
It's my pleasure. 제가 더 기쁜 걸요.
Thank you for your concern. 염려해 주셔서 고맙습니다.
lose weight 살이 빠지다
cf. gain weight 살이 찌다 (= put on weight)

Tip 3 구어체 표현을 많이 알아두자 p.77

Basic Test

1 (a)	2 (a)	3 (a)	4 (b)	5 (a)
6 (b)	7 (a)	8 (b)	9 (a)	10 (b)

1

M The pasta in this restaurant is out of this world.
W ______________________________
(a) The pasta here is so delicious.
(b) The pasta here is from a foreign country.

해석 M 이 식당의 파스타는 너무 훌륭해.
W ______________________________
(a) 여기의 파스타는 너무 맛있어.
(b) 여기의 파스타는 외국거야.

2

W I'll pick up the tab this time and you can pay next time.
M ______________________________
(a) I'll pay the bill today and next time you can pay.
(b) I'll pick up the food from the store and next time you can pay.

해석 W 이번에는 내가 살 테니 다음에 네가 사.
M ______________________________
(a) 오늘은 내가 살 테니까 다음에는 네가 사.
(b) 오늘은 내가 가게에서 음식을 사올 테니 다음에는 네가 사.

3

W I need to take some time off to recover from my surgery.

M ______________________________

(a) I need to have a rest to recover from my surgery.

(b) I need to have some time for my surgery.

해석 **W** 나는 수술에서 회복하기 위해서 좀 쉬어야 해.

M ______________________________

(a) 나는 수술에서 회복하기 위해서 휴식을 취해야 해.

(b) 나는 수술을 받기 위해 시간이 좀 필요해.

4

M You look upset. Why the long face?

W ______________________________

(a) You look upset. Why is your face so long?

(b) You look upset. What's the matter?

해석 **M** 너 속상해 보인다. 왜 우울하니?

W ______________________________

(a) 너 속상해 보인다. 왜 너의 얼굴은 길어?

(b) 너 속상해 보인다. 무슨 일이야?

5

W My car is in the shop. Can you give me a lift to school?

M ______________________________

(a) My car is in the shop. Can you take me to school?

(b) My car is in the shop. Can you pick up these books for me?

해석 **W** 내 차는 정비소에 있어. 나를 학교까지 태워 줄 수 있니?

M ______________________________

(a) 내 차는 정비소에 있어. 나를 학교까지 데려다 줄 수 있니?

(b) 내 차는 정비소에 있어. 이 책들을 좀 가져다 줄 수 있겠니?

6

M Waking up very early every day is such a pain in the neck.

W ______________________________

(a) When I wake up very early every day, I have a pain in my neck.

(b) Having to wake up early every day is a burden for me.

해석 **M** 매일 아침 일찍 일어나는 것은 정말 짜증나.

W ______________________________

(a) 아침에 일찍 일어나면, 나는 목이 아파.

(b) 매일 아침 일찍 일어나야 하는 것은 나에게 부담이야.

7

W I have to step out for a moment, but I'll be right back.

M ______________________________

(a) I have to go out for a while, but I will return soon.

(b) I have to go upstairs, but I'll be back soon.

해석 **W** 잠깐 나가야겠어요. 하지만 금방 돌아올게요.

M ______________________________

(a) 잠깐 나갔다 올게요. 하지만 금방 올게요.

(b) 위층에 올라가야 해요. 하지만 곧 돌아올게요.

8

M I ran out of ink for the printer.

W ______________________________

(a) I will run to buy more ink for the printer.

(b) I don't have anymore ink for the printer.

해석 **M** 프린터 잉크가 떨어 졌어요.

W ______________________________

(a) 프린터 잉크를 사러 뛰어 갈 거예요.

(b) 프린터 잉크가 전혀 없어요.

9

M I'm not sure I trust my doctor. So I need a second opinion.

W ______________________________

(a) I need another doctor's opinion because I don't trust my doctor.

(b) I'm unsure of my doctor so he needs to give me another opinion.

해석 **M** 제 의사를 신뢰할 수 있을지 잘 모르겠어요. 그래서 다른 의견도 들어봐야 해요.

W ______________________________

(a) 다른 의사의 의견이 필요해요. 왜냐하면 주치의를 믿지 못하겠거든요.
(b) 주치의에 대한 확신이 없어요. 그래서 그는 저에게 다른 의견을 줘야 해요.

10

M I'm sick and tired of having the same food every day
W ______________________________

(a) I'm feeling ill because of some food I ate yesterday.
(b) I'm bored with eating the same food every day.

해석 **M** 매일 같은 음식을 먹으니 질려.
W ______________________________

(a) 매일 같은 음식을 먹어서 아파.
(b) 매일 같은 음식을 먹는 것이 지겨워.

어구

out of this world 너무나 좋은, 훌륭한
pick up the tab 계산을 하다
take [기간] off [기간]만큼 쉬다
Why the long face? 왜 우울해 보이니, 무슨 일이야? (= What's the matter?)
surgery 수술
give someone a lift ~에게 차를 태워주다
shop (자동차) 정비소
a pain in the neck 골치거리, 짜증나는 것
burden 부담
wake up 잠이 깨다
step out (집, 회사 등에서) 잠시 나가다
for a moment 잠깐 동안
run out of something ~가 떨어지다, ~가 닳다
second opinion (다른 의사의) 다른 의견
sick and tired of ~ing [something] ~이 질린, ~가 지겨운

Tip 4 의문사를 놓치지 말자 p.89

Basic Test

1 When, (a) 2 Where, (c) 3 Who, (a)
4 What, (c) 5 How come (a) 6 How, (b)

1

M When do I need to turn in the application?
W ______________________________

(a) You should hand it in before the end of the day.
(b) You need to take your application to the office.
(c) You can fill out the application online.

해석 **M** 지원서를 언제 제출해야 합니까?
W ______________________________

(a) 오늘까지 제출하셔야 합니다.
(b) 사무실에 지원서를 제출하셔야 합니다.
(c) 온라인에서 지원서를 작성하실 수 있습니다.

2

W Where did you put my sunglasses?
M ______________________________

(a) Those sunglasses look good on you.
(b) There are many places to buy sunglasses.
(c) They're on top of your books.

해석 **W** 제 선글라스를 어디에 두셨어요?
M ______________________________

(a) 그 선글라스는 당신에게 잘 어울려요.
(b) 선글라스를 살 장소는 많이 있어요.
(c) 선글라스는 책 위에 있어요.

3

M Who should I speak to about dropping a class?
W ______________________________

(a) Someone in the registrar's office can help you.
(b) The professor will be available tomorrow.
(c) Many students drop classes every semester.

해석 **M** 수강 취소에 대해서 누구와 얘기해야 합니까?
W ______________________________

(a) 학적과에 있는 사람이 도와줄 수 있을 거에요.
(b) 내일은 교수님이 계실 거에요.
(c) 매 학기 많은 학생들이 수업을 철회합니다.

4

W What kind of movie do you want to see?
M ______________________________

(a) I see movies a few times a month.
(b) I hate going to movies alone.
(c) Let's see that new horror movie.

해석 **W** 어떤 영화를 보기 원하니?
M ______________________________
(a) 한 달에 여러 번 영화를 봐.
(b) 나는 혼자 영화 보러 가는 게 싫어.
(c) 새로 개봉한 공포 영화를 보러 가자.

5

M How come you never come to class?
W ______________________________

(a) I've been so busy with work lately.
(b) My classes are so interesting.
(c) The professor seems really kind.

해석 **M** 넌 왜 수업에 들어오지 않니?
W ______________________________
(a) 요즘 일 하느라 너무 바빴어.
(b) 내 수업은 너무 흥미로워.
(c) 교수님이 정말 친절하신 것 같아.

6

W How do I get to the bus station?
M ______________________________

(a) The bus comes every five minutes.
(b) Go straight and then take the first left.
(c) The bus station is a short walk from here.

해석 **W** 버스 정류장까지 어떻게 가야 하나요?
M ______________________________
(a) 버스는 5분마다 옵니다.
(b) 직진 하신 후 첫 번 갈림길에서 왼쪽으로 가세요.
(c) 버스 정류장은 여기서 금방 걸어갈 수 있어요.

어구
turn in 제출하다
hand in 제출하다
look good on someone ~에게 잘 어울리다
drop a class 수강을 철회하다
go straight 직진하다

Tip 5 시제를 놓치지 말자 p.96

Basic Test

1 (b), (a) **2** (b), (b) **3** (c), (a) **4** (b), (a)

5 (b), (a) **6** (a), (a)

1

W Last week I studied six hours a day for the test.
M ______________________________

(a) No wonder you got an A on the test!
(b) I'll study harder from now on.
(c) How many hours will you study?

해석 **W** 지난주에 나는 시험공부를 하루에 여섯 시간씩 했어.
M ______________________________
(a) 네가 A를 맞은 것도 당연하지.
(b) 지금부터 열심히 공부를 할 거야.
(c) 몇 시간을 공부할 거니?

2

W I ran into my teacher at the park a couple of days ago.
M ______________________________

(a) I go running in the park, too.
(b) You must have been excited.
(c) Can you introduce him to me?

해석 **W** 나는 며칠 전에 공원에서 선생님과 마주쳤어.
M ______________________________
(a) 나도 공원에 뛰러 가.
(b) 굉장히 신났겠네.
(c) 그 사람을 나에게 소개시켜 줄 수 있니?

3

W The day after tomorrow I'm going to the dentist.
M ______________________________

(a) What time will you see the dentist?
(b) Did you have to get your tooth pulled?
(c) Hurry up, or you will be late again.

해석 **W** 내일 모레 나는 치과에 갈 거야.
M ______________________________
(a) 몇 시에 치과에 갈거니?
(b) 이를 뽑아야 했니?
(c) 서두르지 않으면 또 늦을 거야.

4

M I just came back from Phuket.
W ______________________

(a) So how was the trip?
(b) When are you planning to leave?
(c) How long will you be there?

해석 M 나 푸켓에서 막 돌아 왔어.
W ______________________
(a) 그래서 여행은 어땠니?
(b) 언제 떠날 예정이니?
(c) 거기에 얼마나 가 있을 거니?

5

W The mail came about an hour ago.
M ______________________

(a) Is there anything for me?
(b) I don't think it'll arrive soon.
(c) When is the mail going to get here?

해석 W 우편물이 한 시간쯤 전에 왔어.
M ______________________
(a) 나한테 온 것도 있니?
(b) 금방 도착할 것 같지 않아.
(c) 우편물이 언제 올까?

6

M I go to the gym every day around 7 p.m.
W ______________________

(a) You work out very regularly.
(b) How often do you work out?
(c) Did you go to the gym yesterday?

해석 M 나는 매일 일곱 시 쯤에 운동하러 가.
W ______________________
(a) 넌 정말 정기적으로 운동하는구나.
(b) 얼마나 자주 운동하니?
(c) 어제 운동하러 체육관에 갔었니?

어구
get an A A학점을 맞다
run into (우연히) ~와 만나다
dentist 치과 의사
pull out 뽑다
gym 헬스클럽, 체육관
work out 운동하다

Tip 6 주체가 바뀌는 것을 조심하자 p.103

Basic Test

1 (a), (a) **2** (a), (c) **3** (a), (b) **4** (a), (b)
5 (a), (a) **6** (b), (c)

1

M Can you tell me where I can make an exchange?
W ______________________

(a) Refunds and exchanges are on the third floor.
(b) We have a 90 day exchange policy.
(c) Is the customer service center on the third floor?

해석 M 어디서 교환을 할 수 있는지 가르쳐 주실래요?
W ______________________
(a) 환불과 교환은 3층에서 합니다.
(b) 교환은 90일 이내에 하는 것을 원칙으로 합니다.
(c) 고객 서비스 센터는 3층인가요?

2

W Could you please take a message for Brian?
M ______________________

(a) All messages will be delivered by mail.
(b) Please leave my message.
(c) Of course. What's your message?

해석 W 브라이언에게 메시지를 남길 수 있을까요?
M ______________________
(a) 모든 메시지는 우편으로 배달됩니다.
(b) 제 메시지를 남겨 주세요.
(c) 당연하죠. 메시지 내용이 뭐죠?

3

M Can you give me information on your room rates?

W ______________________

(a) We have plenty of rooms with a seaside view.
(b) A double room costs $120 a night during peak season.
(c) Is breakfast included in your room rate?

해석 M 객실 요금이 어떻게 되는지 가르쳐 주실래요?
W ______________________
(a) 바다가 보이는 방이 많이 있습니다.
(b) 성수기에는 2인실의 경우 하룻밤에 120달러입니다.
(c) 객실 요금에 아침 식사도 포함됩니까?

4

W Would you mind if I borrowed your history notes?

M ______________________

(a) No, I think this history class is easy.
(b) I don't mind, but please return them soon.
(c) Thank you, it would be very helpful.

해석 W 네 역사 노트를 좀 빌릴 수 있을까?
M ______________________
(a) 아니, 난 역사 수업이 쉽다고 생각해.
(b) 그럼, 그런데 금방 돌려 줘야 해.
(c) 고마워, 정말 많은 도움이 될 거야.

5

M Are you coming to my housewarming party?

W ______________________

(a) I wouldn't miss it for the world.
(b) Yes, my house is really warm at night.
(c) Please make sure to be on time.

해석 M 내 집들이에 올 거니?
W ______________________
(a) 절대 안 놓치지.
(b) 그래, 우리 집은 밤에 정말 따뜻해.
(c) 꼭 제시간에 와야 해.

6

W I can't believe you crashed my car!

M ______________________

(a) I have a few scratches on my car from the accident.
(b) I want you to pay for the damage.
(c) I'll do anything to make it up to you.

해석 W 네가 내 차를 망가뜨리다니 믿을 수가 없어!
M ______________________
(a) 사고로 차에 상처가 좀 났어.
(b) 손해 배상을 해줬으면 해.
(c) 보상을 하기 위해서 뭐든지 할게.

어구
make an exchange 교환하다
take a message 메시지를 받아주다
room rate 객실 요금
peak season 성수기
a plenty of 많은
return 돌려주다
housewarming party 집들이
for the world 세상없어도, 절대로
make sure ~ 꼭 ~해야 한다
on time 제 시간에
crash 망가뜨리다
scratch 상처
make up 보상하다, 만회하다

Part 2

Tip 1 첫 두 문장에서 대화의 상황을 파악하자

p.113

Basic Test

1 (a)	2 (b)	3 (a)	4 (a)	5 (b)
6 (a)	7 (b)	8 (a)	9 (b)	10 (a)

1

W You look excited. What's up?
M I got the promotion I've been wanting!

(a) The man advanced his career.
(b) The man wants a new job.

해석 W 기분 좋아 보인다. 무슨 일이야?
M 기다리고 있었던 승진을 했어.
(a) 남자는 승진을 했다.
(b) 남자는 새로운 직장을 원한다.

2

M Sorry, but I drank all six bottles of beer.
W I'm sick and tired of you doing that!
(a) The woman is feeling ill.
(b) The woman is irritated with the man.

해석 M 미안해, 내가 맥주 여섯 병을 다 마셨어.
W 네가 이러는 게 정말 지겨워.
(a) 여자는 몸이 좋지 않다.
(b) 여자는 남자에게 짜증이 났다.

3

W Let's go to that Mexican restaurant again.
M No way. That place is such a ripoff.
(a) The man thinks the restaurant is too expensive.
(b) The man has torn his clothing.

해석 W 그 멕시코 식당에 또 가자.
M 안 돼. 그 식당은 너무 비싸.
(a) 남자는 레스토랑의 음식 값이 너무 비싸다고 생각한다.
(b) 남자는 자신의 옷을 찢었다.

4

M Could I borrow your car tonight?
W I'm not really sure. When will you be back?
(a) The woman is hesitant to lend him her car.
(b) The woman needs a ride to the store.

해석 M 오늘 밤에 네 차를 빌릴 수 있을까?
W 잘 모르겠어. 언제 돌아 올 건데?
(a) 여자는 자신의 차를 남자에게 빌려주는 것을 주저한다.
(b) 여자는 가게까지 차편이 필요하다.

5

W Let's go on a picnic today.
M That's a wonderful idea!
(a) The man is thinking of an idea.
(b) The man likes the woman's idea.

해석 W 오늘 피크닉 가자.
M 좋은 생각이야.
(a) 남자는 어떤 생각을 하고 있다.
(b) 남자는 여자의 생각을 좋아한다.

6

M I think it's too late to go to the beach.
W I guess you're right. We'll go next week.
(a) The woman agrees with the man.
(b) The woman is tied up now.

해석 M 해변에 가기엔 너무 늦은 거 같아.
W 네 말이 맞아. 다음 주에 가자.
(a) 여자는 남자의 의견에 동의한다.
(b) 여자는 지금 바쁘다.

7

W Do you want to see a horror movie with me?
M No, scary movies give me nightmares!
(a) The man had a nightmare.
(b) The man doesn't like horror movies.

해석 W 나랑 공포 영화 보러 갈래?
M 아니, 난 무서운 영화를 보면 악몽을 꿔.
(a) 남자는 악몽을 꿨다.
(b) 남자는 공포 영화를 싫어한다.

8

M Are you ready to go for a walk?
W Actually, I feel a little under the weather.
(a) The woman is not feeling well.
(b) The woman doesn't like the weather.

해석 M 산책갈 준비 됐니?
W 사실 나 몸이 좀 좋지 않아.
(a) 여자는 몸이 좋지 않다.
(b) 여자는 날씨가 마음에 들지 않는다.

9

W Did you study a lot for today's test?
M A little, but I know I'm going to ace it.
(a) The man studied several hours.
(b) The man is confident about his grade.

해석 W 오늘 볼 시험 공부 많이 했니?
M 조금, 그렇지만 난 잘 할 거야.
(a) 남자는 여러 시간 동안 공부했다.
(b) 남자는 자신의 점수에 대해 자신감이 있다.

10

M Do you know where the professor's office is?
W Actually, I'm as clueless as you.
(a) The woman doesn't know the location of the professor's office.
(b) The woman is looking for evidence.

해석 **M** 교수님 사무실이 어디인지 아니?
W 사실 나도 잘 몰라.
(a) 여자는 교수님 사무실의 위치를 모른다.
(b) 여자는 증거를 찾고 있다.

어구
What's up? 무슨 일이야, 안녕?
get the promotion 승진하다
advance one's career 승진하다
sick and tired of ~ ~가 질린, 지겨운
irritated 짜증이 나는
ripoff 바가지, 값이 터무니없는 것
go on a picnic 소풍 가다
be tied up 바쁘다
scary 무서운
nightmare 악몽
go for a walk 산책하다
under the weather 몸이 좋지 않은
ace it 《미 · 구어》 완벽하게 (뭔가를) 해내다
clueless 단서가 없는, 모르는

Tip 2 마지막 화자의 말에 중심을 두자

p.116

Basic Test

1	(a) X	(b) X	(c) O
2	(a) X	(b) O	(c) X
3	(a) X	(b) O	(c) O
4	(a) O	(b) O	(c) X
5	(a) O	(b) X	(c) O
6	(a) X	(b) O	(c) X
7	(a) X	(b) X	(c) O
8	(a) X	(b) O	(c) O
9	(a) O	(b) X	(c) O
10	(a) O	(b) O	(c) X

1

M Do you think this suit is too big on me?
W ____________________
(a) It doesn't go with your shirt.
(b) I really love that color on you.
(c) No, it fits perfectly.

해석 **M** 이 정장이 나한테 너무 클 것 같니?
W ____________________
(a) 네 셔츠와 어울리지 않아.
(b) 색깔이 너에게 너무 잘 어울려.
(c) 아니, 딱 맞아.

2

W How long is the drive to your grandmother's house?
M ____________________
(a) My grandmother lives in San Francisco.
(b) It usually takes me about 4 hours.
(c) I really like my grandmother's cooking.

해석 **W** 할머니 댁까지 운전해서 얼마나 걸리니?
M ____________________
(a) 우리 할머니는 샌프란시스코에 사셔.
(b) 보통 4시간 정도 걸려.
(c) 우리 할머니가 해 주시는 음식이 정말 좋아.

3

M Does this bus run regularly on Sundays?

W ______________________________

(a) This bus goes all the way to City Hall.
(b) Actually it only comes every 30 minutes on Sunday.
(c) It's the same as every other day.

해석 M 일요일마다 이 버스는 정기적으로 운행하나요?

W ______________________________

(a) 이 버스는 쭉 시청까지 가요.
(b) 사실 일요일에는 30분마다 와요.
(c) 다른 날과 똑같이 운행 돼요.

4

W Why do you always take so long to get ready?

M ______________________________

(a) Sorry, I can never decide what to wear.
(b) Getting ready is a long process for me.
(c) I'm always waiting a long time for you.

해석 W 준비하는데 왜 항상 오래 걸리니?

M ______________________________

(a) 미안해, 무엇을 입을지 결정을 못하겠어.
(b) 준비하는 것은 나에겐 오래 걸리는 과정이야.
(c) 나는 항상 너를 오랫동안 기다려.

5

M Don't high heel shoes hurt your feet?

W ______________________________

(a) Yes, but they also make me look taller.
(b) I don't understand how you can wear them.
(c) I could get used to it after a while.

해석 M 하이힐 신발 때문에 발 아프지 않니?

W ______________________________

(a) 그래, 그렇지만 키가 커 보이잖아.
(b) 나는 네가 그것을 어떻게 신는지 모르겠어.
(c) 시간이 좀 지나니까 익숙해지게 되었어.

6

W When are you going to visit your parents?

M ______________________________

(a) My parents live in Scotland.
(b) I'm leaving at the end of the month.
(c) I'm going to visit my parents in Scotland.

해석 W 부모님 뵈러 언제 갈거니?

M ______________________________

(a) 우리 부모님은 스코틀랜드에 사셔.
(b) 이번 달 말에 떠날 거야.
(c) 스코틀랜드에 계신 부모님을 뵈러 갈 거야.

7

M Do you have some change for the payphone?

W ______________________________

(a) I didn't change my cell phone.
(b) I'll call you soon.
(c) Sure, how much do you need?

해석 M 공중전화에 쓸 동전 있니?

W ______________________________

(a) 핸드폰 안 바꿨는데.
(b) 금방 전화 할게.
(c) 그럼, 얼마나 필요하니?

8

W What kind of pizza is your favorite?

M ______________________________

(a) I can't eat pizza since I'm on a diet.
(b) I like any kind with vegetables.
(c) I like pepperoni pizza best.

해석 W 어떤 피자를 좋아하니?

M ______________________________

(a) 난 다이어트 중이라 피자를 먹을 수 없어.
(b) 야채와 함께라면 어떤 것이든 좋아.
(c) 난 페퍼로니 피자가 제일 좋아.

9

M Do you want to get together and study tomorrow?

W ______________________________

(a) Yeah. I really need to study for the test.
(b) Can we get together tomorrow instead?
(c) Just tell me when and where.

해석 M 내일 만나서 함께 공부 할래?

W ______________________________

(a) 그래. 시험 때문에 공부 좀 해야 해.
(b) 대신 내일 만날 수 있을까?
(c) 언제 어디서 만나는지 말해줘.

10

W Can you tell me what time the library closes?

M ______________________

(a) Sorry, I have no idea.
(b) I'm pretty sure it's around 10 p.m.
(c) The library is closed on Sundays.

해석 W 도서관이 몇 시에 문 닫는지 말씀해 주시겠어요?

M ______________________

(a) 죄송해요, 잘 모르겠어요.
(b) 10시쯤에 닫아요.
(c) 도서관은 일요일에 문 닫아요.

어구

go with ~ ~와 잘 어울리다
suit 정장
payphone 공중전화
cell phone 핸드폰
on a diet 다이어트 중인

Tip 3 일관성을 유지하고 있는 것이 정답이다 p.121

Basic Test

1	(a) X	(b) O	(c) X	(d) X	(e) O	(f) X
2	(a) O	(b) X	(c) X	(d) X	(e) X	(f) O
3	(a) X	(b) O	(c) X	(d) O	(e) X	(f) O
4	(a) O	(b) X	(c) X	(d) X	(e) O	(f) X

1

W I'm going to go buy some new shoes.
M More? Don't you think you're spending too much on shoes?
W But it's my money. I can buy what I want.
M ______________________

(a) I know. You spend wisely.
(b) I really think you should save your money.
(c) Great, let's go shopping.
(d) I think you need some comfortable shoes.
(e) Spending so much on shoes seems silly to me.
(f) You should buy whatever you want.

해석 W 새로 신발을 살 거야.
M 또 산다고? 신발에 돈을 너무 많이 쓴다고 생각안해?
W 내 돈이잖아. 내가 원하는 것을 살 수 있어.
M ______________________

(a) 나도 알아. 너는 돈을 현명하게 사용해.
(b) 너는 정말 돈을 모아야 한다고 생각해.
(c) 좋아, 쇼핑하러 가자.
(d) 너는 좀 편한 신발이 있어야 해.
(e) 신발에 돈을 너무 많이 쓰는 것은 바보 같다고 생각해.
(f) 넌 네가 원하는 것을 사야해.

2

M Let's go for a jog in the park.
W I'm feeling tired. Can we do it tomorrow?
M You said that yesterday. We really need to exercise.
W ______________________

(a) Sorry, but I don't want to jog today.
(b) What are you waiting for? I'm eager to go out.
(c) You really need to exercise more.
(d) The park is a very safe place even at night.
(e) Are you too tired to jog today?
(f) But I exercise a lot on the weekends.

해석 M 공원에 조깅하러 가자.
W 너무 피곤해. 내일 가면 안될까?
M 어제도 그렇게 말했잖아. 우리는 정말 운동을 해야 해.
W ______________________

(a) 미안한데 오늘 조깅을 하고 싶지 않아.
(b) 뭘 기다려? 나는 너무 나가고 싶어.
(c) 너는 정말 운동을 해야 해.
(d) 그 공원은 밤에도 안전해.
(e) 오늘 조깅하지 못할 정도로 피곤하니?
(f) 그렇지만 난 주말에 운동을 많이 해.

3

W I want to go see that new comedy tonight.
M But I want to watch my TV show.
W You said you were going to come to the movies with me.
M ______________________

(a) I don't like watching TV at all.
(b) I did, but I'm too tired to leave the house.
(c) I'm in front of the theater now.
(d) I'm sorry, but I changed my mind.
(e) Sounds perfect. What movie do you want to see?
(f) We can always go to the movies next week.

해석 W 오늘 밤에 새로 나온 코미디 영화를 보고 싶어.
M 그렇지만 나는 텔레비전을 보고 싶은데.
W 나랑 함께 영화 보러 간다고 했었잖아.
M ______________________

(a) 텔레비전 보는 것을 좋아 하지 않아.
(b) 그랬지, 그런데 집밖을 나가기엔 너무 피곤해.
(c) 나 지금 극장 앞이야.
(d) 미안해, 마음이 바뀌었어.
(e) 좋아. 어떤 영화를 보길 원하니?
(f) 다음 주에도 영화를 보러 갈 수 있잖아.

4

M Are you ready to go to dinner?
W Actually I would prefer to stay home and eat.
M But we made reservations at that French restaurant.
W ______________________

(a) We can cancel the reservations.
(b) I really love their food.
(c) I really love French food. Let's go.
(d) Are we going to that Mexican restaurant?
(e) I can make us a delicious dinner at home.
(f) I have been to that French restaurant.

해석 M 저녁 먹으러 나갈 준비 되었니?
W 사실 나는 집에서 먹고 싶어.
M 그렇지만 프랑스 식당에 예약을 했잖아.
W ______________________

(a) 예약을 취소하면 되잖아.
(b) 난 그 음식 정말 좋아해.
(c) 난 프랑스 음식을 정말 좋아해. 가자.
(d) 우리 멕시코 식당에 갈 거야?
(e) 내가 집에서 맛있는 저녁을 만들어 줄게.
(f) 난 그 프랑스 식당에 가봤어.

어구
go shopping 쇼핑 하러 가다
too ~ to ~하기에 너무 ~한
be eager to 너무 ~하고 싶어 하는

Part 3

Type 1 대의파악 문제 p.126

Warming-up Test

1 (a)	**2** (a)	**3** (b)	**4** (a)	**5** (b)
6 (b)	**7** (a)	**8** (b)	**9** (a)	**10** (b)

1

W Where do you want to go on vacation this year?
M I've always wanted to see Paris.
(a) Where to go on vacation
(b) How to pay for their vacation

해석 W 올해에는 어디로 휴가를 가고 싶니?
M 나는 항상 파리에 가보고 싶었어.
(a) 어디로 휴가를 갈지
(b) 휴가 비용을 어떻게 낼지

2

M Do you want to eat out or get delivery?
W Let's just order a pizza.
(a) Choosing where to eat
(b) Choosing a restaurant

해석 M 나가서 먹을래, 아니면 배달을 시킬까?
W 그냥 피자를 시키자.
(a) 어디서 먹을지 정하기
(b) 식당을 정하기

3

W Did you remember to pay the electric bill?
M I'm going to do it today.
(a) Paying rent
(b) Paying for energy

해석 W 전기세 내는 것 기억하고 있었니?
M 오늘 낼 거야.
(a) 집세 내기
(b) 전기비 내기

4

M I studied all weekend and still failed my test!
W Don't worry, you can get help from the learning center.

(a) A tip for improving grades
(b) Bad studying habits

해석 **M** 주말 내내 공부 했는데 시험에 떨어졌어.
W 걱정 마, 학습 센터에서 도움을 받을 수 있어.
(a) 성적을 향상시키기 위한 조언
(b) 나쁜 공부 습관

5

W I want to paint the living room red.
M I don't think that's such a good idea.

(a) Different opinions about painting the house
(b) Different opinions about painting the living room

해석 **W** 거실을 빨간색으로 칠하고 싶어.
M 별로 좋은 생각은 아닌 거 같아.
(a) 집을 칠하는데 다른 의견
(b) 거실을 칠하는데 다른 의견

6

M When do we turn in our papers?
W The last day of the semester.

(a) When the class ends
(b) When the papers are due

해석 **M** 리포트를 언제 내야 하죠?
W 학기 마지막 날이요.
(a) 수업이 언제 끝나는지
(b) 리포트의 기한일이 언제인지

7

W Let's go see a thrillier tonight.
M Okay, I'm in the mood for a movie.

(a) Going to see a movie
(b) Going to the circus

해석 **W** 오늘밤 스릴러 영화 보러 가자.
M 좋아, 나는 영화 보고 싶은 기분이야.
(a) 영화 보러 가기
(b) 서커스 보러 가기

8

M Can you help me move this bookcase?
W Sure, let me put my purse down first.

(a) Moving to a new house
(b) Moving a piece of furniture

해석 **M** 이 책장 옮기는 것 좀 도와줄래?
W 물론이지, 일단 지갑 좀 내려놓고.
(a) 새 집으로 이사 가기
(b) 가구 옮기기

9

W I ran a red light on the way here.
M You could have killed someone!

(a) Unsafe driving
(b) Committing murder

해석 **W** 여기에 오다가 빨간 불을 그냥 지나쳐 버렸어.
M 사람을 죽일 수도 있었다고!
(a) 안전하지 못한 운전
(b) 살인을 저지르기

10

M I really want to go hiking.
W Me, too. Let's get away next week.

(a) Signing up for the gym
(b) Setting up a plan to get together

해석 **M** 정말 도보 여행을 하고 싶어.
W 나도. 다음 주에 떠나자.
(a) 헬스클럽에 가입하기
(b) 함께 모일 계획 세우기

어구
go on vacation 휴가를 가다
eat out 외식하다
electric bill 전기비
rent 집세
grade 점수
be in the mood for ~할 기분이다
purse 지갑, 가방
run a red light 빨간 신호를 지나가다, 신호위반 하다
commit murder 살인을 저지르다
get away 떠나다
go hiking 도보 여행 하다
get together 모이다
set up (계획 등을) 세우다

Type 2 세부사항 문제

p.137

Warming-up Test

1 (a) O (b) X (c) O (d) O (e) X (f) X

2 (a) X (b) O (c) X (d) X (e) O (f) X

1

W Did you remember to pack my ski jacket?
M Yes, and your boots, too.
W Thanks. I can't wait to get on the slopes.
M Me, too. I'm so glad we have a whole week.
W It'll be good to get away from work, right?
M You said it. Let's get going.

(a) The man and woman are going together.
(b) The man and woman will take ski classes.
(c) The man and woman are going skiing.
(d) The man and woman have seven days off.
(e) The man and woman are married.
(f) The man and woman work together.

해석 W 내 스키 재킷 챙기는 거 기억하지?
M 그래, 네 부츠도 기억하고 있어.
W 고마워, 슬로프를 타고 싶어 죽겠어.
M 나도 그래, 일주일 내내 가니 너무 기뻐.
W 일에서 벗어나게 되니 좋다, 그치?
M 맞아. 어서 가자.

(a) 남자와 여자는 함께 간다.
(b) 남자와 여자는 스키 수업을 들을 것이다.
(c) 남자와 여자는 스키를 타러 간다.
(d) 남자와 여자는 일주일을 쉰다.
(e) 남자와 여자는 결혼했다.
(f) 남자와 여자는 함께 일한다.

2

M I'd like to place an order for pick up.
W Okay, go ahead with your order.
M I need three smoked turkey sandwiches, three bags of chips, and three colas.
W Okay, do you need any dessert with that?
M Sure, I'll take three chocolate chip cookies.
W Alright, your order will be ready in about 10 minutes.

(a) The woman is ordering food for three people.
(b) The man is going to pick up his order.
(c) The woman has chocolate cake for dessert.
(d) The man needs the order in a hurry.
(e) The man will not eat in the restaurant.
(f) The man will pay for his order with cash.

해석 M 포장해 갈 것을 주문하고 싶은데요.
W 알겠습니다. 주문하세요.
M 훈제 칠면조 샌드위치 세 개랑, 과자 세 봉지 그리고 콜라 세 개 주세요.
W 알겠어요. 디저트도 필요하신가요?
M 네. 초콜릿 칩 쿠키 세 개 주세요.
W 알겠습니다. 주문하신 것은 10분 후에 준비됩니다.

(a) 여자는 세 사람의 음식을 주문하고 있다.
(b) 남자는 자신의 음식을 포장해 갈 것이다.
(c) 여자는 디저트로 초콜릿 쿠키를 원한다.
(d) 남자는 주문한 음식을 급하게 원한다.
(e) 남자는 식당에서 먹지 않을 것이다.
(f) 남자는 현금으로 계산할 것이다.

어구
I can't wait ~ 너무 ~하고 싶다
get away ~에서 떠나다, 벗어나다
Let's get going 가자
place an order 주문하다
go ahead 진행하다, (망설이지 않고) 진행시키다
in a hurry 급한, 바쁜
pay for 계산하다, 지불하다

Type 3 추론 문제 p.148

Warming-up Test

1 (a) O (b) X (c) X (d) O

2 (a) O (b) X (c) X (d) X

1

M What are you doing tonight?
W I am free tonight since the mid term is over.
M We're going to watch the soccer match at my house. Want to come?
W I'd rather stay at home.
M Okay, call if you change your mind.
W Thanks, but I think I'll take a rain check.

(a) The woman doesn't want to watch soccer.
(b) The woman is very busy with homework.
(c) The woman doesn't like the man.
(d) The woman doesn't have a plan tonight.

해석 **M** 오늘 밤에 뭐하니?
W 중간고사가 끝나서 오늘밤은 한가해.
M 우리 집에서 축구 경기 볼 건데, 너도 올래?
W 나는 그냥 집에 있을래.
M 알았어, 마음 바뀌면 전화해.
W 고마워, 그렇지만 다음에 만나자.
(a) 여자는 축구 경기를 보고 싶어 하지 않는다.
(b) 여자는 숙제하느라 바쁘다.
(c) 여자는 남자를 싫어한다.
(d) 여자는 오늘 밤 계획이 없다.

2

W Professor Kim, I couldn't buy the books for class.
M What happened?
W They were sold out at the university bookstore.
M Ah, that's my fault. I should have ordered more.
W Do you know when there might be more?
M You can buy them next week.

(a) The woman will buy her books next week.
(b) The man ordered more books.
(c) The man owns a bookstore.
(d) The man ordered books through the Internet.

해석 **W** 김 교수님, 수업시간에 필요한 책을 사지 못했어요.
M 아니 무슨 일이지?
W 학교 서점에 재고가 없대요.
M 아, 내 잘못이구나. 충분히 주문했었어야 했는데.
W 책이 언제쯤 들어올까요?
M 다음 주에 살 수 있을 거야.
(a) 여자는 다음 주에 책을 살 것이다.
(b) 남자는 책을 더 주문했다.
(c) 남자는 서점을 소유하고 있다.
(d) 남자는 인터넷으로 책을 주문했다.

어구
mid term 중간고사
rain check (초대 · 제안 따위에 당장 응할 수 없을 때 하는) 후일의 약속; 다음 기회
take a rest 쉬다
be sold out 다 팔리다, 재고가 없다

Part 4

Warming-up Test

Paragraph 1

p.192

Welcome to the first day of Molecular Biology. In this class we will talk about biology and chemistry, especially aspects of genetics and biochemistry. We will mostly be concerned with the interactions within the cell, including information about DNA. There are two major tests in here, as well as two papers. You will also be graded on participation and attendance, so please try not to miss any classes. Although you do have a textbook, most test information will come from lectures.

Q What would the test mainly be based on?

(a) Class discussion
(b) Two papers
(c) Lectures
(d) Textbook

해석 분자생물학 첫 시간에 온 것을 환영합니다. 이 수업에서 우리는 생물학과 화학, 특히 유전학과 생화학의 관점에 대하여 이야기 할 것입니다. DNA에 관한 정보를 포함하는 세포 사이의 상호작용들에 관하여 주로 관심을 가질 것입니다. 이 수업에는 두 개의 과제물과 더불어 두 개의 큰 시험이 있습니다. 또한 수업참여도와 출석으로도 점수가 매겨질 것입니다. 그러니 한 번의 수업도 빼먹지 않도록 노력하세요. 교과서가 있기는 있지만, 대부분의 시험정보는 강의에서 나올 것입니다.

Q 시험은 무엇에 근거할 것인가?

(a) 수업 토론
(b) 두 개의 과제물
(c) 강의
(d) 교과서

어구 molecular biology 분자생물학
genetics 유전학
biochemistry 생화학(生化學)
be concerned with ~에 관계가 있다, ~에 관심이 있다
paper (학교에서) 숙제, 리포트
attendance 출석, 출근, 참석, 참가

해설 강의 첫 시간에 교수님이 강의 방식이나 수업진행 형태 등을 설명하는 내용은 텝스에 자주 출제되고 있는데, 주로 시험, 출석, 강의구성, 수업내용의 개론적인 설명 등이 등장한다. 이 지문에서도 강의 내용과 시험 그리고 학점에 대해서 이야기 했는데, 문제는 시험의 출제의 근거가 무엇인지를 묻고 있다. 지문 마지막 문장에서 강의에서 나올 것이라고 했으므로 정답은 (c)다.

정답 (c)

Paragraph 2

p.194

In a study of 47 countries, it was found that the U.S. was ranked as having the sixth highest divorce rate. The country with the smallest percentage was India, with 1.1%. According to lawyers in the U.K., the top three reasons were affairs, family strains, and physical abuse. About 60% of divorces in the U.K. are initiated by women that come from families with children.

Q What is one of the main reasons of divorce in the U.K?

(a) A bad economic situation
(b) Domestic violence
(c) Drug abuse
(d) Heavy work load

해석 47개국의 연구에서 미국이 6번째로 높은 이혼율을 갖는다는 사실이 밝혀졌다. 가장 낮은 이혼율을 갖는 나라는 인도로 1.1%였다. 영국에 있는 변호사들에 따르면, 가장 큰 사유 세 가지는 불륜, 가족에게 받는 스트레스, 그리고 폭행이었다. 영국에서 이혼의 약 60%는 자녀가 있는 여성에 의해서 시작된다.

Q 영국에서 이혼의 주된 이유 중 하나는 무엇인가?

(a) 좋지 않은 경제적 상황
(b) 가정폭력
(c) 마약 남용
(d) 과중한 업무량

어구 divorce reate 이혼률
affair (불륜의) 연애사건, 정사
strain (심신의) 긴장, 과로, 무거운 부담
physical abuse 신체적인 학대
initiate 시작하다, 개시하다
work load 작업량, 일량

해설 지문내의 세부사항을 묻는 문제로, 세 번째 문장에서 영국에서 주된 이혼사유로 affairs, family strains, and physical abuse의 세 가지를 들었다. 가족 내에서 일어나는 폭력, 폭행(physical abuse)이 가정폭력(domestic violence)이다.

정답 (b)

Paragraph 3

p.196

Sigmund Freud was a psychiatrist best known for his theories about the unconscious mind, especially aspects concerned with repression and dreams. He is called the father of psychoanalysis and his theories are still taught in classrooms all over the world today. He has also been a large influence in other fields like film, literature, and philosophy.

Q What can be inferred from this lecture?

(a) Freud was a successful philosopher.
(b) People rarely know Freud's theories.
(c) Freud's theories are generally accepted.
(d) Freud wrote a great deal of poems.

해석 지그문트 프로이트는 무의식적 사고, 특히 억압과 꿈에 관한 점에 관한 그의 이론들로 잘 알려진 정신과 의사였다. 그는 정신분석학의 아버지라고 불린다. 그리고 그의 이론들은 오늘날 전 세계적으로 여전히 강의실에서 가르쳐지고 있다. 그는 또한 문학 그리고 철학 같은 다른 분야들에 큰 영향을 주었다.

Q 이 강의에서 추론할 수 있는 바는 무엇인가?

(a) 지그문트 프로이트는 성공적인 철학가였다.
(b) 프로이트의 이론을 아는 사람은 거의 없다.
(c) 프로이트의 이론들은 일반적으로 수용되고 있다.
(d) 지그문트 프로이트는 많은 시를 썼다.

어구 psychiatrist 정신병 의사
unconscious 무의식의, 의식이 없는, 의식불명의
repression 억압, 억압본능
psychoanalysis 정신분석학, 정신분석법
philosophy 철학

해설 유명인사 또는 위인에 관한 개괄적인 설명이나 그의 업적, 인생에 관한 지문으로서, 이 역시 TEPS 청해에 자주 등장하는 지문 중의 한 유형이다. 프로이트에 대해서 그가 문학과 철학에 큰 영향을 주었다고 마지막 문장에서 말하고 있지만, 그 자신이 철학가였다거나 직접 시를 썼다는 언급은 없다. 문제에서 according to this talk라고 하였으므로, 무리하게 상상의 나래를 펼쳐서 시를 썼을 것이라거나 철학가였을 수도 있다고 상상하는 것은 금물이다. 철저하게 읽어준 내용만으로 판단해야 한다. 그리고 '그의 이론으로 잘 알려진 프로이트'라고 하였으므로 (b)는 틀리다. 오늘날 전 세계의 강의실에서 그의 이론을 가르치고 있으므로, 널리 받아들여지고 있는 것이다.

정답 (c)

Paragraph 4

p.198

Hi, Derek. This is your editor calling. First, I just wanted to give you some feedback on your manuscript. Instead of having the characters meet in the very beginning, work on the background story first. Next, I wanted to remind you that the meeting with the publisher is this Thursday, however, there is a chance that the time may get pushed back an hour, so keep that in mind. I'll let you know. Talk to you soon.

Q What can be inferred from this phone call?

(a) Derek is a song writer.
(b) The publisher will meet the characters this Thursday.
(c) The editor have read his manuscript.
(d) The editor call Derek several times.

해석 Derek씨, 안녕하세요. 전 당신의 편집자입니다. 우선 당신의 원고에 대한 몇 가지 의견을 전해주고 싶습니다. 등장인물들을 맨 처음에 만나게 하는 것 대신에, 배경 이야기를 우선 만드세요. 다음으로, 출판사와의 만남은 이번 주 목요일이라는 것을 상기시켜 드리고 싶습니다. 그러나 시간이 한 시간 미뤄질 수도 있는 가능성도 있습니다. 그러니까 그것을 염두에 두세요. 알려드리겠습니다. 조만간 이야기 하죠.

Q 이 전화통화에서 추론할 수 있는 것은 무엇인가?

(a) Derek은 작사가이다.
(b) 출판자는 이번 주 목요일에 등장인물을 만날 것이다.
(c) 편집자는 그의 원고를 읽어 봤다.
(d) 편집자는 Derek에게 여러 번 전화를 했다.

어구 feedback 의견, 감상, 평가, 피드백
manuscript 원고
character 성격, 인격, 인물, 등장인물, 캐릭터
push back 뒤로 밀어내다, 미루다
keep in mind ~을 기억해 두다, 유념(유의)하다

해설 책을 쓰고 있는 Derek에게 편집자가 전화를 한 상황이다. Part 4에 등장하는 전화통화 지문은 정상적인 통화는 아니고 대부분 위와 같이 자동응답기에 남기는 내용이다. Derek은 글을 쓰기는 하지만 노래를 쓰지는 않는다. 그리고 출판사와 만나는 사람은 Derek이지 글의 등장인물들이 아니다. 또 편집자가 Derek에게 전화를 했지만 몇 번 했는지는 알 수 없다. 그리고 원고를 읽어보지 않고서 그에 대한 의견을 전할 수는 없으므로 편집자가 그의 원고를 읽어봤다는 것을 추론할 수 있다.

정답 (c)

Practic Test
정답 및 해설

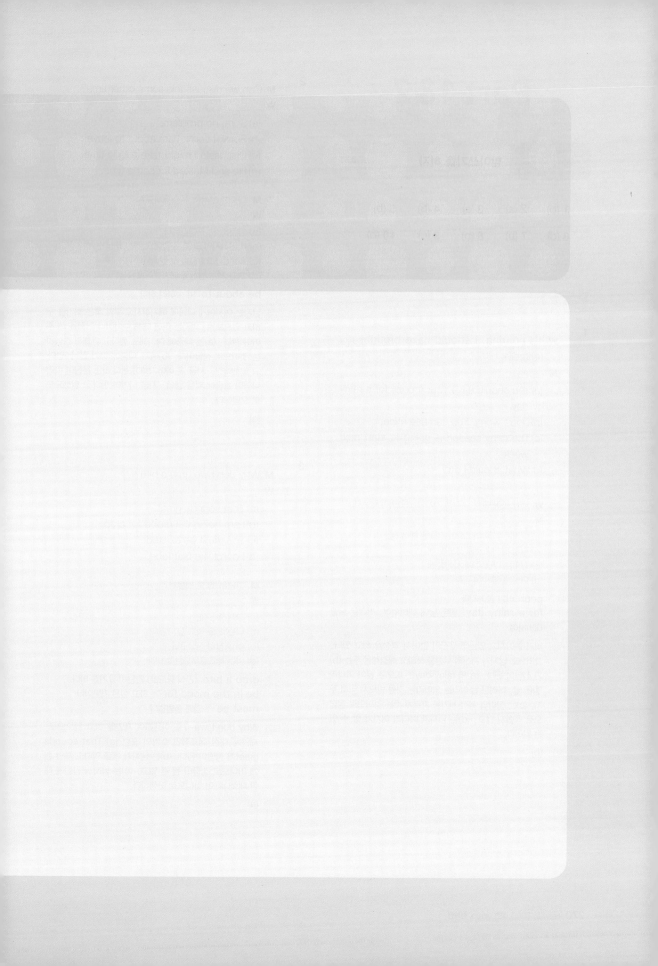

Part 1&2

Tip 1 받아쓰기를 하자 p.63

1 (b)	2 (a)	3 (a)	4 (b)	5 (b)
6 (d)	7 (b)	8 (b)	9 (c)	10 (b)

Part 1

1

W It's pouring. I should have brought my umbrella.

M ______________________

(a) You should save your money for a rainy day.
(b) Don't worry. You can use mine.
(c) The rainy season is going to start next week.
(d) What should I do?

해석 **W** 비가 쏟아지네. 우산을 가지고 왔었어야 했는데.
M ______________________
(a) 어려운 날을 대비하여 저축을 해야 해.
(b) 걱정 마. 내 것을 쓰도록 해.
(c) 장마는 다음 주에 시작할거야.
(d) 어떻게 해야 하지?

어구 pour 비가 쏟아지다
for a rainy day 힘든 날에 대비하여, 어려운 날을 대비하여

해설 비가 쏟아지고 있는데 우산이 없어서 걱정을 하고 있다. 그러므로 남자가 자신의 우산을 쓰라고 해결책을 주는 (b)가 정답이 된다. (a)의 rainy day는 비오는 날이 아니라 '힘든 날, 어려운 날'이라는 의미라는 것을 반드시 익혀 두자. (c)는 장마의 시작 시기를 가르쳐 주는 것이므로 정답으로 적합지 않고, (d)는 남자가 아니라 여자가 할 수 있는 말이다.

정답 (b)

2

M Can we discuss this some other time?

W ______________________

(a) Sure, no problem.
(b) Sorry, I can't. I am about to leave.
(c) Discussion might take a long time.
(d) He and I talked for some time.

해석 **M** 나중에 얘기할 수 있을까요?
W ______________________
(a) 당연하죠. 괜찮습니다.
(b) 미안하지만 그럴 수 없어요. 막 나가려는 참이에요.
(c) 토론은 오래 걸릴 것 같습니다.
(d) 그와 저는 한참을 얘기했어요.

어구 be about to 막 ~하려 하다

해설 남자는 여자에게 다음에 얘기하자고 부탁 혹은 허가를 구하고 있으므로, 여자는 이에 대해 수락이나 거절을 해 주어야 한다. (a)는 나중에 얘기해도 된다고 흔쾌히 승낙하는 것이므로 정답이다. (b)에서 '나중에 얘기 할 수 없다'고 말했다면, '지금 꼭 이야기해야 한다'라는 문장이 따라 나와야 흐름에 맞을 텐데, '지금 나가야 한다'고 말했으므로 오답이다.

정답 (a)

3

M Why don't we grab a bite?

W ______________________

(a) That sounds great.
(b) I am not in the mood for crab.
(c) You must be excited.
(d) I don't like fast food.

해석 **M** 간단히 뭘 좀 먹을까?
W ______________________
(a) 그거 좋은데.
(b) 나는 게를 먹고 싶지 않아.
(c) 너 굉장히 신났구나.
(d) 나는 패스트푸드는 싫어해.

어구 grab a bite (간식 등으로) 간단히 요기를 하다
be in the mood for ~하고 싶은 기분이다
must be ~임에 틀림없다

해설 Why don't we~?를 이용하여 제안을 하고 있으므로, 제안에 대한 대표적인 수락의 표현 (a) That sounds great가 정답이 된다. (b)는 남자가 게를 먹자고 제안 한 게 아니므로 정답이 될 수 없고, (c)는 남자의 감정에 대한 대화내용이 아니므로 어색하다.

정답 (a)

4

M Would it be okay if I just shop around?
W ______________________________

(a) Sure, let's go shopping together.
(b) Of course. Feel free to look around.
(c) Don't spend too much money, OK?
(d) The department store is too crowded with shoppers.

해석 M 제가 좀 구경만 해도 될까요?
W ______________________________
(a) 당연하죠. 함께 쇼핑해요.
(b) 물론이죠. 마음껏 구경하세요.
(c) 돈 너무 많이 쓰지 말아요, 알겠죠?
(d) 백화점은 쇼핑하는 사람들로 붐벼요.

어구 shop around 구경하다
look around 둘러 보다, 구경하다
go shopping 쇼핑하다
feel free to~ 마음껏 ~하다

해설 남자는 여자에게 구입을 하지 않고 단지 구경만 할 수 있냐고 허가를 구하고 있다. 이에 대해 흔쾌히 승낙하는 (b)가 정답이다. 남자의 shop around라는 표현을 여자가 look around로 바꾸어 말하기 했음을 알 수 있다. 답을 (a)로 혼동할 수 있는데, 남자는 손님이고 여자는 상점 직원으로 추측 할 수 있으므로 (a)는 답이 아니다. 또한 남자는 여자에게 함께 쇼핑을 가자고 제안하지 않았다.

정답 (b)

5

M It's better not to swim right after eating.
W ______________________________

(a) I don't like swimming at all.
(b) OK. I'll keep that in mind.
(c) Working out regularly is recommended.
(d) Right. Overeating is not good.

해석 M 밥을 먹은 다음에 바로 수영하는 것은 좋지 않아.
W ______________________________
(a) 나는 수영하는 것을 전혀 좋아하지 않아.
(b) 알았어. 명심해 둘게.
(c) 운동을 정기적으로 하는 것은 바람직해.
(d) 맞아. 과식은 좋지 않아.

어구 keep something in mind ~을 명심하다
work out 운동 하다
overeating 과식

해설 남자는 여자에게 식사를 한 후 바로 수영을 하는 것은 좋지 않다고 충고하고 있으므로, 충고를 받아들이겠다는 (b)가 정답이 된다. (a)는 남자가 여자에게 수영을 좋아하냐고 물은 것이 아니므로 정답이 될 수 없다. (d)는 남자가 과식하지 말라고 충고한 것이 아니므로 오답이다.

정답 (b)

Part 2

6

W Hello, Steven. You look dead tired.
M I was at a party until four last night.
W What made you do such a thing?
M ______________________________

(a) It won't happen again.
(b) Because I had a midterm today.
(c) I feel like taking a nap.
(d) Because I really enjoyed myself.

해석 W 스티븐, 너 굉장히 피곤해 보여.
M 어제 새벽 4시까지 파티를 했어.
W 너 왜 그랬니?
M ______________________________
(a) 다시는 이런 일이 없을 거야.
(b) 왜냐하면 오늘 중간고사가 있기 때문이야.
(c) 낮잠을 자고 싶어.
(d) 왜냐하면 너무 즐거웠거든.

어구 dead 《구어》 완전히, 아주, 전적으로
take a nap 낮잠 자다

해설 여자가 남자에게 파티에 왜 그렇게 늦게 까지 있었냐고 What made ~?를 이용해서 이유를 묻고 있다. What made ~?는 what으로 시작하는 질문이지만, 결국 이유를 묻는다는 것을 명심해 두자. 그러므로 남자는 파티에 늦게까지 있었던 이유를 말해줘야 하므로, 너무 즐거워서 그랬다는 (d)가 알맞은 이유가 된다. (a)는 파티에 늦게까지 있었던 이유가 되지 않으므로 소거한다.

정답 (d)

7

M What movie do you want to watch?
W Anything but a horror movie.
M But that's exactly what I had in mind.
W ______________________________

(a) Comedy is best for a family to watch.
(b) But I can't sleep after watching a scary movie.
(c) Great. My favorite genre is horror.
(d) What kind of movie do you have in mind?

해석 M 어떤 영화를 보고 싶어?
W 공포 영화만 빼고 아무거나.
M 그런데 그게 바로 내가 보고 싶은 것인데.
W ______________________________
(a) 가족이 보기엔 코미디 영화가 적합해.
(b) 하지만 나는 공포 영화를 보면 잠을 잘 수 없단 말이야.
(c) 잘됐다. 내가 제일 좋아하는 장르가 공포 영화야.
(d) 어떤 종류의 영화가 보고 싶니?

어구 genre 장르

해설 여자는 공포 영화를 보고 싶어 하지 않지만 남자는 보고 싶어 한다. 의견의 차이가 있으므로 여자와 남자의 의견을 구분해서 기억해 두도록 한다. 여자는 남자가 공포 영화를 보고 싶어도, 무서운 영화를 보면 잠을 잘 수 없기 때문에, 공포 영화 보는 것을 거절하고 있는 (b)가 정답이다. (c)처럼 자신이 앞서 했던 말, 즉 공포 영화만 빼고 좋다는 입장을 갑자기 뒤집으면 안된다.

정답 (b)

8

W What can I do for you, sir?
M I'm looking for a book on dogs.
W Do you know what breed?
M ______________________________

(a) I don't like poodles.
(b) I am not sure.
(c) Sorry, I am new here.
(d) Hold on, I'll get you one.

해석 **W** 어떻게 도와 드릴까요, 선생님?
M 저는 개에 관한 책을 찾고 있어요,
W 어떤 종에 관한 책인지 알고 계십니까?
M ______________________________

(a) 저는 푸들은 싫어합니다.
(b) 잘 모르겠어요.
(c) 죄송해요. 전 여기 처음 왔어요.
(d) 잠깐만요, 제가 가져다 드리죠.

어구 poodle 푸들
I am new here. 여기 처음 왔어요, 초행길입니다.

해설 책을 찾는 것을 도와주는 여자는 남자에게 어떤 종의 개에 관한 책을 찾는지 묻고 있다. 이에 대해 개의 종류를 말해 줄 수 있지만, 잘 모른다고도 답할 수도 있으므로 정답은 (b)가 된다. (a)에 푸들이 나왔지만, 개의 종류가 나왔다고 무작정 (a)를 답으로 고르면 안 된다. (a)는 단지 개에 대한 남자의 선호에 대해서 말했으므로 답이 아니고, (d)는 책을 찾고 있는 사람이 남자이므로 남자가 책을 가져다 줄 순 없다.

정답 (b)

9

W Hey, long time no see.
M Hi, I haven't seen you in ages.
W I caught a cold that's been going around.
M ______________________________

(a) Take care, bye.
(b) I went to see a doctor.
(c) Getting better now?
(d) What happened to you?

해석 **W** 오랜 만이야.
M 안녕, 정말 오랜만이다.
W 유행하고 있는 감기에 걸렸었어.
M ______________________________

(a) 조심해, 안녕.
(b) 나도 병원에 갔었어.
(c) 지금은 좀 나아졌니?
(d) 무슨 일이 있었니?

어구 catch a cold 감기에 걸리다
see a doctor 병원에 가다

해설 남자와 여자는 오랜만에 만나서 인사를 하고 있는 상황이다. 여자는 자신이 감기에 걸렸다고 얘기하고 있으므로, 그것에 대한 걱정으로 좀 나아졌냐고 물어보는 남자의 말 (c)가 정답이다. (a)는 헤어질 때 하는 인사이므로 답이 아니다. 여자가 아팠다고 얘기를 하는데, 바로 헤어지는 상황이라고는 볼 수 없기 때문이다. (d)는 여자가 이미 감기에 걸렸다고 얘기했는데 또 무슨 일이 있었냐고 묻는 것은 어색하다.

정답 (c)

10

W I can't believe I missed the test.
M Why didn't you show up?
W I woke up late. I am not sure that my alarm went off.
M ______________________________

(a) You are such an irresponsible person.
(b) That's why I always set two alarms.
(c) I won't miss the test.
(d) I'll buy a new alarm clock.

해석 **W** 시험을 놓치다니 믿을 수가 없어.
M 왜 시험 보러 안 왔니?
W 늦게 일어났어. 알람이 울렸는지 잘 모르겠어.
M ______________________________

(a) 너는 정말 책임감이 없는 사람이구나.
(b) 나는 그래서 항상 알람을 두 개 맞춰놔.
(c) 나는 시험을 놓치지 않을 거야.
(d) 나는 새 알람시계를 살 거야.

어구 show up 나타나다, 참석하다
irresponsible 책임감 없는
set the alarm 알람을 맞추다

해설 여자는 늦잠을 자서 시험을 놓쳤고, 늦게 일어난 원인을 알람이 울리지 않아서 인것 같다고 얘기하고 있다. 따라서 (b)에서 처럼 남자는 혹시 몰라서 자신은 알람을 2개 맞추어 놓는다는 것이 논리적으로 밀접함을 알 수 있다. 시험을 놓혔다고 책임감이 없다고 볼 수는 없으므로 (a)는 정답이 될 수 없다.

정답 (b)

Tip 2 상황을 먼저 파악하자 p.70

1 (c) 2 (b) 3 (b) 4 (b) 5 (c)

6 (c) 7 (a) 8 (a) 9 (b) 10 (c)

Part 1

1

M Wow, those earrings look great with your dress.

W ______________________

(a) I like necklaces more than earrings.
(b) Thanks for your concern.
(c) It's very nice of you to say so.
(d) I just bought a new suit.

해석 M 와, 귀걸이가 옷에 잘 어울려요.
W ______________________
(a) 저는 귀걸이보다 목걸이가 좋아요.
(b) 신경 써 주셔서 고맙습니다.
(c) 그렇게 말해 주시니 좋습니다.
(d) 나는 새 정장을 샀어요.

어구 earrings 귀걸이
necklace 목걸이
Thanks for your concern. 신경 써 주셔서 고맙습니다, 걱정해 주셔서 고맙습니다.
It's very nice of you to say so. (상대방의 칭찬 등에 응답하여) 그렇게 말해 주시니 좋습니다.
suit 정장

해설 전형적인 칭찬의 상황이다. 남자가 여자에게 귀걸이가 옷에 잘 어울린다고 칭찬을 해 주었으므로, 칭찬에 대한 전형적인 응답인 (c)가 정답이 된다. (b)는 남자가 여자에게 걱정을 해주거나 신경을 써 주는 것이 아니므로 정답이 될 수 없다.

정답 (c)

2

M I'm so sorry about the loss of your father.

W ______________________

(a) Don't worry. My father is doing great.
(b) Thank you for your condolences.
(c) You don't need to apologize.
(d) Yeah. He got lost again.

해석 M 아버지가 돌아가셨다니 유감이다.
W ______________________
(a) 걱정 마, 아버지는 잘 지내셔.
(b) 위로해 줘서 고마워.
(c) 사과할 필요 없어.
(d) 맞아. 그는 또 길을 잃어 버렸어.

어구 loss 사망
Thank you for your condolences. 위로해 주셔서 고맙습니다.
apologize 사과하다
get lost 길을 잃다

해설 남자는 여자 아버지의 죽음에 조의를 표하고 있다. 위로의 상황이다. 조의를 표할 때 가장 잘 나오는 응답인 (b)를 익혀두자. 아버지가 이미 돌아 가셨는데 (a)처럼 대답하는 것은 이치에 맞지 않고, 남자가 여자에게 사과를 하는 상황이 아니므로 (c)도 정답이 될 수 없다. (d)는 남자의 말 중 loss를 변형시켜 lost를 넣어서 오답을 만들었다.

정답 (b)

3

W Thanks a million for helping me out with the project.

M ______________________

(a) That's a good idea.
(b) The pleasure is all mine.
(c) I need to concentrate on the project.
(d) I'll give you some feedback on the project.

해석 W 이 프로젝트 하는데 도와줘서 너무 고마워요.
M ______________________
(a) 좋은 생각이에요.
(b) 천만의 말씀입니다.
(c) 이 프로젝트에 집중해야겠어요.
(d) 프로젝트에 대해서 의견을 드릴게요.

어구 Thanks a million. 너무 고마워.
The pleasure is all mine. 천만의 말씀이에요.
concentrate on ~에 집중하다

해설 여자가 남자에게 고마움을 표시 하고 있으므로, 감사의 상황이다. 상대방이 감사를 표했을 때 알맞은 응답은 (b)가 되겠다. (a)는 상대방이 제안 등을 했을 때 수락 하는 표현이므로 정답이 될 수 없다. 이 대화는 프로젝트 자체에 대한 내용이 아니므로 (c)와 (d)는 정답이 될 수 없다.

정답 (b)

4

M My father was diagnosed with high blood pressure.
W ________________

(a) What was the diagnosis?
(b) I am sorry. How is he doing?
(c) People with diabetes should watch their blood sugar.
(d) Jogging is the best exercise.

해석 M 우리 아버지가 고혈압으로 진단을 받으셨어.
W ________________
(a) 아버지가 어떤 진단을 받았니?
(b) 유감이다. 아버지는 어떻게 하고 계시니?
(c) 당뇨가 있는 사람은 혈당을 잘 조절해야해.
(d) 조깅이 제일 좋은 운동이야.

어구 be diagnosed with ~ ~로 진단 받다
high blood pressure 고혈압
diabetes 당뇨
blood sugar 혈당

해설 남자가 자신의 아버지의 좋지 않은 상황을 알리고 있으므로, 여자는 이에 대해 위로를 해주는 것이 좋다. 그러므로 (b)가 알맞은 응답이 된다. 또 다른 응답으로는 "That's too bad.(그것 참 안 됐다)", "I'm sorry to hear that.(그 얘기를 들으니 유감이구나)" 등이 될 수 있다. (a)는 아버지가 이미 고혈압 진단을 받았으므로 정답으로 어색하고, (c)도 아버지가 당뇨에 걸린 것이 아니므로 오답이다.

정답 (b)

5

W Does this skirt come in different colors?
M ________________

(a) Navy looks great on you.
(b) We have a nice blouse to match with this skirt.
(c) Yes, but the other colors are sold out.
(d) Can you let me know when a new shipment comes in?

해석 W 이 치마가 다른 색으로도 나오나요?
M ________________
(a) 남색이 손님께 잘 어울리세요.
(b) 이 치마에 잘 어울리는 예쁜 블라우스가 있어요.
(c) 네, 그러나 다른 색은 재고가 없어요.
(d) 물건이 들어오면 저에게 가르쳐 주시겠어요?

어구 ~ look great on someone ~이 ~에게 잘 어울리다
match 어울리다
sold out 다 팔리다
shipment 선적, 뱃짐, 선적량

해설 쇼핑을 하는 상황이다. 여자는 치마가 다른 색도 있는지 궁금해 하고 있다. 그러므로 다른 색은 있지만 현재 다 팔렸다는 (c)가 정답이 된다. (a)는 단순히 여자에게 잘 어울리는 색을 말했으므로 정답이 될 수 없고, 여자는 블라우스가 있냐고 물은 것이 아니므로 (b)도 답이 아니다. (d)는 상점 직원인 남자가 할 수 없는 말이다.

정답 (c)

Part 2

6

W I'd like a salad with my steak please.
M What kind of dressing would you like with that?
W What kind would you recommend?
M ________________

(a) Steak comes with a baked potato with sour cream.
(b) Cajun chicken salad is our special.
(c) Oil and vinegar is most favored.
(d) It's your first time to be here?

해석 W 스테이크와 샐러드를 주세요.
M 어떤 드레싱으로 드릴까요?
W 어떤 드레싱을 추천하시나요?
M ________________
(a) 스테이크에 사워크림을 곁들인 구운 감자가 함께 나옵니다.
(b) 케이준 치킨 샐러드가 저희의 특별 요리입니다.
(c) 기름과 식초를 곁들인 드레싱이 제일 인기가 좋아요.
(d) 여기에 오신 게 처음이신가요?

어구 bake 굽다
come with~ ~과 함께 나오다, ~이 딸려 나오다
dressing 샐러드 등에 곁들이는 소스
be favored 선호되다

해설 레스토랑에서 자주 등장하는 대화이다. 마지막에서 여자는 어떤 드레싱을 추천하냐고 물었으므로, 드레싱의 종류가 언급된 (c)가 정답이 된다. 참고로 드레싱의 종류는 French dressing(프렌치 드레싱), Italian dressing(마늘로 맛들인 샐러드 드레싱), Honey mustard(겨자소스), Ranch dressing(랜치 소스), Thousand Island(싸우전드 아일랜드) 등이 있다.

정답 (c)

7

M I think I'm lost. Is this the way to City Hall?
W You need to go back a block and turn left.
M Which way do I go after that?
W ____________________

(a) Just go straight two more blocks.
(b) You can't miss it.
(c) You can't walk out like that.
(d) You might want to take a cab.

해석 **M** 길을 잃은 것 같은데요, 이 길이 시청으로 가는 길인가요?
W 한 블록 다시 돌아 가셔서 왼쪽으로 도세요.
M 그런 다음에는 어디로 가야 해요?
W ____________________
(a) 그냥 두 블록 더 직진하세요.
(b) 금방 찾으실 수 있을 겁니다.
(c) 그렇게 가지 마세요.
(d) 택시를 타시는 게 나을 거에요.

어구 turn left 왼쪽으로 돌다
cf. turn right 오른쪽으로 돌다
You can't miss it. 금방 찾으실 수 있을 겁니다.
You can't walk out like that. 그렇게 가지 마세요.
take a cab 택시를 타다

해설 남자는 여자에게 길을 묻고 있으므로 (a)가 정답이 된다. (b)는 익숙한 표현이지만, 길을 가르쳐 준 다음에 해야 할 말이므로 정답이 되지 않는다. 남자가 여자에게 길을 물어보고 있으므로 어떻게 가야할지 정보를 더 주어야 한다. 또한 어떻게 가야할지 교통수단을 묻는 것이 아니므로 (d)도 답이 될 수 없다.

정답 (a)

8

W Where is the baggage claim for flight 872?
M Baggage claim is downstairs.
W Is that for international flights as well?
M ____________________

(a) All baggage claim areas are on the lower level.
(b) Are you planning on going overseas?
(c) You need to check in your baggage first.
(d) You need to hurry not to miss your flight.

해석 **W** 872 비행편의 수하물은 어디서 찾을 수 있나요?
M 짐 찾는 곳은 아래층에 있습니다.
W 국제 항공편도 아래층에 있나요?
M ____________________
(a) 짐찾는 곳은 모두 아래층에 있어요.
(b) 해외로 나가실 계획이신가요?
(c) 짐부터 부치셔야 해요.
(d) 항공편을 놓치지 않으시려면 서두르셔야 해요.

어구 baggage claim 짐 찾는 곳
lower level 아래층
check in baggage 짐을 부치다

해설 이 대화의 배경은 공항이다. 여자는 남자에게 국제 항공편의 짐 찾는 곳도 아래층이냐고 확인을 하고 있으므로, 국제 항공편이든 국내 항공편이든 짐 찾는 곳은 모두 아래층에 있다고 대답하는 (a)가 정답이다. (b)는 국제 항공편이 나왔기 때문에 overseas라는 단어를 넣어서 오답을 만든 것이다.

정답 (a)

9

M I flunked Professor Marshall's class.
W Oh, no. Are you going to take it again next semester?
M I can't because it's not offered again until next spring.
W ____________________

(a) I couldn't follow his lecture.
(b) Then how about asking him for a make up test?
(c) You need to take required courses next semester.
(d) I might not be here in the spring semester.

해석 **M** 마셜 교수님의 수업에서 낙제했어.
W 이런, 다음 학기에 다시 들을 거니?
M 다음 봄 학기나 되어야 그 수업이 열리기 때문에 다음 학기엔 듣지 못해.
W ____________________
(a) 나는 그 교수님의 강의를 잘 못 따라가겠어.
(b) 그러면, 교수님께 보충 시험을 부탁드려 보는 것은 어떨까?
(c) 다음 학기에 필수 과목을 들어야해.
(d) 나는 다음 봄 학기에는 여기에 있지 않을 거야.

어구 can't follow ~ ~을 이해하지 못하다, ~을 따라가지 못하다
make-up test 보충시험, 재시험
required course 필수 과목

해설 남자는 수업에서 낙제를 했고, 재수강도 당장은 하기 힘든 상황이므로, 개인적으로 교수님께 재시험을 부탁해 보라는 해결책이 제시된 (b)가 알맞은 답이 된다.

정답 (b)

10

W What brings you here today, Mr. Bryan?
M I have a rash all over my body.
W Have you eaten anything strange lately?
M ______________________

(a) I have an allergy to pork.
(b) It's never happened before.
(c) I had seafood for lunch yesterday.
(d) That's strange that I have no symptoms.

해석 W 브라이언씨, 어디가 불편해서 오셨나요?
M 울긋불긋한 발진이 온 몸에 났어요.
W 최근에 색다른 음식을 먹은 적이 있나요?
M ______________________

(a) 저는 돼지고기에 알레르기가 있습니다.
(b) 예전에는 이런 일이 없었는데요.
(c) 어제 점심으로 해산물을 먹었어요.
(d) 아무 증상이 없다니 이상하네요.

어구 rash 발진, 뾰루지
allergy 알레르기
cf. be allergic to ~ ~에 알레르기가 있다
pork 돼지고기
symptom 증상

해설 병원 상황에서 자주 볼 수 있는 대화이다. 의사의 마지막 질문은 최근 색다른 음식을 먹었는지 이므로, 이에 대해 남자는 확인을 해주어야 한다. 그러므로 해산물을 먹었다는 (c)가 정답이 된다. (a)는 돼지고기를 먹었다기보다는 자신의 체질에 대해서 말한 것이므로 정답이 되지 않고, 남자는 발진이 나는 증상이 있으므로 (d)도 오답이다.

정답 (c)

Tip 3 구어체 표현을 많이 알아두자 p.78

1 (a) 2 (b) 3 (b) 4 (c) 5 (a)
6 (b) 7 (b) 8 (a) 9 (b) 10 (b)

Part 1

1

W I'm so tired. I think I'll turn in early tonight.
M ______________________

(a) Sure, you should get up early tomorrow.
(b) Why don't we go to the gym?
(c) I am too tired. I could use a break.
(d) You are such an early bird.

해석 W 나 너무 피곤해. 오늘 일찍 자야겠어.
M ______________________

(a) 그래, 너 내일 일찍 일어나야 하잖아.
(b) 함께 헬스클럽에 갈래?
(c) 나 너무 피곤해. 좀 쉬어야겠어.
(d) 너는 정말 아침형 인간이구나.

어구 turn in 잠자리에 들다
could use~ ~필요하다
early bird 아침 형 인간
cf. night owl 늦게 자는 사람

해설 여자가 피곤해서 일찍 잠자리에 든다고 했으므로 동의를 해주는 (a)가 답이다. (c)는 여자가 피곤하다는 말의 응답이라기 보다는, 자신이 피곤하단 얘기만 했으므로 오답이다. 여자가 아침형 인간인지 아닌지는 알 수가 없고, 또한 일찍 잠자리에 든다고 꼭 일찍 일어나는 것은 아니므로 (d)도 답이 아니다. 이 문제에서 정답을 고르기 위해선 turn in, early bird 등의 구어체 표현을 알아야 한다.

정답 (a)

2

W I'll pick up the tab tonight.
M ______________________

(a) I'll pick you up in front of your building tonight.
(b) No, let's split the bill.
(c) Thank you for your concern.
(d) You helped me out last time.

해석 W 오늘은 내가 살게.
M ______________________

(a) 오늘 밤 너의 건물 앞으로 태우러 갈게.
(b) 아니야, 나눠서 내자.
(c) 염려해 주어서 고마워.
(d) 네가 지난번에 나를 도와 줬었잖아.

어구 pick up the tab 값을 지불하다, 계산하다
split the bill 나눠 내다
Thank you for your concern. 염려해 줘서 고맙습니다.

해설 여자가 계산을 하겠다고 제안했으므로, 남자는 이것에 대해 동의를 할지 말지 얘기해 주어야 한다. (b)에서처럼, 여자의 제안을 거절하며 나눠서 내자는 것이 자연스런 응답이 된다. (a)는 여자의 말에 pick up이 들어 있어서 그대로 반복하여 오답을 만든 것이고, (c)는 여자가 남자를 염려하지 않았으므로 정답이 될 수 없다. (d)는 오히려 여자가 해야 할 말이다. 도와준 사람이 계산까지 한다는 것은 논리적으로 맞지 않다. 이 문제에서는 pick up the tab과 split the bill 같은 관용 표현을 알고 있어야 정답을 고르기가 수월하다.

정답 (b)

3

W Wow, these shoes fit like a glove!
M ______________________

(a) Try them on first.
(b) I like the style and color.
(c) Then how about taking this glove?
(d) You already have a pair of gloves.

해석 **W** 와, 정말 이 신발이 딱 맞네.
M ______________________
(a) 일단 한번 신어봐.
(b) 스타일과 색깔이 맘에 들어.
(c) 그러면 이 장갑을 사는 게 어때?
(d) 너 이미 장갑이 있잖아.

어구 fit like a glove 꼭 맞다
try on 입어 보다

해설 여자가 신발 사이즈가 꼭 맞는다고 말했으므로, 이미 신발을 신어 봤음을 알 수 있다. 그러므로 (a)는 어색한 답변이 되고, (c)는 여자의 말에 glove가 들어 있기 때문에, 같은 단어를 넣어 오답을 만들었다. 여자는 지금 장갑을 사려는 것이 아니기 때문에 (d)도 정답이 될 수 없다. 정답은 여자에게 신발이 잘 맞을 뿐 아니라 스타일과 색깔도 좋다는 (b)가 된다.

정답 (b)

4

M So when will you two tie the knot?
W ______________________

(a) Next month you will see the results.
(b) We are going to Hawaii on our honeymoon.
(c) It'll be sometime soon.
(d) It's up to you.

해석 **M** 너희 둘 언제 결혼 할 거야?
W ______________________
(a) 다음 달에 결과를 볼 수 있을 거야.
(b) 우리는 하와이로 신혼여행을 가.
(c) 곧 할 거야.
(d) 너에게 달려 있지.

어구 tie the knot 결혼하다
be up to someone ~에게 달려 있다
honeymoon 신혼여행

해설 여자의 결혼할 시기를 묻고 있는데 정확한 시점은 아니지만 곧 할 거라는 (c)가 답이다. (a)에서 next month라는 미래 시점이 나온 것은 좋지만, 결혼을 어떤 결과라고 볼 수 없으므로 오답이다. (b)는 신혼 여행지를 물은 것이 아니므로 소거하며, 여자의 결혼 시기가 남자에게 달려있다는 것은 내용상 적합하지 않다. tie the knot의 의미를 알고 있는 것이 내용을 이해하는데 관건이다.

정답 (c)

5

W Oh, no. That singer really can't carry a tune.
M ______________________

(a) Is she really a singer?
(b) I don't think sounds carry clearly.
(c) I wish I could sing like that singer.
(d) I don't like this kind of music.

해석 **W** 오, 이런. 저 가수는 정말 음치야.
M ______________________
(a) 그녀는 정말 가수니?
(b) 음성이 깨끗하게 전달이 되지 않는 것 같아.
(c) 저 가수처럼 노래를 부를 수 있다면 얼마나 좋을까.
(d) 나는 이런 종류의 음악이 싫어.

어구 can't carry a tune 음치이다

해설 여자는 가수가 노래를 잘 부르지 못한다고 비난하는데, 이에 대해 남자가 맞장구를 쳐주는 (a)가 정답이다. 음성이 깨끗하게 전달되는 것과 음치와는 관련이 없으므로 (b)는 오답이다. (d)도 대화가 노래 장르에 대한 내용이 아니므로 정답이 될 수 없다.

정답 (a)

Part 2

6

W Have you got a minute?
M Sure. What's up?
W Can you give me a hand to move some boxes?
M ______________________

(a) I was glad I could help you out the other night.
(b) OK. Give me ten minutes.
(c) Then can you help me this Saturday?
(d) No problem. I am good at making boxes.

해석 **W** 시간 좀 있니?
M 당연하지. 무슨 일인데?
W 상자를 옮기는데 좀 도와줄 수 있니?
M ______________________

(a) 지난밤에 널 도울 수 있어서 기뻤어.
(b) 알았어. 10분만 기다려.
(c) 그렇다면 토요일에 날 도와줄 수 있니?
(d) 문제없어. 나는 상자를 잘 만들거든.

어구 **give someone a hand** ~를 돕다
be good at~ ~을 잘하다, ~을 능숙하게 하다

해설 여자는 남자에게 상자를 옮기는 것을 부탁하고 있으므로, 남자는 부탁을 들어주거나 거절할 수 있다. (a)는 시제가 맞지 않다. 여자는 도와줄 수 있냐고 묻고 있는데, 남자는 과거의 일을 얘기하고 있기 때문이다. 당장은 아니지만 10분 있다가 도와준다고 하는 (b)가 정답이다. (c)처럼 여자의 부탁에 대답하지 않고 자신이 되려 부탁을 하는 것은 어색하며, (d)는 No problem까지는 좋지만 상자를 만들어 달라고 한 것이 아니기 때문에 정답이 될 수 없다.

정답 (b)

7

W How much did you pay for a flight to Philadelphia?
M It was around $500 for a round trip.
W Really? I think the travel agency ripped you off.
M ______________________

(a) I can't put up with it any longer.
(b) It can't be. It was the best price I've seen.
(c) Don't worry. I can introduce you to a reliable travel agency.
(d) I need to confirm my ticket.

해석 **W** 필라델피아까지 항공료로 얼마를 지불했어?
M 왕복으로 500불 정도였어.
W 정말? 여행사가 바가지 씌운 것 같은데.
M ______________________

(a) 난 더 이상은 못 참아.
(b) 그럴 리 없어. 내가 본 요금 중 가장 저렴한 것이었어.
(c) 걱정 마. 내가 믿을만한 여행사를 소개시켜 줄게.
(d) 내 티켓을 확인해 봐야겠다.

어구 **rip somebody off** 바가지 씌우다
put up with 참다
round trip 왕복
cf. one way 편도
best price 가장 저렴한 가격
reliable 믿을 수 있는, 의지가 되는, 확실한

해설 항공 요금이 너무 비싸다고 말하는 여자의 말에 동의하지 않는 남자의 응답 (b)가 정답이다. (a)는 무엇을 참지 못하겠다는 것인지 알 수가 없고, (c)는 남자가 할 말이 아니라 여자가 할 말이며, (d)의 티켓을 확인해 보는 것과 요금과는 관련이 없는 이야기이다.

정답 (b)

8

W How's your biology class this semester?
M I think it's over my head.
W Don't worry. Just study as much as you can.
M ______________________

(a) That's easier said than done.
(b) I can't get it out of my head.
(c) I'll help you out tonight.
(d) Did you finish preparing for an exam?

해석 **W** 이번 학기에 생물학 수업은 어때?
M 너무 어려워.
W 걱정 마, 그냥 네가 할 수 있는 한 많이 공부해.
M ______________________

(a) 말이야 쉽지.
(b) 내 머릿속에서 떠나지 않아
(c) 오늘밤 내가 도와줄게.
(d) 너 시험 준비 끝냈니?

어구 **over my head** 이해하기에 너무 어려운
That's easier said than done. 말은 쉽다.
get it out of one's head 머릿속에 맴맴 돌다

해설 생물학 수업을 못 따라가는 남자를 여자가 위로해 주고 있다. 위로에 대해 잘 받아들이는 경우가 많지만, 이 문제처럼 말처럼 쉬운 게 아니라는 응답이 나올 수도 있다. 따라서 정답은 (a)이다. (b)는 오답이지만 중요한 표현이니 반드시 알아두어야 한다. (c)는 남자가 아니라 여자가 할 말이며, (d)는 시험 준비에 대한 얘기가 아니라 생물 수업에 대한 이야기이므로 오답이다.

정답 (a)

9

M Hey, Martha. I was about to call you.
W Really? What's up?
M Classmates from our history class are getting together tonight. Are you in?
W ______________________________

(a) Just thinking about history class is driving me crazy.
(b) Sorry, let me take a rain check on that.
(c) I am not on campus now.
(d) Sorry, I have some plans with my friend tomorrow.

해석 M 마싸, 너한테 전화 하려고 했었는데.
W 정말? 무슨 일인데?
M 역사 수업 듣는 친구들이 오늘 밤 모인데. 너도 올 거니?
W ______________________________

(a) 역사 수업 생각만 해도 미치겠어.
(b) 미안해. 다음에 갈게.
(c) 나 지금 학교에 있지 않아.
(d) 미안해. 내일 친구와 약속이 있어.

어구 be about to~ 막 ~하려 하다
get together 모이다
take a rain check 다음으로 미루다

해설 친구들의 모임에 올 수 있냐고 남자가 묻고 있으므로, 여자는 갈 수 있는지 없는지 응답을 해 주는 것이 좋다. (b)는 참석하지 못한다고 밝혀주는 것이므로 정답이 된다. take a rain check이란 표현은 상대방의 초대를 완곡하게 거절하는 구어 표현인데, 자주 출제되므로 외워 두자. 역사 수업이 힘든 것과 모임에 참석하는 것과는 관계가 없으므로 (a)는 정답이 될 수 없고, (c)는 여자가 학교에 있던 학교 밖에 있던 모임의 참석 여부와는 상관이 없으므로 오답이다. (d)는 자칫 속기 쉬운 보기인데, 남자가 오늘 밤에 모임이 있다고 했는데 내일 친구와 약속이 있는 것과는 관계가 없으므로 답이 될 수 없다.

정답 (b)

10

W What's wrong? You don't look like yourself.
M I have an audition this afternoon.
W Don't be nervous. Just be natural.
M ______________________________

(a) I heard you got a role in the school play.
(b) Keep your fingers crossed for me.
(c) I blew my audition.
(d) The audition isn't until tomorrow.

해석 W 무슨 일 있어? 너 답지 않아.
M 오늘 오후에 오디션이 있어.
W 긴장하지 마. 그냥 자연스럽게 해.
M ______________________________

(a) 네가 학교 연극에서 역할을 따냈다고 들었어.
(b) 나를 위해 행운을 빌어 줘.
(c) 나 오디션을 망쳤어.
(d) 오디션은 내일 이후에나 있어.

어구 role 역할, (연극 등에서의) 역
blow 실수하다, 실패하다
keep one's fingers crossed 행운을 빌어 주다

해설 여자는 오디션 때문에 긴장해 있는 남자에게 긴장하지 말고 자연스럽게 하라고 위로해 주고 있다. 이에 대해 오디션을 잘 볼 수 있게 행운을 빌어달라고 하는 남자의 응답 (b)가 답이다. Keep one's fingers crossed는 빈출 구어 표현이니 반드시 익혀 두자. (c)는 아직 오디션을 본 것이 아니므로 시제가 맞지 않고, (d)는 오디션은 오늘 오후에 있다고 말했는데, 내일 이후에나 오디션이 있다는 것은 일관적이지 못한 응답이다.

정답 (b)

Tip 4 의문사를 놓치지 말자 p.90

1 (d)	2 (a)	3 (c)	4 (a)	5 (d)
6 (b)	7 (d)	8 (b)	9 (d)	10 (a)

Part 1

1

M What time does the concert start on Sunday?
W ______________________________

(a) Did you ask Stephen?
(b) You should be on time.
(c) How did you forget?
(d) Around 3 p.m.

해석 M 일요일에 콘서트는 몇 시에 시작하니?
W ______________________________

(a) 스티븐에게 물어 봤니?
(b) 제 시간에 와야 해.
(c) 어떻게 잊어버릴 수가 있니?
(d) 3시 즈음에.

어구 on time 제시간에

해설 이 대화에서 놓치지 말아야 할 것은 남자의 what time이란 어구이다. 남자는 콘서트 시작 시간을 궁금해하고 있으므로 정답은 (d)가 된다. 남자가 시간을 잊어버렸다는 얘기는 없으므로 (c)는 정답이 될 수 없다.

정답 (d)

2

M What makes you want to be a teacher?
W ______________________

(a) I thought teaching was worthwhile.
(b) I will go to Teachers' college.
(c) I teach at Fairfax high school.
(d) My father is a former teacher.

해석 M 선생님이 되신 이유는 무엇인가요?
W ______________________
(a) 가르치는 일이 보람되다고 생각했어요.
(b) 저는 교육대학교를 갈 거예요.
(c) 저는 페어팩스 고등학교에서 가르치고 있어요.
(d) 저희 아버지는 전직 교사예요.

어구 worthwhile 보람 있는, 값진
Teacher's college 교육대학교
former 이전

해설 what makes~?는 what으로 물었지만 의미를 묻는 표현에 해당하므로, 여자는 자신이 왜 선생님이 되었는지 이유를 답해 주어야 한다. (c)는 남자가 어디서 근무를 하느냐고 물은 것이 아니므로 정답이 될 수 없고, (d)는 단순히 아버지의 예전 직업을 말한 것이므로 답이 아니다.

정답 (a)

3

M How often does the bus stop here on Sundays?
W ______________________

(a) It's quarter to five.
(b) I go to church every Sunday.
(c) Every half an hour.
(d) Take bus number 11 here.

해석 M 일요일에는 버스가 얼마 간격으로 오나요?
W ______________________
(a) 4시 45분입니다.
(b) 저는 매주 일요일에 교회에 갑니다.
(c) 매 30분마다 옵니다.
(d) 11번 버스를 타세요.

어구 quarter 4분의 1
half an hour 30분

해설 남자의 질문에서 놓치지 말아야 할 의문사는 how often이다. 얼마나 자주 버스가 오냐고 물었으므로, 30분마다 온다는 (c)가 정답이 된다. (a)는 현재의 시간을 가르쳐 주는 것이므로 정답이 되지 않는다.

정답 (c)

4

M Can you tell me where I can find room 309?
W ______________________

(a) Follow me. I'm on my way there.
(b) I'd rather take a subway.
(c) Where am I?
(d) Yes, I found it.

해석 M 309호는 어디 있는지 가르쳐 주시겠어요?
W ______________________
(a) 따라오세요. 제가 그 쪽으로 가는 길이에요.
(b) 저는 전철을 타겠어요.
(c) 제가 지금 어디 있는 거죠?
(d) 네, 찾았어요.

어구 on one's way ~로 가는 중

해설 Can you tell me~?라는 일반 의문문으로 시작하고 있지만, 중간의 where를 놓치면 안되겠다. 남자는 309호가 어디 있는지 묻고 있는데, 길을 구체적으로 설명해 주는 표현이 나올 수도 있겠지만, (a)처럼 직접 안내해 줄 수도 있으니 정답은 (a)가 된다. (b)는 남자가 교통수단을 물어 본 것이 아니므로 정답이 될 수 없다.

정답 (a)

5

W How many classes are you taking next semester?
M ______________________

(a) It's up to you.
(b) I'll be at my parents' house.
(c) I'm going to take Dr. Jason's class.
(d) As many as I can.

해석 W 다음 학기에 수업을 몇 개 들을 거니?
M ______________________
(a) 그것은 너에게 달렸어.
(b) 부모님 집에 있을 거야.
(c) 제이슨 교수님의 수업을 들을 거야.
(d) 내가 들을 수 있는 한 많이.

어구 It's up to you. 너에게 달렸어.

해설 여자의 말에서 how many를 반드시 들어야 한다. 여자는 남자가 수업을 몇 개 들을 지가 궁금하므로, 남자는 자신이 몇 과목을 들을 것인지 말해 주어야 한다. 그러나 특정한 숫자를 말하지 않고, 최대한 많이 듣겠다고 할 수도 있으므로 정답은 (d)가 된다. (a)에서 남자가 수업을 몇 개 들을 건지 여자가 결정한다는 것은 어색하고, 무슨 수업을 들을 거냐고 물은 것이 아니므로 (c)도 오답이다.

정답 (d)

Part 2

6

M Excuse me, I think I'm lost.
W Where are you going?
M How can I get to Connor's department store from here?
W ______________________________

(a) That store is very big, isn't it?
(b) You need to take the number 9 bus.
(c) It closes every Monday.
(d) That's right.

해석 **M** 실례합니다, 제가 길을 잃은 것 같은데요.
W 어디를 가려 하시죠?
M 코너스 백화점에 어떻게 가야 하나요?
W ______________________________

(a) 그 가게는 정말 크죠, 그렇죠?
(b) 9번 버스를 타셔야 해요.
(c) 월요일 마다 문을 닫아요.
(d) 맞아요.

어구 be lost 길을 잃다
department store 백화점

해설 남자는 How can I get to~?를 이용하여 길을 묻고 있으므로, 백화점을 찾아가는 정보를 주어야 한다. 그러므로 9번 버스를 타야한다는 (b)가 정답이 된다. (a)는 백화점의 크기를 말하고 있으므로 백화점을 찾아가는 것과는 동떨어지고, How can I get to~?에 대해서 That's right이라고는 대답할 수 없으므로 (d)도 정답이 아니다. (d)는 앞 사람의 말에 동의할 때 쓰는 말이다.

정답 (b)

7

W Hi, you are already here?
M Yeah. Good morning.
W Why are you so early today?
M ______________________________

(a) I must have dozed off.
(b) I found it hard to be on time every day.
(c) There's a time for everything.
(d) There was no traffic jam, strangely.

해석 **W** 안녕, 벌써 출근한 거야?
M 응, 좋은 아침이야.
W 오늘은 왜 이렇게 일찍 왔어?
M ______________________________

(a) 내가 졸았나봐.
(b) 매일 제 시간에 오는 것은 힘들어.
(c) 모든 것에는 때가 있는 법이야.
(d) 이상하게 차가 막히지 않더라고.

어구 doze off 졸다
There's a time for everything. 모든 것에는 때가 있는 법이야.
traffic jam 교통 체증

해설 여자가 남자에게 일찍 온 이유를 묻고 있으므로, 이유를 답해 주어야 한다. (a)의 졸았기 때문에 일찍 왔다는 것은 말이 되지 않고, (b)도 일찍 온 이유가 아니므로 정답이 될 수 없다. 오늘은 차가 막히지 않았다는 것은 남자가 회사에 일찍 오게 된 이유가 되므로 정답은 (d)가 된다.

정답 (d)

8

M I saw you at the park yesterday.
W Why didn't you say hello?
M You were on your cell phone. Who were you talking to?
W ______________________________

(a) The line is busy.
(b) It was my mother.
(c) I was out of town.
(d) I met Jane at the park.

해석 **M** 어제 공원에서 널 봤어.
W 왜 인사하지 않았어?
M 핸드폰으로 통화를 하고 있더라고, 누구랑 통화했니?
W ______________________________

(a) 통화중입니다.
(b) 엄마랑 통화했어.
(c) 난 부재중이었어.
(d) 공원에서 제인을 만났어.

어구 cell phone 핸드폰
The line is busy. 통화중입니다.
out of town 부재중, 출장 중, 도시를 떠나

해설 남자의 마지막 말에서 who를 근거로 응답을 골라야 한다. 남자는 여자가 어제 공원에서 핸드폰으로 누구와 통화했는지 알고 싶으므로, '누구'에 해당하는 '엄마'가 언급된 (b)가 정답이 된다. (d)는 Jane이라는 '누구'에 해당하는 사람이 등장했지만, 남자가 공원에서 누구를 만났냐고 물은 것이 아니므로 정답이 될 수 없다.

정답 (b)

9

W Would you like some tea and cake for dessert?
M That sounds great. I'll take just one slice.
W What kind of tea would you prefer with your cake?
M ______________________________

(a) I prefer it gift-wrapped.
(b) You are so kind.
(c) I'll have the cheese cake, please.
(d) Green tea will be great, thank you.

해석 **W** 디저트로 차와 케익을 먹을래?
M 좋아. 나는 한 조각만 먹을게.
W 케익이랑 함께 어떤 차를 줄까?
M ______________________________
(a) 선물 포장을 해주세요.
(b) 너는 정말 친절하구나.
(c) 나는 치즈 케익을 먹을게.
(d) 녹차가 좋겠어, 고마워.

어구 **wrap** 포장하다, 싸다
slice 조각

해설 여자는 남자에게 What kind of tea~?라고 물었으므로, 남자는 차의 종류를 답해 주어야 한다. 그러므로 녹차가 언급된 (d)가 정답이다. (b)는 완전히 어울리지 않는 말은 아니지만, 여자가 궁금한 차의 종류를 언급하지 않았으므로 정답으로 좋지 않다. 차의 종류를 말하고 '너는 정말 친절하구나'라고 말했다면 정답이 된다.

정답 (d)

10

W Excuse me, can you tell me where the closest pharmacy is?
M There's one on the next block but I think it's closed.
W Well, where's the next closest one?
M ______________________________

(a) Go straight 3 blocks and make a left.
(b) It is open 9 to 10 every day.
(c) Next stop is Central station.
(d) Please close the window before you leave.

해석 **W** 실례합니다. 가장 가까운 약국이 어디 있죠?
M 다음 블럭에 하나 있는데, 지금 문을 닫았을 거예요.
W 그러면 그 다음으로 가까운 약국은 어디 있죠?
M ______________________________
(a) 세 블럭을 쭉 직진하시다가, 좌회전하세요.
(b) 매일 9시에서 10시까지 엽니다.
(c) 다음 정거장은 중앙역입니다.
(d) 떠나기 전에 창문을 닫아 주세요.

어구 **pharmacy** 약국
cf. pharmacist 약사

해설 남자는 두 번째로 가까운 약국을 묻고 있으므로, 약국의 위치를 말해 주어야 한다. 그러므로 정답은 (a)가 된다. 약국의 영업시간을 물어 본 것이 아니므로 (b)는 답이 될 수 없다.

정답 (a)

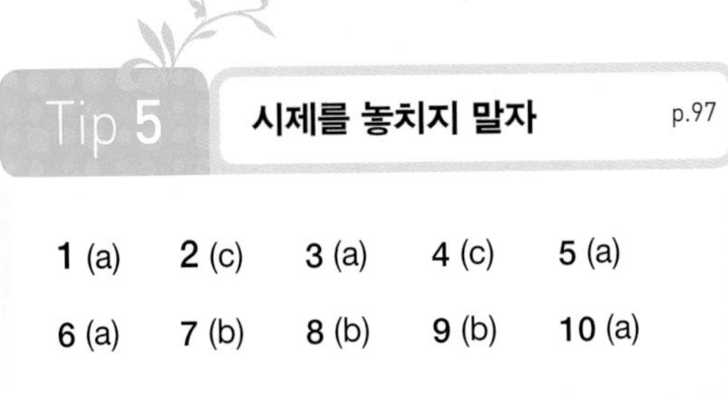

Tip 5 시제를 놓치지 말자

p.97

1 (a) **2** (c) **3** (a) **4** (c) **5** (a)
6 (a) **7** (b) **8** (b) **9** (b) **10** (a)

Part 1

1

W It's nearly 7 p.m., so let's hurry up.
M ______________________________

(a) OK. Let me just wrap it up.
(b) Oh, no. It's already past 7.
(c) I wasn't in a rush.
(d) I was busy doing my homework.

해석 **W** 거의 7시야. 빨리 서두르자.
M ______________________________
(a) 알았어. 이것만 마무리하고.
(b) 안 돼. 7시가 지났잖아.
(c) 나는 바쁘지 않아.
(d) 나는 숙제를 하느라 바빴어.

어구 **hurry up** 서두르다
wrap up 정리하다

해설 여자는 빨리 서두르자고 했으므로 시제를 파악하자면, 현재이지만 미래 지향적이라고 볼 수 있다. 여자의 제안에 알았다고 하며 받아들이는 (a)가 정답이 된다. (b)는 아직 7시가 되지 않았으므로, 7시가 지났다는 것은 시제가 맞지 않으므로 정답이 될 수 없다.

정답 (a)

2

M How long did you stay?

W ______________________

(a) I'll be there next week.
(b) I'm planning to stay for a day.
(c) For about two weeks.
(d) It's been a long time.

해석 M 얼마나 오래 머물렀어요?

W ______________________

(a) 저는 다음 주에 그곳에 있을 거에요.
(b) 하루 동안 있을 계획이에요.
(c) 2주 정도요.
(d) 오래 됐네요.

해설 남자는 여자에게 얼마나 오래 머물렀었냐고 지난 일을 묻고 있으므로, 과거의 일에 대한 대답이 나와야 할 것이다. (a)는 다음 주에 그곳에 있을 거라고 미래의 자신의 계획을 밝히고 있으므로 정답이 될 수 없으며, (b)도 하루 동안 있을 거라고 했으므로 시제가 맞지 않다. (c)에서 2주 정도라고 하는 것은 시제에 상관없이 기간만 밝혀 주는 것이므로 정답이 될 수 있다. (d)는 무엇인가가 오래되었다는 의미이므로 소거한다.

정답 (c)

3

W Let's stop and get coffee on the way home.

M ______________________

(a) Why not? I'd love to.
(b) Why don't you stop?
(c) Our place is just around the corner.
(d) You are at home now.

해석 W 집에 가는 길에 커피 한 잔 마시자.

M ______________________

(a) 왜 안되겠어. 그러자.
(b) 그만하는 게 어떻겠니?
(c) 우리 집은 바로 저기야.
(d) 너 집에 있구나.

어구 on one's way ~가는 길에
around the corner 가까운

해설 남자가 집에 가는 길에 커피를 마시자고 제안했으므로, 여자는 수락이나 거절의 의사를 밝혀 주는 것이 좋다. 그러므로 수락의 표현이 (a)가 정답이 된다. 여자는 집에 가는 길에 커피를 마시자고 했으므로, 집이 아니라는 것을 알 수 있으므로 (d)는 정답이 될 수 없다.

정답 (a)

4

M I shouldn't have eaten so much at the buffet.

W ______________________

(a) What's your favorite dish?
(b) Let's eat out someday.
(c) Same here.
(d) What would you like to have?

해석 M 뷔페에서 너무 많이 먹지 말았어야 했어.

W ______________________

(a) 좋아하는 음식이 뭐니?
(b) 언제 외식 하자.
(c) 나도 그래.
(d) 무엇을 먹고 싶니?

어구 dish 음식
eat out 외식하다
Same here. 나도 그래, 나도 동의해.

해설 남자는 뷔페에서 너무 많이 먹은 것을 후회하고 있다. 그것에 대해 여자도 후회한다는 (c)가 정답이다. 후회라는 것은 과거에 했던 일이므로, 이미 많이 먹고 난 상황임을 알 수 있다. 이것에 대해서 (d)처럼 무엇을 먹고 싶냐고 물어보는 것은 시제가 맞지 않는다.

정답 (c)

5

M Hey, Sarah, what's happening?

W Oh, nothing much. I'm just going to get some dinner.

M Already? Isn't it a little early?

W ______________________

(a) Well, not for me.
(b) I'm not hungry.
(c) Dinner is ready.
(d) I had it already.

해석 M 안녕, 새라. 뭐해?

W 별일 없어. 그냥 저녁이나 먹으려고.

M 벌써? 너무 이른 거 아니니?

W ______________________

(a) 글쎄, 나에겐 아니야.
(b) 난 배고프지 않아.
(c) 저녁이 준비 되었어.
(d) 난 이미 먹었어.

어구 nothing much 별일 없어, 별거 없어

해설 남자가 여자에게 저녁 먹기에 시간이 너무 이른 게 아니냐고 물었으므로 (a)처럼 자신에겐 이른 것이 아니라고 하는 게 정답이 된다. 여자는 아직 저녁을 먹지 않았으므로 (d)는 정답이 될 수 없고, 저녁이 준비되었다고 가르쳐 주는 (c)도 어색한 응답이다.

정답 (a)

Part 2

6

W What should I do about my car accident?
M Tell me what happened.
W I rear-ended another car yesterday.
M ______________________

(a) Oh, gosh. Did anybody get hurt?
(b) It's a relief that nobody got hurt.
(c) Are you at the accident?
(d) Look both ways before crossing the road.

해석 **W** 차 사고에 대해서 어떻게 해야 하나요?
M 어떻게 일어났는지 말씀해 보세요.
W 어제 다른 차를 들이 받았어요.
M ______________________

(a) 이런, 사람이 다쳤나요?
(b) 아무도 다치지 않았다니 다행이네요.
(c) 지금 사고 현장에 계신가요?
(d) 길을 건널 땐 양쪽을 다 보세요.

어구 get hurt 다치다
rear-end 차를 뒤에서 들이 받다

해설 여자가 다른 차를 뒤에서 받았다고 했으므로, 사람이 다쳤냐고 물어보는 (a)가 가장 밀접한 응답이 된다. 여자가 사람이 다치지 않았다고 말하지 않았는데, 남자가 (b)처럼 대답하는 것은 어색하다. 여자의 사고는 어제 일어났으므로 (c)도 정답이 될 수 없다.

정답 (a)

7

M When are you available to work on our project?
W Anytime after 7 p.m. this weekend is good for me.
M I'm busy this weekend. How's Monday morning for you?
W ______________________

(a) Good morning.
(b) Let me see. Sounds OK.
(c) My hands are full.
(d) I was busy on Monday.

해석 **M** 우리 프로젝트 하는데 언제 시간이 되세요?
W 이번 주말 저녁 7시 이후면 다 좋아요.
M 저는 주말에 바쁜데, 월요일 아침은 어때요?
W ______________________

(a) 좋은 아침이에요.
(b) 한번 보죠, 괜찮네요.
(c) 저는 바빠요.
(d) 월요일엔 바빴어요.

어구 My hands are full. 바빠요.

해설 스케줄을 정하고 있는 상황이다. 남자가 월요일 아침이 어떠냐고 물었으므로, 여자는 월요일에 나올 수 있는지 없는지 말을 해 주어야 한다. (a)는 남자의 마지막 말에서 morning을 넣어서 오답을 만든 것이고, (b)는 남자의 제안을 받아들이는 것이므로 정답이다. 남자는 다음 주 월요일을 물어보는 것이므로 과거 시제인 (d)로 대답을 할 수 없다.

정답 (b)

8

W How did your audition go?
M I was so nervous but I think I did alright.
W When will you find out the results?
M ______________________

(a) You'll never know.
(b) I'm not sure.
(c) They'll post it on the web.
(d) It was last month.

해석 **W** 오디션은 어떻게 됐니?
M 많이 떨렸지만, 괜찮게 한 거 같아.
W 결과는 언제 나오니?
M ______________________

(a) 너는 절대로 알 수가 없을 거야.
(b) 잘 모르겠어.
(c) 그들이 인터넷에 올릴 거야.
(d) 지난달이었어.

어구 audition 오디션

해설 여자는 남자에게 오디션 결과가 언제 나오는지 묻고 있다. when으로 시작하는 의문문은 시제 파악이 특히 중요하다. 오디션 결과는 앞으로 나올 것이므로 미래의 일을 묻는 것이다. 이것에 대해 미래의 시점이 나올 수도 있지만, (b)처럼 결과가 언제 나올지 모를 수도 있으므로, (b)가 정답이 된다. (d)는 시제가 맞지 않으므로 정답이 될 수 없다.

정답 (b)

9

M I'm going to the store soon. Do you need anything?
W I stopped by yesterday so I don't think so.
M Did you get any dog food?
W ______________________

(a) I am going grocery shopping.
(b) No, I completely forgot.
(c) Yes, I see.
(d) Yes, I have two dogs.

해석 **M** 난 가게에 갈 거야. 필요한 거 있니?
W 어제 들렀어. 그래서 별로 필요한 게 없는데.
M 개 사료는 샀니?
W ______________________

(a) 식료품 사러 갈 거야.
(b) 아니, 완전히 잊어버렸네.
(c) 그래, 알았어.
(d) 응, 나는 개가 두 마리가 있어.

어구 grocery shopping 식료품 사기

해설 남자는 여자에게 개 사료를 샀냐고 확인하는 것이므로, 여자는 개 사료를 샀는지 안 샀는지 확인해 주어야 하므로 정답은 (b)가 된다. 여자는 가게에 어제 갔다 왔고, 필요한 게 없다고 처음에 말했으므로 (a)는 정답이 될 수 없다. (c)는 상대방의 말에 '알겠다'라고 이해했음을 표시하는 말이므로 정답이 될 수 없다.

정답 (b)

10

W When are you going to the beach?
M Sometime this weekend, depending on the weather.
W But there might be showers on and off all weekend.
M ______________________

(a) I hope not.
(b) It's pouring outside.
(c) Every cloud has a silver lining.
(d) I'll take a bus instead.

해석 **W** 해변에 언제 갈 거야?
M 이번 주말 쯤, 날씨에 따라서.
W 주말 내내 비가 오다 그치다 할 거래.
M ______________________

(a) 그러지 않았으면 좋겠다.
(b) 밖에 비가 엄청 와.
(c) 쥐구멍에도 볕 들 날이 있다.
(d) 나는 대신 버스를 탈래.

어구 depending on ~에 따라서
Every cloud has a silver lining. 쥐구멍에도 볕 들 날이 있다.
shower 소나기, 갑자기 쏟아지는 비
pour 비가 쏟아지다

해설 남자의 주말에 해변에 갈 계획이다. 그러나 여자는 비가 올 거라고 알려 주고 있으므로, 비가 안 왔으면 좋겠다는 남자의 말 (a)가 정답이다. 여자가 주말에 비가 온다고 했으므로, 지금 비가 오고 있다는 (b)는 논리적으로 밀접하지 않다. 예를 들어, "거긴 날씨가 어떠니?"라고 물었는데 "비가 엄청와"라고 답하면 긴밀한 관계를 가진 응답이 될 것이다. 비가 오는 것과 버스를 타는 것도 역시 관계가 없으므로 (d)도 오답이다.

정답 (a)

Tip 6 주체가 바뀌는 것을 조심하자

p.104

1 (a) **2** (c) **3** (d) **4** (b) **5** (b)
6 (c) **7** (b) **8** (a) **9** (b) **10** (b)

Part 1

1

M Why didn't you come to class today? There was a pop quiz.
W ______________________

(a) Oh, no! I hope I can make it up.
(b) Thank you for the useful information.
(c) Can you remind me later?
(d) Class attendance is mandatory.

해석 **M** 너 오늘 수업에 왜 안 왔니? 쪽지 시험이 있었어.
W ______________________

(a) 오, 이런! 만회할 수 있었으면 좋겠다.
(b) 유용한 정보 고마워.
(c) 나중에 다시 생각나게 해줄래?
(d) 출석은 반드시 해야 하는 거야.

어구 pop quiz (불시에 보는) 쪽지 시험
make up 만회하다, 보충하다
remind 상기 시키다
class attendance 출석
mandatory 강제의, 의무의

해설 여자는 수업에 나오지 않아 수업을 빼먹게 되었다. 그러므로 자신이 놓친 시험에 대해서 만회할 수 있으면 좋겠다는 바람을 나타낸 (a)가 정답이 된다. 남자가 쪽지 시험을 봤다는 것을 말해주는 것을 유용한 정보 제공이라고 보기 힘드므로 (b)는 어색한 응답이 되며, 여자가 수업을 빼먹었는데 출석은 반드시 해야 한다고 충고하는 (d)는 어울리지 않는다. 남자가 해야 할 말이므로 (d)는 정답이 될 수 없다.

정답 (a)

2

W Can you help me rearrange the furniture in the office?

M ______________________

(a) Where did you get the furniture?
(b) I'm going back to the office.
(c) OK. Give me just five minutes.
(d) Thank you for helping me out.

해석 W 사무실 가구를 재배치하는데 도와줄 수 있니?
M ______________________
(a) 이 가구들 어디서 샀니?
(b) 사무실로 돌아갈 거야.
(c) 알았어. 5분만 시간을 줘.
(d) 도와줘서 고마워.

어구 rearrange 다시 정리하다

해설 여자가 남자에게 가구 재배치하는데 도움을 청하고 있다. 그러므로 부탁을 들어주는 (c)가 정답이 된다. (d)는 도움을 주는 사람이 할 수 없는 말이므로 정답이 될 수 없다.

정답 (c)

3

M I'd like to make a reservation for this Sunday at 8 p.m.

W ______________________

(a) Let me confirm your reservation.
(b) Do you have any vacant rooms?
(c) I go to church every Sunday.
(d) Sure. Can you hold on a second?

해석 M 이번 일요일 8시로 예약을 하고 싶습니다.
W ______________________
(a) 예약을 확인해 드리죠.
(b) 빈 방이 있습니까?
(c) 저는 매주 일요일에 교회에 갑니다.
(d) 네, 잠깐만 기다려 주시겠어요?

어구 make a reservation 예약을 하다
confirm a reservation 예약을 확인하다
vacant 빈

해설 남자가 예약을 하고 있는 상황이다. 예약을 하고 싶다고 했으므로, 잠깐 기다리라는 (d)가 정답이 된다. 남자는 아직 예약을 하지 않았으므로, 예약을 확인해 준다는 (a)는 정답이 될 수 없다. (b)는 예약을 받는 사람이 할 수 없는 말이다. 그러므로 정답이 될 수 없다.

정답 (d)

4

W That model is out of my price range. Do you have anything cheaper?

M ______________________

(a) I'm just looking around.
(b) Let me show you another one.
(c) This is exactly what I'm looking for.
(d) This model is out of date.

해석 W 그 모델은 제 예산에 초과되네요. 저렴한 것이 있나요?
M ______________________
(a) 저는 그냥 구경하는 거에요.
(b) 다른 것을 보여 드리죠.
(c) 그게 바로 제가 찾던 것이에요.
(d) 그 모델은 구식이네요.

어구 out of one's price range ~의 가격대에서 벗어난, 예산을 초과한
out of date 구식의, 시대에 뒤떨어진

해설 손님인 여자는 더 저렴한 것을 찾고 있으므로, 이것에 대한 상점 직원의 응답으로 다른 것을 보여준다는 (b)가 적절한 응답이다. 남자는 상점 직원인데 상점 직원이 (a)나 (c)로는 대답할 수가 없을 것이다. 이렇게 화자의 입장을 잘 정리 해 두면 혼동하지 않고 정답을 찾을 수 있다.

정답 (b)

5

M Have you packed everything you need for the cruise?

W ______________________

(a) The cruise ship will arrive soon.
(b) I think so.
(c) Don't forget your shorts.
(d) This is everything I got.

해석 M 유람선 여행에 필요한 것은 다 챙겼니?
W ______________________
(a) 유람선이 금방 도착할 거야.
(b) 그런 것 같아.
(c) 반바지 챙기는 거 있지 마.
(d) 이게 내가 가진 전부야.

어구 pack (짐 등을) 꾸리다
cruise 순항, 유람선을 타고 하는 여행
shorts 반바지

해설 남자는 여자가 짐을 다 챙겼는지 확인하고 있으므로, 다 챙긴 것 같다는 (b)가 정답이 된다. (a)는 cruise라는 단어를 반복시켜서 오답을 만든 것이며, (c)는 여자가 아니라 남자가 할 말이다.

정답 (b)

Part 2

6

W I'm so sorry. I broke another plate today.
M Again? Why do you keep doing that?
W I guess I'm all thumbs.
M ______________________

(a) I hate washing dishes.
(b) Sorry to keep doing it.
(c) You should be careful.
(d) It won't happen again.

해석 **W** 미안해. 내가 오늘 또 접시를 깼어.
M 또? 왜 계속 그러니?
W 나는 서투른 것 같아.
M ______________________

(a) 설거지하기 싫어.
(b) 계속 이것을 하게 해서 미안해.
(c) 조심 좀 해.
(d) 이런 일이 없도록 할게.

어구 all thumbs 서투른, 손재주가 없는
It won't happen again. (사과를 하며, 용서를 빌며) 다시는 이런 일이 없도록 하겠어요.

해설 여자는 접시를 깼고 남자에게 미안한 상황이다. 여자가 자신이 서툴러서 그랬다고 했으므로 주의하라는 (c)가 정답이 된다. 여자가 미안해하는 상황이고, 남자는 사과를 받거나 꾸짖어야 한다는 입장을 잘 정리해 두어야 혼동하지 않을 수 있다. 남자가 설거지를 하는 상황이 아니었으므로 (a)는 정답이 될 수 없고, 남자가 잘못한 게 아니므로 (d)도 답이 아니다. (d)는 여자가 할 말이다.

정답 (c)

7

M Dolphin Hotel, how can I help you?
W I'd like to make a reservation for June 29th.
M Would you like a single or double?
W ______________________

(a) We are all booked up.
(b) Double, please.
(c) I am getting married.
(d) Mind your business.

해석 **M** 돌핀 호텔입니다, 어떻게 도와드릴까요?
W 6월 29일로 예약을 하고 싶습니다.
M 1인실로 해드릴까요, 2인실로 해드릴까요?
W ______________________

(a) 예약이 꽉 찼습니다.
(b) 2인실로 해주세요.
(c) 저 결혼해요.
(d) 당신의 일이나 신경 쓰세요.

어구 be booked up (예약 등이) 꽉 차다
get married 결혼하다
single 혼자의, 독신의

해설 호텔 직원인 남자가 손님인 여자에게 1인실 방을 원하는지 2인실 방을 원하는지를 묻고 있다. 선택 의문문으로 두 가지 선택 중 하나를 선택하는 경우나 제3의 답변이 나올 수 있다. 이 문제에서는 2인실을 선택하는 (b)가 정답이다. (a)는 호텔 직원이 할 수 있는 말로, 손님인 여자가 할 수 없는 말이다. (c)는 single or married(미혼인지 기혼인지)로 착각 했을 때 고를 수 있는 오답이다.

정답 (b)

8

W How did your yearly checkup go?
M My doctor told me I need to lose some weight but otherwise I'm fine.
W I need to lose weight, too. Maybe we can work out together.
M ______________________

(a) That sounds terrific.
(b) You should get a medical checkup.
(c) Maybe we can hang out sometime.
(d) The doctor's office is downtown.

해석 **W** 정기 검진은 어떻게 됐어?
M 의사선생님이 체중을 줄여야 한다고 했지만, 괜찮대.
W 나도 살을 빼야해. 함께 운동 하자.
M ______________________

(a) 그거 좋은데.
(b) 너는 건강 검진을 받아야해.
(c) 언제 한번 보자.
(d) 병원은 시내에에 있어.

어구 checkup 건강 진단, 정밀 검사
lose weight 체중을 줄이다, 살을 빼다
hang out 어울려 놀다
work out 운동 하다
doctor's office 병원

해설 남자의 건강 검진 결과에 대해서 이야기를 하고 있다. 여자의 마지막 말에 집중해야 하는데, 함께 운동을 하자고 제안 했으므로 남자는 받아들이거나 거절을 해야 하겠다. 그러므로 수락을 하는 (a)가 정답이 된다. 남자는 이미 건강 검진을 받았는데 건강 검진을 받아보라고 하는 (b)는 정답이 될 수 없다. 여자는 운동을 하자고 했지 어울려 놀자고 한 게 아니므로 (c)도 오답이다.

정답 (a)

9

M What do you want to eat for dinner tonight?
W Let's go to that new Italian restaurant down the street.
M But we had Italian for lunch the other day.
W ______________________

(a) How about Italian?
(b) Then what would you like to have?
(c) He is an Italian.
(d) I'm tired of having Italian.

해석 M 오늘 저녁에 무엇을 먹고 싶니?
W 이 길 아래쪽에 새로 생긴 이태리 식당에 가보자.
M 그렇지만 저번에도 점심에 이태리 음식을 먹었잖아.
W ______________________

(a) 그렇다면, 이태리 음식은 어떠니?
(b) 그렇다면 무엇을 먹고 싶니?
(c) 그는 이태리 사람이야.
(d) 나는 이태리 음식이 지겨워.

어구 the other day 일전에, 예전에
be tired of something ~에 질리다, ~가 지겹다

해설 화자들은 저녁 식사로 무엇을 먹을까에 대해서 이야기 하고 있다. 여자와 남자의 입장을 잘 정리해 보자. 여자는 이태리 음식을 먹고 싶어 하고, 남자는 이태리 음식을 지난번에 먹었다는 이유로 달갑게 생각하지 않고 있다. 그러므로 이태리 음식을 먹고 싶어하지 않는 남자의 의견에 여자는 그렇다면 이태리 음식 말고 무엇을 먹고 싶냐고 묻는 (b)가 정답이 될 것이다. 여자는 이태리 음식을 먹고 싶어하는 입장이므로 (d)는 정답이 될 수 없다.

정답 (b)

10

M I'm in such a bad mood today.
W Yeah, I noticed. What's wrong?
M My neighbors kept me awake until 2 a.m. with their loud music.
W ______________________

(a) So you woke up early in the morning.
(b) That would be so annoying.
(c) I complained to them several times.
(d) I went to a party the other night.

해석 M 오늘 기분이 좋지 않아.
W 그래, 그런 것 같아. 왜 그래?
M 이웃이 음악을 크게 틀어 놓아서 2시까지 깨어 있었어.
W ______________________

(a) 그래서 아침에 일찍 일어났니?
(b) 그것 참 짜증나는 일이네.
(c) 내가 그들에게 여러 번 불평을 했어.
(d) 나는 얼마 전 밤에 파티에 갔었어.

어구 in a bad mood 기분이 좋지 않은
cf. in a good (great) mood 기분이 좋은
the other night 얼마 전 밤에
That would be so annoying. 참 짜증나겠다.

해설 남자는 자신의 이웃에 대해 불평을 하고 있다. 이웃에 대한 불평은 TEPS 청해에 빈출하는 내용이니 잘 알아두자. 남자는 결국 이웃의 큰 음악소리 때문에 늦게까지 잠을 못 이루었다고 했으므로 (a)는 논리적으로 어색하다. 늦게 잤다면 늦게 일어나기 쉽기 때문이다. (b)는 남자에게 불쾌한 일이 일어났으므로 짜증이 나는 일이라고 맞장구 쳐주는 올바른 응답이다. 남자의 이웃이 시끄러웠는데 여자가 불평을 한다는 것은 어색한 응답이므로 (c)는 정답이 될 수 없다.

정답 (b)

Part 2

Tip 1 첫 두 문장에서 대화의 상황을 파악하자 p.113

1 (c) 2 (a) 3 (a) 4 (c) 5 (d)

1

M What makes you so happy?
W Guess what! I got accepted into law school!
M Congratulations! Good for you.
W ______________________

(a) There's a requisite for admission.
(b) You have to admit it.
(c) Thanks, I am so excited.
(d) I will fly to New York.

해석 M 왜 그렇게 기분이 좋니?
W 맞춰 봐! 나 법대에 합격했어.
M 축하해! 잘됐다.
W ______________________

(a) 합격을 위한 필수 요건이 있어.
(b) 너는 인정을 해야 해.
(c) 고마워, 정말 신나.
(d) 나는 비행기타고 뉴욕에 갈 거야.

어구 requisite 필수 요건
get accepted into ~ ~에 합격하다
law school 법대

Good for you. 잘됐다.
admit 인정하다
fly 비행기 타다 *cf.* fly-flew-flown

해설 남자의 첫 마디에서 여자에게 좋은 일이 생겼다는 것을 알 수 있다. 여자에게는 법대 합격이라는 좋은 일이 생겼고, 그렇다면 남자는 여자에게 축하를 해주기 쉽다. 남자가 축하를 해 주었으므로, 여자는 고맙다고 응답을 해야 할 것이다. 그러므로 정답은 (c)가 된다. 여자는 이미 합격을 했으므로, 합격에 필요한 필수 요소가 있다고 말해주는 것은 시기상 적절치 않으며, (b)는 상대방이 잘못 혹은 실수 등을 했을 때 인정을 해야 한다고 말하는 것이므로 이 대화의 상황에 어울리지 않는다.

정답 (c)

2

W I'm so depressed today.
M What seems to be the problem?
W I don't know how I'm going to pay my tuition.
M ____________________

(a) How about taking out a student loan?
(b) I paid my tuition every semester.
(c) Did you miss the deadline?
(d) You can pay it at the registrar's office.

해석 **W** 나는 오늘 너무 우울해.
M 무엇이 문제인데?
W 등록금을 어떻게 내야 할지 모르겠어.
M ____________________

(a) 학생 대출을 신청해 보는 건 어때?
(b) 나는 매 학기 등록금을 냈어.
(c) 기한일을 놓쳤니?
(d) 학적과에서 등록금을 낼 수 있어.

어구 take out a loan 대출을 하다
registrar's office 학적과

해설 여자의 첫 마디에서 여자에게 문제가 있음을 알 수 있다. 여자의 문제가 무엇인지 재빨리 파악하자. 여자는 마지막에서 등록금을 해결하지 못하는 고민을 털어 놓았으므로, 이 고민에 대한 해결책이 될 수 있는 (a)가 정답이 된다. (b)는 여자가 등록금을 어떻게 내야 할지 모르겠다는 것에 자신은 항상 등록금을 낸다는 것은 관련이 없는 응답이다. 여자가 등록금을 어디서 내야 하는지 물은 것이 아니므로 (d)도 정답이 될 수 없다.

정답 (a)

3

M My back has been hurting so much recently.
W What happened to you?
M I got into a car accident last weekend.
W ____________________

(a) That's awful.
(b) Best of luck.
(c) You are lucky.
(d) What a relief!

해석 **M** 요즘에 허리가 너무 아파.
W 무슨 일이 있었는데?
M 지난 주말에 차 사고가 났었어.
W ____________________

(a) 끔찍해라.
(b) 잘 되길 바래.
(c) 너는 운이 좋구나.
(d) 안심이다.

어구 back 등, 허리
That's awful. 끔찍해라.
Best of luck 행운을 빌어
What a relief! 안심이다.

해설 남자가 차 사고가 났었다고 얘기했으므로, 상대에게 좋지 않은 일이 일어났을 때 하는 전형적인 응답 (a)가 정답이다. (b)는 상대가 행운이 따라야 하는 큰 일을 앞뒀을 때 행운을 빈다는 의미로 쓰이는 말이므로 이 상황에 맞지 않다. 남자가 만약에 차 사고가 났지만 다치지 않았다고 말했으면 (d)가 정답이 될 수 있지만, 지금 남자는 허리가 아픈 상황이므로 (d)는 답이 될 수 없다.

정답 (a)

4

W Why are you so down in the dumps?
M My girlfriend broke up with me last night.
W Cheer up, there are plenty of fish in the sea.
M ____________________

(a) But I'd rather stay home.
(b) You like going fishing, don't you?
(c) But it's not such a simple matter.
(d) You will get over it eventually.

해석 **W** 왜 그렇게 우울하니?
M 어제 밤에 여자 친구와 헤어졌어.
W 기운 내, 세상에 여자는 많잖아.
M ____________________

(a) 나는 차라리 집에 있겠어.
(b) 너 낚시 좋아하지, 그렇지?
(c) 그렇지만 그렇게 간단한 문제가 아니야.
(d) 시간이 지나면 잊게 될 거야.

어구 down in the dumps 우울한
break up (이성간에) 헤어지다
cheer up 기운 내다
There are plenty of fish in the sea. (주로 이별을 한 사람에게 위로하며) 세상에 여자[남자]는 많잖아.
get over 극복하다, (이별을 하고) 상대를 잊다

해설 여자의 첫 마디에서 남자에게 우울한 일이 생겼음을 알 수 있다. 남자는 여자 친구와 헤어진 슬픈 일이 있었고, 여자는 그에 대해 위로를 해 주고 있다. 위로를 해주면 고맙다고 받아들이는 경우가 많지만, 이 문제에서처럼 위로에 대해 100% 수긍하지 않는 경우도 있을 수 있다. 따라서 (c)가 정답이 된다.

정답 (c)

5

M I really dislike going to big parties.
W Why? It's a great opportunity to meet new people.
M I get so nervous and I feel very uncomfortable.
W ______________________________

(a) I don't like them, either.
(b) Don't be a stranger.
(c) I am going to throw a party.
(d) I guess you are not that sociable.

해석 M 나는 큰 파티에 가는 것이 싫어.
W 왜? 새로운 사람들을 만나는 좋은 기회가 되잖아.
M 긴장이 되고 마음이 불편해서 말이야.
W ______________________________

(a) 나 또한 그들이 싫어.
(b) 자주 만납시다.
(c) 파티를 열거야.
(d) 내 생각에 넌 사교적이진 않구나.

어구 dislike 싫어하다
Don't be a stranger. 자주 만나자.
throw a party 파티를 열다
sociable 사교적인

해설 남자는 큰 파티에 가는 것이 싫다고 대화를 시작하고 있다. 결국 파티에서 사람들을 만나는 게 불편하다고 끝을 맺고 있으므로, 남자는 사교적인 성격이 아니라고 말해주는 (d)가 정답이 된다. 새로운 사람을 만나는 게 긴장되고 불편하다면 사교적이지 않은 성격이라고 말할 수 있다. (b)는 헤어지면서 주로 하는 관용구이므로 잘 외워두자. 남자가 새로운 사람을 만나는 게 불편하다는 것에 대해 (c)처럼 자신이 파티를 열거라는 계획을 밝혀 주는 것은 아무런 상관이 없다.

정답 (d)

Tip 2 마지막 화자의 말에 중심을 두자

p.117

1 (b) 2 (b) 3 (c) 4 (b) 5 (d)

1

M This biology class is really killing me.
W Is there anything I can do to help?
M Can you give me some help with my homework tonight?
W ______________________________

(a) I've got too much homework.
(b) Sure, where do you want to meet?
(c) I took biology class last semester.
(d) Biology class is over my head.

해석 M 생물 수업 때문에 죽겠어.
W 내가 도와줄 거라도 있니?
M 오늘 밤에 숙제하는 것 좀 도와줄래?
W ______________________________

(a) 나는 숙제가 너무 많아.
(b) 당연하지, 어디서 만나길 원해?
(c) 나는 지난 학기에 생물 수업을 들었어.
(d) 생물 수업은 너무 어려워.

어구 ~ killing someone ~ 때문에 괴롭다
over one's head 어려운, 능력 밖의

해설 남자는 여자에게 도움을 요청하고 있으므로, 여자는 수락을 하거나 거절을 해야 한다. 그러므로 수락을 하는 (b)가 정답이 된다.

정답 (b)

2

W I'm going to have a cafe latte.
M Do you want anything else?
W Can you get some cheese cake?
M ______________________________

(a) Do you like cheese cake?
(b) Sure, I'll get it for you.
(c) I'm about to leave for class.
(d) When should it be done by?

해석 W 까페 라테를 마실 거야.
M 뭐 다른 거 필요한 거 있니?
W 치즈 케익을 사다 줄래?
M ______________________________

(a) 치즈 케익 좋아하니?
(b) 당연하지, 가져다줄게.
(c) 수업 들으려 막 나가려던 참이야.
(d) 언제까지 그것을 끝내야 하니?

어구 be about to 막 ~하려 하다

해설 여자가 치즈 케익을 사다 달라고 부탁 했으므로, 부탁을 들어주는 (b)가 정답이 된다. (a)도 얼핏 들으면 정답이 되는 것 같지만, 여자의 부탁에 대해서 부탁을 들어주는 지 아닌지 알 수 없으므로, 부탁을 확실히 들어주는 (b)가 정답이다. 수업을 들으러 나가는 것과 치즈 케익을 사다 주는 것은 관계가 없으므로 (c)도 오답이다.

정답 (b)

3

M What's the matter? You look upset.
W I don't think the grade I got on my essay is fair.
M Why don't you discuss it with your professor?
W ____________________

(a) Don't ask me such a question.
(b) There aren't many A's on my transcript.
(c) OK, let me find his office hours.
(d) I'm not doing well at school.

해석 M 무슨 일 있니? 속상해 보인다.
W 에세이 숙제로 받은 내 점수가 공평하지 않은 것 같아.
M 교수님이랑 상의 해 보는 것은 어떠니?
W ____________________

(a) 나한테 그런 질문은 하지 마.
(b) 내 성적 증명서에는 A가 많지 않아.
(c) 좋아, 교수님의 재실 시간을 알아 봐야겠어.
(d) 나는 학교생활을 잘 하지 못해.

어구 upset 속상한
grade 점수
transcript 성적 증명서
office hours (교수님 등의) 재실 시간

해설 성적이 좋지 않게 나온 여자에게, 남자는 성적에 대해서 교수님이랑 상의해 보라고 제안하고 있다. 그러므로 남자의 제안을 받아들이는 (c)가 정답이 된다. 교수님의 재실 시간을 알아봐서 시간을 맞춰 교수님과 상담을 해 보겠다는 것이다. (a)는 남자의 질문이 무례하거나 예민한 질문이 아니므로 내용상 어색하다. 남자는 교수님이랑 상의해 볼 것을 권유하고 있으므로, 교수님과 상담을 할지 말지를 얘기해 주어야지 (b)나 (d)처럼 자신의 성적이나 학교생활이 좋지 않다고 말하는 것은 연관성이 없다.

정답 (c)

4

M Do you have a second?
W Sure, what's up?
M I have no idea how this copy machine works.
W ____________________

(a) Is this out of order again?
(b) It's easy, just follow my directions.
(c) You can use the one downstairs.
(d) This printer is not easy to operate.

해석 M 잠깐 시간 되니?
W 그럼, 무슨 일인데?
M 복사기를 어떻게 작동시키는지 모르겠어.
W ____________________

(a) 이거 또 고장난거야?
(b) 쉬워, 그냥 내가 하라는 대로만 하면 돼.
(c) 아래층에 있는 복사기를 사용해.
(d) 프린터를 작동시키는 것은 쉽지 않아.

어구 Do you have a second? 잠깐 시간 되십니까?
(= Have you got a minute?)
out of order 고장이 난
direction 지시사항

해설 남자가 복사기 작동법을 모르겠다고 말한 것은, 달리 말하면 복사기 작동법을 가르쳐 달라는 것으로도 해석할 수 있다. 그러므로 (b)가 정답이다. 복사기가 고장 난 상황이 아니므로 (a)나 (c)는 정답이 될 수 없고, 프린터에 대한 대화가 아니므로 (d)도 답이 아니다.

정답 (b)

5

M Long time no see. What have you been up to lately?
W I'm currently planning for my vacation to Greece.
M Wow, how long are you going to be gone?
W ____________________

(a) It's October 12th.
(b) By a Greek airline.
(c) I am also going to Italy.
(d) I'm not sure yet.

해석 M 오랜 만이야. 요즘에 어떻게 지냈니?
W 그리스로 휴가 갈 계획을 세우고 있어.
M 와, 얼마나 갈거니?
W ____________________

(a) 10월 12일이야.
(b) 그리스 항공사로 갈 거야.
(c) 이탈리아로 갈 거야.
(d) 아직 잘 모르겠어.

어구 Long time no see. 오랜 만이야.
What have you been up to lately? (오랜 만에 만나서) 요즘 어떻게 지냈니?

해설 남자는 여자에게 그리스 여행을 얼마나 갈 거냐고 물었다. 남자의 말에서 가장 중요한 how long을 놓치지 말자. 기간이 나온 것이 정답이 되기 쉽겠지만, 아직 정해지지 않았다거나 아직 잘 모르겠다고 말하는 것도 답이 될 수 있으므로 정답은 (d)가 된다. 날짜를 물은 것이 아니므로 (a)는 답이 될 수 없고, 어떤 항공사를 이용할 것인지 물은 것이 아니므로 (b)도 오답이다.

정답 (d)

Tip 3 일관성을 유지하고 있는 것이 정답이다

p.121

1 (b) **2** (d) **3** (d) **4** (c) **5** (d)

1

W I'd like to buy both of these sweaters.
M I think you should go with the black one since it's cheaper.
W But I like both of them, and besides I have nothing to wear.
M ______________________________

(a) How about buying that jacket?
(b) Then you would be out of your budget.
(c) I heard there is a dress code.
(d) Why don't we look around more?

해석 **W** 이 스웨터 두벌 모두 사고 싶어.
M 검정색 옷이 더 저렴하니까 검정색을 사.
W 그렇지만 두 개 다 좋은데. 게다가 입을 것도 없어.
M ______________________________

(a) 저 재킷을 사는 게 어떨까?
(b) 그러면 예산을 초과하게 될 텐데.
(c) 복장 규율이 있다고 들었어.
(d) 좀 더 쇼핑하는 게 어떨까?

어구 out of one's budget 예산이 초과된

해설 쇼핑을 하고 있는 상황이다. 여자는 두벌의 옷을 구입하고 싶어 하지만, 남자는 한 개만 사라고 얘기하고 있다. 그러므로 두 벌 모두를 사면 돈을 너무 많이 쓰게 된다고 자신의 입장을 관철하는 남자의 말 (b)가 정답이다. 여자가 자신이 원하는 두벌의 스웨터가 있는데, 갑자기 재킷을 사라고 하는 것은 어색하며, 남자는 쇼핑을 말리고 있는 상황이므로 (d)도 남자의 입장으로 어긋난다.

정답 (b)

2

M I'm finished with my assignments. I think I'll go and play some golf.
W Just because you finish early doesn't mean you should leave early.
M I don't have any other projects for today, though.
W ______________________________

(a) As long as you finish the work, you can leave.
(b) What project are you working on?
(c) Do you want to play golf with me some day?
(d) You have to be aware that there is a company policy.

해석 **M** 제게 할당된 일을 끝냈어요. 골프를 치러 갈 거에요.
W 단지 일찍 일을 마쳤다고 일찍 퇴근 할 수 있는 것은 아니에요.
M 그렇지만 오늘은 다른 프로젝트도 없는 걸요.
W ______________________________

(a) 일이 마쳐지기만 한다면 퇴근해도 좋아요.
(b) 어떤 프로젝트를 하고 있죠?
(c) 나랑 언제 골프치러 가죠?
(d) 회사에는 규칙이 있다는 것을 알아야 해요.

어구 assignment 임무, 할당된 일, 숙제
policy 정책, 방침

해설 남자는 자신의 일을 마쳤으니 골프를 치러 가겠다고 하고 있고, 상사인 듯한 여자는 일을 빨리 마쳤다고 일찍 퇴근 할 수 있는 것은 아니라고 얘기하고 있다. 그러므로 (a)와 (c)는 여자의 입장과 다르므로 일관적인 응답이 아니다. (d)처럼 회사에는 규칙이 있으므로 아무 때나 퇴근 할 수 없다고 자신의 입장을 고수하는 것이 정답이 된다.

정답 (d)

3

W What should we have for lunch?
M I know a place that has the best pizza in the world.
W I don't want to eat something too greasy.
M ______________________________

(a) I'm going to skip my lunch.
(b) I'd like to have something light.
(c) This looks delicious.
(d) They have excellent salad, too.

해석 **W** 점심은 무엇을 먹을까?
M 정말 맛있는 피자집을 알고 있어.
W 느끼한 것을 먹고 싶지 않은데.
M ______________________________

(a) 점심을 먹지 않을 거야.
(b) 난 좀 가볍게 먹고 싶어.
(c) 맛있게 보인다.
(d) 거기 샐러드도 맛있어.

어구 skip 거르다
greasy 느끼한, 기름진

해설 남자는 피자를 먹고 싶어 하고, 여자는 느끼한 것을 먹고 싶지 않다고 얘기하고 있다. 이에 대해 피자집에 샐러드도 있다는 남자의 얘기는 느끼하지 않는 샐러드도 있으니 피자집에 가자는 것으로 해석될 수 있다. 그러므로 정답은 (d)가 된다. (b)는 남자의 입장과 다르므로 답이 될 수 없고, (c)는 음식을 앞에 두고 하는 말인데, 이들은 아직 레스토랑에 가지 않았으므로 답이 아니다.

정답 (d)

4

M I know you said I need to be more healthy but it's hard.
W You should consider registering for an expert's exercise program.
M Can't I just go running by myself?
W ______________________

(a) A healthy diet is important.
(b) That's exactly what I recommended.
(c) You should get a professional's help.
(d) Let me put you on the schedule.

해석 M 제가 좀 더 건강해져야 한다고 말씀하셨지만, 정말 힘드네요.
W 전문 운동 프로그램에 등록하는 것을 고려해 보세요.
M 그냥 저 혼자 뛰면 안될까요?
W ______________________

(a) 건강한 식단은 중요합니다.
(b) 그게 제가 바로 추천하는 바에요.
(c) 전문가의 도움을 받아 보세요.
(d) 스케줄에 당신을 올려 드릴게요.

어구 register 등록하다
put on (목록 등에) 올리다

해설 남자는 전문가의 도움을 받기 보단 그냥 혼자 뛰고 싶어 하고, 여자는 전문가의 도움을 받으라고 얘기하고 있으므로 (b)는 여자의 입장과 다르다. 남자가 전문가의 도움 없이 혼자 뛰겠다고 하는 데에 계속 반대하는 입장을 고수하는 (c)가 정답이다.

정답 (c)

5

W What would you say if I got a perm?
M I think you would look better with a really short cut.
W I'm really attached to my long hair, though.
M ______________________

(a) I thought you have healthy long hair.
(b) How about getting a perm instead?
(c) Your hair is really dry.
(d) But short cuts are the current trend.

해석 W 제가 파마를 하면 어떨까요?
M 짧은 머리가 잘 어울리실 것 같은데요.
W 전 제 긴 머리에 애착이 가서요.
M ______________________

(a) 당신은 건강한 긴 머리를 가지고 있네요.
(b) 그러면 대신 파마를 하는 게 어때요?
(c) 당신의 모발은 정말 건조하네요.
(d) 그렇지만 짧은 머리가 유행인데요.

어구 perm 파마
attach to 애착을 갖다
trend 유행

해설 미용실에서의 대화이다. 여자는 자신의 머리를 파마를 하고 싶어하고, 미용사인 남자는 여자에게 머리를 자를 것을 권유하고 있으므로, 남자의 응답으로 남자의 입장이 잘 관철된 (d)가 정답이다. 파마는 여자가 하고 싶어 했으므로 (b)는 남자의 응답이 될 수 없다.

정답 (d)

Part 3

Type I 대의파악 문제

Tip 1 **대화의 주제는 주로 앞쪽에 있다** p.128

1 (b) **2** (a) **3** (a) **4** (c) **5** (b)

1

M I've been thinking about buying a car.
W Really? Do you know what kind?
M Something small and affordable.
W Since you're a student living in the city, that's a good idea.
M Also, I think I'm going to go with a used car.
W That will save you even more money.

Q What are the speakers talking about?
(a) Several tips to save money
(b) What type of car the man wants to buy
(c) Why the man needs a car
(d) Where the man can buy a used car

해석 **M** 차를 살 생각이야.
W 정말? 어떤 종류를 살 건지 아니?
M 작고 저렴한 것.
W 너는 도시에 사니까, 그건 좋은 생각이다.
M 난 중고차를 사려고 해.
W 돈이 더 절약 되겠다.
Q 화자들은 무엇에 대해 말하고 있는가?
(a) 돈을 아끼는 것에 대한 여러 가지 조언
(b) 남자가 어떤 종류의 차를 원하는지
(c) 남자는 왜 차가 필요한지
(d) 남자가 어디서 차를 살 수 있나

어구 affordable (가격 등이) 알맞은, 감당할 수 있는
used car 중고차

해설 남자가 어떤 차를 살 것인지에 대해서, 여자에게 말해 주고 있다. 남자는 작고 저렴한 중고차를 산다는 내용이 주요한 내용이므로 정답은 (b)가 된 다. 여자가 중고차를 사면 돈이 절약되겠다는 말은 했지만, 돈을 아낄 수 있는 여러가지 충고가 나오지는 않았으므로 (a)는 정답이 될 수 없다. 남자가 차가 필요한 이유가 제시되지는 않았으므로 (c)도 답이 아니다.

정답 (b)

2

W You look confused. What's wrong?
M I'm not very familiar with this computer program yet.
W Did you take a tutorial on it?
M Not yet. I thought I could figure it out on my own.
W I always try to take a tutorial for new programs.
M I think I'm going to have to do the same thing.

Q What are the speakers talking about?
(a) The problem the man has
(b) The man's broken computer
(c) The worthless tutorial
(d) Their new computers

해석 **W** 혼란스러워 보인다. 무슨 문제있니?
M 컴퓨터 프로그램에 아직 익숙하지 않아.
W 설명 프로그램을 읽어 봤니?
M 아직. 나 혼자 이해할 수 있을 거라고 생각했었어.
W 나는 항상 설명 프로그램을 참고해.
M 나도 그렇게 해봐야겠다.
Q 화자들은 무엇에 대해 이야기하고 있는가?
(a) 남자가 가진 문제점
(b) 남자의 망가진 컴퓨터
(c) 유용하지 않은 설명서
(d) 자신들의 새 컴퓨터

어구 tutorial 설명서, (컴퓨터 등의) 설명 프로그램

해설 대화의 초반에서, 좋지 않아 보인다던가 우울해 보인다는 식의 말이 나오면 즉각적으로 상대방의 문제점에 대해서 파악해야 한다. 이 대화에서는 남자가 컴퓨터 프로그램에 익숙치 못한 것이 문제이고, 이것에 대해서 주로 이야기 하고 있으므로 정답은 (a)가 된다. 더불어 문제에 대한 해결책은 빈출해서 나오므로, 어떤 대화에서든지 해결책으로 제시되는 답변들은 외워두는 것이 좋다. 이 대화에서 설명 프로그램을 잘 참고하라는 여자의 충고도 문제에 출제 될 가능성이 있으므로 주의해서 들어야 한다.

정답 (a)

3

M I'm calling to cancel a reservation I made.
W When was your reservation for?
M It was supposed to be for next week.
W Sure thing. Since it's more than 48 hours in advance, we won't charge you a fee.
M That's a relief. I was worried about that.
W You called well ahead of time so there's nothing to fear.

Q What is the man mainly doing?
(a) Cancelling a reservation
(b) Confirming a reservation
(c) Making a reservation
(d) Rescheduling a reservation

해석 M 예약을 취소하려고 전화 했습니다.
W 예약일이 언제죠?
M 다음 주에요.
W 알겠습니다. 48시간 전에 취소를 하시기 때문에, 벌금은 부과하지 않습니다.
M 다행이네요. 걱정 했었거든요.
W 미리 전화를 주셨기 때문에 걱정할 것이 없죠.
Q 남자는 주로 무엇을 하고 있는가?
(a) 예약 취소
(b) 예약 확인
(c) 예약 잡기
(d) 예약 변경

어구 cancel a reservation 예약 취소하다
confirm a reservation 예약 확인하다
make a reservation 예약하다
reschedule a reservation 예약 변경하다
fee 수수료
in advance 미리
ahead of time 사전에, 미리

해설 전화 대화에서는 특히 전화를 건 목적을 잘 들어야 한다. 남자가 처음에 아주 직접적으로 예약을 취소한다고 했으므로 정답은 (a)가 된다. 예약에 관련된 것은 취소, 변경 모두 잘 나오니 숙지해야 한다.

정답 (a)

4

W What else do you need to prepare for your trip?
M Actually, I need someone to take care of my cat.
W But I'm allergic to cats and dogs.
M All you have to do is come and give her food and water once a day.
W As long as it doesn't take too long.
M It takes less than five minutes.

Q What is the conversation mainly about?
(a) Pet allergy that the woman has
(b) How easy taking care of cats is
(c) Looking after the man's cat during the vacation
(d) Finding someone who would adopt the cat

해석 W 여행 준비에 다른 것 필요한 것이 있니?
M 사실 내 고양이를 돌봐줄 사람이 필요해.
W 나는 강아지와 고양이에 알레르기가 있어.
M 네가 할 일은 그냥 하루에 한번 먹이와 물을 주는 거야.
W 오랜 시간이 걸리지만 않는다면.
M 5분도 안 걸려.
Q 무엇에 관한 대화인가?
(a) 여자가 가진 애완동물 알레르기
(b) 고양이를 기르는 것이 얼마나 쉬운 지
(c) 휴가 동안 남자의 고양이를 돌보는 것
(d) 고양이를 입양할 사람을 찾는 것

어구 take care of 돌보다 (= look after)
be allergic to~ ~에 알레르기가 있다
adopt 선택하다, 입양하다

해설 남자가 여행을 가는데 여자에게 고양이를 돌봐달라고 부탁하는 상황이다. 그러므로 주제는 휴가 동안 남자의 고양이를 돌보기가 된다. 정답은 (c)이다.

정답 (c)

5

M I bought a new TV but I'm not sure what to do with my old one.
W Does it still work properly?
M Yeah, it works fine.
W You could put an ad in the paper to sell it.
M It's so old. I don't think anyone would pay money for it.
W Then advertise that it's free to anyone willing to come get it.

Q What is the main focus of the conversation?
(a) How to operate the man's new TV
(b) How to get rid of the man's old TV
(c) How much money the man will get by selling his TV
(d) How to place an ad for selling a TV

해석 **M** 새 TV를 샀어. 그런데 예전 TV를 어떻게 해야 할지 모르겠어.
W 아직 작동은 잘 하니?
M 응, 작동은 돼.
W TV를 팔려면 신문에 광고를 내봐.
M 너무 옛날 거라 누가 돈을 내고 살지 모르겠다.
W 그러면 누구든 무료로 가져가라고 광고를 내봐.
Q 이 대화의 요지는 무엇인가?
(a) 남자의 새로운 TV를 어떻게 작동시키는지
(b) 남자의 예전 TV를 어떻게 처리할지
(c) 남자는 TV를 팔아서 얼마를 받을 것인지
(d) TV를 파는 광고를 어떻게 내는지

어구 work 작동하다
put an ad 광고를 내다
get rid of 제거하다, 처리하다

해설 남자는 여자에게 예전 TV를 처리하는 방법을 상의하고 있다. 이에 대해 여자가 신문광고를 내 보라고 하는게 대화의 요지이므로 정답은 (b)가 된다.

정답 (b)

Tip 2 대화의 주제는 전체를 포괄할 수 있어야 한다

p.133

1 (d) **2** (a) **3** (b) **4** (a) **5** (c)

1

W Did you get the invitation for my parents' wedding anniversary?
M Is it this coming Sunday?
W Right. Can you make it?
M Of course I'll be there.
W Great. I'm really looking forward to seeing you there.
M By the way, how long have they been together?
W This year will be their 30th anniversary.
M Wow, that's quite an accomplishment.

Q What is the main focus of the conversation?
(a) Marrying the right woman
(b) The day of the wedding anniversary
(c) Tips for leading a happy marriage
(d) Inviting the man to the anniversary

해석 **W** 우리 부모님의 결혼기념일 파티에 초대장 받았니?
M 이번 일요일이니?
W 맞아. 올 수 있니?
M 그럼, 갈게.
W 잘됐다. 그럼 거기서 보기를 기대하고 있을게.
M 그런데, 너희 부모님은 결혼한 지 얼마나 되셨니?
W 올해가 30년째야.
M 와, 정말 대단하다.
Q 이 대화의 요지는 무엇인가?
(a) 천생연분 여자와 결혼하는 것
(b) 결혼기념일의 요일
(c) 행복한 결혼 생활을 하는데 조언
(d) 남자를 기념파티에 초대하기

어구 right woman 천생 연분의 여자, 결혼하기에 적합한 여자 (= Ms. Right)
wedding anniversary 결혼기념일
accomplishment 성취, 완성, 수행, 실행
marriage 결혼

해설 여자는 남자에게 자신의 부모님의 결혼기념일에 초대를 하고 있는 상황이다. 주로 여자가 남자를 초대하는 상황이며, 세부적으로 남자가 요일을 확인하는 내용은 있다. 하지만 전체적으로 결혼기념일의 요일을 말한다고 볼 수 없으므로 (b)는 정답이 될 수 없다.

정답 (d)

2

M Which house did you like best today?
W I liked the first one because of its size.
M But the one we just saw is much closer to the subway.
W I know, but I'd really prefer to have a bigger place.
M Me too, but that place was also more expensive.
W That's true. I wish there was an easy way to make this decision.

Q What is the main subject of the conversation?

(a) Comparing places the man and the woman have seen.
(b) The size of the house they want to buy
(c) Comparing the prices of houses
(d) Which house is at a good location

해석 M 오늘 어떤 집이 제일 마음에 들었니?
W 집의 크기 때문에 첫 번째 집이 마음에 들었어.
M 그렇지만 저번에 본 집이 전철과 가까워.
W 나도 알아, 그렇지만 나는 큰 집이 좋아.
M 나도 그래, 그렇지만 그 집은 너무 비싸잖아.
W 맞아, 결정을 할 수 있는 쉬운 방법이 있으면 좋겠는데.
Q 대화의 주제는 무엇인가?
(a) 여자와 남자가 본 집들을 비교하기
(b) 그들이 사고 싶은 집의 크기
(c) 집의 가격을 비교하기
(d) 어떤 집이 좋은 위치에 있는지

어구 place 집

해설 추론하건대 남자와 여자는 자신들이 살 집을 여러 개 봤고, 그 집들에 대해서 위치, 가격, 크기 등에 대해서 이야기하고 있다. 그러므로 전체를 다 포괄 할 수 있는 것은 (a)이다. (b), (c), (d)는 대화에 언급은 있었지만, 주제가 되기엔 세부적인 사항만을 다루었으므로 정답이 될 수 없다.

정답 (a)

3

M Good morning, Miss.
W Hi, I'd like a side of eggs with my pancakes, please.
M Sure thing. How would you like your eggs?
W Sunny-side up would be fine.
M No problem. Would you like juice or coffee with your meal?
W Could I just have some hot tea instead?
M I'm sorry, we're out at the moment.

Q What is happening in the conversation?

(a) The woman is ordering something to drink.
(b) The woman is ordering food for breakfast.
(c) The woman is showing how to cook an egg
(d) The woman is complaining about the food.

해석 M 안녕하세요, 손님.
W 안녕하세요. 팬 케익과 계란요리를 주세요.
M 네, 알겠습니다. 계란은 어떻게 익혀 드릴까요?
W 노른자가 위쪽에 오도록 한 쪽만 프라이해 주세요.
M 그러죠. 식사와 함께 주스나 커피를 드시겠습니까?
W 따뜻한 차를 주시겠어요?
M 죄송합니다만, 지금 차가 떨어졌어요.
Q 이 대화에서 일어나고 있는 일은 무엇인가?
(a) 여자는 음료수를 주문하고 있다.
(b) 여자는 아침 식사를 주문하고 있다.
(c) 여자는 계란을 어떻게 요리하는지 보여주고 있다.
(d) 여자는 음식에 대해 불평을 하고 있다.

어구 pancake 팬케이크
sunny-side up 계란 노른자가 위쪽으로 오도록 한 쪽만 익히는 계란 요리법
be out 떨어지다, 다 팔리다

해설 여자는 팬케이크와 함께 계란요리, 음료수를 주문하고 있다. 그러므로 (b) '여자는 아침 식사를 주문하고 있다'가 전체를 포괄할 수 있는 주제가 되겠다. 여자는 음료수를 주문하고 있지만 이것을 전체 주제로 보기엔 너무 좁고, (d)는 대화에 아예 언급이 없으므로 정답이 될 수 없다.

정답 (b)

4

M I'm looking for the bus going to Dover Street. Can you help me?

W Sure. There are a couple different routes you could take.

M Where's the closest stop?

W It's ahead one block. But you might have to wait awhile.

M The other route runs more often?

W Yes, but it's about three blocks away.

Q What are the speakers mainly talking about?

(a) How to get to Dover Street by bus
(b) Where to take a subway
(c) How many blocks away the bus stop is
(d) How long it takes by bus

해석 **M** 도버 거리로 가는 버스를 찾고 있어요. 도와주실 수 있나요?
W 그럼요. 두 가지 노선이 있어요.
M 가장 가까운 정류장이 어디인가요?
W 한 블럭 앞에 있어요. 그런데 조금 기다리셔야 해요.
M 다른 노선이 더 자주 다니나요?
W 네, 그렇지만 그 정류장은 세 블럭이 떨어져 있어요.
Q 화자들은 무엇에 대해서 이야기 하고 있는가?
(a) 버스를 타고 도버 거리에 어떻게 가는지
(b) 어디서 전철을 타는지
(c) 도버 거리는 얼마나 떨어져 있는지
(d) 버스로 얼마나 걸리는지

어구 **route** 노선

해설 남자가 여자에게 도버 거리로 가는 길을 묻고 있다. 여자는 두 개의 노선을 비교해서 설명해 주고 있으므로 정답은 (a)가 된다. (c)도 언급은 있지만 전체를 포괄 할 수 없으므로 주제가 될 수 없다.

정답 (a)

5

W How much longer do you think we'll have to wait?

M I'm not sure. Flights can be delayed for 3 hours.

W Isn't there a way we can get onto another flight?

M The airline worker told me we'd be notified if anything opened up.

W Maybe we should check again to make sure.

M Okay, I'll go see if we can get onto another flight.

Q What is the main focus of the conversation?

(a) Transferring flights
(b) Cancelled flights
(c) Delayed flights
(d) The irresponsible airline

해석 **W** 얼마나 더 오래 기다려야 할까?
M 잘 모르겠어. 비행기는 3시간 연착될 것 같아.
W 다른 비행기를 탈 수 있는 방법은 없나?
M 항공사 직원이 자리가 생기면 알려준다고 했어.
W 확실히 하기 위해서 확인을 해야겠어.
M 알았어. 다른 비행기를 탈 수 있나 알아볼게.
Q 대화의 요점은 무엇인가?
(a) 비행기 갈아타기
(b) 취소된 항공편
(c) 연착된 비행기
(d) 무책임한 항공사

어구 **notify** 통지하다, 통보하다
make sure 확실히 하다
see if~ ~인지 아닌지 알아보다
irresponsible 무책임한

해설 전체적인 대화의 흐름은 비행기가 연착되어서 남자와 여자가 다른 비행기 편을 알아보고 있는 상황이므로 정답은 (c)가 된다. 연결 항공편으로 갈아타는 이야기가 아니므로 (a)는 정답이 될 수 없고, 비행기가 연착된 것이지 취소된 것은 아니므로 (b)도 답이 아니다.

정답 (c)

Type II 세부사항 문제

Tip 1 대화를 두 번 들을 수 있다는 점을 최대한 활용한다 p.139

1 (b) 2 (a) 3 (c) 4 (a) 5 (c)

1

M I'd like to reserve two balcony seats for Friday's 6 p.m. show on June 8th.
W I'm sorry, but all balcony seats are sold out.
M Well, is there anything else available?
W Actually, it's a full house on Friday since it's opening night.
M Then how about Saturday night on the 9th?
W There are a few balcony seats still available.

Q When will the man probably see the show?
(a) Friday night on June 8th
(b) Saturday night on June 9th
(c) Saturday afternoon on June 9th
(d) He can't see the show.

해석 **M** 6월 8일 금요일 저녁 6시 공연에 2층 특별석으로 두 좌석을 예약하고 싶습니다.
W 죄송합니다만, 2층 특별석은 모두 매진되었습니다.
M 그럼 다른 좌석은 있나요?
W 사실 그 날이 공연 첫날밤이라서 극장이 만원입니다.
M 그렇다면 9일 토요일 밤은 어떤가요?
W 2층 특별석이 몇 자리 아직 남아 있습니다.
Q 아마도 남자는 언제 공연을 보게 될 것인가?
(a) 6월 8일 금요일 밤
(b) 6월 9일 토요일 밤
(c) 6월 9일 토요일 오후
(d) 그는 공연을 볼 수 없다.

어구 reserve 예약하다
balcony 발코니, (극장의) 2층 특별석
be sold out 매진되다, 품절되다
available 이용할 수 있는, 유효한, 만날 수 있는
full house 만원, 객석을 꽉 메운 관중
opening night 공연 첫날밤, 첫 공연날 밤

해설 남자는 금요일 저녁에 공연을 예약하려고 했으나 특별석은 물론 일반석까지 매진되어서 볼 수 없게 되었다. 그래서 다음날 토요일 밤에는 어떤지 물었고, 다행히도 특별석 몇 자리가 남아있다고 한다. 그렇다면 아마도 남자는 그 자리를 예약하고 토요일 밤에 공연을 보게 될 것이다.

정답 (b)

2

W Good morning, Aston Hotel, how can I help you?
M I'd like to make reservations for a suite.
W Okay. How long will you be staying with us?
M One week. What's the difference between rooms with and without ocean views?
W A suite with an ocean view is $125 a night and without is $75 a night.
M That's fine. I'd prefer a room with a view, please.
W All right then. There is $20 deposit, sir. How would you like to pay?

Q How much is the room rate for an ocean view per night?
(a) It is $125.
(b) It is $20.
(c) It is $75.
(d) It is $175.

해석 **W** 안녕하세요, 애스턴 호텔입니다. 무엇을 도와드릴까요?
M 스위트룸을 예약하고 싶은데요.
W 네. 얼마동안 묵으실 건가요?
M 일주일이요. 바다 전망이 있는 방과 없는 방의 차이가 무엇인가요?
W 바다 전망이 있는 스위트룸은 하룻밤에 125달러이고, 없는 스위트룸은 75달러입니다.
M 괜찮네요. 전망이 있는 방으로 하겠습니다.
W 알겠습니다. 예약금은 20달러입니다. 어떻게 지불하시겠어요?
Q 바다 전망이 있는 방의 하룻밤 숙박료는 얼마인가?
(a) 125달러이다.
(b) 20달러이다.
(c) 75달러이다.
(d) 175달러이다.

어구 reservation 예약, 지정, 보류, 유보
suite (호텔의) 특별실, 스위트룸, 한 벌
ocean view 바다가 보이는 전망
prefer ~을 ~보다 좋아하다, 선호하다
deposit 보증금, 예약금, 계약금, 예금

해설 마지막에서 두 번째 여자의 말에서 쉽게 답을 찾을 수 있다. 참고로 우리가 보통 이야기하는 스위트룸의 올바른 영어표현은 sweet room이 아니고 suite room이다. 스위트룸은 여러 개의 방(거실, 서재, 응접실, 침실 등)이 붙어 있는 고급 객실을 뜻하는 말이다.

정답 (a)

3

M Is your reception immediately after the wedding ceremony?
W Actually the ceremony will end around 4 p.m. and the reception is a little later.
M What time will that be?
W 6 p.m. because I wanted to give everyone enough time to get there.
M That's a good idea. And what time will it end?
W The reception site closes at midnight.

Q Which is correct according to the conversation?

(a) The reception will continue overnight.
(b) The reception will end around 4 p.m.
(c) The reception will start at 6 p.m.
(d) The ceremony will end at 12 a.m.

해석 **M** 결혼식 끝나고 바로 피로연이 있니?
W 사실 식은 오후 4시쯤에 끝날 거고, 피로연을 조금 더 늦게 할 거야.
M 그게 언젠데?
W 오후 6시. 모든 사람들이 거기에 올 수 있는 충분한 시간을 주고 싶었거든.
M 좋은 생각이다. 그리고 언제 끝나는데?
W 피로연장은 자정에 닫아.
Q 대화에 따르면 옳은 것은 무엇인가?
(a) 피로연은 밤새도록 계속될 것이다.
(b) 피로연은 오후 4시경에 끝날 것이다.
(c) 피로연은 오후 6시에 시작할 것이다.
(d) 결혼식은 오전 12시에 끝날 것이다.

어구 reception 피로연, 환영회, 리셉션, 받기, 수령
wedding ceremony 결혼(예)식
site 위치, 장소, 부지
midnight 자정, 한밤중
overnight 밤새도록

해설 정리를 해보면, 결혼식은 몇 시에 시작하는지는 알 수 없으나 오후 4시에 끝나고, 모든 사람들이 피로연장에 올 수 있도록 하기 위해서 2시간 후인 오후 6시에 피로연이 시작한다. 그리고 피로연이 언제 끝나냐는 물음에 피로연장이 자정에 문을 닫는다고 대답했으므로 피로연은 자정 12시(0시)에 끝나는 것을 알 수 있다.

정답 (c)

4

W Hi, I was calling about the French lessons. How much do you charge?
M Well I have private rates and group rates.
W I'd like to get lessons one-on-one. I really need the help.
M If you come once a week it's $20 an hour.
W What about more than that?
M I'll discount $5 for every extra hour. So twice a week would be $35.

Q Which is correct according to the conversation?

(a) The woman wants to get private lessons.
(b) The woman wants the lesson rate reduced.
(c) Group rates are $20 per hour.
(d) Private rates are $35 per hour.

해석 **W** 안녕하세요, 프랑스어 교습 때문에 전화했는데요. 교습료가 얼마지요?
M 개인 가격과 단체 가격이 있습니다.
W 저는 일대일로 수업을 받고 싶습니다. 도움이 정말 필요하거든요.
M 일주일에 한 번 오신다면 한 시간당 20달러입니다.
W 그 이상은요?
M 추가 시간마다 5달러를 할인해 드립니다. 그러니까 일주일에 두 번이면 35달러가 되겠지요.
Q 대화에 따르면 옳은 것은 무엇인가?
(a) 여자는 개인 교습을 받기를 원한다.
(b) 여자는 그 수업료를 낮추기를 원한다.
(c) 단체가격은 시간당 20달러이다.
(d) 개인가격은 시간당 35달러이다.

어구 charge (대금 등을) 청구하다, 요구하다, (세금 등을) 부과하다
private 사적인, 개인에 관한, 개인적인
rate 비율, 요금, 대금, 가격, 시세
one-on-one 일대 일, 맨투맨
reduce 줄이다, 감소시키다, 낮추다

해설 여자는 일대 일로 수업을 받기를 원하고, 남자가 개인 강습비를 설명하고 있다. 따라서 개인 수업 가격은 시간당 20달러이다. 액수가 여러 개가 나오기 때문에 헷갈릴 수 있으므로 두 번째 들을 때 간단히 메모를 해보자.

정답 (a)

5

W Standard Art Supply, how can I help you?
M I'm calling about your ad in the paper.
W Okay, what can I do for you?
M I'd like to know about the pay and hours.
W It starts at $8 an hour and it's from 10 am to 2 p.m., Monday through Friday.
M When can I come and fill out an application?
W We're open until 6 p.m.

Q What does the man want to know from the woman?
(a) How to fill out an application
(b) What the store's business hours are
(c) How much he can get paid
(d) What position the woman offers

해석 W 스탠다드 예술 용품사입니다. 무엇을 도와드릴까요?
M 신문에 실린 광고보고 전화했습니다.
W 네, 무엇을 해 드릴까요?
M 급여와 근무시간을 알고 싶은데요.
W 시간당 8달러에서 시작하고, 오전 10시부터 오후 2시까지, 월요일에서 금요일까지에요.
M 언제가서 지원서를 작성할 수 있죠?
W 6시까지 엽니다.
Q 남자는 여자로부터 무엇을 알고 싶어 하는가?
(a) 지원서를 어떻게 쓰는지
(b) 상점의 영업시간이 어떤지
(c) 그가 급여를 얼마나 받을 수 있는지
(d) 여자가 어떤 직책을 주는지

어구 paper 종이, 문서, 신문, 학생의 리포트, 논문
pay 보수, 임금, 급료, 지불, 지출, 납입
fill out 빈 칸을 메우다(채우다), 기입하다, (원고 등을) 마무리하다
application 신청서, 원서, 지원서
business hours 영업시간

해설 남자가 여자에게 무엇을 묻는지는 남자의 두 번째 말에 나와 있다. 임금과 근무시간이다. 지원서를 언제 쓸 수 있느냐고 물어 본 것이지, 쓰는 방법을 물어보지는 않았으므로 (a)는 오답이다. 그리고 남자는 근무시간을 물었지 그 상점의 영업시간을 물은 것은 아니다. 근무시간과 영업시간은 다른 것이다. 은행이 4시 30분에 문을 닫지만 닫은 후에도 은행원들이 안에서 업무를 보는 것을 생각하면 알 수 있다.

정답 (c)

Tip 2 남녀 화자가 언급한 정보를 구별하여 외워두자 p.144

1 (b) 2 (d) 3 (c) 4 (b) 5 (c)

1

W This year let's go to Jamaica for our vacation.
M But we went on a Caribbean cruise last year. Let's do something different.
W What would you like to do?
M I've always wanted to go backpacking through Europe.
W But won't that be very difficult?
M The challenge is what I like most about the idea.

Q What does the man want to do?
(a) He wants to go to Jamaica.
(b) He'd like to do something energetic.
(c) He prefers a relaxing trip.
(d) He'd like to go on a cruise trip.

해석 W 올해에는 우리 휴가를 자메이카로 가자.
M 하지만 작년에 카리브해 크루즈를 다녀왔잖아. 좀 다른 것을 해보자.
W 무엇을 하고 싶은데?
M 난 항상 유럽 배낭여행을 가고 싶었어.
W 하지만 너무 힘들지 않을까?
M 그 어려운 점이 이 계획에서 가장 맘에 드는 건데.
Q 남자는 무엇을 하고 싶어 하는가?
(a) 그는 자메이카에 가고 싶어 한다.
(b) 그는 활동적인 것을 하기를 원한다.
(c) 그는 느긋한 여행을 더 좋아한다.
(d) 그는 크루즈 여행 하는 것을 좋아한다.

어구 vacation 휴가, 방학
cruise 유람 항해, 순항
go backpacking 배낭여행을 하다
challenge 도전, 난제, 어려운 일
energetic 활동적인, 활기 있는, 정력적인
relaxing 느긋한, 나른한

해설 자메이카에 가고 싶어 하는 사람은 여자이고, 남자는 유럽으로 배낭여행을 가고 싶어 한다. 두 사람의 의견이 다를 때에는 정보를 구분해서 외워 두는 것이 필요하다. 남자가 배낭여행을 가고 싶어 하므로, 말을 바꾸면 활동적인 여행을 좋아한다는 것을 알 수 있다. 그러므로 정답은 (b)가 된다.

정답 (b)

2

M Hi, Judy. Are you on your way now?
W Sorry, but I'm going to be late. I'm still at home getting ready.
M Really? Everyone else is already here. We've been waiting for 10 minutes.
W I'm really sorry, but I woke up late today.
M How long is it going to be before you're here?
W I'd say another 20 minutes.

Q Which is correct according to the conversation?
(a) The woman is waiting for the man.
(b) The man got up late in the morning.
(c) The man is running late.
(d) The woman is at home now.

해석 **M** 안녕, 주디. 지금 오는 길이니?
W 미안하지만, 늦을 거 같아. 아직 집에서 준비하고 있는 중이야.
M 정말? 다른 사람들 모두는 벌써 여기에 있는데. 우리는 10분이나 기다리고 있어.
W 정말 미안한데, 내가 오늘 늦게 일어나서.
M 여기 오는데 얼마나 걸리는데?
W 20분 걸릴 거야.
Q 대화에 따르면 맞는 것은 무엇인가?
(a) 여자는 남자를 기다리고 있다.
(b) 남자는 아침에 늦게 일어났다.
(c) 남자는 늦었다.
(d) 여자는 지금 집에 있다.

어구 on one's way 가는 길에, 도중에

해설 남자와 여자의 정보를 구분하여서 들어야 한다. 여자가 늦잠을 자서 늦은 사람이고, 남자가 여자를 기다리고 있는 상황이다. 그러므로 (a), (b)는 정답이 될 수 없다. 여자는 아직 집에서 준비를 하고 있다고 했으므로 정답은 (d)가 된다.

정답 (d)

3

W I feel like having Vietnamese noodles for dinner tonight.
M I don't like Vietnamese food. What about Japanese? You can still have noodles.
W What's something we can both agree on?
M Let's go to that new burger place around the corner. I heard it was great.
W Do they have anything besides burgers?
M I was told they have salads and pasta, too.

Q Which is true about the man?
(a) He is in the mood for Vietnamese food.
(b) He is accepting the woman's suggestion.
(c) He likes to have Japanese food.
(d) He has been to the burger place before.

해석 **W** 오늘밤은 저녁으로 베트남 국수를 먹고 싶은데.
M 난 베트남 음식 싫어해. 일식은 어때? 여전히 국수도 먹을 수 있어.
W 우리 둘 다 좋아하는 거 뭐 없을까?
M 저기 모퉁이에 있는 새 햄버거 가게에 가자. 맛있다는 얘기를 들었어.
W 햄버거 말고 다른 것도 있나?
M 샐러드랑 파스타도 있다고 하던데.
Q 남자에 대해서 사실인 것은 무엇인가?
(a) 그는 베트남 음식을 먹고 싶어 한다.
(b) 그는 여자의 제안을 받아 들였다.
(c) 그는 일본 음식 먹기를 바란다.
(d) 그는 이전에 햄버거 가게에 가 봤다.

어구 feel like ~을 하고 싶다, 어쩐지 ~ 할 것 같다
Vietnamese 베트남의, 베트남 사람, 베트남 말
besides 그 밖에, 따로, 또, 더욱이, 게다가
in the mood for ~할 기분이 나서 (= in the mood to do)

해설 베트남 음식을 먹고 싶어 하는 것은 남자가 아닌 여자이고, 새 햄버거가게에 가자고 제안을 하는 사람은 여자가 아니라 남자이다. 따라서 (a), (b)는 오답이다. 그리고 남자가 햄버거가게에 대해서 이야기 하면서 I heard~, I was told~라고 하였으므로 그가 직접 가보지는 않았다는 것을 알 수 있다.

정답 (c)

4

M I heard it was supposed to rain all weekend.
W That's okay. We can still go on the trip.
M But I guess it will ruin our trip.
W A little rain shouldn't be a problem.
M You're not worried about the weather, are you?
W Not really. It will make unforgettable memories.

Q Which is correct about the woman?

(a) The woman is worried about the weather.
(b) The woman doesn't care about the rainy weather.
(c) The woman has planned a picnic for a long time.
(d) The woman wants to cancel her trip.

해석 **M** 내가 듣기로는 주말 내내 비가 올 거라던데.
W 괜찮아. 우리는 그래도 여행 갈 수 있어.
M 하지만 비가 우리 여행을 망칠 것 같은데.
W 약간의 비는 별 문제가 되지 않을 거야.
M 너는 날씨 걱정은 안하는 구나, 그렇지?
W 뭐 별로. 비가 잊지 못할 추억을 만들어 줄 거야.
Q 여자에 대해서 옳은 것은 무엇인가?
(a) 여자는 날씨를 걱정한다.
(b) 여자는 비오는 날씨에 대해 신경 쓰지 않는다.
(c) 여자는 오랫동안 피크닉을 계획했다.
(d) 여자는 그녀의 여행을 취소하기를 원한다.

어구 **be supposed to** ~하기로 되어 있다, 예정이다
ruin 망쳐놓다, 파괴하다
unforgettable 잊을 수 없는, 기억에 남는

해설 날씨를 걱정하는 것은 여자가 아니라 남자이다. 남자 또는 여자에 대해서 묻거나, 남자 또는 여자가 어떻다고 설명하는 보기가 나오면 내용이 쉽더라도 가볍게 여겨서는 안 된다. 내용은 쉽게 그리고 옳게 해 놓고 (a)에서처럼 성별만 바꾸어서 오답을 만드는 경우가 많기 때문이다.

정답 (b)

5

W Oh, no. I flunked my history test!
M I thought you studied all night for that exam.
W I was going to, but I watched TV all night.
M You knew this test was important. Why did you do that?
W I couldn't help it. The show was so funny.
M You deserve a horrible grade.

Q What is correct about the man and the woman?

(a) The man didn't do well on the test.
(b) The woman is giving the man advice.
(c) The man is criticizing the woman.
(d) The woman was late for the test.

해석 **W** 안 돼, 역사 시험을 망쳐버렸어.
M 밤새도록 그 시험 준비한 줄 알았는데.
W 그러려고 했는데, 밤새도록 TV를 봤어.
M 이 시험이 중요한 거 너도 알잖아. 왜 그랬어?
W 나도 어쩔 수가 없었어. TV쇼가 너무 재미있었어.
M 나쁜 점수 받아도 싸다.
Q 남자와 여자에 대해 옳은 것은 무엇인가?
(a) 남자는 시험을 잘 보지 못 했다.
(b) 여자는 남자에게 충고를 하고 있다.
(c) 남자는 여자를 비난하고 있다.
(d) 여자는 시험에 늦었다.

어구 **flunk** (시험에) 실패하다, 낙제하다
cannot help 하지 않고는 못 배기다, ~할 수밖에 없다, ~하지 않을 수 없다
deserve ~할 가치[자격]이 있다, ~을 받을 만하다, 마땅히 ~할 만하다
do well 잘되다[하다], 성공하다
criticize 비난하다, 비평하다, 흠을 잡다, 책망하다

해설 남자가 아니라 여자가 시험을 못 봤고, 그에 대해서 남자가 책망하고 있는 상황이다. 따라서 (a)와 (b)는 오답이다. 그리고 여자가 밤새 TV를 보기는 했으나 시험에 늦었는지는 위의 내용에 따르면 알 수 없다.

정답 (c)

Type Ⅲ 추론 문제

Tip 1 **추론 문제는 반드시 4개의 보기를 비교해 본다** p.150

1 (b) **2** (d) **3** (b) **4** (d) **5** (a)

1

M Let's hurry, it's already 6 o'clock!
W The movie doesn't begin until 8:30.
M Yeah, but it's opening night and I want to get good seats.
W Opening night! It's going to be crowded!
M But I really want to see this movie.
W Okay, but if it's too crowded, let's just go to dinner instead.

Q What can be inferred from this conversation?
(a) The woman doesn't like to watch movies.
(b) The man wants to see the movie more than she does.
(c) The woman wants to go to dinner first.
(d) The man and the woman are at the theater.

해석 **M** 서둘러, 벌써 6시야!
W 영화는 8시 30분에나 시작해.
M 그래, 하지만 첫 상영날 밤이고, 난 좋은 자리에 앉고 싶단 말이야.
W 상영 첫날밤이라고! 그럼 붐비겠는데!
M 하지만 난 정말 이 영화를 보고 싶어.
W 그래, 하지만 사람이 많으면 그냥 저녁 먹으러 가자.
Q 이 대화에서 무엇을 추론할 수 있는가?
(a) 여자는 영화 관람을 싫어한다.
(b) 여자보다 남자가 영화 보는 것을 더 원한다.
(c) 여자는 저녁을 먼저 먹기를 원한다.
(d) 남자와 여자는 영화관에 있다.

어구 opening night 첫 상영(공연)날 밤, 첫날 밤 상영(공연)
crowded 혼잡한, 붐비는, 만원인
theater 극장, 영화관

해설 여자보다 남자가 이 영화를 더 보고 싶어 하고 있다. 그리고 여자는 붐빌 경우 영화 대신에 밥을 먹자고 했지, 먼저 밥을 먹고 영화를 보자고 한 것이 아니므로 (c)는 오답이다. 남자가 8시 반 영화를 보는데 6시인 지금 서두르라고 말하는 것을 보아 둘은 영화관이 아닌 다른 곳에 있다는 것을 알 수 있다. (d)도 답이 아니다.

정답 (b)

2

M Anna, when's the last time you went on a date?
W It's been a while. Why are you asking?
M My friend just moved here and he doesn't have many friends.
W You want to set me up with him?
M Yeah, he's really funny and I think you two would get along great.
W I don't know. Tell me more about him.

Q What can be inferred from the talk?
(a) The man wants to go out with Anna.
(b) The woman doesn't have many friends.
(c) The man's friend is moving into his apartment.
(d) The woman doesn't have a boyfriend.

해석 **M** 애나, 마지막으로 데이트한 게 언제야?
W 꽤 됐어. 왜 물어봐?
M 내 친구가 막 여기로 이사를 왔는데 친구가 많지 않아.
W 나한테 소개시켜 줄려고?
M 응, 그는 정말 재미있고 둘이 잘 어울릴 거 같은데.
W 글쎄. 그에 대해서 더 말해봐.
Q 이 대화에서 무엇을 추론할 수 있는가?
(a) 남자는 애나와 데이트하고 싶어 한다.
(b) 여자는 친구가 많지 않다.
(c) 남자의 친구는 그의 아파트로 이사해 들어온다.
(d) 여자는 남자친구가 없다.

어구 go on a date 데이트하러 가다
set up with ~를 소개시켜주다
get along 사이좋게 지내다, 호흡이 맞다
go out with ~와 데이트하다

해설 남자가 여자에게 자신의 친구를 소개시켜 주려고 하고 있다. 여자가 직접적으로 남자친구가 없다고 말하지 않았지만, 요근래 데이트를 하지 않았다는 것과, 남자가 자신의 친구를 소개시켜 주려 하는데 약간의 관심을 보이는 것으로 미루어 남자친구가 없다고 짐작 할 수 있다. 그러므로 정답은 (d)이다. 남자가 여자와 데이트하고 싶어 하면 자신의 친구를 소개시켜 줄 리 없으므로 (a)는 정답이 되지 않고, 여자는 친구가 없는 게 아니라 남자친구가 없으므로 (b)도 답이 될 수 없다.

정답 (d)

3

M Sorry, but I've got to leave soon.
W But you've only been here for half an hour.
M Yeah, but I have an important meeting at 2.
W You better get going then. It's already 1:30.
M I can get to the meeting place in no time. I'll stay for just five more minutes.
W I hope you won't be late for your appointment.

Q What can be inferred from this conversation?

(a) The man would like to leave early.
(b) The man's meeting place is not far.
(c) The man doesn't like the woman's place.
(d) The man is not a punctual person.

해석 **M** 미안하지만, 금방 가야겠어.
W 하지만 여기 있은 지 삼십분 밖에 안됐잖아.
M 어, 그런데 2시에 중요한 모임이 있어.
W 그럼 가보는 게 낫겠다. 이미 1시 30분이야.
M 모임장소에 금방 갈 수 있어. 5분만 더 있을 거야.
W 약속에 안 늦기를 바래.
Q 이 대화에서 추론할 수 있는 것은 무엇인가?
(a) 남자는 일찍 떠나려고 한다.
(b) 남자의 모임 장소는 멀지 않다.
(c) 남자는 여자의 집을 좋아하지 않는다.
(d) 남자는 시간을 잘 지키는 사람이 아니다.

어구 get to ~에 도착하다, 닿다, 이르다
in no time 당장, 곧, 즉시, 바로
appointment 약속
punctual 시간(기한)을 잘 지키는

해설 남자의 모임장소의 거리에 대한 직접적인 언급은 없지만, 남자가 모임장소에 금방 갈 수 있다는 말에서 남자의 모임장소가 현재 있는 곳에서 멀지 않다는 것을 알 수 있다. 정답은 (b)가 되며, 남자가 여자의 집이 싫어서 온지 얼마 되지도 않았는데 떠나고 싶어한다고 생각한다면 그것은 추론에 근거한 것이 아니라 자신의 상상이다. 그러므로 (c)는 정답이 될 수 없다.

정답 (b)

4

W I'm not sick anymore, so I can start working full-time again.
M Don't be hasty. You were severely sick just a few weeks ago.
W But I feel fine and I'm not in the hospital anymore.
M That may be true but you could easily get sick again.
W I guess you're right. I don't want to go back to the hospital.
M Better to be safe than sorry.

Q What can be inferred about the woman?

(a) The woman is hesitating to work again.
(b) The woman is sorry about her absence.
(c) The woman is still in the hospital.
(d) The woman is accepting his advice.

해석 **W** 나 이제 다 나았어, 그래서 다시 전임으로 일할 수 있어.
M 서두르지 마. 몇 주 전까지만 해도 심하게 아팠잖아.
W 하지만 지금 기분도 괜찮고, 더 이상 병원에 있지도 않은데.
M 그게 사실이긴 하지만 쉽게 다시 아파질 수도 있잖아.
W 네가 맞는 거 같다. 다시 병원에 가기는 싫어.
M 후회하는 것보다 안전한 게 더 낫지.
Q 여자에 대해서 무엇을 유추할 수 있는가?
(a) 여자는 다시 일하는 것을 망설이고 있다.
(b) 여자는 그녀가 결근한 것을 미안해하고 있다.
(c) 여자는 아직 병원에 있다.
(d) 여자는 그의 충고를 받아들이고 있다.

어구 not ~ anymore 더 이상 ~ 않은
full-time 전 시간의, 상근의, 전임의
hasty 서두는, 다급한, 성급한
severely 심하게, 매우
hesitate 주저하다, 망설이다, 머뭇거리다
absence 결석, 결근, 부재
accept 받아들이다, 수용하다
advice 충고, 조언

해설 남자가 아팠던 여자에게, 다시 아플 수 있으니 전임으로 일하는 것을 조금만 늦추라고 충고하고 있고, 여자는 남자 말이 맞다고 했으므로, 남자의 충고를 받아들이는 것이 되므로 (d)가 정답이다. (b)도 헷갈릴 수 있는 보기이지만, 여자가 미안한 마음이 들어서 빨리 전임으로 복귀하고 싶어하는지는 대화를 통해서는 알 수 없다.

정답 (d)

5

M Could you please hand me the bread knife?
W This one?
M No, that's a steak knife.
W How am I supposed to know?
M The longer one is the bread knife.
W OK. Here it is.
Q What can be inferred from the conversation?
(a) The woman is unfamiliar with tableware.
(b) Knives used at tables look the same.
(c) The woman will learn about table manners.
(d) The man used to work at a restaurant.

해석 M 빵 칼 좀 건네줄래?
W 이 거?
M 아니, 그건 스테이크 칼이야.
W 내가 어떻게 알아?
M 더 긴 게 빵 칼이야.
W 그래. 여기 있어.
Q 대화로부터 추론할 수 있는 것은 무엇인가?
(a) 여자는 식탁용 식기에 익숙하지 않다.
(b) 테이블에서 쓰이는 칼들은 똑같아 보인다.
(c) 여자는 식사 매너에 대해 배울 것이다.
(d) 남자는 레스토랑에서 일 했었다.

어구 hand 넘기다, 건네주다
be supposed to ~하기로 되어 있다, ~할 의무가 있다
tableware 식탁용 식기 (접시, 잔, 스푼, 칼, 포크 등)
table manners 식사예절, 테이블 매너
used to ~하곤 했다

해설 여자가 빵을 자르는 칼과 스테이크를 자르는 칼을 잘 구별하지 못하는 것에서, 우리는 여자가 식탁용 식기에 익숙하지 않다는 것을 추론할 수 있다. 그러므로 정답은 (a)이다. 빵 칼이 더 길다고 했으므로 (b)는 정답이 될 수 없다.

정답 (a)

Tip 2 추론과 상상을 확실히 구분하자

p.155

1 (c) 2 (a) 3 (c) 4 (c) 5 (d)

1

W Jeff told me you're going to England this winter.
M It's true. My grandparents want me to come visit them.
W It's going to be pretty cold compared to our California winters.
M Yeah, I'll have to be sure to pack a lot of warm clothes.
W Don't forget to take a few hats and gloves.
M That's a good idea. I'll be sure to pack some.
Q What can be inferred from this conversation?
(a) During the winter, it snows a lot in England.
(b) His grandparents used to live in California.
(c) The man will bring some gloves to England.
(d) The man will buy some winter clothes.

해석 W 네가 이번 겨울에 영국에 간다고 제프가 말해 줬어.
M 맞아. 조부모님이 내가 그들은 방문하기를 원하셔.
W 여기 캘리포니아의 겨울에 비하면 엄청 추울 거야.
M 그래, 따뜻한 옷을 꼭 싸야겠어.
W 모자하고 장갑 몇 개도 잊지 말고 싸가.
M 좋은 생각이야. 몇 개 꼭 싸야겠다.
Q 이 대화에서 무엇을 추론할 수 있는가?
(a) 겨울동안, 영국에는 눈이 많이 온다.
(b) 그의 조부모님들은 캘리포니아에 살았었다.
(c) 그 남자는 장갑 몇 개를 영국에 가져갈 것이다.
(d) 그 남자는 겨울 옷 몇 개를 살 것이다.

어구 pretty 꽤, 매우
compared to[with] ~와 비교해서
pack 짐을 꾸리다, 싸다
forget 잊다, 망각하다

해설 남자는 영국으로 조부모님을 방문할 계획을 가지고 있고, 여자는 영국은 추우니 모자와 장갑을 챙겨가라고 조언했다. 흔쾌히 조언을 받아 들이는 (c)가 정답이다. (a)와 (d)는 대화에서 알 수 없는 사실이다.

정답 (c)

2

M Would you like to join me for a play this weekend?
W What play is it going to be?
M I think Shakespeare. Famous actors in it.
W Isn't it expensive? How much does it cost?
M Nothing at all. I won the tickets in a contest.
W Okay then, sounds great.

Q What can be inferred from this conversation?

(a) The woman seemed worried about the ticket price.
(b) The woman doesn't like Shakespeare.
(c) The man likes Shakespeare most.
(d) The ticket price is pretty high.

해석 M 이번 주말에 연극 보러 나랑 같이 갈래?
W 무슨 연극인데?
M 셰익스피어 일거야. 유명한 배우도 나와.
W 비싸지 않니? 얼마야?
M 전혀. 경연대회에서 표를 땄어.
W 그럼 좋아, 훌륭한데.
Q 이 대화에서 무엇을 유추할 수 있는가?
(a) 여자는 표 가격에 대해 걱정하는 듯 보인다.
(b) 여자는 셰익스피어를 좋아하지 않는다.
(c) 남자는 셰익스피어를 가장 좋아한다.
(d) 표 가격은 매우 비싸다.

어구 join 함께 ~하다(가다), 합류하다
play 연극
contest 경연, 경기

해설 여자가 직접적으로 언급하지 않았지만, 여자는 '연극의 표가 비싸지 않느냐', '표가 얼마냐'고 구체적으로 묻는 것으로 봐서, 연극의 표 가격이 비쌀까봐 걱정하고 있다는 것을 알 수 있다. 그러므로 정답은 (a)이다. 남자가 셰익스피어 연극을 보러 가지만, 셰익스피어를 제일 좋아 한다는 것은 상상이므로 (c)는 정답이 될 수 없고, 표의 원래의 가격은 알 수 없으므로 (d)도 답이 아니다.

정답 (a)

3

W Hello, this is Fancy Florist calling for Mr. Ross.
M Yes, is my order ready?
W Yes, it is. You can come pick it up anytime today.
M I get off work at 7:30 so I can be there by 8.
W Okay, but we close right at 8, so please keep that in mind.
M Sure thing. I won't be late. Thanks.

Q What can be inferred from this conversation?

(a) The flower shop closes early.
(b) The woman is a famous florist.
(c) The man is sure about getting there on time.
(d) The man will give the flowers to the woman.

해석 W 여보세요. 팬시 화원에서 로스씨께 전화 드렸는데요.
M 네, 제가 주문한 거 준비됐나요?
W 네, 준비됐어요. 오늘 언제든지 가져갈 수 있어요.
M 7시 30분에 퇴근하니까 8시까지 갈 수 있겠네요.
W 네, 그런데 저희가 8시 정각에 문을 닫으니까, 염두에 두세요.
M 물론이죠. 늦지 않을게요. 감사합니다.
Q 이 대화에서 추론할 수 있는 것은 무엇인가?
(a) 꽃 가게는 일찍 문을 닫는다.
(b) 여자는 유명한 플로리스트이다.
(c) 남자는 그곳에 제 시간에 도착할 것을 확신한다.
(d) 남자는 여자에게 그 꽃을 줄 것이다.

어구 florist 플로리스트, 꽃가게, 꽃을 가꾸는 사람
keep in mind 염두에 두다, 기억하다
on time 제 시간에, 시간을 어기지 않고

해설 꽃집에서 남자에게 주문한 꽃이 준비되었다고 알리는 내용이다. 여자가 8시에 꽃집 문을 닫으니 제 시간에 와 달라고 당부하고 있다. 남자는 Sure thing이라고 답하며, 늦지 않을 것을 약속 했으므로 정답은 (c)가 된다. (a)를 답으로 고르지 않도록 조심하자. 8시라는 시각에 문을 닫는다는 것은 '늦게 닫는다', 혹은 '일찍 닫는다'라고 판단하기에는 주관적이다. (b)는 추론이라기보다는 상상에 가까우므로 역시 정답이 될 수 없다.

정답 (c)

4

W Have you made up your mind about a bed?
M I'm not sure. How about you?
W Well, I guess the brown one is OK.
M But I think the black one is better.
W You're right but the brown one is cheaper.
M Let's try another store and see if we can find something better.

Q What can be inferred from this conversation?
(a) There are only two kinds of bed in the store.
(b) The man thinks that the black one is expensive.
(c) The woman cares about the price of the bed.
(d) The man wants to find a bed through the Internet.

해석 **W** 침대에 대해서 마음을 결정했어?
M 잘 모르겠어. 넌 어때?
W 글쎄, 갈색 침대가 괜찮은 거 같은데.
M 그런데 난 검은색 침대가 더 좋은 거 같은데.
W 네가 맞아 그런데 갈색 침대가 더 싸잖아.
M 다른 가게에 가서 더 좋은 거 찾을 수 있나 한 번 보자.
Q 이 대화에서 추론할 수 있는 것은 무엇인가?
(a) 이 상점에는 두 종류의 침대 밖에 없다.
(b) 남자는 검은 침대가 비싸다고 생각한다.
(c) 여자는 침대의 가격에 대해 신경을 쓴다.
(d) 남자는 인터넷을 통해서 침대를 찾고 싶어 한다.

어구 make up one's mind 결심하다, 결단을 내리다
cheap 가격이 싼, 저렴한
expensive 비싼, 고가의
care 걱정하다, 마음을 쓰다

해설 쇼핑을 가서 침대를 고르고 있는 상황이다. 검정색 침대와 갈색 침대를 두고 화자들은 고민하고 있는데, 두 사람의 의견이 다를 때에는 의견을 구분하여 기억해 두자. 남자는 검정색이 더 좋다고 얘기하고, 남자의 의견에 여자는 검정색은 비싸고 자신은 갈색이 더 좋다고 말하고 있다. 침대의 가격에 신경을 쓴다고 볼 수 있으므로 정답은 (c)가 된다. (c)를 듣고 정답이라는 생각이 들지 않기 쉬우므로 다른 보기와 꼼꼼히 비교하며 정답을 골라야 한다. 여자와 남자는 두 종류의 침대를 두고 고민하는 것이지, 상점에 두 가지 종류의 침대만 있다고는 할 수 없다. 그러므로 (a)는 답이 될 수 없다. 검정색 침대가 비싸기는 하지만 남자는 어떠한 생각을 가지고 있는지 알 수 없으므로 (c)도 답이 아니다.

정답 (c)

5

M Hi, Liz. Busy?
W Not really. What's up?
M I was calling to see if you want to come over and have some cake I just made.
W Sounds good, but I'm actually waiting for an important phone call.
M How about if I bring you some cake then?
W That's very sweet of you. Thanks!

Q What is probably going to happen?
(a) The woman is going to bake some cake, too.
(b) The woman is not going to have the cake.
(c) The cake will be delivered shortly.
(d) The man is going to visit her with the cake.

해석 **M** 안녕, 리즈. 바빠?
W 별로. 무슨 일이야?
M 우리 집에 들러서 내가 방금 만든 케이크 좀 먹을 수 있나 궁금해서 전화했어.
W 그거 좋겠다. 그런데 지금 중요한 전화를 기다리고 있는 중이야.
M 그럼 내가 케이크를 네게 가져다주는 건 어떠니?
W 정말 친절하구나. 고마워.
Q 무슨 일이 일어날 것인가?
(a) 여자도 케이크를 구울 것이다.
(b) 여자는 케이크를 먹지 못할 것이다.
(c) 케이크가 곧 배달될 것이다.
(d) 남자가 케이크를 가지고 그녀를 방문할 것이다.

어구 come over (말하는 사람 쪽으로) 오다, 들르다
sweet 상냥한, 친절한 마음씨 고운
deliver 배달하다, 인도하다

해설 미래의 행동을 물을 때에는 대화의 가장 마지막 부분에 큰 힌트가 들어있다. 여자가 집을 떠나기 힘든 상황을 얘기하자 남자가 여자에게 케이크를 가져다준다고 했으므로, 남자는 자신이 만든 케이크를 가지고 여자를 방문 할 것이다. 그러므로 정답은 (d)가 된다.

정답 (d)

Part 4

Tip 1 독해력을 증강하자 p.201

1 (d) **2** (d) **3** (c) **4** (a) **5** (b)

1

In today's class, we will begin discussion on John Steinbeck's novel of *Mice and Men*. It is a tragedy, with the two main characters, Lennie and George, looking for work on a farm. Their dream is to save up enough money so that they can live and work on a farm together, but that dream is crushed when Lennie, who is mentally challenged, accidentally kills someone.

Q What is being discussed in the class?

(a) The life of John Steinbeck
(b) A mouse problem on a farm
(c) A homicide on a farm
(d) A tragic novel by Steinbeck

해석 오늘 수업에서 우리는 존 스타인벡의 소설 '생쥐와 인간'에 대해 토론을 시작할 거예요. 이것은 농장에서의 일을 찾는 레니와 조지라는 두 주인공과 함께하는 비극 작품입니다. 그들의 꿈은 충분한 돈을 모아서 농장에서 함께 살며 일하는 것이지만, 정신적인 장애가 있는 레니가 뜻하지 않게 사람을 죽이면서 그 꿈은 산산조각 나고 맙니다.

Q 수업에서 무엇을 토론하고 있는가?

(a) 존 스타인벡의 일생
(b) 농장에서의 쥐 문제
(c) 농장에서의 살인 사건
(d) 스타인벡의 비극 소설

어구 **tragedy** 비극, 비극적 문학 작품, 비극적 참사
challenged (disabled의 완곡한 표현) 불구가 된, 무능력해진, 장애가 있는
accidentally 우연히, 뜻하지 않게, 잘못하여

해설 Part 4에서 강의문이 자주 등장하는데, 수업을 새롭게 시작하거나 전 시간에 이어서 강의하는 경우가 대부분이다. 보통 첫 문장에서 수업 내용을 말해주므로 이것을 놓치지 말자. 위에서도 역시 첫 문장에서 토론할 대상을 이야기 해 주었는데, 그것이 바로 정답이다.

정답 (d)

2

In today's business class we will review the life and contributions of Bill Gates, the chairman of Microsoft, a software company. He is best known as one of the leaders of the personal computer revolution, and also for being extremely wealthy. Despite his wealth, Gates is also known for his work in philanthropy. For example, since 2000 it is speculated that he has donated over 29 billion dollars to various organizations and charities.

Q According to this talk, what is true about Bill Gates?

(a) He is a leader of a country.
(b) He has donated a lot of money.
(c) He sells computers all around the world.
(d) He divorced in 2000.

해석 오늘 경영학 수업에서 우리는 소프트웨어 회사인 마이크로소프트사의 회장 빌 게이츠의 삶과 공헌을 살펴보도록 하겠습니다. 그는 개인용 컴퓨터 혁명의 선도자들 중 한 사람으로서, 그리고 또 엄청나게 부자인 것으로도 잘 알려져 있습니다. 그의 부유함에도 불구하고, 게이츠는 자선사업으로도 또한 유명합니다. 예를 들어 2000년부터 그가 다양한 기구들과 자선단체에 기부한 돈은 2백 9십억 달러가 넘는다고 추정됩니다.

Q 이 담화에 따르면, 빌 게이츠에 관하여 맞는 것은 무엇인가?

(a) 그는 한 나라의 지도자이다.
(b) 그는 많은 돈을 기부했다.
(c) 그는 전 세계에 컴퓨터를 판다.
(d) 그는 2000년에 이혼을 했다.

어구 **review** 다시 조사하다, 정밀하게 살피다, 관찰하다
contribution 기부, 공헌, 기여
be known as (for) ~로 잘 알려지다, 유명하다
despite ~에도 불구하고
philanthropy 박애주의, 자선(사업, 행위, 단체)
speculate 깊이 생각하다, 추측하다
charity 자애, 자비, 자선사업, 자선기금, 자선단체
billion 10억

해설 빌 게이츠는 개인용 컴퓨터의 혁명을 이끈 지도자 중의 한 명이었다고 말했으므로 (a)는 제외되고, 그의 회사는 소프트웨어 회사이므로 PC를 판다고 할 수 없다. (c)도 제외된다. 지문에서 그가 이혼했다는 이야기는 찾아볼 수 없다.

정답 (b)

3

Economics can be broken down into different classifications, including microeconomics and macroeconomics, and mainstream economics. One purpose of economics is to explain how economies work and to illustrate relationships between different groups in a society, whether those groups are small businesses or large countries.

Q What is the speaker mainly talking about?

(a) How many classifications are in economics
(b) The difference between microeconomics and macroeconomics
(c) The classification and objective of economics
(d) What mainstream economics include

해석 경제학은 미시경제학과 거시경제학, 그리고 주류경제학을 포함하는 여러 가지의 종류로 분류될 수 있다. 경제학의 한 가지 목적은 경제가 어떻게 작용하는지를 설명하고 사회의 서로 다른 집단들, 그 집단들이 작은 사업체이든지 큰 국가들이건 간에 그들 사이의 관계들을 설명하는 것이다.

Q 화자는 주로 무엇에 관하여 이야기하고 있는가?
(a) 경제학에 얼마나 많은 분류가 있는지
(b) 미시경제학과 거시경제학의 차이점
(c) 경제학의 분류와 목적
(d) 주류경제학이 무엇을 포함하는지

어구 economics 경제학
break down ~로 분류[분석]하다
classification 분류, 유형, 종류
microeconomics 미시경제학
macroeconomics 거시경제학
mainstream economics 주류경제학
illustrate 설명하다, 예를 들어 보이다

해설 화자는 두 가지를 말하고 있다. 전반부에서는 경제학의 분류를 말했고, 후반부에서는 경제학의 목적을 이야기했다. 여러가지 경제학 용어가 나왔는데, 미시경제학과 거시경제학 정도만 익혀두어도 충분할 것이다.

정답 (c)

4

Come to Burrington's this weekend for our once a year coat sale. Starting this Friday through closing time Sunday all the coats and jackets in our store will be 30% off. This includes all men's, women's, and children's coats, no matter the style or price. We have a wide selection to choose from, including leather jackets, fake fur coats, baby coats, and outerwear accessories as well. So you can pick up that trenchcoat you've been wanting and get a hat to match it, too.

Q According to this announcement, which is true?

(a) The coat sale is an annual event.
(b) The sale ends Monday morning.
(c) The coats will be 13% cheaper than usual.
(d) You can get the accessories for free.

해석 일 년에 한 번 있는 코트 세일을 위해 이번 주말에 버링턴으로 오세요. 이번 주 금요일부터 시작해서 일요일 폐장 시간까지, 저희 매장에 있는 모든 코트와 재킷이 30% 할인됩니다. 모든 남성, 여성 그리고 아동 코트가 할인에 포함되고 스타일이나 가격은 불문합니다. 저희는 가죽 재킷, 인조 모피코트, 유아코트, 그리고 또한 겉옷 액세서리를 포함하여 선택의 폭이 넓습니다. 그래서 그 동안 바래왔던 트렌치코트를 살 수 있고, 거기에 어울리는 모자도 살 수 있습니다.

Q 이 공지에 따르면, 어느 것이 사실인가?
(a) 코트 세일은 연례행사이다.
(b) 세일은 월요일 아침에 끝난다.
(c) 코트는 평소보다 13% 쌀 것이다.
(d) 액세서리는 공짜로 얻을 수 있다.

어구 once a year 일 년에 한 번 (= annual)
no matter 비록 ~일지라도, 상관없이
leather 가죽
fake 위조하다, 모조품, 가짜
fur 부드러운 털, 모피(제품)
outerwear 외투, 겉옷

해설 세일은 금요일부터 일요일 폐장 시간까지라고 했으므로 (b)는 오답이고, 13%가 아니라 30%를 할인하므로 (c)도 오답이다. 주의하여 듣지 않으면 순간적으로 혼동할 수 있다. 액세서리도 고를 수 있다고 했지, 공짜로 준다는 이야기는 없었으므로 (d) 역시 오답이다. 첫 문장에서 답을 고를 수 있다.

정답 (a)

5

French scientists have been doing research with African monkeys by implanting human brain cells into the monkeys' brains. They are doing the same with mice and hope to find cures for Parkinson's disease as well as brain cancer. Scientists expect to have a mouse with a brain made up of entirely human cells, which could be an advantage since experiments could be done on the mice instead of humans.

Q What is the main topic of the talk?

(a) Rescuing the laboratory animals
(b) French scientists' research to find cures
(c) A comparison of human and animal brains
(d) African monkeys in a French zoo

해석 프랑스 과학자들은 아프리카 원숭이를 가지고 그 원숭이의 뇌에 인간의 뇌 세포를 이식하여 연구를 해왔습니다. 그들은 쥐에도 같은 연구를 하면서 뇌종양과 파킨슨병의 치료법을 찾기를 희망하고 있습니다. 과학자들은 완전히 인간의 세포로 이루어진 뇌를 가진 쥐를 얻기를 기대하고 있는데, 사람 대신에 쥐에게 실험을 할 수 있기 때문에 이것은 이점이 될 수 있다.

Q 이 담화의 주된 화제는 무엇인가?
(a) 실험용 동물 구하기
(b) 치료법을 찾는 프랑스 과학자들의 연구
(c) 인간의 뇌와 동물의 뇌의 비교
(d) 프랑스의 동물원에 있는 아프리카 원숭이

어구 implant 심다, 주입하다, 이식하다
cure 치료(법), 교정, 치유
Parkinson's disease 파킨슨병, 진전마비
brain cancer 뇌종양
expect 기대하다, 예상하다
entirely 완전히, 아주, 전적으로
advantage 유리한 점, 이점, 강점
instead of ~대신에
die of 병으로 죽다
laboratory animal 실험용 동물

해설 파킨슨병과 뇌종양의 치료법을 찾기 위해서 프랑스 과학자들이 원숭이와 쥐로 연구를 하고 있다는 내용이다.

정답 (b)

Tip 2 분야별 전문 어휘를 익히자 p.206

1 (a) **2** (c) **3** (d) **4** (b) **5** (a)

1

Be prepared for this weekend's blizzard. There will be heavy snow all weekend, and the storm is expected to lift by Monday afternoon. Depending on the amount of snow and ice, the airport is expecting to cancel many flights because of low visibility. The temperature is expected to be five below zero so bundle up. Road crews will be at work all night tonight sanding the roads, but avoid driving if you can.

Q Which is correct according to the announcement?

(a) It is going to snow a lot throughout this weekend.
(b) Roads will be closed all night because of the sanding.
(c) All the planes will stay on the ground this weekend.
(d) The airport will open as soon as the snow stops.

해석 이번 주말의 눈보라에 대비하십시오. 주말 내내 강한 눈이 내리고, 눈보라는 월요일 오후까지는 걷힐 것으로 보입니다. 눈과 얼음의 양에 따라, 공항은 낮은 가시도 때문에 많은 항공편을 취소할 것으로 예상됩니다. 기온은 영하 5도로 예상되므로 옷을 단단히 입으세요. 도로 작업반들이 도로에 모래를 뿌리며 밤새도록 일할 것이지만, 될 수 있으면 운전을 자제하세요.

Q 이 발표에 따르면 옳은 것은 무엇인가?
(a) 이번 주말 내내 많은 눈이 내릴 것이다.
(b) 모래 뿌리는 작업 때문에 도로는 밤새 폐쇄될 것이다.
(c) 모든 비행기들은 이번 주말에 지상에 머무를 것이다.
(d) 공항은 눈이 멈추는 대로 다시 열 것이다.

어구 blizzard 눈보라, 눈폭풍
lift (구름, 안개, 비 등이) 개다, 걷히다
visibility 눈에 보이는 정도, 시야, 가시도
bundle up 따뜻하게 몸을 감싸다
crew 승무원, 패거리, 작업반(대), 노동자의 한 무리

해설 밤새 도로를 모래로 덮는 작업을 한다고 했지만 도로를 폐쇄한다는 말은 없었다. 공항이 모든 항공편을 취소한다고 하지는 않았으므로 (c)는 오답이다.

정답 (a)

2

Although meningitis is a potentially deadly bacterial infection that affects less than 3000 people a year in the U.S., about 10 to 12 percent of people who contract it die. There is a vaccine available but since the number of infected each year is so small, many people do not get it. The disease attacks and shuts down organs and prevents blood circulation. Survivors of the infection may still end up with brain damage, kidney or liver damage, blindness, or amputation.

Q What does the speaker mainly talk about?

(a) The patients suffering from the disease
(b) The survivors from the disease
(c) A deadly bacterial infection
(d) The flu vaccine

해석 비록 뇌막염이 미국에서 연간 3천명 미만의 사람들이 걸리는 잠재적인 치명적 세균 감염이지만, 이 병에 걸린 사람들의 대략 10~12퍼센트가 사망한다. 사용이 가능한 백신이 있지만 매년 감염되는 사람의 수가 매우 적기 때문에 많은 사람들이 그것을 맞지 않는다. 이 병은 장기들을 공격하고, 그 기능을 멈추게 하고, 그리고 혈액순환을 방해한다. 이 감염으로부터 살아난 사람들도 결국에는 뇌손상, 신장 또는 간 손상, 실명이 나타나거나 절단술을 받을 수 있다.

Q 화자는 주로 무엇에 관해 말하고 있는가?
(a) 이 병으로 고통 받고 있는 환자
(b) 이 병으로부터 살아난 사람
(c) 치명적인 세균감염
(d) 감기 백신

어구 meningitis 뇌막염, 수막염
bacterial infection 세균 감염
affect (병이 사람, 신체를) 침범하다
contract (버릇, 병이) 들다, 걸리다
infect 병균을 퍼뜨리다, 전염시키다, 감염되다
shut down 닫다, 휴업하다, 내리다, 그만두게 하다
blood circulation 혈액 순환
kidney 신장, 콩팥
liver 간(장)
amputation 절단 (수술)

해설 meningitis라는 어려운 단어가 첫 문장에 나와서 당황스러울 수도 있지만, 지문내에서 부연 설명을 해주므로 문제를 푸는 데는 지장이 없다. 문제는 주로 무엇에 관하여 이야기 했는지를 묻고 있다. 부분적으로 이 병에 걸리는 사람이 얼마나 되고, 또 이 병으로부터 살아난 사람에 대해서도 간략히 언급하지만, 전체적으로는 뇌막염이라는 병에 대해서 말하고 있다.

정답 (c)

3

Drivers on the road should avoid Highway 67 right now at all costs. Because of a huge multi car wreck, there is a traffic jam for at least five miles in both north and south bound directions. It seems a car has crashed into the median and then caused another wreck because of that. Rescue crews are at the scene taking care of people with minor injuries. Fortunately there were no fatalities in this incident and everything should be cleaned up in a couple of hours.

Q Which is correct according to this message?

(a) Highway 67 is closed due to an accident.
(b) No one was injured from the incident.
(c) The traffic jam will last the whole day.
(d) The highway is backed up in both directions.

해석 도로에 있는 운전자들은 지금 어떻게든지 67번 고속도로를 피하도록 하세요. 커다란 다중 충돌사고 때문에, 북쪽과 남쪽 양 방향으로 최소한 5마일의 정체가 있습니다. 한 차량이 중앙분리대에 충돌하고, 그로 인해 다른 충동이 일어난 것으로 보입니다. 구조대가 현장에서 경상을 입은 사람들을 돌보고 있습니다. 다행스럽게도 이 사고에서 사망자는 없고, 모든 것은 두세 시간 안에 정리될 것입니다.

Q 이 메시지에 따르면 맞는 것은 무엇인가?
(a) 67번 고속도로는 사고 때문에 폐쇄되었다.
(b) 사고로 다친 사람은 아무도 없다.
(c) 교통정체는 하루 종일 계속될 것이다.
(d) 고속도로는 양 방향으로 막힌다.

어구 avoid 피하다, 회피하다, 막다
at all costs 어떤 희생(대가)을 치르더라도, 기어코
wreck 난파, 충돌, 파괴
traffic jam 교통정체(체증), 길 막힘
at least 최소한, 적어도
median 중앙(값), 중앙선, 중앙분리대
scene (사건, 이야기 등의) 현장, 장면, 무대
take care of ~을 돌보다, 처리하다
minor injury 경상, 경미한 부상
cf. heavy injury[wound] 중상
fatality 죽음, 사망자(수)

해설 교통정보를 전하는 짤막한 공지이다. 67번 고속도로는 교통정체가 있는 것이지 폐쇄된 것은 아니고, 사고로 인해 사망자가 없을 뿐이지 경미한 부상을 입은 사람은 있었으므로 (a)와 (b)는 오답이다. 마지막 문장에서 두세 시간 내에 모든 것이 정리될 것이라고 했으므로 교통체증이 하루 종일 지속되지는 않을 것이다.

정답 (d)

4

With global warming, an increasing number of endangered species, and the growing hole in the ozone, it's no wonder people are worried about our environment. But it's not too late. Some scientists say that we are killing our planet, but there's still time to help and make repairs. For example, sorting your trash and recycling is a simple and easy way to start helping our world, and it only takes a few extra minutes a week.

Q What is the main point of the speaker?

(a) We should find out the cause of global warming.
(b) We can still do something to save our planet.
(c) We need to make a law for protecting endangered animals.
(d) We are too pessimistic about our earth.

해석 지구 온난화와 증가하는 멸종 위기에 처해진 동물들, 그리고 계속 커지는 오존에 뚫린 구멍들로 인하여 인간들이 환경에 대해 걱정하는 것도 당연하다. 그러나 너무 늦지는 않았다. 몇몇 과학자들은 우리가 지구를 죽이고 있다고 말하지만, 아직 지구를 살리고 개선할 시간이 있다. 예를 들면, 분리수거를 하고 재활용을 하는 것은 지구를 살리는 간단하고 쉬운 방법이다. 그리고 이것은 일주일에 몇 분밖에 걸리지 않는다.

Q 화자의 요지는 무엇인가?

(a) 지구 온난화의 원인을 찾아야 한다.
(b) 아직 지구를 구하기 위해 무언가를 할 수 있다.
(c) 멸종위기에 처한 동물들을 보호하기 위해 법을 제정해야 한다.
(d) 지구에 대해서 너무 비관적이다.

어구 global warming 지구 온난화
endangered species 멸종 위기에 처한 종들
ozone 오존
sort 분류하다
recycling 재활용

해설 화자는 현재 지구의 환경오염으로 인해 초래된 결과들에 대해서 언급했다. 환경오염이 되긴 했지만, 여전히 환경을 개선할 희망이 있다고 주장하며, 환경 개선을 위해서 할 수 있는 구체적인 방법을 얘기하고 있으므로 정답은 (b)가 된다. 환경에 대한 문제는 TEPS 청해에 자주 나오는 분야이므로 익숙해지는 게 중요하고, global warming, endangered species, recycling 등은 환경 문제가 나올 때 빈출하는 전문 어휘이므로 잘 익혀 두자.

정답 (b)

5

Students interested in declaring a major in sociology might also want to consider declaring a specific concentration as well. For example, if you have a concentration in civil rights, you will study much about racial segregation and the American civil rights movement of the 1960s. Or if you choose to go with women's studies, you can learn a lot about communication differences in gender and divorce rates in the country.

Q What is the benefit from choosing a specific concentration?

(a) You can focus on what you are interested in.
(b) You can earn a degree faster than other students.
(c) You can do research in other fields as well as sociology.
(d) You can learn more about the history of America.

해석 사회학을 전공하기 원하는 학생들은 집중 연구분야 또한 정하시는 것이 좋습니다. 만약에 공민권을 집중연구 한다면, 여러분은 인종 차별과 1960년대 미국의 시민운동에 대해서 공부를 많이 할 것입니다. 혹은 여성학을 선택한다면, 남성과 여성의 대화의 차이점과 미국의 이혼율에 대해서 배울 수 있습니다.

Q 집중연구를 선택함으로써 얻을 수 있는 이점은 무엇인가?

(a) 당신이 관심 있는 분야에 집중할 수 있다.
(b) 다른 학생들보다 학위를 빨리 취득할 수 있다.
(c) 사회학 뿐 아니라 다른 분야에 대해서 연구할 수 있다.
(d) 미국의 역사에 대해서 더 많이 배울 수 있다.

어구 declare a major 전공을 정하다
concentration 집중연구
civil rights 공민권
racial segregation 인종 차별
gender 성, 성별(sex)
women's studies 여성학
divorce rate 이혼율

해설 사회학을 전공하는 학생들이 세부적으로 자신이 집중연구할 분야를 정하라는 주제의 담화이다. 집중연구할 분야를 정하면, 더 세부적으로 사회학을 공부할 수 있다고 예를 들어 구체적으로 설명하고 있으므로 정답은 (a)가 된다. 사회학에 대한 전문 어구가 많이 등장했다. civil rights, racial segregation, women's studies, divorce rate 등의 어구들을 미리 알고 있으면 듣기가 훨씬 수월할 것이다. 사회학에 자주 등장하는 어구들이니 반드시 익혀 두자.

정답 (a)

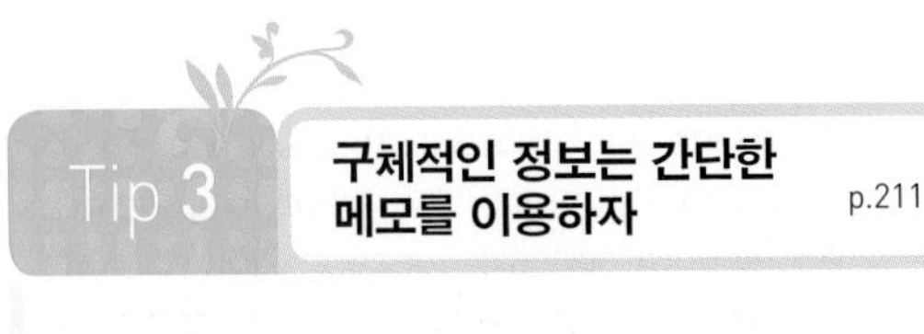

Tip 3 구체적인 정보는 간단한 메모를 이용하자 p.211

1 (c) **2** (b) **3** (d) **4** (a) **5** (c)

1

It is estimated that over 850 million chickens are consumed each year in Britain. That's more than double the number from fifty years ago. As the demand for chicken increases, farmers work to meet those demands. Fifty years ago it took about eleven weeks for a chicken to be full grown before it would be slaughtered. Now it only takes about six weeks. Although consumers are more health conscious than ever before, that won't stop chicken farmers from mass producing these birds for our consumption.

Q How long does it take for a chicken to be full grown today in Britain?

(a) About 11 weeks
(b) About 11 months
(c) About 6 weeks
(d) About 6 months

해석 영국에서 한 해에 8억 5천만 마리 이상의 닭이 소비되는 것으로 추정된다. 이것은 50년 전의 수치의 두 배보다 더 많다. 닭에 대한 수요가 증가함에 따라, 농장주들은 이런 수요를 충족시키기 위해서 일하고 있다. 50년 전에는 도살하기 전에 닭이 완전히 성장하려면 대략 11주가 걸렸다. 지금은 단지 6주 정도가 걸릴 뿐이다. 비록 소비자들이 이 전보다 더 건강을 의식하고 있지만, 그것이 양계 농장주들이 우리의 소비를 위해 닭을 대량 사육하는 것을 막지는 못할 것이다.

Q 오늘날 영국에서 닭이 완전히 성장하기까지 얼마나 걸리는가?

(a) 약 11주
(b) 약 11달
(c) 약 6주
(d) 약 6달

어구 estimate 견적하다, 어림하다, 추정하다
consume 소비하다, 다 써 버리다, 먹다
demand 요구, 수요
meet 만나다, 만족시키다, (필요, 요구 등에) 응하다
slaughter 도살하다
conscious 의식하고 있는, 지각이 있는, 의식적인

해설 구체적인 사실을 묻는 문제이다. 수치가 두 개 이상 나올 때는 혼동하기 쉬우므로 간단하게 메모를 하는 것도 좋은 방법이다. 여러 개의 수치가 나올 때 주의할 것은 수치에 따라오는 단위이다. 위의 문제에서도 숫자에만 신경쓰고 그 단위(week, month)를 놓친다면 오답을 고를 수도 있기 때문이다.

정답 (c)

2

Valentine's Day, February 14th, is a holiday on which lovers express their affection for one another by exchanging gifts. Though it is seen as a chance to share your feelings, for businesses it's seen as one of the biggest money making holidays of the year. It is estimated that around 1 billion cards are sent each year worldwide for the holiday, making it the second largest card-sending holiday of the year after Christmas. It is also estimated that women send around 85% of all the cards.

Q According to this talk, which is correct about Valentine's Day?

(a) Girls give chocolates to their boyfriends.
(b) It is estimated that women send more cards than men.
(c) It is the biggest holiday in Europe.
(d) One billion couples around the world celebrate this holiday.

해석 2월 14일 밸런타인데이는 연인들이 서로 선물을 교환함으로써 그들의 애정을 표현하는 축제일이다. 당신의 감정을 공유할 기회로 보이지만, 사업가들에게는 일 년 중 최대의 대목 휴일들 중 하나로 보인다. 매년 세계적으로 이 휴일동안 대략 10억장의 카드가 부쳐지는 것으로 추정되고, 일 년 중 크리스마스 다음 두 번째로 많은 카드를 보내는 휴일로 만들었다. 또한 모든 카드들 중 약 85%는 여성이 보내는 것으로 추정된다.

Q 이 담화에 따르면, 밸런타인데이에 관하여 옳은 것은 어느 것인가?

(a) 여자들은 그들의 남자친구에게 초콜릿을 준다.
(b) 여성들이 남성들보다 더 많은 카드를 보내는 것으로 추정된다.
(c) 이것은 크리스마스와 함께 두 번째로 큰 휴일이다.
(d) 세계적으로 10억 쌍의 커플들이 이 축제를 즐긴다.

어구 affection 애정, 호의, 애착
one another 서로
estimate 평가하다, 어림잡다, 추정하다
around 대충, 약
second largest 두 번째로 큰, 둘째가는

해설 문제를 풀 때 According to this talk~가 들리면, 반드시 마음속으로 '상상금지'라고 다짐을 해야 한다. 문제는 '이 말에 따르면'이라고 했으므로 철저히 읽어 준 내용에서만 답을 찾도록 해야 한다. 대부분의 학생들이 밸런타인데이라고 하면 초콜릿을 제일 먼저 떠올릴 것이다. 하

지만 위에서는 연인들이 선물을 주고받는 날이라고 했을 뿐 어디에도 초콜릿에 관한 이야기는 없다. 따라서 (a)는 오답이다. 철저하게 읽어준 내용을 바탕으로 상상 또는 배경지식은 제쳐두고 답을 찾아야 한다.

정답 (b)

3

Many countries in Asia and Europe face the population aging problem. This means that within the next twenty years these countries will have a majority of their population over the age of 65, with the average age close to 50. This is attributed to two factors, a low mortality rate and a low fertility rate.

Q Which is true according to this passage?

(a) Global warming is a worldwide problem.
(b) Asian countries have a more serious problem than European countries.
(c) An increasing birth rate is one of the reasons of population aging.
(d) A low death rate is one of the reasons of population aging.

해석 아시아와 유럽의 많은 국가들은 인구 고령화 문제를 직면하고 있다. 이는 20년 내에 이 국가들이 인구의 대다수가 65세 이상이고 평균 연령이 50세에 가깝게 되리라는 것을 의미한다. 이것은 두 개의 요소, 즉 낮은 사망률과 낮은 출산율 때문이다.

Q 이 지문에 의하면 옳은 것은 무엇인가?
(a) 지구 온난화는 전 세계적인 문제이다.
(b) 아시아 국가들은 유럽 국가들보다 더욱 심각한 문제를 가지고 있다.
(c) 증가하는 출생률이 인구 고령화의 이유 중 하나이다.
(d) 낮은 사망률이 인구 고령화의 이유 중 하나이다.

어구 face 직면하다, 맞서다, 정면으로 대하다
population aging 인구 고령화
majority 대다수, 과반수
be attributed to ~ 때문이다, ~이 원인이다
mortality 죽음, 사망
fertility 출생(율), 비옥함, 풍부, 산출력

해설 지구온난화에 대해서는 언급한 바가 없고, 인구 고령화의 문제가 있는 곳으로 아시아와 유럽의 국가를 말하기는 했으나 어느 곳이 문제가 더 심각한지는 말하지 않았다. (a)와 (b)는 오답이다. 인구 고령화의 이유로 두 가지를 들었는데 출생률의 증가는 그 이유가 아니다.

정답 (d)

4

Your age and weight would change depending on the gravitational field of what planet you're on. For example, a person who weighs 130 pounds on Earth would weight about 50 pounds on Mars because of the gravitational pull. Also, since all the planets have different lengths of a year your age would be different, too. For instance, a person who is 30 years old on Earth would be 2.5 years old on Jupiter, because of the difference in the period of revolution around the sun.

Q According to the speaker, which is correct?

(a) You would weigh less than half on Mars.
(b) All planets have different magnetic fields.
(c) It takes 2.5 years for Jupiter to go around the sun.
(d) Your height would be different on another planet.

해석 당신의 나이와 몸무게는 당신이 어느 행성의 중력장에 있느냐에 따라 변화한다. 예를 들면, 지구에서 몸무게가 130파운드인 사람은 중력 때문에 화성에서는 몸무게가 약 50파운드가 나갈 것이다. 또한, 모든 행성들이 서로 다른 일 년의 길이를 갖기 때문에 당신의 나이 역시 다를 것이다. 예를 들어, 지구에서 30살인 사람은 태양의 둘레를 도는 기간의 차이 때문에 목성에서는 2.5살이 된다.

Q 화자에 따르면 옳은 것은 무엇인가?
(a) 당신은 화성에서 몸무게가 절반 미만으로 될 것이다.
(b) 모든 행성들은 서로 다른 자기장이 있다.
(c) 목성이 태양 둘레를 도는데 2.5년이 걸린다.
(d) 당신의 키가 다른 행성에서는 달라질 것이다.

어구 gravitational field 중력장
planet 행성
weigh 무게가 나가다, 무게를 재다
Mars 화성
gravitational pull 중력, 인력
Jupiter 목성, (로마신화) 주피터
revolution 회전, 공전
magnetic field 자기장

해설 등장하는 여러 개의 수치들을 메모했다면 문제를 보다 쉽게 풀 수 있다. 나이와 몸무게가 행성에 따라 변할 수 있는데, '지구에서 130파운드, 화성에서 50파운드' 또 '지구에서 30살, 목성에서 2.5살' 이 정도 메모면 훌륭하다. (a)를 보면 화성에 가면 몸무게가 반 이하로 된다고 했는데 메모가 없으면 쉽게 풀기 힘들 수도 있다. 130파운드가 50파운드로 되므로 절반 미만(less than half) 맞다. 자기장과 키에 대해서는 언급이 없었고, 목성에서는 30살인 사람이 2.5살이 된다고 했지 공전주기가 2.5년이라는 이야기는 아니다.

정답 (a)

5

The majority of women in relationships spend more time preparing food than men do, and if a couple gets married then that increases the time spent making food. For example, full time working married women spend about 51 minutes a day making food while full time working single women spend about 36 minutes a day preparing and cooking food. Compare that to nonworking married women, who spend about 96 minutes a day cooking. It's almost double!

Q Who spends more than an hour a day making food?

(a) Full time working married women
(b) Full time working single women
(c) Nonworking married women
(d) All the married women

해석 교제중인 여성들의 대다수는 음식을 준비하는데 남성보다 더 많은 시간을 보낸다. 그리고 커플이 결혼을 하면 음식을 만드는데 보내는 시간이 더 증가한다. 예를 들어, 상근으로 일하는 독신 여성은 하루에 음식을 준비하고 요리하는데 약 36분을 소비하는 반면, 상근으로 일하는 기혼 여성은 음식을 하는데 하루에 51분을 쓴다. 요리하는 것에 하루에 96분을 보내는 일하지 않는 기혼 여성과 비교해 보라. 거의 두 배이다!

Q 누가 음식을 만드는데 하루에 한 시간이상 쓰는가?
(a) 상근으로 일하는 기혼 여성
(b) 상근으로 일하는 미혼 여성
(c) 일하지 않는 기혼 여성
(d) 모든 기혼 여성

어구 **majority** 대다수, 과반수
relationship 관계, 가깝게 사귀는 관계
prepare 준비하다, 마련하다
single 미혼의, 독신의
spend (시간을) 보내다, 소비하다

해설 각 여성들이 음식을 준비하는데 몇 분을 보내는지 간단히 메모하였다면 보다 쉽게 해결할 수 있는 문제이다. 메모를 간단히 해보면 '음식준비: 여자>남자', '일+기혼 여자=51분', '일+미혼 여자=36분', '일X+기혼 여자=96분' 정도로 할 수 있겠다. 물론 실제 시험에서 이것을 다 적을 수는 없을 지라도 각 숫자정도는 적을 수 있을 것이다. 결국 하루에 한 시간이상 음식을 만드는 사람은 '일X+기혼 여자'이다.

정답 (c)

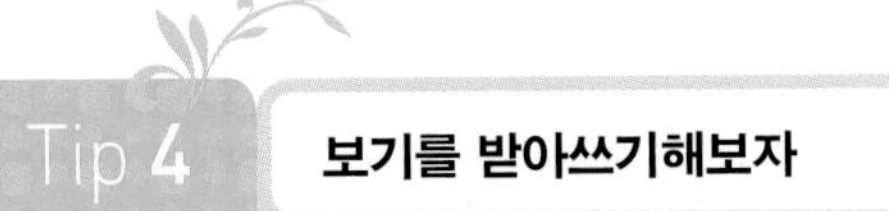

Tip 4 보기를 받아쓰기해보자 p.216

1 (a) **2** (d) **3** (b) **4** (d) **5** (a)

1

Arlington Community College's 10th annual French Festival will be held next weekend on campus. This is the perfect opportunity to expose yourself to some French culture. The French department is sponsoring the festival and there will be many fun events this year, such as a food tasting fair, movie screenings, and a party on Saturday night where you can come and practice your French with native speakers.

Q What can be inferred from the talk?

(a) The French Festival is held every year.
(b) You need to go to France to participate.
(c) There will be sales at the French department store.
(d) Only the students of the college can join the party.

해석 알링턴 전문대학의 제10회 연간 프랑스 축제가 다음 주말에 학교에서 열립니다. 이 축제는 프랑스 문화를 접할 수 있는 완벽한 기회입니다. 프랑스 학부가 이 축제를 후원하고 올해에는 음식 맛보기 박람회, 영화 상영, 그리고 여러분이 와서 원어민들과 프랑스어를 실습해 볼 수 있는 토요일 밤의 파티와 같은 많은 흥미로운 이벤트들이 있을 것입니다.

Q 이 말에서 추론할 수 있는 것은 무엇인가?
(a) 프랑스 축제는 매년 열린다.
(b) 참가하기 위해서는 프랑스에 가야 한다.
(c) French 백화점에서 세일이 있을 것이다.
(d) 그 대학의 학생들만 파티에 참석할 수 있다.

어구 **community college** 지역[지방] 전문대학
annual 1년의, 해마다의, 한 해 한 번씩의, 연간의
expose 드러내다, (작용, 영향 등을) 접하게 하다
department (대학의) 학부, 과
fair 품평회, 박람회, 전시회
screening (영화, 텔레비전 등의) 상영, 영사

해설 한 지역의 전문대학에서 개최하는 축제를 홍보하는 안내문이다. 첫 문장의 10th annual French Festival에서 이 축제가 매년 열린다는 것을 추론할 수 있다. 파티에 그 대학의 학생만이 참가할 수 있다는 제한은 없었다.

정답 (a)

2

The Dead Are Alive is the scariest movie of the year! This movie about zombies may seem silly at first, but there truly are some frightening moments in the film. The acting isn't as unrealistic as other zombie movies. And with the dramatic sound effects, you're sure to be on the edge of your seat the whole time. The film is a little violent and bloody, so be sure to leave the kids at home.

Q What is being talked about?

(a) Actors in the scary movie
(b) The rating of the movie
(c) A news report about zombies
(d) The film called 'The Dead are Alive'

해석 '죽은 자가 살아있다'는 올해 가장 무서운 영화이다! 좀비에 대한 이 영화는 처음에는 바보같아 보일지도 모르지만, 이 영화에는 정말로 무서운 순간들이 있다. 연기는 다른 좀비 영화들 같이 비현실적이지 않다. 그리고 극적인 음향효과들로 당신은 영화상영 내내 틀림없이 무서워서 자리 끝에 걸터앉아 있을 것이다. 영화는 다소 폭력적이고 유혈이 낭자하므로 아이들은 반드시 집에 남겨두고 와라.

Q 무엇에 관해 이야기하고 있는가?

(a) 무서운 영화의 배우들
(b) 이 영화의 등급
(c) 좀비에 관한 뉴스
(d) '죽은 자가 살아있다'라는 영화

어구 scary 무서운, 두려운, 겁 많은
silly 어리석은, 바보 같은
truly 진실로, 정당하게, 거짓 없이, 참으로
unrealistic 비현실적인, 비사실적인
dramatic 극적인
be sure to 반드시[틀림없이] ~하다
edge 가장자리, 모서리, 끝

해설 The Dead Are Alive라는 공포영화에 관하여 이야기 하고 있다. 좀비에 관한 영화에 관해서 말하고 있는 것이지 좀비에 관한 뉴스는 아니다.

정답 (d)

3

Remarkably there are no traffic accidents today during rush hour. Of course it's still backed up and everyone is bumper to bumper but at least there aren't any accidents. Drivers should remember that the Thornton Freeway will have construction going on starting tonight at 9 p.m. so be sure to adjust your schedules accordingly if you will be on the roads at that time. You could also take Highway 114 as an alternate route.

Q According to the report, which is correct?

(a) There is an accident on Highway 114.
(b) Construction is scheduled on Thornton Freeway tonight.
(c) Unusually there is no traffic jam tonight.
(d) Cars have been backed up since 9 p.m. on the freeway.

해석 평소와는 다르게 오늘은 러시아워 중에 교통사고가 없습니다. 물론 길이 막히고 차들이 꼬리를 물고 늘어졌지만 적어도 교통사고는 없습니다. 운전자들은 쏜튼 고속도로에 오늘 밤 9시부터 시작하여 진행되는 공사가 있을 것이라는 것을 기억하시고, 그 때에 도로에 있을 것이라면 그에 맞추어서 여러분의 스케줄을 잊지 말고 조정하세요. 114번 고속도로를 우회도로로 이용할 수도 있습니다.

Q 이 리포트에 따르면 맞는 것은 무엇인가?

(a) 114번 고속도로에는 교통사고가 있다.
(b) 오늘밤 쏜튼 고속도로에는 공사가 예정되어 있다.
(c) 평소와는 달리 오늘밤에는 교통체증이 없다.
(d) 차들이 고속도로에서 오후 9시부터 정체되어 있다.

어구 remarkably 두드러지게, 현저하게, 몹시, 매우
construction 건설, 공사
adjust 조절하다, 맞추다, 바로잡다
accordingly 그에 따라서, 그에 알맞게
alternate route 우회도로, 대체도로

해설 첫 문장에서 오늘은 교통사고가 없다고 했으므로 (a)는 제외되고, 평소와 달리 사고가 없다고만 했지 길은 여전히 막히고 있다고 했으므로 (c) 역시 제외된다. 오늘밤 9시부터 공사가 있을 것이라고 했지, 9시부터 정체상태라는 언급역시 없다.

정답 (b)

4

Claude Monet was one of the leading artists of the Impressionist movement and his work clearly reflects that. Early in his career Monet painted people as well as nature, but as his work progressed he focused more on nature and its variations throughout the year. For example, he would paint a tree in summer and winter to show how light and the season changed how the tree looked. He is probably most famous for his series of water lilies, which are noted for the wonderful colors.

Q What is the main topic of the talk?

(a) The wonders of nature
(b) The beauty of paintings
(c) The Impressionist movement
(d) Monet and his work

해석 클로드 모네는 인상파 운동의 선구적인 화가들 중 하나였고 그의 작품은 뚜렷하게 그것을 나타낸다. 그의 경력의 초기에 모네는 자연은 물론 사람도 그렸지만, 그의 작업이 나아가면서 그는 자연과 자연의 한 해 동안의 변화에 보다 더 집중하였다. 예를 들면, 그는 빛과 계절이 나무의 형태를 어떻게 변화시켰는지를 보여주기 위해서 한 나무를 여름과 겨울에 그렸다. 그는 훌륭한 색채로 유명한 수련들의 연속화로 가장 유명할 것이다.

Q 이 말의 주요한 화제는 무엇인가?

(a) 자연의 신비
(b) 그림의 아름다움
(c) 인상파 운동
(d) 모네와 그의 작품

어구 Impressionist movement 인상주의(미술) 운동, 인상파 (화가) 운동
clearly 뚜렷하게, 명확히
reflect 반사하다, 반영하다, 나타내다
career 직업, 생애, 이력, 경력
as well as~ ~은 물론, ~뿐만 아니라 …도
progress 진행되다, 진척되다
variation 변화, 변동
throughout 시종일관, ~동안(내내), ~를 통하여
probably 아마도, 십중팔구
series of 일련의, ~의 연속, 시리즈의
water lily 수련(水蓮)
be noted[famous] for 유명하다, 알려지다

해설 위에서 화자는 모네라는 화가가 누구였고 그의 작품에서 무엇을 그렸는지를 이야기하고 있다. 그가 자연을 그렸고 인상파 화가였다고 이야기 하였지만, 이것은 위 이야기 전부를 포괄하지는 못한다. 다시 말해, 이 이야기의 주제가 되기에는 부족하다. 따라서 주제는 이야기 전부를 포괄할 수 있는 모네와 그의 작품이 된다.

정답 (d)

5

Although most people know that astronomy is the study of the heavens, there are many different branches of sky sciences. Astronomy covers the planets, stars, and everything else in space, but other studies are more specific. For example, cosmology is the study of the physical and philosophical principles of the universe. Another branch of sky science is astrometry, which deals with the movements and positions of celestial bodies.

Q According to the talk, what is true about astronomy?

(a) There are many fields in astronomy.
(b) Astronomy is the study of the earth.
(c) Astronomy is a branch of cosmology.
(d) Astronomy is related to astrology.

해석 비록 많은 사람들이 천문학은 하늘을 연구하는 것이라고 알고 있지만, 천문학에는 많은 다른 부문이 있다. 천문학은 행성들, 별들과 우주의 다른 모든 것들을 포함하지만, 다른 학문들은 보다 구체적이다. 예를 들면, 우주론은 우주의 물리적이고 철학적인 원리의 연구이다. 천문학의 또 다른 부문으로 천체들의 움직임과 위치를 다루는 천체 측정학이 있다.

Q 이 담화에 따르면, 천문학에 대해 옳은 것은 무엇인가?

(a) 천문학에는 많은 분야가 있다.
(b) 천문학은 지구에 관한 연구이다.
(c) 천문학은 우주론의 한 부문이다.
(d) 천문학은 점성술과 연관이 있다.

어구 astronomy 천문학 (sky science)
heaven 하늘, 창공, 천국
branch 가지, 파생물, 분파, 지점, 부문, 분과
cover 포함하다, (어떤 범위에) 걸치다, 미치다
planet 행성
specific 명확한, 확실한, 일정(특정)의, 구체적인
cosmology 우주론
principle 원리, 법칙
universe 우주, 은하계
astrometry 천체 측정학
celestial 하늘의, 천체의
cf. celestial body 천체
astrology 점성술

해설 천문학은 지구가 아니라 하늘, 우주를 연구하는 학문이므로 (b)는 오답이다. 우주론이 천문학의 한 부문이므로 (c)는 반대로 서술되어 있다. 천문학이 점성술과 연관이 있다고 생각할 수도 있겠지만, 문제에서 '이 말에 따르면(according to this talk)'이라고 했으므로, 없는 내용을 지나치게 상상해서는 안 된다. (d) 역시 제외된다.

정답 (a)

Tip 5 지문안의 신호(Signals)를 잡자 p.222

1 (a)　**2** (c)　**3** (b)　**4** (c)　**5** (b)

1

Although you may feel like you don't have time to cook, you're wrong. With the new CookMaster Oven you don't have to worry about finding the time to make a healthy meal. It's a high powered oven that fits right in your kitchen! You can cook a 15 pound turkey in three hours and cleanup is a snap. All the removable parts are dishwasher safe. Also, we're offering it for an amazingly low price of $150. So give us a call now.

Q What is the purpose of this talk?

(a) To encourage people to buy CookMaster Ovens
(b) To encourage people to eat healthy meals
(c) To encourage people to renovate their kitchens
(d) To encourage people to consume more turkeys

해석 비록 당신이 요리를 할 시간이 없다고 느낄지라도, 그렇지 않습니다. 새로운 CookMaster 오븐이 있으면 당신은 건강한 식사를 만들 시간을 내는 것에 대해 걱정할 필요가 없습니다. 이것은 당신의 주방에 딱 맞는 고성능 오븐입니다. 15파운드의 칠면조를 3시간 이내에 요리할 수 있고, 청소도 간편합니다. 분리할 수 있는 모든 부품들은 식기세척기에 넣어도 안전합니다. 또한, 우리는 놀랍게 싼 가격 150달러에 이것을 제공합니다. 그러니 지금 전화주세요.

Q 이 담화의 목적은 무엇인가?
(a) 사람들이 CookMaster 오븐을 사도록 하기 위해서
(b) 사람들이 건강식을 먹도록 하기 위해서
(c) 사람들이 주방을 개조하게 하기 위해서
(d) 사람들이 칠면조를 더 많이 소비하게 하기 위해서

어구 fit 꼭 맞다, 적합하다
turkey 칠면조
snap 쉬운 일, 편한 일
removable 제거할 수 있는 이동할 수 있는

해설 CookMaster라는 오븐의 특징과 장점을 이야기하고, 마지막에 가격이 저렴으로 제공하므로 지금 전화하라고 설득한다. 오븐을 팔려는 광고인 것을 알 수 있다.

정답 (a)

2

Galileo Galilei was an Italian scientist who played an important role in the scientific revolution. Also, Galileo has been called the "father of modern physics". And his great achievements are still taught in the lecture rooms all over the world. His great works, however, were not appreciated during his lifetime. Moreover, Galileo was forced to deny his theories and spent the rest of his life under house arrest.

Q According to the talk, what is true about Galileo Galilei?

(a) He had taught physics at schools in Italy.
(b) He was considered a great scientist in his time.
(c) His theories were ignored during his lifetime.
(d) He spent the rest of his life resting in his own house.

해석 갈릴레오 갈릴레이는 과학적 혁명에 있어서 중요한 역할을 했던 이탈리아 과학자였다. 또한 갈릴레오는 '현대 물리학의 아버지'라고 불려왔다. 그리고 그의 위대한 업적들은 여전히 전 세계의 강의실에서 가르쳐지고 있다. 그러나 그의 훌륭한 업적들은 그의 일생동안에는 그 진가를 인정받지 못했다. 게다가, 갈릴레오는 그의 이론들을 부정하도록 강요받았고, 여생을 가택구금 상태에서 보내야 했다.

Q 이 말에 따르면 갈릴레오 갈릴레이에 관하여 옳은 것은?
(a) 그는 이탈리아에 있는 학교들에서 물리학을 가르쳤다.
(b) 그는 그가 살던 시대에 위대한 과학자로 여겨졌다.
(c) 그의 이론들은 그의 일생동안에 무시되었다.
(d) 그는 여생을 자신의 집에서 휴식하면서 보냈다.

어구 role 역할
revolution 혁명
physics 물리학
achievement 업적, 공적
appreciate 진가를 인정하다, 높이 평가하다
house arrest 가택구금
ignore 무시하다, 묵살하다

해설 전반부에서 갈릴레오와 그의 업적이 위대하다는 이야기가 나오지만, 후반부에 however 이후로 그가 그 당시 인정받지 못하고 홀대받았던 이야기가 이어진다. 전반부만 보면 그의 이론들이 그가 살던 시대에도 높이 평가되었던 것처럼 보일 수도 있으나, 후반부에 따르면 그렇지 않았다는 것을 알 수 있다. 그리고 그는 여생을 집에 갇혀서 보낸 것이지 편하게 휴식을 취하면서 보낸 것이 아니다. 따라서 (d)는 답이 될 수 없다.

정답 (c)

3

In today's class, we will discuss dream interpretation, which is the process of giving meaning to our dreams. Although many of you may think that a dream has no meaning, people since ancient times have been trying to figure out what dreams mean. In ancient Egypt and Greece dreaming was considered a divine act that let one communicate with the gods.

Q What is the class mainly about?

(a) Greek mythology
(b) The interpretation of dreams
(c) The way to communicate with gods
(d) The psychological effects of dreams

해석 오늘 수업에서는 우리 꿈들에 의미를 부여하는 과정인 꿈 해석에 대해서 논의하겠습니다. 비록 여러분 중 다수가 꿈에는 아무런 의미도 없다고 생각할지 모르지만, 고대로부터 사람들은 꿈이 무엇을 의미하는지를 밝히려고 노력해왔습니다. 고대 이집트와 그리스에서 꿈을 꾸는 것은 그 사람이 신과 소통하는 신성한 행위로 여겨졌습니다.

Q 수업은 주로 무엇에 관한 것인가?

(a) 그리스 신화
(b) 꿈의 해석
(c) 신과 소통하는 방법
(d) 꿈의 심리적인 영향

어구 interpretation 해석, 설명
ancient times 고대
cf. modern times 현대
figure out 이해하다, 해결하다, 밝히다
consider ~이라고 생각하다, 여기다
divine 신의, 하늘이 내린, 신성한

해설 수업을 할 때는 대부분 첫머리에서 무엇에 관하여 논의할 것인지 이야기한다. 이 문제에서도 마찬가지로 첫 문장에서 문제의 답을 찾을 수 있다. (c)에 나온 신과 소통하는 방법은 고대 이집트와 그리스에서 꿈꾸는 것을 그렇게 여겼다는 것이지 이 수업의 주된 내용이 되지는 않는다.

정답 (b)

4

This announcement is for all students who wish to run for president. First, you must collect 50 signatures supporting yourself. After you have 50 signatures you must turn in the list to the student government office. You may then begin your campaign around campus. Posters and signs may only be put up after they are approved by the student government office. Also, all candidates must remove their own posters and signs after the election is over.

Q When can a candidate put up posters and signs?

(a) After collecting 50 signatures
(b) After finishing the campaign around the campus
(c) After turning in the list of signatures.
(d) After approval by the student government office

해석 이 공지는 학생회장에 입후보하려는 모든 학생들을 위한 것입니다. 우선, 당신을 지지하는 서명 50개를 모아야 합니다. 서명 50개를 모은 후에 당신은 학생회 사무실에 그 리스트를 제출해야 합니다. 그 후에 캠퍼스에서 선거운동을 시작해도 됩니다. 포스터와 간판은 학생회 사무실에 의해 승인받은 후에만 게시할 수 있습니다. 또한 모든 후보자들은 선거가 끝난 후에 자신들의 포스터와 간판들을 반드시 떼야 합니다.

Q 후보자는 언제 포스터와 간판을 게시할 수 있는가?

(a) 서명 50개를 모은 후
(b) 캠퍼스에서 선거운동을 끝낸 후
(c) 서명의 목록을 제출한 후
(d) 학생회 사무실의 승인을 받은 후

어구 run for ~에 입후보하다
turn in 제출하다
campaign 선거운동, 캠페인
put up 게시하다, 나타내다, 올리다
approve 승인하다
candidate 후보자
election 선거, 선출

해설 후보자가 되려면 서명을 받고 그 목록을 사무실에 제출해야 한다. 이렇게 후보가 된 후에 선거운동을 개시해도 되는데 포스터와 간판을 사용하는 데는 제한이 있다고 했다. 마지막에서 두 번째 문장을 보면 학생회 사무실의 승인을 받은 후에만(only~ after~) 게시가 가능하다고 말했다.

정답 (c)

5

There is a lot of controversy about Pierre Luna's newest movie, *The Darkness*. Although it is a horror movie, most people say it goes too far. Also, even though many viewers at the preview enjoyed the film, they said that they wouldn't recommend it to their friends. Moreover, parents are concerned that their teenage children will be let in to the movie, despite the adult rating.

Q According to the talk, what is correct about the movie?
(a) Many viewers have good comments about the movie.
(b) By the rating of this movie, teenagers can't watch the film.
(c) Most viewers say that the level of fear is moderate.
(d) Parents of teenagers recommended the movie to their children.

해석 피에르 루나의 최근 영화, 〈암흑〉에 대하여 많은 논란이 있습니다. 비록 공포영화이기는 하지만, 대부분의 사람들은 너무 지나치다고 말합니다. 또한 시사회 관객들도 영화를 즐겼지만, 그들의 친구들에게 권하지는 않을 것이라고 말했습니다. 게다가 부모들은 이 영화의 등급에도 불구하고 그들의 십대 자녀들이 영화관에 들여보내질까 걱정하고 있습니다.

Q 이 말에 따르면, 영화에 관하여 무엇이 옳은가?
(a) 많은 관객들은 이 영화에 대해 좋은 평을 했다.
(b) 영화의 등급에 의하면, 십대들은 이 영화를 볼 수 없다.
(c) 대부분의 관객들은 공포의 수준이 적절하다고 한다.
(d) 십대 아이의 부모들은 그들의 아이들에게 이 영화를 권했다.

어구 controversy 논쟁, 논란
too far 지나친, 과도한
preview 시사회, 미리보기
recommend 추천하다, 권하다
moreover 게다가, 더욱이
let in 들여보내다, 들이다
rating 등급, 등위, 평가

해설 전반적으로 이 영화에 대해 부정적인 평이 있다는 이야기를 하고 있으므로 (a)는 답이 아니다. 이 영화가 공포영화이기는 하지만 너무 지나치다고 했으므로 공포의 수준이 너무 높다는 의미이다. 따라서 (c)도 답이 아니다. 부모들은 아이들이 이 영화를 볼까봐 걱정 하고 있지 오히려 이를 권하지는 않으므로 (d)도 오답이다. 마지막 문장에 영화의 성인등급에도 불구하고(despite) 십대들이 영화관에 들여보내지는 것을 걱정하고 있으므로, 이 영화 등급에 따르면 십대들은 영화를 볼 수가 없다.

정답 (b)

Tip 6 한 문장씩 끊어서 들어보자 p.227

1 (c) **2** (a) **3** (d) **4** (c) **5** (d)

1

The Department of Health announced yesterday its results of a year long study on leafy green vegetables. Most people know that leafy green vegetables are essential to your physical health. However, most people don't know which vegetables have the most benefits. Lettuce is easily consumed in salads, but other green vegetables like spinach and broccoli are better for your health than lettuce.

Q What can be inferred from this talk?
(a) Most people don't eat lettuce.
(b) Lettuce is bad for your health.
(c) Lettuce is good but not as much as broccoli.
(d) Not all vegetables are good for your health.

해석 보건부는 어제 녹색 잎채소에 관한 일 년 동안의 연구 결과를 발표했다. 대부분의 사람들은 녹색 잎채소가 신체 건강에 필수적이라는 것을 알고 있다. 하지만, 대부분의 사람들은 어느 채소가 가장 많이 이로운지는 알지 못한다. 상추는 샐러드에서 쉽게 섭취되지만, 상추보다는 시금치와 브로콜리 같은 다른 녹색채소들이 당신의 건강을 위해 더 좋다.

Q 이 담화에서 추론할 수 있는 것은 무엇인가?
(a) 대부분의 사람들은 상추를 안 먹는다.
(b) 상추는 당신의 건강에 나쁘다.
(c) 상추가 좋기는 하지만 브로콜리만큼은 아니다.
(d) 모든 야채가 당신의 건강에 좋은 것은 아니다.

어구 leafy 잎으로 된, 잎이 많은
essential 필수의, 절대로 필요한
physical 육체의, 신체의
lettuce 상추, 양상추
spinach 시금치
broccoli 브로콜리
as much as ~정도, ~만큼

해설 샐러드를 통해서 상추를 쉽게 섭취한다고 했으므로 (a)는 답이 아니다. 그리고 시금치와 브로콜리가 상추보다 몸에 좋다는 뜻이지, 상추 자체가 몸에 나쁘다고 한 것은 아니므로 (b)는 틀리다.

정답 (c)

2

Even though we've got clear and sunny skies today, tomorrow it's all going to change. The temperature is going to drop drastically overnight and we will have our first real cold weather of the season. Nothing's going to freeze, but be sure to wear warm clothes if you're going out at night. But this cold weather will be gone in the next couple of days. So next week it will be less cold.

Q Which is correct according to the talk?

(a) Cold weather will continue for a couple of days.
(b) The weather will get colder next week.
(c) The temperature will be below zero tomorrow.
(d) Cold weather will start from this morning.

해석 오늘 맑고 화창한 하늘이지만, 내일은 모두 바뀔 것입니다. 밤새 기온이 뚝 떨어지고, 이 계절 들어 처음으로 정말 추운 날씨가 되겠습니다. 얼음이 얼지는 않겠지만, 밤에 외출을 할 거라면 꼭 따뜻한 옷을 입으세요. 하지만 이번 추운 날씨는 이삼일 안에 끝날 것으로 보입니다. 따라서 다음 주는 덜 추울 것입니다.

Q 이 말에 따르면 옳은 것은 무엇인가?

(a) 추운 날씨는 이삼 일간 계속 될 것이다.
(b) 날씨는 다음 주에 더욱 추워질 것이다.
(c) 내일 기온은 영하가 될 것이다.
(d) 추운 날씨가 오늘 아침부터 시작될 것이다.

어구 drastically 맹렬히, 철저히, 과감히
overnight 밤새도록, 하룻밤 동안
freeze 얼다, 결빙하다
a couple of 둘의, 두서넛의
below 아래로, 이하의

해설 추위가 이삼일 안에 끝나고 다음 주에는 덜 추울 것이라고 했으므로 (b)는 답이 아니다. 그리고 얼음이 얼지는 않는다고 했으므로 영하가 되지 않는다는 것을 알 수 있다. (c)도 답이 아니다. 밤새 기온이 뚝 떨어진다고 했으므로 추위는 오늘 아침이 아닌 내일 아침부터 시작되는 것이다. (d)도 정답이 아니다. 이삼일 안에 추위가 끝난다는 말은 끝나기 전까지는 춥다는 이야기이므로 (a)가 정답이다.

정답 (a)

3

Fellow boaters, thank you for taking the time today to help me introduce and welcome our new association president, John Waters. John has been boating for most of his life, and even spent some time in the navy. We are proud to have him as our new boating association president. Now let's give John a moment to let him tell us a bit about himself. Ladies and gentlemen, please welcome Mr. John Waters.

Q What is the main purpose of this speech?

(a) To give an award to the new president
(b) To encourage members to boat more
(c) To urge people to join the boat club
(d) To introduce the new association president

해석 보트를 즐기는 동료 여러분, 오늘 우리의 새 협회장, 존 워터스씨를 소개하고 환영할 수 있도록 시간을 내주셔서 감사드립니다. 존은 그의 일생의 대부분 동안 보트를 탔고, 해군에서 얼마간 복무하기까지 했습니다. 그를 우리 보트 협회의 회장으로 맞이하게 돼서 자랑스럽습니다. 이제 존이 본인에 대해 우리에게 이야기 할 수 있도록 그에게 시간을 주도록 하겠습니다. 여러분 존 워터스씨를 따뜻하게 맞이해 주십시오.

Q 이 연설의 주된 목적은 무엇인가?

(a) 새로운 회장에게 상을 주기 위해서
(b) 회원들이 보트를 더 많이 타도록 하기 위해서
(c) 보트클럽에 가입하도록 권하기 위해서
(d) 새로운 협회 회장을 소개하기 위해서

어구 fellow 동료, 동업자
boater 보트 타는 사람, 뱃사람
association 협회, 조합
navy 해군
be proud to ~하기가 자랑스럽다, 영광이다
encourage 격력, 촉진하다, ~하도록 용기를 주다
urge 열심히 권하다, 격려하다
join 참가하다, 가입하다

해설 모임에서의 연설이다. 모임이 어떤 모임이냐에 따라 아주 다양한 내용의 말들이 나올 수 있는데, 위의 담화에서는 보트를 타는 사람들의 모임에서 연설자가 새로운 회장을 소개하고 있다.

정답 (d)

4

Hey, Paula, this is Jimmy. I was just calling to confirm the details for our weekend trip. I've got the plane tickets. We need to leave for the airport by 9 a.m. since our flight departs at 11:10 a.m. And we will arrive in Miami at around 1:30 p.m. Our return flight is Sunday evening at 6 p.m. so we need to leave for the airport by 4 p.m. at the latest. I'm going to finish packing tonight so call me back when you get this message. Bye!

Q Who is the speaker?

(a) A travel agent
(b) An airline worker
(c) A person who will travel with Paula
(d) An airport security guard

해석 안녕, 폴라, 나 지미야. 우리 주말여행의 세부사항을 확인하려고 전화했어. 비행기가 오전 11시 10분에 떠나니까 9시에는 공항으로 출발해야 돼. 그리고 마이애미에 오후 한시 반에 도착할거야. 돌아오는 비행기 편은 일요일 저녁 6시야. 그래서 늦어도 오후 4시에는 공항으로 출발해야 해. 오늘 밤에 짐 싸는 것을 끝낼 거야. 그러니까 이 메시지 받으면 전화해, 안녕!

Q 화자는 누구인가?

(a) 여행사 직원
(b) 항공사 직원
(c) 폴라와 같이 여행하는 사람
(d) 공항 경비

어구 confirm 확인하다, 확실하게 하다
detail 세부사항, 상세
leave 떠나다
arrive 도착하다
pack 짐을 꾸리다, 싸다, 포장하다
travel agent 여행사

해설 세부적인 여행일정, 특히 비행기 시간에 대해 이야기를 하고 있다. 여행사 직원이나 항공사 직원도 이런 사항을 이야기 할 수는 있으나, 화자 역시 짐을 싸고 있고 또 '우리' 항공편이라고 했으므로 (a)와 (b)는 정답이 아니다.

정답 (c)

5

Yellowstone National Park, located in Wyoming, Montana, and Idaho, is the world's first national park. The park is famous for its wildlife and geysers. It has lakes, canyons, rivers, and mountains. The animals in Yellowstone are just as varied as the scenery. Grizzly bears, wolves, bison, elk, and hundreds of other birds and mammals live in the park, including several species of threatened or endangered animals.

Q What is correct according to the talk?

(a) Yellowstone National Park is endangered.
(b) Yellowstone National Park is the world's largest park.
(c) Yellowstone National Park has lots of yellow stones.
(d) Yellowstone National Park has diverse landscapes.

해석 와이오밍 주, 몬타나 주, 그리고 아이다호 주에 걸쳐서 위치한 옐로우스톤 국립공원은 세계 최초의 국립공원이다. 이 공원은 야생동물들과 간헐온천으로 유명하다. 공원에는 호수, 협곡, 강, 그리고 산이 있다. 옐로우스톤에 있는 동물들은 이러한 풍경만큼이나 다양하다. 회색곰, 늑대, 들소, 엘크사슴, 그리고 멸종위기 동물들 여러 종을 포함하여 수백 종의 새들과 포유류들이 공원에 산다.

Q 담화에 따르면 옳은 것은?

(a) 옐로우 스톤 공원은 멸종위기에 있다.
(b) 옐로우 스톤 공원은 세계에서 가장 큰 공원이다.
(c) 옐로우 스톤 공원에는 노란색 돌이 많다.
(d) 옐로우 스톤 공원에는 다양한 풍경이 있다.

어구 wildlife 야생동물 geyser 간헐(間歇)온천
canyon 깊은 골짜기, 협곡
varied 다양한 scenery 경치
grizzly bears 회색곰
bison 들소 mammal 포유류
species 종류, 종
threatened 멸종의 위기에 놓여 있는 (= endangered)
diverse 다양한 landscape 풍경, 경치

해설 미국 북서부에 위치한 Yellowstone National Park에 대해 개괄적인 설명을 하고 있다. 우선 (a)에서 이 공원 자체가 위기에 처했다고 했으나, 멸종위기에 놓인 몇 종의 동물들이 이 공원에 산다고 말한 것이므로 틀리다. 공원은 세계 최초라고 했지 세계 최대는 아니므로 (b)도 오답이다. 실제로 노란 돌이 많이 있다는 이야기는 없었다. 다양한 풍경(호수, 강, 협곡, 산, 간헐온천)이 있다는 것이 정답이다.

정답 (d)

Actual Test
정답 및 해설

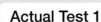

Actual Test 1

1 (c)	2 (a)	3 (a)	4 (a)	5 (d)
6 (c)	7 (b)	8 (b)	9 (d)	10 (a)
11 (d)	12 (c)	13 (c)	14 (b)	15 (d)
16 (d)	17 (d)	18 (d)	19 (c)	20 (c)
21 (c)	22 (c)	23 (b)	24 (b)	25 (a)
26 (b)	27 (a)	28 (b)	29 (d)	30 (a)
31 (c)	32 (c)	33 (b)	34 (a)	35 (a)
36 (a)	37 (c)	38 (b)	39 (d)	40 (a)
41 (d)	42 (a)	43 (c)	44 (d)	45 (c)
46 (b)	47 (b)	48 (b)	49 (a)	50 (b)
51 (c)	52 (b)	53 (b)	54 (d)	55 (d)
56 (b)	57 (a)	58 (b)	59 (b)	60 (b)

Part 1

1

W How do you like your steak cooked?
M ______________________

(a) It was delicious.
(b) Great job, well done.
(c) I like it rare and juicy.
(d) Let me have salad first.

해석 **W** 스테이크는 어떻게 요리해 드릴까요?
M ______________________
(a) 맛있었어요.
(b) 훌륭해요, 잘 했어요.
(c) 덜 익히고 즙이 많게 해 주세요.
(d) 샐러드 먼저 주세요.

어구 **Well done!** 잘했어, 훌륭해.
rare 설 익은, 덜 구워진
cf. medium 중간 정도로 구워진, well-done 잘 구워진
juicy 즙이 많은, 수분이 많은

해설 일반적으로 well done이라고 하면 '잘 했다'는 뜻이다. 식당에서 스테이크처럼 굽거나 익히는 음식에 쓸 때는 '완전히 익힌, 완숙한'이란 뜻이 된다.

정답 (c)

2

M Would you like me to take you home?
W ______________________

(a) Don't bother.
(b) I am on my way home.
(c) You should visit my place.
(d) Sure, get in.

해석 **M** 내가 집에 데려다 줄까요?
W ______________________
(a) 신경 쓰지 마세요.
(b) 저는 집에 가는 길이에요.
(c) 제 집에 한 번 오셔야 해요.
(d) 그럼요, 들어오세요.

어구 **bother** 귀찮게 하다, 일부러 ~하다
on the way ~하는 중에, 도중에, ~ 가는 길에

해설 bother하면 대부분 '괴롭히다'라는 뜻을 가장 먼저 떠올릴 텐데, 자동사로서 '일부러 ~하다'라는 뜻도 있다. 따라서 "Don't bother."는 "일부러 그러지 말라"는 뜻이다. 상대방이 나에게 무엇인가 베풀 때 정중히 사양하면서 할 수 있는 말이다. 약간 의역하면 "괜찮아요, 신경 쓰지 마세요" 또는 "아뇨, 괜찮습니다" 정도가 되겠다.

정답 (a)

3

W For here or to go?
M ______________________

(a) Can I have it for takeout?
(b) Either one is fine.
(c) Here you go.
(d) I'd like to hear your opinion.

해석 **W** 여기서 드실 건가요, 가지고 가실 건가요?
M ______________________
(a) 싸주시겠어요?
(b) 어떤 거든 좋습니다.
(c) 여기 있습니다.
(d) 당신의 의견을 듣고 싶습니다.

어구 **takeout** 가지고 가는 음식(을 파는 가게), 테이크아웃
either 어느 한 쪽의, 어느 것이든, 어느 쪽이라도
Here you go. (물건 등을 건넬 때) 여기 있습니다. (= Here it is, Here.)

해설 패스트푸드점에서 주문할 때 많이 사용한다. 대답으로 '여기서 먹는다' 아니면 '가지고 간다' 둘 중 하나의 대답이 정답이 된다.

정답 (a)

4

M Wow, your apartment seems spacious and quiet.

W ______________________

(a) Thanks, make yourself at home.
(b) It's my pleasure.
(c) Take it easy.
(d) What do you think of my apartment?

해석 M 와, 네 아파트는 넓고 조용해 보인다.

W ______________________

(a) 고마워, 편하게 있어.
(b) 제 즐거움입니다.
(c) 맘을 편하게 가져.
(d) 내 아파트에 대해서 어떻게 생각하니?

어구 spacious 넓은, 훤히 트인
Take it easy. 마음 편하게 가져, 쉬엄쉬엄 해, 서두르지 마, (때로는 헤어질 때) 안녕.

해설 남자가 여자의 아파트를 처음보고 할 수 있는 말이다. 따라서 여자의 집에 처음 온 남자에게 자기 집처럼 편하게 있으라고 한 (a)가 답이 되고, (d)는 남자의 말이 나올 수 있는 질문이다. 순서가 대답-질문의 순으로 뒤바뀐 것이다.

정답 (a)

5

W Jason, nice to meet you!

M ______________________

(a) It's very nice of you!
(b) Not at all.
(c) Have we met before?
(d) Same here.

해석 W 제이슨, 만나서 반가워요.

M ______________________

(a) 매우 친절하시네요.
(b) 전혀요.
(c) 전에 만난 적이 있나요?
(d) 저도요.

어구 nice 친절한, 다정한

해설 여자가 제이슨에게 처음 만났을 때 하는 인사를 하고 있다. 남자도 그에 맞는 인사를 해야 할 것이다. (c)의 경우는 자신은 상대방을 알지 못하는 데 상대방이 자신을 아는 척하며 인사를 할 때 할 수 있는 말이다.

정답 (d)

6

M I didn't mean to upset you.

W ______________________

(a) I feel the same way.
(b) I mean it.
(c) Forget about it.
(d) It's you who should be thanked.

해석 M 너를 화나게 할 생각을 없었어.

W ______________________

(a) 나도 같은 생각이야.
(b) 진심이야.
(c) 잊어버려.
(d) 감사를 받아야 할 사람은 너야.

어구 I mean it. 진심이야, 농담 아냐.

해설 (b)가 언뜻 보면 자연스럽게 이어지는 것 같지만 한 사람이 말했을 때 가능한 말이다. 따라서 대답으로는 어색하다.

정답 (c)

7

W Can I use your laptop for a second?

M ______________________

(a) I'll ask about it.
(b) I'm afraid not.
(c) Sure. It's yours for the asking.
(d) Let me show you another.

해석 W 잠깐 동안만 네 노트북 좀 써도 될까?

M ______________________

(a) 내가 물어 볼게.
(b) 안 될 것 같은데.
(c) 물론이지. 공짜야.
(d) 다른 걸 보여줄게.

어구 It's yours for the asking. 공짜예요, 달라고 요청하면 당신의 것이다. (즉, 달라고 하면 공짜로 준다는 의미)

해설 무엇인가 빌려달라고 요청하고 있다. 빌려줄 수 있는지 없는지 답하는 (b)를 답으로 골라야 한다.

정답 (b)

8

W My computer crashed again.

M ______________________

(a) I'm relieved you're safe.
(b) Just reboot your system.
(c) I'll take it to the garage.
(d) Great. How did you do that?

해석 **W** 내 컴퓨터가 또 고장 났어.
M ______________________

(a) 네가 안전하다니 마음이 놓인다.
(b) 시스템을 다시 시작해봐.
(c) 내가 차고에 가져다 놓을게.
(d) 훌륭해. 어떻게 한 거니?

어구 crash 부서지다, 충돌하다, (시스템 또는 프로그램이) 에러로 작동하지 않다
relieved 안심한, 안도한
garage 차고

해설 여자의 컴퓨터에 문제가 발생했다. 남자의 대답으로 적절한 것은 해결책의 제시나 혹은 걱정 등이 될 것이다. 여기서 crash는 깨지거나, 부서지거나, 충돌한다는 의미가 아닌 컴퓨터 시스템의 에러를 의미하는 것이므로 (a)는 답이 아니다.

정답 (b)

9

M Do you really have to go home now?
W ______________________

(a) I'm afraid I can't make it.
(b) Sorry, but the night is young.
(c) I cannot help staying here.
(d) My father does not let me stay out late.

해석 **M** 정말 지금 집에 가야만 하니?
W ______________________

(a) 못 갈 것 같아.
(b) 미안하지만 아직 초저녁이야.
(c) 여기 있을 수밖에 없어.
(d) 아버지가 밤늦게 밖에 다니는 걸 못하게 하셔.

어구 make it 제 시간에 도착하다, 나타나다, 성공하다
The night is young. 밤이 깊지 않다, 초저녁이다.
cannot help ~ing ~하지 않을 수가 없다, ~할 수밖에 없다
stay out 밖에 있다, 집으로 돌아가지 않다

해설 남자가 집에 가겠다고 하는 여자를 보고 아쉬워하며 정말 가야하는지를 묻고 있다. 여자가 왜 일찍 가야하는 지 이유를 답하고 있는 (d)가 정답이다.

정답 (d)

10

M Am I allowed to smoke here?
W ______________________

(a) Smoking is prohibited in all areas.
(b) Smoking is bad for your health.
(c) I'm sorry I can't.
(d) Of course. Now you're 20.

해석 **M** 여기서 담배를 펴도 되나요?
W ______________________

(a) 모든 지역에서 흡연은 금지되고 있습니다.
(b) 흡연은 건강에 나빠요.
(c) 죄송하지만 저는 할 수 없어요.
(d) 물론이죠. 이제 당신은 20살이잖아요.

어구 prohibit 금지하다

해설 남자는 자신이 있는 장소에서 담배를 펴도 되냐고 허가를 구하고 있다. 그러므로 허락을 해주지 않는 (a)가 정답이 된다. (d)는 남자는 그 장소에서 담배를 펴도 되냐고 물어보는 것이므로, 남자가 미성년자이건 아니건 상관이 없다.

정답 (a)

11

W I bumped into my old friend Fred on the way here.
M ______________________

(a) The traffic is terrible at this time of the day.
(b) You should've called him first.
(c) Where were you supposed to meet him?
(d) So did I. What a coincidence!

해석 **W** 여기 오는 길에 오래된 친구 프레드를 우연히 만났어.
M ______________________

(a) 하루 중에 이맘때 교통은 정말 끔찍해.
(b) 네가 먼저 그에게 전화했어야 했어.
(c) 그를 어디서 만나기로 했었는데?
(d) 나도 그랬어. 정말 우연의 일치네!

어구 bump into ~를 우연히 (뜻하지 않게) 만나다
be supposed to ~하기로 되어 있다, ~할 예정이다
coincidence 우연의 일치, 동시 발생

해설 bump하면 충돌을 많이 떠 올리는데 위 대화에서의 bump into는 그런 뜻이 아니라 '우연히 만나다'라는 뜻을 가진 중요한 숙어이다. 빈출하는 어휘이므로 반드시 암기하자. 여자는 프레드를 우연히 만난 것이므로 애초에 그를 만날 예정이 없었다. 따라서 (c)는 오답이다. 남자와 여자가 모두 프레드를 우연히 만나게 되었다면 정말 우연의 일치일 것이다.

정답 (d)

12

M You'd like to leave the hospital. Are you serious?

W ______________________________

(a) You can't leave here without my permission.
(b) I'm seriously injured in a car accident.
(c) Don't worry. I feel much better now.
(d) I'm serious. I'm going to leave work.

해석 M 퇴원을 하고 싶다는데, 진심이니?
W ______________________________
(a) 내 허락 없이 이곳을 떠날 수 없어.
(b) 차량사고에서 심하게 부상을 입었어.
(c) 걱정하지 마. 지금은 훨씬 나아졌으니까.
(d) 진심이야. 퇴근할 거야.

어구 leave the hospital 퇴원하다
permission 허가, 허락, 승낙
injure 다치다, 부상을 입다, 해치다
leave work 퇴근하다

해설 남자가 여자에게 정말 퇴원할 거냐고 놀라서 묻고 있다. 그에 따른 여자의 대답으로 적절한 것을 찾아보면, 우선 (a)는 아니다. 남자가 떠나는 것이 아니라 여자가 떠나는 것이기 때문이다. 그리고 퇴근하는 것이 아니고 병원에서 퇴원하는 것을 이야기하고 있으므로 (d) 역시 답이 아니다. 많이 좋아져서 퇴원하는 것이니 걱정 말라고 하는 (c)가 적절한 응답이 되겠다.

정답 (c)

13

W Would you help me proofread my essay?

M ______________________________

(a) A good essay needs organization.
(b) I'm still reviewing your essay.
(c) Yes. When do you need it done?
(d) I'm going to read the newspaper.

해석 W 내 작문 교정보는 것 좀 도와줄 수 있니?
M ______________________________
(a) 좋은 글은 체계가 필요해.
(b) 아직 너의 작문을 검토하는 중이야.
(c) 그래. 언제까지 해 줘야 하는데?
(d) 난 신문을 볼 거야.

어구 proofread 교정을 보다
organization 체계, 조직, 기구

해설 여자가 자신의 글의 교정을 부탁하고 있다. 그 대답으로써는 긍정이나 부정하는 말이 나와야 할 것이다.

정답 (c)

14

W John, would you like to join us for the movie?

M ______________________________

(a) Sorry. I won't be home until 8 p.m.
(b) I wish I could, but I'm behind in my work.
(c) Great. I've already seen the movie.
(d) I think you would really like that movie.

해석 W 존, 우리 영화 보러 가는데 같이 갈래?
M ______________________________
(a) 미안해. 저녁 8시가 되어야 집에 올거야.
(b) 그랬으면 좋겠는데, 일이 밀려있어.
(c) 좋아. 난 이미 그 영화 봤어.
(d) 내 생각에는 너희가 그 영화 정말 좋아할 것 같아.

어구 join 함께 하다, 가입하다, 연결하다
behind (일 등이) 뒤져서, 늦어, 뒤에

해설 여자가 영화를 보러 가는데 같이 가자고 하고 있다. 남자가 이 제안을 수용 또는 거절하는 말을 찾아야 한다. (c)는 앞에서는 좋다고 하고 뒤에서는 이미 봤다고 해서 모순이다.

정답 (b)

15

W I really enjoyed my trip to India.

M ______________________________

(a) Neither did I. I don't like their cuisine.
(b) How long will you be travelling there?
(c) Everything around me was so interesting.
(d) It sounds like you really like travelling.

해석 W 인도 여행 너무 좋았어.
M ______________________________
(a) 나도 싫었어. 난 그 사람들 요리가 싫어.
(b) 그곳에 얼마나 여행갈 거야?
(c) 내 주위에 모든 것이 정말 재미있었어.
(d) 여행하는 것을 정말 좋아 하나보구나.

어구 cuisine 요리, 요리법, 주방

해설 enjoyed라고 과거시제로 말 했으므로 여자는 이미 여행을 다녀왔음을 알 수 있다. 따라서 (b)는 답이 아니다. 그리고 my trip이라고 했으므로 남자와 같이 여행하지 않았음을 알 수 있다. (c)도 답이 아니다.

정답 (d)

Part 2

16

M Oh, no. It looks like it's going to be cloudy all day.
W Does that mean we can't go to the beach?
M I guess it will be fine as long as you don't plan to get a tan.
W ______________________

(a) I like sunny and warm weather.
(b) Ten people are supposed to be here.
(c) Oh, no. I forgot my umbrella.
(d) Then the weather will not affect our plan.

해석 M 저런, 하루 종일 흐릴 것 같은데.
W 우리가 해변에 갈 수 없다는 말이니?
M 네가 선탠을 할 계획이 아니라면 괜찮을 것 같은데.
W ______________________
(a) 난 맑고 따뜻한 날씨가 좋아.
(b) 열 명이 여기 오기로 되어 있어.
(c) 이런, 우산을 깜빡했네.
(d) 그럼 날씨가 우리 계획에 영향을 주지 않겠는데.

어구 tan 햇볕에 그을음, 선탠, 햇볕에 태우다
weather 날씨, 기상
affect 영향을 미치다, 작용하다

해설 해변을 가려고 했는데 날씨가 흐리다. 남자는 여자가 선탠을 할 게 아니라면 별 문제가 되지 않을 것이라고 말하고 있다. 그렇다면 여자가 선탠을 할 계획이었다면 '안 된다', '못 간다'라는 대답이 나올 것이고, 선탠을 할 계획이 없었다면 '괜찮다', '갈 수 있다' 등의 응답이 적절할 것이다.

정답 (d)

17

W Hello, could I please speak to Jeff?
M Jeff is busy. Would you like to leave a message?
W But it's really important that I speak to him.
M ______________________

(a) I'm afraid he is not here.
(b) OK, I can take your message then.
(c) Can you let me know his cell phone number?
(d) May I ask what it is regarding?

해석 W 여보세요, 제프하고 통화 할 수 있을까요?
M 제프는 지금 바쁜데요. 메시지를 남기시겠어요?
W 하지만 제가 그와 통화하는 게 정말 중요하거든요.
M ______________________
(a) 안 됐지만 그는 여기 없습니다.
(b) 그러시면, 제가 메시지를 받아 놓을게요.
(c) 그의 핸드폰 번호를 알려주시겠어요?
(d) 무슨 일이신지 여쭤 봐도 괜찮을까요?

어구 I'm afraid ~ (말씨를 부드럽게 하는 데 쓰여서) 유감으로 생각하다, (유감이지만) ~라고 생각하다
regarding ~에 관해서(는)

해설 제프와 전화통화를 하고 싶어하는 여자에게 남자가 그는 바쁘니 메시지를 남기라고 권하지만, 여자는 그와 직접 통화하기를 원하고 있다. 이에 알맞은 대답으로는 기다려 보라거나, 그 사람을 바꿔주거나, 그래도 통화할 수 없다고 하거나, 위의 대화에서와 같이 무슨 일인지를 물을 수도 있다.

정답 (d)

18

M Can you tell me which bus stops at Laurel Street?
W I'm not sure, but you can check the bus route.
M Where can I find a map of the bus route?
W ______________________

(a) You can get a map of the bus route for free.
(b) The bus runs every 20 minutes.
(c) If I were you, I'd rather take a subway.
(d) Check the newsstand over there.

해석 M 어느 버스가 로렐가에 가는지 아세요?
W 잘 모르겠는데요, 버스 노선을 알아보세요.
M 버스 노선도를 어디서 구할 수 있죠?
W ______________________
(a) 버스 노선도를 공짜로 구할 수 있어요.
(b) 버스는 20분마다 와요.
(c) 내가 당신이라면, 지하철을 타겠어요.
(d) 저기 신문가판대에 가보세요.

어구 check 알아보다, 조사하다, 확인하다
route 노선, 길, 통로, 항로
newsstand (거리 · 역 구내 등의) 신문[잡지] 판매점, 가판대

해설 버스 노선을 잘 몰라 노선도를 어디서 구할 수 있는지를 묻고 있다. 어디서 구할 수 있는지 대답하거나 모른다고 대답하면 적절할 것이다.

정답 (d)

19

W What's your special tonight?
M It's pasta with shrimp in a cream sauce, but I recommend the steak.
W Do they both come with a salad?
M ________________

(a) Would you prefer a salad to the steak?
(b) Then let me get a shrimp salad.
(c) Yes, soup and salad.
(d) We also have several kinds of dressing.

해석 W 오늘밤 특별요리는 뭐죠?
M 크림소스에 새우를 넣은 파스타입니다. 하지만 스테이크를 추천합니다.
W 두 개 다 샐러드하고 같이 나오나요?
M ________________

(a) 스테이크보다 샐러드를 더 좋아하시나요?
(b) 그러시면 새우 샐러드를 가져다 드릴게요.
(c) 네, 스프와 샐러드가 나옵니다.
(d) 저희는 또한 여러 가지의 드레싱이 있습니다.

어구 special (주로 today's [tonight's] special로 쓰여서) (오늘의, 오늘 밤의) 특별요리
recommend 추천하다, 권하다, 충고하다
come with ~에 으레 따르다, ~에 부수하다
prefer A to B B보다 A를 선호하다, 더 좋아하다

해설 식당에서 손님과 종업원과의 대화이다. 손님이 특별요리를 물었고, 종업원은 파스타가 특별요리이지만 스테이크를 권하고, 다시 손님은 두 개 모두 샐러드가 같이 나오는지를 물었다. 따라서 종업원은 샐러드가 나오는지 대답해줘야 한다. 응답으로는 '나온다', '안 나온다', 혹은 '잘 모르니 주방에 물어 보겠다' 정도가 되겠다.

정답 (c)

20

M What will you pick as your major at university?
W I'm thinking of science.
M What kind of science are you interested in?
W ________________

(a) I haven't studied ecology yet.
(b) I think biology is essential to mankind.
(c) I didn't come up with a specific field yet.
(d) Actually, I am not cut out for science.

해석 M 대학교에서 무엇을 전공으로 무엇을 고를 거니?
W 과학을 생각하고 있어.
M 어떤 종류의 과학에 관심이 있는데?
W ________________

(a) 난 아직 생태학을 배우지 않았어.
(b) 내 생각에는 생물학이 인류에게 있어 필수적이야.
(c) 아직 특정한 영역까지 정하지는 않았어.
(d) 사실, 난 과학에 재능이 없어.

어구 major 전공과목, 전공 분야
be interested in ~에 흥미가 있다, 관심이 있다
ecology 생태학
yet [부정문에서] 아직 ~(않다), 아직까지는 ~(않다)
essential 필수적인, 없어서는 안되는
come up with ~이 생각나다, 떠오르다
cut out for ~에 [되기에] 적임이다, 어울리다

해설 여자가 과학을 전공으로 하고 싶다고 하자 남자가 좀 더 구체적으로 묻고 있다. 이에 여자가 할 수 있는 대답으로는 자기가 생각했던 구체적인 전공을 말하거나, 아직 정하지 않았다고 말하는 것 등이 있다.

정답 (c)

21

W The librarian told me I can only check out ten items at a time.
M Does that include magazines and videos?
W Yes, but I'm going to need more than ten materials.
M ________________

(a) I checked out some books yesterday.
(b) I heard that periodicals are not allowed to be taken out.
(c) How about borrowing books under my name?
(d) You should return what you borrowed in time.

해석 W 한 번에 열 품목까지만 대출할 수 있다고 사서가 말해줬어.
M 거기에 잡지하고 비디오도 포함되는 거니?
W 그래, 하지만 난 열 가지보다 더 필요할 텐데.
M ________________

(a) 난 어제 책 몇 권을 대출했어.
(b) 정기간행물들은 대출을 할 수 없다고 들었어.
(c) 내 이름으로 책을 빌리는 것은 어때?
(d) 빌린 것은 제 때 반납해야 해.

어구 librarian 도서관원, 사서
check out (책 등을) 대출하다, (호텔에서) 셈을 치르고 나오다, 체크 아웃하다
at a time 동시에, 단번에
include 포함하다, 계산에 넣다
periodical 정기 간행물, 잡지
allow 허락하다, 허용하다
borrow 빌리다, 꾸다
in time 때맞추어, 제 시간에

해설 도서관의 대출가능 품목 수의 제한 때문에 고민하고 있다. 이에 남자는 그에 대한 해결책을 제시해 주는 것이 가장 적절하다.

정답 (c)

22

M Do you need any cream or sugar for your coffee?
W I'd like both, please.
M Oh, no. I think I'm all out of cream.
W ______________________

(a) Never mind. I don't like black coffee.
(b) It's okay. I love ice cream.
(c) Milk can be a substitute for the cream.
(d) If you don't mind, I can help you out.

해석 M 커피에 크림이나 설탕 넣어 드릴까요?
W 둘 다 넣어 주세요.
M 이런, 크림이 다 떨어진 것 같은데요.
W ______________________

(a) 신경 쓰지 마세요. 블랙커피를 안 좋아해요.
(b) 괜찮아요. 난 아이스크림을 좋아해요.
(c) 우유가 크림 대용이 될 수 있어요.
(d) 괜찮으시다면, 제가 도와드릴게요.

어구 be out of ~이 없다, ~이 다 떨어지다
Never mind. 신경 쓰지 마, 걱정하지 마, 괜찮다
substitute 대용(식)품, 대리인

해설 여자는 커피에 크림과 설탕을 넣은 커피를 원하고 있는데, 크림이 다 떨어졌다고 한다. 그렇다면 크림 없이 그냥 먹거나, 다른 것을 마시거나, 안 마시거나, 대안을 제시하는 등의 대답이 가능하다.

정답 (c)

23

W I'm sorry, but is your name Sam Armstrong?
M Yes, but I'm sorry, I don't recognize you.
W It's me, Sally White, from Georgia High School.
M ______________________

(a) I am not good at remembering names.
(b) It's you? Sally? Where are your glasses?
(c) Let's stay in touch.
(d) What a coincidence!

해석 W 실례하지만, 이름이 샘 암스트롱인가요?
M 네, 그런데 죄송하지만 누구신지 못 알아보겠는데요.
W 나야, 샐리 화이트, 조지아 고등학교 다닌.
M ______________________

(a) 난 이름을 잘 기억 못해.
(b) 너야? 샐리? 안경은 어쨌어?
(c) 연락하고 지내자.
(d) 정말 우연의 일치네.

어구 recognize 알아보다, 분간하다
remember 기억하다, 외우다, 생각해내다
stay in touch 연락을 지속하다, 유지하다 (= keep in touch)

해설 우연히 같은 고등학교를 다닌 남자를 여자가 먼저 알아보고 말을 건네고 있다. 이에 남자는 처음에는 알아보지 못했다. 뒤에 이어질 말로는 나중에서야 알아보고 반가워하고 미안해하거나, 또는 여자가 착각한 것이라고 말해 줄 수도 있다. (위의 경우 남자의 이름까지 확인했으므로 거의 그럴 확률은 없을 것이다.) (a)에서 자신이 이름을 잘 기억하지 못한다고 했는데, 남자는 이름이 아니라 여자의 얼굴을 못 알아 봤으므로 답이 아니다. (a)는 누구인지는 알아봤으나 이름이 잘 기억나지 않을 때 변명으로 할 수 있는 말이다. 또한 모르는 사람이 같은 고등학교를 나왔다면 우연의 일치라고 이야기 할 수 있지만, 고등학교를 같이 다닌 친구를 만나서 우연의 일치라고 말하는 것은 부자연스럽다.

정답 (b)

24

M I think we've run out of garbage bags and milk.
W Are you going to the store to buy more?
M Yes, do you want to come with me?
W ______________________

(a) Let me get bottled water.
(b) Sure, I'm in the mood for shopping.
(c) I thought you went to the store.
(d) Is there anything else we've run out of?

해석 M 우리 쓰레기봉투하고 우유가 떨어진 것 같은데.
W 더 사려고 가게에 갈거니?
M 응, 나랑 같이 갈래?
W ______________________

(a) 병에 든 물 주세요.
(b) 물론이지, 나도 쇼핑하고 싶은데.
(c) 난 네가 가게에 갔는지 알았어.
(d) 우리가 다 쓴 거 뭐 또 없나?

어구 garbage 쓰레기, 찌꺼기
bottled 병에 든, 병조림의
in the mood for ~할 기분이 나서, ~하고 싶은

해설 남자가 떨어진 봉투와 우유를 사러 가는데 여자에게 같이 갈 건지 물어보고 있다. 이에 여자는 같이 갈 건지를 답해줘야 한다. (d)도 자연스러운 듯 보이지만, 질문에 먼저 답을 한 후에 이와 같은 말을 이어서 해야 할 것이다.

정답 (b)

25

W I wish my sister would stop asking me to borrow money.
M So you loaned her money again?
W Yes, she's my sister. How can I say no?
M ______________________

(a) She needs to learn to save her money.
(b) She pinches pennies.
(c) Easy come, easy go.
(d) So you turned her down?

해석 W 여동생(언니)이 나한테 돈 좀 그만 빌렸으면 좋겠어.
M 그녀한테 또 돈 빌려줬어?
W 응, 자매잖아. 어떻게 안된다고 말해.
M ______________________

(a) 그녀는 돈을 아끼는 법을 배워야 해.
(b) 그녀는 엄청 구두쇠야.
(c) 쉽게 얻은 것은 잃기도 쉬워.
(d) 그래서 그녀한테 거절했니?

어구 loan 빌려주다, 대출하다
pinch pennies(=count pennies) 최대한 절약하다, 지독히 인색하다 (1센트짜리 동전도 꼼꼼하게 센다는 데서 유래)
Easy come, easy go. [속담] 얻기 쉬운 것은 잃기도 쉽다.
turn down 거절하다, 내려가다, 줄이다

해설 여자의 언니인지 동생인지는 알 수 없지만 자매가 여자에게 여러 번 돈을 꾸어 갔었고 이번에도 다시 빌려갔다. 여자는 싫지만 자매이기 때문에 거절하지 못하고 있다. 이에 대해 남자는 그 자매가 돈을 아껴야 한다고 말하는 대답이 제일 자연스럽다.

정답 (a)

26

M I'm calling to cancel a room reservation I made.
W If you cancel less than 24 hours in advance, there is a small fee.
M My reservation is for next Wednesday.
W ______________________

(a) How can I help you?
(b) If so, don't worry about the fee.
(c) Do you want to confirm your reservation?
(d) Then we charge $10 for your cancelation.

해석 M 제가 한 방 예약을 취소하려고 전화했습니다.
W 만약 24시간 미만일 때 취소하시면, 약간의 수수료가 있습니다.
M 제 예약은 다음 수요일입니다.
W ______________________

(a) 무엇을 도와드릴까요?
(b) 그러시다면, 수수료 걱정은 없으시네요.
(c) 예약을 확인하고 싶으신가요?
(d) 그렇다면 취소에 10달러가 부과됩니다.

어구 reservation 예약
in advance 미리, 앞서
fee 수수료, 요금
confirm 확인하다, 확신하다
charge 부과하다, 요금을 청구하다
cancelation 취소

해설 예약일이 가까워서 취소를 하면 취소 수수료가 있는데, 여자가 일하는 곳에서는 예약일로 부터 24시간 전부터 취소에 수수료를 부과하고 있다. 하지만 남자는 다음 주 수요일이 예약일이므로 적어도 3일전에 전화를 한 것이다. 따라서 남자에게는 취소 수수료가 부과되지 않는다.

정답 (b)

27

W Have you decided where you want to go on vacation?
M I want to go somewhere exotic.
W What about Thailand? It's cheaper than most places.
M ______________________

(a) That sounds good.
(b) I've never been abroad.
(c) Do you want to come along?
(d) It rains a lot there during the summer.

해석 W 어디로 휴가가고 싶은지 결정했니?
M 좀 이국적인 곳을 가고 싶어.
W 태국은 어떠니? 웬만한 곳보다는 저렴한데.
M ______________________

(a) 좋은데.
(b) 난 외국에 나가 본적이 없어.
(c) 너도 같이 갈래?
(d) 태국은 여름에 비가 많이 와.

어구 exotic 외래의, 외국산의, 이국풍의
cheap 저렴한, 가격이 싼
abroad 외국에, 해외로, 널리
come along 따라 오다, 함께 가다(오다)

해설 이국적인 곳으로 휴가를 가고 싶어 하는 남자에게 여자가 저렴한 여행지로 태국을 추천하고 있다. 이에 남자는 여자의 제안에 알맞은 대답을 해야 하는데, 적절한 것으로는 '좋다', '싫다', '생각해 보겠다' 등의 대답이 있다.

정답 (a)

28

M My throat has been killing me all day!
W How did you manage all your meetings?
M I ate a lot of medicine, but it isn't helping.
W ______________________________

(a) Today's meeting was quite successful.
(b) You need to go see a doctor right away.
(c) Let me get you some medicine.
(d) I have a fever, too.

해석 M 하루 종일 목이 아파 죽겠어!
W 그 모든 회의들을 어떻게 견뎠니?
M 약을 많이 먹었는데, 도움이 안되네.
W ______________________________

(a) 오늘 회의는 매우 성공적이었어.
(b) 지금 당장 진찰받으러 가야겠다.
(c) 약 좀 가져다줄게.
(d) 나도 열이 있어.

어구 throat 목(구멍), 인후
~ (be) killing me. ~ 때문에 아파 죽겠다, 죽을 지경이다, ~가 아파 죽겠다
manage 어떻게든 ~하다, 잘 해내다, 경영하다
see a doctor (의사를 만나) 진찰을 받다
fever 열, 발열, 열병

해설 남자는 하루 종일 목이 아파서 힘들어 하고 있다. 약을 많이 먹었는데도 소용이 없다고 한다. 이에 여자는 병원에 가보라거나 일찍 퇴근해서 푹 휴식을 하라고 하는 등의 대답을 할 수 있다. 이미 약을 많이 먹었는데도 소용이 없었다고 했으므로 (c)는 적절한 응답이 아니다.

정답 (b)

29

W I'd like to mail this letter to Japan.
M Would you like to send it by regular or express delivery?
W What's the difference in price?
M ______________________________

(a) We don't do international shipping.
(b) It's not that expensive.
(c) This will make the difference.
(d) Express service is $5 more.

해석 W 이 편지를 일본에 부치고 싶은데요.
M 보통배송으로 보내실 건가요, 특급배송으로 보내실 건가요?
W 가격 차이가 얼마나 나죠?
M ______________________________

(a) 저희는 국제배송은 취급하지 않습니다.
(b) 그렇게 비싸지 않아요.
(c) 이것으로 차이가 생길 것입니다.
(d) 특급 서비스가 5달러 비싸요.

어구 international shipping 국제배송, 해외배송

해설 편지를 일본으로 보내는데 보통과 특급배송 두 가지가 있다. 여자가 어느 것으로 할 지 결정하기 위해 가격의 차이를 묻고 있다. 그렇다면 남자는 그 가격의 차이를 답해야 할 것이다. 얼핏 들으면 (b)도 답이 될 것 같지만, 가격의 차이를 묻는 질문에 대한 직접적인 대답은 아니다.

정답 (d)

30

M The copy machine is broken again.
W That's the third time this month!
M I know, I wish the boss would just buy a new one.
W ______________________________

(a) Don't even dream of it.
(b) Don't worry. It's a brand new one.
(c) It's not like a used one.
(d) How many times should I tell you?

해석 M 복사기가 다시 고장 났어요.
W 이 달에만 세 번째네요.
M 그러게요, 사장님이 그냥 새 것을 구입했으면 좋겠어요.
W ______________________________

(a) 꿈도 꾸지마세요.
(b) 걱정하지 마세요. 새 거에요.
(c) 그것은 중고품 같지 않아요.
(d) 내가 몇 번을 이야기해야 합니까?

어구 broken 고장 난, 깨진, 부서진
Don't even dream of it. 꿈도 꾸지 마. (절대 안 된다는 뜻)
cf. Over my dead body. 내 눈에 흙이 들어가기 전에는 안 돼.

해설 남자와 여자는 같은 직장에서 일하는 동료이고, 둘 다 고장 난 복사기 때문에 기분이 좋지 않은 상태이다. 남자는 사장이 그냥 새 복사기를 구입하기를 바란다. 이에 사장이 새 복사기를 사지 않을 것이라고 이야기 하는 (a)가 가장 자연스럽다.

정답 (a)

Part 3

31

M You don't sound so good.
W Yeah, I think I've got a cold.
M But the weather's so warm outside.
W I always get colds in the summer.
M I didn't know you could get a cold in hot weather.
W You can get sick any time of the year.

Q What are they mainly talking about?
(a) About the cold weather
(b) About preventing a cold
(c) About the woman's sickness
(d) About going outside

해석 **M** 목소리가 좋지 않은데.
W 응, 감기에 걸린 거 같아.
M 하지만 밖에 날씨가 이렇게 따뜻한데.
W 난 항상 여름에 감기에 걸려.
M 더운 날씨에도 감기에 걸릴 수 있는지는 몰랐는데.
W 일 년 중 언제라도 아플 수 있는 거야.
Q 이들은 주로 무엇에 대해 이야기하고 있는가?
(a) 추운 날씨에 관하여
(b) 감기를 예방하는 것에 관하여
(c) 여자가 아픈 것에 관하여
(d) 외출하는 것에 관하여

어구 cold 감기, 추위
prevent 예방하다, 방지하다
sickness 병, 구토, 메스꺼움

해설 여자가 여름인 시기에 감기가 걸리자 남자가 여름에도 감기가 걸릴 수 있는지 몰랐다면서 여자가 걸린 감기에 대해서 이야기 하고 있다.

정답 (c)

32

W The windows in my room are driving me crazy.
M Why? What's wrong?
W My windows are too big and the sun is so bright in the morning it wakes me up.
M Maybe you should buy some curtains.
W I know, but they're so expensive.
M You could always make your own.

Q What are the speakers mainly talking about?
(a) Getting up early in the morning
(b) Buying curtains to cover the windows
(c) The large windows in her room
(d) Noisy neighbors across the street

해석 **W** 내 방 창문 때문에 미치겠어.
M 왜? 뭐가 문제인데?
W 창문이 너무 커서 아침에 태양이 너무 눈부셔. 그래서 잠이 깨.
M 커튼을 사야 하겠구나.
W 그래, 하지만 너무 비싸더라고.
M 네가 스스로 만들 수도 있잖아.
Q 화자들은 주로 무엇에 관하여 이야기 하고 있는가?
(a) 아침에 일찍 일어나는 것
(b) 창문을 가릴 커튼을 사는 것
(c) 여자의 방에 있는 커다란 창문들
(d) 길 건너에 사는 시끄러운 이웃들

어구 wake up 일어나다, 깨우다
neighbor 이웃 사람, 이웃

해설 여자의 방 창문이 커서 눈부신 아침햇살 때문에 아침에 잠을 잘 수 없다고 불평하자 남자가 커튼을 살 것을 제안했다. 여자는 비싸서 살 수 없다고 했고, 남자는 스스로 만드는 방법도 있다고 말했다. 커튼을 사는 이야기는 해결책으로 잠깐 나온 이야기이고 전체적으로 주된 이야기는 그녀의 창문에 관한 내용이다.

정답 (c)

33

M I like your background, but you seem to lack some experience.
W I know, but I promise to give all my effort.
M I'm afraid you'd be coming in at a lower salary.
W Aren't there other benefits I could look forward to?
M Yes, but it depends on your performance after three months.
W If you give me a chance I know I can prove myself.
Q What is mainly happening in this conversation?
(a) The man is helping the woman fill out an application form.
(b) The man is interviewing the woman.
(c) The man is explaining the company policy.
(d) The man is offering the woman a salary raise.

해석 **M** 당신의 배경은 맘에 듭니다. 하지만 경험이 약간 부족해 보이는데요.
W 네, 하지만 최선을 다할 것을 약속드립니다.
M 안 됐지만 임금이 낮은 자리에 들어오게 될 것 같은데요.
W 제가 기대할 수 있는 다른 혜택들이 없나요?
M 있어요, 하지만 그것은 3개월 후의 당신의 직무성과에 좌우됩니다.
W 저한테 기회를 주신다면 제 능력을 보여 드리겠습니다.
Q 이 대화에서 주로 무슨 일이 벌어지고 있는가?
(a) 남자는 여자가 지원서 작성하는 것을 돕고 있다.
(b) 남자는 여자를 면접하고 있다.
(c) 남자는 회사의 정책을 설명하고 있다.
(d) 남자는 여자에게 임금 인상을 제시하고 있다.

어구 lack 부족, 결핍
promise 약속하다, 약정하다
benefit 이익, 혜택, 은혜
look forward to 기대하다, 기대를 갖고 기다리다
depend on ~에게 의존하다, 달려있다
performance 성과, 실적, 실행, 달성
prove 입증하다, 증명해 보이다
application 신청, 지원, 원서
salary raise 임금인상, 봉급인상

해설 남자가 여자를 면접하고 있는 상황이다. 남자는 그녀에게 임금이 낮은 자리를 제시하고 다른 혜택들은 3개월 후의 성과에 따라 다르다고 말하고 있고, 여자는 최선을 다해 자신의 능력을 보여주겠다고 강조하고 있다.

정답 (b)

34

W How come you never come to class anymore?
M I got a second job, so I have no time.
W That's really going to hurt when exam time comes.
M I really need the money to buy a car.
W What's more important, a car or passing this class?
M You're right. I need this class more than a car.
Q What are the speakers mainly discussing?
(a) About the man's schoolwork
(b) About the man's mandatory courses
(c) About the man's graduation requirements
(d) About borrowing some money for a car

해석 **W** 어째서 수업에 더 이상 나타나지 않니?
M 두 번째 일자리가 생겨서 시간이 없어.
W 시험기간이 되면 정말 힘들 텐데.
M 난 진짜 차를 살 돈이 필요해.
W 어느 것이 더 중요하니, 차야 아니면 이 수업에서 학점을 받는 거야?
M 네 말이 맞아. 이 수업이 차보다 더 필요하지.
Q 화자들은 주로 무엇에 관하여 의논하고 있는가?
(a) 남자의 학업에 관하여
(b) 남자의 필수 과목에 관하여
(c) 남자의 졸업 요구조건에 관하여
(d) 차 살 돈을 빌리는 것에 관하여

어구 How come ~? 어째서, 왜, ~은 어찌된 일인가?
pass 학점을 받다, 합격하다
schoolwork 학업, 학교 공부
mandatory 필수의, 강제적인, 의무적인
graduation requirement 졸업 요구조건

해설 남자가 차를 살 돈을 벌기 위해서 무리하게 일을 하면서 학교수업에 결석하자, 여자가 학업이 더 중요하다고 충고하고, 또 남자는 그 충고를 받아들이고 있다.

정답 (a)

35

M What seems to be the matter?
W I think I ate some bad shrimp.
M Do you have any allergies?
W Not that I know of. I eat shrimp all the time.
M What symptoms have you had?
W Nausea, vomiting and stomach cramps.

Q What is the man doing in the conversation?
(a) Examining the woman
(b) Talking about seafood
(c) Worrying about the woman
(d) Warning the woman about allergies

해석 M 어디가 안 좋으신가요?
W 제가 상한 새우를 먹은 것 같아요.
M 알레르기가 있나요?
W 제가 알기로는 없어요. 항상 새우를 먹는데요.
M 어떤 증상이 있었죠?
W 구역질, 구토 그리고 위경련이 있었어요.
Q 대화에서 남자는 무엇을 하고 있는가?
(a) 여자를 진찰하고 있다.
(b) 해산물에 대해서 이야기 하고 있다.
(c) 여자를 걱정하고 있다.
(d) 알레르기에 대해 여자에게 주의를 주고 있다.

어구 allergy 알레르기, 이상 민감증
Not that I know of. 내가 아는 한 그렇지 않다, 그런 일은 없다, 그런 것은 없다.
symptom 증상, 징후, 징조
nausea 구역질, 멀미, 몹시 불쾌한 느낌
vomiting 구토, 토하기
stomach cramp 위경련, 복통
examine 진찰하다, 조사하다, 검사하다

해설 새우를 먹고 구역질, 구토, 복통을 겪은 여자가 의사를 만나 진찰을 받고 있는 상황이다.

정답 (a)

36

M Did you hear about that fire?
W No, what happened?
M There was a huge wreck on the freeway.
W Oh, no. Were many people hurt?
M I'm not sure. Let's turn on the TV to watch the news.
W The news won't be on for another 30 minutes.

Q What is correct according to the talk?
(a) There were car crashes on the freeway.
(b) The woman saw the news on TV.
(c) There was a wildfire near the freeway.
(d) A few people were injured from the accident.

해석 M 그 화재 소식 들었니?
W 아니, 무슨 일인데?
M 고속도로에서 대형 충돌이 있었어.
W 저런. 사람들이 많이 다쳤니?
M 잘 모르겠어. TV를 켜서 뉴스를 보자.
W 뉴스는 앞으로 30분 동안은 안 나올 텐데.
Q 대화에 따르면 옳은 것은 무엇인가?
(a) 고속도로에서 차량 충돌이 있었다.
(b) 여자는 그 소식을 TV에서 봤다.
(c) 고속도로 근처에 산불이 났다.
(d) 몇 명이 그 사고로 부상당했다.

어구 wreck (차량, 열차, 선박 등의) 충돌, 파괴, 난파
car crash 차량 충돌 (사고)
wildfire (자연 발화된) 산불, 걷잡을 수 없이 빠르게 퍼져나가는 불
injure 상처를 입히다, 부상시키다, 해치다

해설 wreck과 car crash가 같은 뜻으로 쓰였다는 것을 들을 수 있다면 쉽게 풀 수 있는 문제이다. 산불이 난 것이 아니라 고속도로에서의 충돌로 화재가 발생한 것으로 보인다. 따라서 (c)는 오답이고, 몇 명이 다쳤는지는 둘 다 모르므로 (d)도 답이 아니다.

정답 (a)

37

W Hey, I really like this song.
M I don't. I prefer classical music.
W What don't you like about pop music?
M It's too simple and shallow.
W Not all classical music is complex, you know.
M Yes, but I still prefer it over mainstream music.

Q What is the main topic of this conversation?
(a) Mainstream music these days
(b) The characteristics of pop music
(c) Their different tastes in music
(d) The history of classical music

해석 W 난 정말 이 노래가 좋아.
M 난 싫어. 난 클래식 음악이 더 좋아.
W 팝 음악의 어떤 점이 싫은데?
M 너무 단순하고 깊이가 없어.
W 모든 클래식 음악이 복잡한 것은 아니잖아.
M 그래, 하지만 난 여전히 클래식 음악이 주류 음악보다 좋아.
Q 이 대화의 주된 화제는 무엇인가?
(a) 오늘날의 주류 음악
(b) 대중음악의 특징
(c) 그들의 서로 다른 음악적 취향
(d) 클래식 음악의 역사

어구 classical music 클래식 음악, 전통음악, (특히 미국에서) 컨트리 음악
pop music 대중음악, 팝 음악
shallow 얕은, 깊지 않은
mainstream music 주류 음악

해설 여자는 팝 음악을 좋아하고, 남자는 팝이 싫다며 자기는 클래식 음악이 좋다고 하며 싫은 이유를 말하고 있다. 두 사람의 음악적 취향의 차이가 화제이다.

정답 (c)

38

M Thank you for calling the Central Hotel. How can I help you?
W I'd like to reserve a room.
M Would you prefer a room with a single or double bed?
W Can I get a single with a mountain view?
M I'm sorry, mountain view rooms are in honeymoon suites only.
W I'll take a single room anyway.

Q According to the phone conversation, in which room would the woman stay?
(a) A single room with a mountain view
(b) A single room with no mountain view
(c) A suite room with a mountain view
(d) A honeymoon suite with no mountain view

해석 M 센트럴 호텔에 전화해 주셔서 감사합니다. 무엇을 도와 드릴까요?
W 방을 하나 예약하고 싶습니다.
M 싱글침대 방과 더블침대 방 중 어느 것으로 하시겠습니까?
W 산이 보이는 싱글침대 방으로 할 수 있을까요?
M 죄송합니다. 산이 보이는 방은 허니문 스위트뿐입니다.
W 그냥 싱글침대 방으로 할게요.
Q 이 전화통화에 따르면, 여자는 어느 방에 묵을 것인가?
(a) 산이 보이는 싱글침대 방
(b) 산이 보이지 않는 싱글침대 방
(c) 산이 보이는 스위트 룸
(d) 산이 보이지 않는 허니문 스위트 룸

어구 reserve 예약하다
prefer ~보다 더 좋아하다, 선호하다
suite 여러 개가 붙은 방, (호텔의) 특별실, 스위트룸, 한 벌

해설 여자는 산이 보이는 싱글침대 방을 원했지만 산이 보이는 방은 스위트 룸 밖에 없다고 한다. 즉 싱글침대 방 중에는 산이 보이는 방이 없는 것이다. 어쨌든 여자는 싱글침대 방을 달라고 했으므로 결국 산이 보이지 않는 싱글침대 방에서 지내게 될 것이다.

정답 (b)

39

M Do you remember we're going to the pool today?
W Sure, don't forget your sunblock.
M That's okay. It's cloudy outside.
W You should always wear sunblock outside.
M Even when the sun is not out?
W You can still be affected by the sun's rays.

Q According to the woman, what should the man do?
(a) Go to the pool on a sunny day.
(b) Play pool inside.
(c) Wear protective gear.
(d) Put on sunscreen.

해석 M 오늘 수영장에 가기로 한 거 기억해?
W 그럼, 자외선 차단제 잊지 마.
M 괜찮아. 밖이 흐리니까.
W 밖에서는 항상 차단제를 발라야 해.
M 해가 안 나도?
W 그래도 여전히 태양광에 의해서 영향을 받을 수 있어.
Q 여자에 따르면 남자는 무엇을 해야 하는가?
(a) 맑은 날에 수영장에 간다.
(b) 실내에서 당구를 친다.
(c) 보호 장비를 착용한다.
(d) 선크림을 바른다.

어구 sunblock 자외선 차단제 (= sunscreen)
wear (향수, 화장품을) 바르고 있다
affect 영향을 미치다, 해치다
ray 광선, 빛
play pool 당구를 치다
protective gear 보호 장비

해설 두 사람은 오늘 수영장에 가기로 했는데 날이 흐리다. 남자가 흐려서 자외선 차단제를 바를 필요가 없다고 하지만 여자의 말에 따르면 흐린 날에도 태양광에 영향을 받을 수 있다고 한다. 따라서 날이 흐리더라도 선크림을 발라야 한다.

정답 (d)

40

M I got accepted into law school!
W Congratulations! When do you leave?
M Classes start in three months.
W Do you have a place to live yet?
M That's the only problem. I don't.
W At least you have some time to find a place.

Q Which is the man's concern?
(a) Dealing with the housing problem
(b) Getting financial aid
(c) Paying tuition for law school
(d) Lack of time for finding an apartment

해석 M 나 법과 대학원에 합격했어!
W 축하해! 언제 떠나니?
M 수업은 3개월 후에 시작해.
W 살 곳은 정했니?
M 그게 유일한 문제야. 아직 없어.
W 적어도 살 곳을 찾아 볼 시간은 있잖아.
Q 남자의 걱정은 무엇인가?
(a) 주거문제를 해결하는 것
(b) 재정적 보조를 받는 것
(c) 법과 대학원 수업료를 내는 것
(d) 아파트를 찾아 볼 시간이 부족한 것

어구 at least 적어도, 최소한
housing 주거, 숙소, 주택
financial aid 재정적 보조
tuition 수업료
lack 부족, 결핍

해설 법과 대학원에 합격한 남자가 아직 살 집을 마련하지 못해서 고민하고 있다. 그런 남자에게 여자는 아직 시간 여유가 3개월이나 있어서 여유로우니까 걱정하지 말라고 안심시키고 있다. 시간적 여유가 많다고 했으므로 (d)는 답이 아니다.

정답 (a)

41

M Amy, do you want to go camping next weekend?

W I'm not much for the outdoors.

M But we're going to be in a cabin instead of tents.

W Aren't there wild animals though?

M Sometimes there are deer, but nothing to worry about.

W I think I'll stay in my cozy city apartment.

Q According to the talk, what would the woman like the most?

(a) Playing tennis at a park
(b) Visiting a wildlife zoo
(c) Staying inside the cabin
(d) Staying at her place

해석 **M** 에이미, 다음 주말에 캠핑가고 싶니?
W 난 야외를 그다지 좋아하지 않는데.
M 하지만 우리는 텐트 대신 오두막집에 머물 거야.
W 그래도 거기에는 야생동물들도 있지 않니?
M 가끔 사슴이 나오기는 하는데, 걱정할 것은 아니야.
W 난 그냥 안락한 내 도시 아파트에 있을래.
Q 대화에 따르면, 여자는 무엇을 가장 좋아하겠는가?
(a) 공원에서 테니스치기
(b) 야생동물원 가기
(c) 오두막집 안에서 지내기
(d) 그녀의 집에 있기

어구 much 중요한 일[것], 대단한 것
be not much 별로이다, 대단하지 않다, 중요하지 않다
cabin 오두막집, 통나무집, 작은 집
deer 사슴
cozy 아늑한, 안락한, 편안한

해설 일단 여자는 야외는 별로라고 했으므로 (a)와 (b)는 제외된다. 실내로는 (c)와 (d)가 남았는데, 남자가 오두막 안에서 지내니 같이 가자고 했음에도 여자가 그냥 집에 있겠다고 했으므로 집에 있는 것을 더 좋아한다고 볼 수 있다.

정답 (d)

42

W Did you see the new comedy playing in the cinema downtown?

M Three times already!

W I heard it was supposed to be hilarious.

M Yeah, and it's got good acting, too.

W I want to see it, but I have no one to go with and you've already seen it.

M I wouldn't mind seeing it again.

Q What can be inferred from this conversation?

(a) The man enjoyed the movie a lot.
(b) The man will not see the play again.
(c) The woman doesn't like comedy.
(d) The woman rarely goes out.

해석 **W** 시내 영화관에서 상영하고 있는 새 코미디 영화 봤니?
M 벌써 세 번 봤어.
W 아주 웃길 거라고 들었는데.
M 응, 그리고 연기도 좋아.
W 나도 보고 싶은데, 같이 갈 사람이 없어. 너도 이미 봤고.
M 난 다시 봐도 괜찮아.
Q 대화에서 무엇을 유추할 수 있는가?
(a) 남자는 그 영화를 매우 즐겼다.
(b) 남자는 그 연극을 다시 보지 않을 것이다.
(c) 여자는 코미디를 싫어한다.
(d) 여자는 거의 나가지 않는다.

어구 cinema 영화관, 영화
be supposed to ~하기로 되어 있다, ~할 것이다
hilarious 몹시 재미있는, 유쾌한, 즐거운

해설 코미디 영화를 보고 싶은데 여자가 같이 보러 갈 사람이 없다고 하자, 남자가 이미 세 번이나 봤음에도 불구하고 다시 봐도 괜찮다고 하고 있는 것으로 미루어 봐서, 남자는 정말 그 영화를 좋아함을 알 수 있다.

정답 (a)

43

W Did Sally tell you about her foot?
M No. Did something happen?
W Yeah, she accidentally stepped on some glass.
M How did she do that?
W She wasn't wearing shoes outside.
M I hope she got it treated at the hospital.

Q Which is correct according to the conversation?
(a) Sally dropped a glass cup by accident.
(b) The man works at a hospital.
(c) The man has not heard about the accident.
(d) Sally was hospitalized after the accident.

해석 W 샐리가 자기 발이야기 했니?
M 아니. 무슨 일 있어?
W 응, 실수로 유리를 좀 밟았대.
M 어쩌다가 그랬데?
W 밖에서 신발을 안 신고 있었어.
M 샐리가 병원에서 치료를 받았으면 좋겠는데.
Q 대화에 따르면 옳은 것은 어느 것인가?
(a) 샐리는 실수로 유리컵을 떨어뜨렸다.
(b) 남자는 병원에서 일한다.
(c) 남자는 그 사고에 대해서 듣지 못했었다.
(d) 샐리는 그 사고 후에 입원했다.

어구 accidentally 실수로, 우연히, 뜻하지 않게
step on 밟다, 발을 디디다
treat 치료하다, 처치하다
hospitalize 입원시키다, 병원 치료하다

해설 샐리 발이야기를 꺼내자 남자가 무슨 일이 있었냐고 물었다. 여기서 남자는 그 사고에 대해서 모르고 있었다는 것을 알 수 있다. 남자는 샐리가 병원에서 치료를 받기를 원하는 것이지, 그가 병원에서 일하는지는 알 수 없다. 샐리가 입원을 했는지도 알 수 없기는 마찬가지이다.

정답 (c)

44

W I really need to go to the library.
M What for? At this late hour?
W I need to finish my final paper.
M You must be going to the library that's open 24 hours, right?
W Yeah. My paper's due tomorrow!
M You always wait until the last minute.

Q What can be inferred about the woman?
(a) The woman often studies in the library.
(b) The woman has finished her assignment.
(c) The woman is well-organized with her homework.
(d) The woman usually puts off her assignments.

해석 W 나 정말 도서관에 가야겠어.
M 뭐 하러? 이 늦은 시간에?
W 기말 과제물을 끝내야 하거든.
M 24시간 개방하는 도서관을 가야 하겠구나, 그렇지?
W 응. 내 과제물 기한이 내일이야!
M 넌 항상 마지막까지 미루더라.
Q 여자에 대해서 무엇을 유추할 수 있는가?
(a) 여자는 자주 도서관에서 공부한다.
(b) 여자는 그녀의 과제물을 끝냈다.
(c) 여자는 그녀의 과제물에 관하여 잘 계획이 잡혀있다.
(d) 여자는 대개 그녀의 과제물을 미룬다.

어구 paper 숙제, 리포트, 논문
wait until the last minute 마지막 순간까지 기다리다, 마지막까지 안하고 미루다
assignment 숙제, 연구과제, 임명, 지시
well-organized (계획 등이) 잘 짜여진, 체계를 잘 갖춘
put off 연기하다, 미루다, 기다리게 하다 (= postpone, delay)

해설 내일이 기한인 숙제를 하겠다고 늦은 시간에 도서관에 가려고 하는 여자에게 남자가 한 마디하고 있다. Wait until the last minute는 마지막까지 일을 안하고 있다는 것으로 끝까지 미루고 안 한다는 뜻이다.

정답 (d)

45

W I'm hungry. What are you in the mood for?
M I want to eat something spicy.
W We had spicy curry yesterday.
M I know, but I'm still dying for it.
W Well, I'm sick and tired of spicy food. Can we try something else?
M How about Italian? We can both get what we want.

Q What would the woman probably have?
(a) A spicy Italian dish
(b) The same dish as the man would have
(c) Non-spicy food
(d) The same curry they had yesterday

해석 **W** 배고파. 너는 뭐 먹고 싶어?
M 매운 거 먹고 싶은데.
W 어제 매운 카레 먹었잖아.
M 알아, 하지만 여전히 먹고 싶어.
W 글쎄, 매운 음식에 질려버렸는데. 다른 것 좀 먹으면 안될까?
M 이탈리아 음식은 어때? 우리 둘 다 각자 원하는 것을 먹을 수 있어.
Q 여자는 아마도 무엇을 먹을 것인가?
(a) 매운 이탈리아 음식
(b) 남자가 먹을 것과 같은 요리
(c) 맵지 않은 음식
(d) 그들이 어제 먹었던 카레

어구 in the mood for ~할 기분이 나서, ~를 하고 싶은
be dying for 몹시 ~하고 싶어 하다
curry 카레, 카레요리

해설 정리해보면 둘 다 어제 매운 카레를 먹었는데 여자는 맵지 않은 것을 원하고 남자는 매운 것을 원한다. 의견차이가 있자 남자는 서로 각자 원하는 것을 먹을 수 있는 이탈리아 음식을 먹자고 제안했다. 따라서 남자는 매운 이탈리아 음식을, 여자는 맵지 않은 이탈리아 음식을 먹을 것이다.

정답 (c)

Part 4

46

On this important day, I'd like to remind my fellow graduates that leaving university shouldn't be a sad occasion, but rather a happy moment when you can finally say, "I did it." Years of studying and learning have led up to this one day of accomplishment. On this day we become citizens of the world that will help to improve and shape the future. With our spirit and education we will gain experience that will help us to help others. So don't look back and face the future.

Q What is the purpose of this talk?
(a) To encourage failing students
(b) To celebrate graduation
(c) To urge students to study hard
(d) To attract voters for the election

해석 이 중요한 날에, 내 동료 졸업생들에게 대학을 떠나는 것은 슬픈 일이 아니라 오히려 마침내 "내가 해냈어"라고 말할 수 있는 기쁜 순간이 될 수 있다는 것을 상기시켜주고 싶습니다. 수 년간의 연구와 배움으로 바로 오늘 이 성취의 날에 이르렀습니다. 오늘 우리는 미래를 향상시키고 실현하는 것을 도울 세계의 시민이 되었습니다. 우리의 정신과 교육으로 우리는 다른 사람들을 도울 수 있도록 우리를 돕는 경험을 얻을 것입니다. 그러니 뒤 돌아보지 말고 미래에 맞서십시오.
Q 이 글의 목적은 무엇인가?
(a) 낙제한 학생들을 격려하기
(b) 졸업을 축하하기
(c) 학생들이 열심히 공부하도록 권하기
(d) 선거를 위해 유권자들에게 지지 얻기

어구 remind 생각나게 하다, 상기시키다
graduate 졸업생, 대학원생
occasion 특별한 일, 행사, 경사
lead up to 차츰 ~에 이르다, 서서히 ~에 이르다
accomplishment 성취, 완성, 수행, 업적
spirit 정신, 마음, 영혼
celebrate 축하하다, 경축하다
urge 재촉하다, 열심히 권하다, 격려하다, 강요하다
attract 끌어당기다, 유인하다, (지지, 평판 등을) 얻다

해설 졸업생 대표로 보이는 학생이 같이 졸업하는 학생들에게 졸업을 축하하고 격려하는 연설을 하고 있다.

정답 (b)

47

Although Martin Luther King, Jr. started his career working in church, he was best known as a civil rights leader in America during the 1950s and 1960s. Always focusing on peaceful protest, King's most famous political act was probably an African-American led boycott of segregated city buses in Montgomery, Alabama. In 1956, African-Americans won a huge victory and King gained fame as a civil rights leader when the city buses desegregated their seating.

Q What is the talk mainly about?

(a) People's respect for Martin Luther King
(b) Martin Luther King's achievement
(c) Martin Luther King's career in church
(d) The harsh life of African-Americans

해석 비록 마틴 루터 킹이 교회에서 그의 경력을 시작했지만, 그는 1950년대와 1960년대에 미국에서 시민 인권 운동 지도자로서 가장 잘 알려져 있었다. 언제나 평화적인 시위에 중점을 두었던 킹의 가장 유명한 정치적 행동은 아마도 흑인들을 앨라배마 주 몽고메리에서 인종 차별을 하는 시영 버스에 대한 보이콧으로 이끈 것이었다. 1956년에 시영 버스가 인종 차별적 좌석 분리를 해제했을 때 흑인들은 큰 승리를 얻었고, 킹은 시민 인권 운동 지도자로서 명성을 얻었다.

Q 이 이야기는 주로 무엇에 관한 것인가?

(a) 마틴 루터 킹에 대한 사람들의 존경
(b) 마틴 루터 킹의 업적
(c) 마틴 루터 킹의 교회에서의 경력
(d) 흑인들의 고된 삶

어구 career 직업, 경력, 이력
civil rights (movement) 시민권, 시민인권 (운동), 시민의 권리
protest 항의, 시위
political 정치적인, 정략의
boycott (개인, 회사, 국가, 상품 등에 대한) 보이콧, 불매동맹, 집단참가거부
segregated 분리된, 격리된, 인종차별의, 인종을 격리하는
African-American 미국흑인
cf. 흑인: a black person, a colored person
gain 얻다, 회복하다, 이기다
fame 명성, 명망, 평판
respect 존경, 존중
harsh 거친, 가혹한

해설 시민 인권 운동가로 유명한 마틴 루터 킹을 소개하면서, 그의 업적 중에서 가장 유명한 몽고메리 버스 보이콧 사건을 말해 주고 있다.

정답 (b)

48

Hi, you've reached Mac Arthur Pest Control. Your business is important to us and we're sorry to have missed your call. Our regular business hours are from Monday through Friday, 9 a.m. to 6 p.m. and Saturday from noon to 5 p.m. To have your call returned as soon as possible, please leave your name, number, and a short message about why you called. For pest emergencies, please call 1-800-555-4432. Thanks again for your call.

Q Which is correct according to the recording?

(a) They have the same operating hours every day.
(b) They ask for personal information to reply to messages.
(c) In case of emergencies, they require your address.
(d) They are open around the clock.

해석 안녕하세요, 맥아더 해충관리입니다. 저희는 여러분의 사업을 중요하게 생각합니다. 전화를 못 받아서 죄송합니다. 저희 정규 영업시간은 월요일부터 금요일 오전 9시부터 오후 6시까지이고 토요일은 정오부터 오후 5시까지입니다. 최대한 빨리 여러분의 전화에 답하기 위해서, 당신의 이름, 전화번호, 그리고 전화를 주신 이유를 간단하게 남겨주십시오. 해충 응급상황에는 1-800-555-4432번으로 전화하세요. 전화 주셔서 다시 한 번 감사드립니다.

Q 녹음에 따르면 옳은 것은 무엇인가?

(a) 그들의 영업시간은 날마다 똑 같다.
(b) 메시지에 응답하기 위해서 개인적인 정보를 묻는다.
(c) 응급상황인 경우 당신의 주소를 필요로 한다.
(d) 그들은 24시간 영업한다.

어구 pest 해충, 유해짐승, 역병, 흑사병
reach (전화 등으로) 연락하다, 닿다, 도달하다
business hours 영업시간, 집무시간, 운영시간
return 답하다, 답변하다, 대꾸하다
as soon as possible 가능한 한 빨리, 최대한 빨리 (줄여서 ASAP[eisæp], 또는 a.s.a.p라고 쓰고 알파벳을 한자씩 읽는다.)
around the clock 24시간 내내
cf. around the year 일 년 내내

해설 해충 관리하는 곳의 자동응답기에 녹음된 내용이 나오고 있다. 월~금 영업시간과 토요일 영업시간은 다르다. (a)는 답이 될 수 없고, 응급상황이 있는 경우 다른 전화번호로 전화하라고만 했지 별도로 주소를 요구하지는 않았다. (c)도 답이 아니다. 그리고 영업시간을 말해 줬듯이 24시간 영업하지는 않는다. 메시지에 응답하기 위해서 이름, 전화번호 등 개인정보를 남겨달라고 하고 있다.

정답 (b)

49

When traveling in Southeast Asia, there are certain health recommendations to keep in mind to prevent avian flu. First, stay away from rural areas and farms, especially those in close contact with chickens and other birds. Also, keep an eye on your children. Young kids tend to touch things and then put their fingers in their mouths, which can spread disease. And last, but not least, wash your hands. This is the simplest and most effective way to keep you and your family germ and disease-free while traveling abroad.

Q What is the topic of the talk?

(a) How to be safe from avian flu
(b) An effective way to overcome avian flu
(c) How to take care of children safely
(d) Safety rules while driving

해석 동남아시아를 여행할 때, 조류독감을 예방하기 위해서 기억해야할 약간의 보건 권고사항이 있습니다. 우선, 시골 지역과 농장들 특히 닭과 다른 조류들과 가깝게 접촉하고 있는 곳을 피하세요. 또한, 여러분의 아이들에게서 눈을 떼지 마세요. 어린 아이들은 물건들을 만지려고 하고 그러고 나서는 손가락을 입에 집어넣으려고 하는데 이것이 질병을 퍼뜨릴 수 있습니다. 그리고 마지막이지만 결코 하찮지 않은 것은 여러분의 손을 씻는 것입니다. 이것은 여러분과 여러분의 가족을 해외에서 여행을 하는 동안 세균과 질병 없이 유지하는 가장 간단하고 또 가장 효과적인 방법입니다.

Q 이 담화의 주제는 무엇인가?

(a) 조류독감으로부터 안전해 지는 법
(b) 조류독감을 극복하는 효과적인 방법
(c) 아이들을 안전하게 돌보는 방법
(d) 운전 중의 안전 수칙

어구 health recommendation 보건 권고, 위생 권고
keep in mind 기억하다, 유의하다
avian flu 조류 독감
rural 시골의, 전원의, 농촌의
keep an eye on ~을 감시하다, ~에 유의하다
effective 효과적인, 유효한
overcome 이기다, 정복하다, 극복하다

해설 동남아 여행 시 조류독감을 예방할 수 있는 권고사항을 몇 개 소개하고 있다. 시골지역과 농장에 가지 말고, 아이들을 잘 감시하고, 손을 잘 씻으라고 했다. 조류독감을 예방하는 법을 주로 이야기하고 있는 것이다. 화자는 예방을 이야기하는 것이지 이미 걸린 후에 조류독감을 이겨내는 법을 이야기 하는 것이 아니다. (b)는 답이 아니다. 아이들이 아무거나 만지고 손을 입에 넣지 못하도록 감시하라고 한 것은 조류독감을 예방하는 방법의 한가지로 제시한 것이다. 따라서 (c)도 답이 될 수 없다.

정답 (a)

50

Are you tired of trying every cream and lotion out there? Do you just want a simple product that will give you clear and wrinkle-free skin? Well, throw out all those other bottles. 'Skinfully Beautiful' is the only serum you will ever need. It reduces wrinkles and gets rid of pimples. Multi-vitamins nourish skin and help get rid of those ugly lines. Just apply once in the morning and evening after washing your skin and watch the years melt away. Try it today!

Q What is being advertised?

(a) Wrinkle free pants
(b) A product to improve skin
(c) A cleansing product
(d) A vitamin pill

해석 시중에 나온 모든 크림과 로션을 시험해 보느라고 힘드시죠? 맑고 주름살 없는 피부를 가져다 줄 단순한 제품을 원하십니까? 그렇다면, 다른 모든 화장품 병들을 버리십시오. 'Skinfully Beautiful'은 여러분이 필요로 할 단 하나의 세럼입니다. 이것은 주름을 줄이고 뾰루지를 없앱니다. 멀티 비타민은 피부에 자양분을 공급하고 그 보기 흉한 주름들은 없애는 것을 돕습니다. 피부를 닦은 후 아침과 저녁에 한 번만 바르세요. 그리고 세월이 서서히 사라지는 것을 지켜보십시오. 오늘 당장 해 보세요!

Q 무엇이 광고되고 있는가?

(a) 주름 없는 바지
(b) 피부를 개선시키는 제품
(c) 클린징 제품
(d) 비타민 알약

어구 wrinkle-free 주름살 없는
reduce 줄이다, 감소시키다
get rid of 제거하다, 없애다
pimple 여드름, 뾰루지
nourish 자양분을 주다, 키우다, 비료를 주다
apply (약 등을) 바르다, 쓰다
melt away 서서히 사라지다, 서서히 가버리다

해설 피부를 맑고 주름살 없이 만들어 주는 화장품을 소개하고 제품을 성능을 이야기 하고 마지막에서는 제품을 써 보라는 이야기로 말을 맺고 있다.

정답 (b)

51

Welcome future graduates of the class of 2010. As president of the school I'd like to first congratulate all of you for making it this far. Since you know how difficult it is to get into university, you should also know how hard it is to get out. But let me say that college is not only just a time for intense studying, but also for learning about who you are as a person, and I sincerely hope that you will learn about the world and yourselves during your years with us.

Q What point is the speaker trying to make?

(a) Completing the coursework is important.
(b) Studying hard is the first priority.
(c) Searching for identity is as important as coursework.
(d) Traveling the world is encouraged.

해석 2010년에 졸업하게 되는 미래의 졸업생 여러분 환영합니다. 학장으로서 여기까지 이루어 낸 여러분 모두에게 우선 축하를 드립니다. 대학교에 들어오기가 얼마나 힘든지를 여러분들이 알기에, 여러분은 대학교에서 졸업하는 것 역시 얼마나 어려운지를 알아야 합니다. 그러나 대학은 단지 강도 높은 공부를 하는 시간만이 아니라 또한 당신이 인간으로서 누구인가에 대해서 배우는 시간이라는 것을 이야기 하고 싶습니다. 그리고 저는 여러분들이 저희와 함께 하는 몇 년 동안 세계와 여러분 자신에 대해서 배우기를 진심으로 희망합니다.

Q 화자는 어떤 점을 강조하려고 하였는가?

(a) 교과 학습을 끝마치는 것은 중요하다.
(b) 열심히 공부하는 것이 최우선이다.
(c) 정체성의 탐색은 교과 학습만큼이나 중요하다.
(d) 세계를 여행하는 것을 장려한다.

어구 graduate 졸업생, 대학원생
congratulate 축하하다
intense 강렬한, 심한, 격렬한
sincerely 마음으로부터, 진정으로, 진실로
make a point ~을 주장[강조, 중시]하다
coursework 학과 과제, 교과 학습
priority 우선권, 상위, 우위
identity 정체, 주체성, 동일성
encourage 격려하다, 용기를 북돋우다

해설 미래의 졸업생을 환영한다고 했으므로 신입생들의 환영식 내지 오리엔테이션 상황임을 알 수 있다. 학장이 신입생들 앞에서 대학에서의 시간은 공부만을 위한 것이 아니라 자신이 누구인지에 대해 배우기도 하는 시간이라고 하면서 마지막에서 대학을 다니는 몇 년 동안 세계에 대해서 배우고 아울러 자기 자신에 대해서도 배우기를 진심으로 바란다고 했다. 그러므로 학장은 대학에서 자기 정체성을 찾는 것도 중요하다는 것을 강조하고 있음을 알 수 있다.

정답 (c)

52

Attention all library patrons. We'd like to thank you for visiting the New York City Public Library today. We will be closing in 20 minutes. Please take all materials to be checked out to the nearest counter. All reference books and other media should be returned to specific carts located throughout the library. Internet access will be turned off in 10 minutes, so please save any unsaved work. We will open again Monday morning at 9 a.m. Thank you.

Q What is the main purpose of this announcement?

(a) To announce the library policy
(b) To notify the library's closing
(c) To welcome visitors of the library
(d) To notify the time of library opening

해석 모든 도서관 이용객들에게 알려드립니다. 오늘도 저희 뉴욕 시립 공공 도서관을 방문해 주셔서 감사합니다. 20분 후에 폐관할 예정입니다. 모든 자료들을 가까운 카운터에서 대출하세요. 모든 참고 서적들과 다른 매체들은 도서관 도처에 위치되어 있는 특정 카트에 반납해 주시기 바랍니다. 인터넷 접속이 10분 후에 끊길 예정이니, 저장하지 않은 작업들을 저장하십시오. 저희 도서관은 월요일 아침 9시에 다시 엽니다. 감사합니다.

Q 이 공지의 주된 목적은 무엇인가?

(a) 도서관 정책을 발표하기 위해서
(b) 도서관의 폐관을 알리기 위해서
(c) 도서관의 방문객들을 환영하기 위해서
(d) 도서관의 개관 시간을 알리기 위해서

어구 patron 단골손님, 고객
check out (도서관에서 책 등을) 대출하다, (호텔 등에서) 셈을 치르고 나오다, 체크아웃하다, 퇴근하다
reference book 참고서적
media 매체 (medium의 복수형)
notify 통보하다, 알리다, 발표하다

해설 마지막에 월요일 개관시간을 이야기 하기는 했지만, 이 글에서 주된 내용은 20분 후에 도서관이 폐관함을 알리고, 폐관 전에 대출, 반납, 작업 저장에 관해서 안내를 해 주고 있다.

정답 (b)

53

The first U.S. census was taken in 1790 and only recorded general information such as the name of the head of the household and a simple demographic recording of the rest of the members of the family. As the country developed its wants and needs, the information the census kept track of also changed with it. Eventually other data, such as the number of slaves per household and causes of death, were included in the census, which is still taken every ten years.

Q What is the lecture mainly about?

(a) The importance of implementing a census
(b) The history of the U.S. census
(c) The way of estimating population in the U.S
(d) How the early U.S. census performed

해석 첫 번째 미국 인구조사는 1790년에 실시되었는데 가장의 이름과 나머지 가족 구성원들의 간단한 통계학적 기록과 같은 일반적인 정보만이 기록되었다. 나라가 발전하면서, 그것의 필요와 요구, 인구조사가 지속적으로 기록을 하는 정보도 나라와 함께 변하였다. 마침내는 한 가구 당 노예의 수나 사망의 원인과 같은 다른 정보들이 아직도 십년에 한 번씩 행하는 인구조사에 포함되었었다.

Q 강의는 주로 무엇에 관한 것인가?
(a) 인구조사를 실시하는 것의 중요함
(b) 미국 인구조사의 역사
(c) 미국 내의 인구를 추정하는 방법
(d) 초기의 미국 인구조사가 어떻게 행하여 졌는지

어구 census 인구조사
household 가족, 온 집안 식구, 세대
demographic 인구(통계)학의
keep track of ~을 놓치지 않고 따라가다, ~에 대해 끊임없이 정보를 얻어내다
slave 노예, 종
implement 이행하다, 실행하다, 실시하다
estimate 견적하다, 어림하다, 추정하다
perform 실행하다, 수행하다, 이행하다

해설 1790년에 첫 인구조사가 있은 후 나라가 발전하면서 그 조사 내용이 초기와는 다르게 변화하였다고 말하고 있다. 인구조사의 역사에 관하여 이야기하고 있는 것이다.

정답 (b)

54

Although there were several different causes for World War II, such as communism and racism, there are two more popular causes that are generally believed to be the main reasons why World War II happened. The first of these reasons was Germany's invasion of Poland in 1939. The second cause was Japan's attacks on the U.S., China, and other countries. These attacks were immediately met by armed resistance from different countries, known as the Allied countries.

Q What is the cause of World War II according to the lecture?

(a) Allied countries' attack
(b) Poland's invasion of Germany
(c) Nazism and racism
(d) Japan's invasions

해석 제2차 세계대전에 있어서 비록 공산주의와 인종차별주의 같은 여러 가지의 다른 원인들이 있었지만, 제2차 세계대전이 일어나 주된 이유라고 일반적으로 믿는 두 가지 유력한 이유가 더 있습니다. 이 이유들 중 첫 번째는 1939년에 독일이 폴란드를 침공한 것입니다. 두 번째 이유는 미국, 중국, 그리고 다른 나라들에 대한 일본의 공격이었습니다. 이 공격들은 곧바로 연합국이라고 알려진 여러 다른 나라들에서 온 무장 저항군을 만나게 되었습니다.

Q 이 강의에 따르면 무엇이 제2차 세계대전의 원인인가?
(a) 연합국들의 공격
(b) 폴란드의 독일 침공
(c) 나치즘과 인종차별주의
(d) 일본의 침략

어구 communism 공산주의 (체제)
racism 인종주의 (체제), 인종적 차별
invasion 침입, 침략
armed 무장한
resistance 저항, 지하 저항운동
allied 동맹한, 연합한

해설 강의의 초반에 공산주의와 인종차별주의를 이유로 언급하기는 했지만 although에 주의해야 한다. 즉 이 강의에서 이야기 하고자 하는 것은 although절에서 말한 두 가지 이유가 아니라 그 다음에 나오는 두 가지인 것이다. 하나는 독일의 폴란드 침공이고, 다른 하나는 일본의 공격이다.

정답 (d)

55

Today is sunny and cloud-free, but everyone should know that our weather can change in an instant, and that's the case for us this week. Tomorrow there will be plenty of sunshine and a mild breeze from the east, but on Tuesday that will all change. Clouds will come in sometime in the late afternoon and by nightfall we will have heavy thunderstorms in various parts of the north, so don't put away your umbrellas just yet. Sports is up next after this commercial break.

Q Which is correct according to the weather forecast?

(a) It's cloudy and windy today.
(b) The weather is likely to be stable this week.
(c) There is no chance of rainfall this week.
(d) It is likely to rain on Tuesday.

해석 오늘은 화창하고 구름이 없겠는데요, 날씨는 눈 깜짝할 사이에 변할 수 있다는 것을 아셔야 하는데 이번 주가 그렇습니다. 내일은 햇볕이 많고 부드러운 산들바람이 동쪽에서 불어오겠습니다. 하지만 화요일에는 모두가 바뀔 것입니다. 오후 늦게 쯤 구름들이 몰려오고 해질 무렵에는 북부 여러 지역에서 천둥번개를 동반한 강한 비가 내릴 예정이니, 아직 우산을 치우지 마십시오. 이 광고방송 후에 스포츠가 계속 됩니다.

Q 일기예보에 따르면 옳은 것은 무엇인가?
(a) 오늘은 구름이 끼고 바람이 분다.
(b) 이번 주 날씨는 안정적일 것이다.
(c) 이번 주에 비가 내릴 확률은 없다.
(d) 화요일에 비가 올 것이다.

어구 in an instant 눈 깜짝할 사이에, 즉시
plenty of 많은, 풍부한
breeze 산들바람, 미풍
nightfall 해질녘, 땅거미, 황혼(twilight)
thunderstorm 뇌우, 천둥 번개를 동반한 비
umbrella 우산
commercial break 광고방송
forecast 예보하다, 예상하다
stable 안정된, 동요하지 않는

해설 정리하면 오늘은 화창하고 구름이 없고, 내일도 역시 햇볕이 많고 바람이 살살 분다고 했다. 하지만 화요일 오후에 비구름이 와서 해질녘에 강한 비가 올 예정이라고 했다. 그러므로 이번 주는 날씨가 불안정하고 비가 내릴 확률이 높다.

정답 (d)

56

This is a reminder about the monthly meeting for October. This month's meeting is especially important since we are going to lay down an outline for our upcoming financial year. All employees are encouraged to attend and submit any ideas or suggestions concerning any aspect of their departments at the meeting. Mark your calendars this Thursday, September 27 at 3 p.m. in Central Meeting Hall, room 604. Refreshments will be served afterwards in room 603 across the hall.

Q Which is correct according to the announcement?

(a) Only executives need to attend the meeting.
(b) This upcoming meeting is particularly significant.
(c) The meeting will be held outside the company.
(d) A buffet will be served after the meeting.

해석 이것은 10월 월례회의를 상기시키기 위한 것입니다. 이번 달의 회의는 우리가 다가오는 회계연도를 위한 윤곽을 세울 것이기 때문에 특별히 중요합니다. 모든 사원들이 회의에 참석하고 어떤 아이디어나 각자의 부서의 관점에 관한 제안을 하는 것을 장려합니다. 여러분의 달력에 표시를 하세요. 이번 주 목요일, 9월 27일 3시 중앙 회의실 604호입니다. 회의가 끝난 후 건너편 603호에서 다과가 제공될 것입니다.

Q 이 공지에 따르면 옳은 것은 무엇인가?
(a) 경영진만 회의에 참석해야 하다.
(b) 이번 회의는 특별히 중요하다.
(c) 회의는 회사 밖에서 열릴 것이다.
(d) 회의 후에 뷔페가 제공될 것이다.

어구 reminder 생각나게 하는 것, 상기시키는 주의
lay down 세우다, 놓다, 버리다
upcoming 다가오는 곧 나올, 이번의
financial year 회계연도, 연도
aspect of ~의 관점에서
refreshments 가벼운 음식물, 다과
afterwards 후에, 나중에
executive 임원, 경영진, 중역
significant 중요한, 의미 있는

해설 사원들도 참석하고 의견을 내는 것을 장려한다고 했으므로 (a)는 답이 아니고, 회의는 회사 내의 604호에서 열린다고 했으므로 (c)도 답이 아니다. 회의 후에 다과, 간단한 음식을 준다고 했을 뿐 푸짐한 뷔페가 제공되는 것은 아니다. (d)도 오답이다. 이번 회의에서는 다가오는 연도의 윤곽을 세우기 때문에 특히 중요하다고 했다.

정답 (b)

57

Today's lecture will cover the immune system's response process. The first stage is identification, which is when our immune system finds disease-causing microbes by locating specific signs on their surfaces, called antigens. Any kind of foreign object, whether it is bacteria or a virus or something else, has its own individual antigen that makes it different from the body's cells, so when the immune system discovers such organisms, it attacks and kills them.

Q Which is correct about the immune system?

(a) It identifies harmful objects in the body.
(b) It will be developed by a series of injections.
(c) Only bacteria and viruses attack the body.
(d) Antigens are the main cause of diseases.

해석 오늘 강의는 면역체계의 반응과정에 대해 다룰 것입니다. 첫 단계는 세균들의 표면에 항원이라고 불리는 특정한 표식을 찾아냄으로써 우리의 면역체계가 병을 유발하는 세균을 찾아내는 식별단계입니다. 박테리아이든 바이러스이든 혹은 다른 어떤 것이든, 모든 외래 물질들은 그것을 우리 체세포와 다르게 하는 각자 고유의 항원을 가지고 있습니다. 그래서 면역체계가 그런 미생물을 찾으면, 그것들을 공격해서 죽이는 것입니다.

Q 면역체계에 대해서 옳은 것은 무엇인가?
(a) 그것은 몸속의 해로운 물체를 식별한다.
(b) 그것은 일련의 주사로 발달할 것이다.
(c) 박테리아와 바이러스만 인체를 공격한다.
(d) 항원들은 질병의 주된 원인이다.

어구 **immune** 면역성의
identification 신원확인, 동일하다는 증명
microbe 미생물, 세균, 병원균
locate 위치 등을 알아내다, 밝혀내다
antigen 항원 *cf.* antibody 항체
individual 개별의, 개인의, 특유의
organism 유기체, 생물, 미생물
injection 주사, 주입

해설 면역체계가 몸 밖에서 안으로 들어온 외래 물질에 항원을 찾아 그 물질을 공격하고 죽인다고 강의하고 있다. (a)가 옳고, (b)에 대해서는 전혀 언급이 없었다. (c) 역시 이 강의를 가지고는 알 수 없다. 항원은 모든 외래의 물질이 그들의 표면에 가지고 있는, 우리의 체세포와 구별할 수 있게 하는 특정한 표식이지 그 항원 자체가 질병을 일으키는 것은 아니고, 또한 모든 외래 물질들이 질병의 원인이 되는 것도 아니므로 (d)는 오답이다.

정답 (a)

58

In today's workshop you are going to learn the ins and outs of PhotoCap, the best software to create images as well as edit them. The easy to use interface allows you to jump from one file to another without having to open several different files. Another benefit of the software is all the different capabilities for photo editing. If you want to make yourself look taller or younger, it's no problem for PhotoCap and takes no time at all. So let's get started.

Q Which is correct according to the talk?

(a) Wearing the cap can make you look younger.
(b) The software has superb image editing functions.
(c) By using this software pictures come out clearer.
(d) The software doesn't support image creating function.

해석 오늘 워크샵에서 여러분은 이미지를 생성하고 편집하는 최고의 소프트웨어 Photocap의 자세한 모든 것들을 배울 것입니다. 사용하기 쉬운 인터페이스는 여러분이 여러 개의 다른 파일들을 열 필요 없이 한 파일에서 다른 파일로 이동할 수 있도록 해 줍니다. 이 소프트웨어의 다른 장점으로는 다양한 사진 편집기능이 있습니다. 자신을 보다 크게 또는 어리게 보이도록 하고 싶다면, Photocap에 있어서 그것은 문제가 아니고 시간도 전혀 걸리지 않습니다. 그럼 시작해 보겠습니다.

Q 담화에 따르면 옳은 것은 무엇인가?
(a) 모자를 쓰면 보다 어려 보인다.
(b) 이 소프트웨어는 우수한 이미지 편집 기능이 있다.
(c) 이 소프트웨어를 사용함으로서 사진이 더 선명하게 나온다.
(d) 이 소프트웨어는 이미지 생성기능을 제공하지 않는다.

어구 **workshop** 공동 연구회, 연수회, 워크샵, 연구실
the ins and outs 자세한 내용, 자초지종, 속속들이
interface [컴퓨터] 인터페이스, 사용자 환경, (이종 간의) 대화, 의사소통
benefit 이익, 혜택
capability 능력, 재능, 특성, 성능
superb 최고의, 훌륭한, 멋진

해설 첫 문장에서 이 소프트웨어를 소개하면서 이미지 생성, 편집의 최고 소프트웨어라고 언급했으므로 (d)는 답이 아니다. 그리고 사진을 선명하게 하는 기능에 대해서는 언급이 없었으므로 (c)도 답이 아니다. 뒷부분에서 다양한 편집기능에 대해서 이야기하므로 (b)가 답이 된다.

정답 (b)

59

Cancer vaccines can be used to either treat an existing condition or to reduce the chances of getting a certain type of cancer. One controversial example is the human papillomavirus (HPV) vaccine, which targets certain kinds of the sexually transmitted disease. This disease can eventually lead to a type of cancer in women and some states in the U.S. are considering passing laws to make it mandatory for all females of a certain age to get the vaccine.

Q What can be inferred from this lecture?

(a) Not taking a cancer vaccine is illegal.
(b) Cancer vaccines can prevent developing a certain cancer.
(c) Women have a higher chance of getting cancer.
(d) Cancer vaccines have been used in practice recently.

해석 암 백신은 현존하는 상태를 치료하기 위해서 또는 일정한 형태의 암에 걸릴 가능성을 줄이기 위해서 사용될 수 있습니다. 한 가지 논쟁이 되는 예는 성적 접촉으로 전염되는 질병의 일종을 표적으로 하는 유두종 바이러스 백신입니다. 이 병은 마지막에는 여성을 일정한 암에 이르게 할 수 있고 미국의 몇 몇의 주들은 일정한 나이가 된 여성들이 백신을 맞는 것을 의무로 강제하도록 하는 법안을 통과시키는 것을 고려하고 있습니다.

Q 이 강의에서 추론할 수 있는 것은 무엇인가?

(a) 암 백신을 맞지 않는 것은 불법이다.
(b) 암 백신은 일정한 암의 발병을 예방할 수 있다.
(c) 여자가 암에 걸릴 확률이 더 높다.
(d) 암 백신은 최근 실제에서 사용되고 있다.

어구
controversial 논쟁의, 쟁점이 되는
human papillomavirus(HPV) 유두종 바이러스
transmit 옮기다, 전염시키다
lead 인도하다, ~에 이르게 하다
pass a law 법안을 통과시키다
mandatory 강제의, 의무의, 필수의
illegal 불법적인
develop 발병하다
in practice 실제로

해설 일부 주에서 백신접종을 의무화하는 법안의 입법화를 고려하고 있다고 했으므로 아직은 통과되지 않은 상황이다. 따라서 아직은 백신을 안 맞는 것이 불법이라고 할 수 없다. 여자가 유두종 바이러스에 걸려 암에 이를 수 있다고 했지만 이것만 가지고 여자가 일반적으로 모든 암에 걸릴 확률이 남자보다 높다고 할 수는 없다. 초반에 백신을 치료에도 쓰지만 암 발생가능성을 줄이는 데에도 사용한다고 했으므로 (b)가 옳다.

정답 (b)

60

Sander Cole's newest film, Fatal Fantasy, is a tale of revenge. As a child Lara, played by Sophia Morgan, witnessed the murder of her entire family. After spending twelve years in a mental hospital, she is finally released. Her only goal is to find the nameless killer, played by James Fry, whose face she still remembers exactly. This story has a twist ending that will not be soon forgotten.

Q Which is correct about Fatal Fantasy?

(a) It is based on the newest novel.
(b) The heroine is determined to get revenge.
(c) The heroine lost her memory.
(d) It is banned for its brutality.

해석 샌더 콜의 최신 영화, Fatal Fantasy는 복수에 관한 이야기이다. 소피아 모건이 분한 라라는 어렸을 때 온 가족이 살해당하는 것을 목격한다. 정신병원에서 12년을 보낸 후, 그녀는 마침내 퇴원을 하게 된다. 그녀의 단 하나의 목표는 제임스 프라이가 연기한, 그녀가 아직도 똑똑히 얼굴을 기억하고 있는 무명의 살인자를 찾는 것이다. 이 영화는 쉽게 잊을 수 없는 꼬인 결말을 가지고 있다.

Q Fatal Fantasy에 관하여 옳은 것은 무엇인가?

(a) 최신 소설을 바탕으로 만들어졌다.
(b) 여주인공은 복수를 각오한다.
(c) 여주인공은 기억을 상실한다.
(d) 잔인함 때문에 금지되었다.

어구
tale 이야기, 설화
revenge 복수, 복수심
witness 목격하다
mental hospital 정신 병원
release 석방하다, 놓아주다, 해방시키다
twist 비틀림, 왜곡
heroine 여주인공
be determined to ~를 각오하고 있다, 결심하고 있다
banned 금지된
brutality 잔인성, 무자비

해설 최신영화에 대한 간단한 소개이다. 처음에 복수에 관한 이야기라고 했고, 12년 만에 정신병원에서 나온 여자가 살인범을 찾는 것이 그녀의 유일한 목표라고 하였으므로, 그녀가 복수를 결심하였음을 알 수 있다.

정답 (b)

Actual Test 2

1 (b)	2 (c)	3 (b)	4 (a)	5 (c)
6 (a)	7 (a)	8 (b)	9 (d)	10 (c)
11 (a)	12 (b)	13 (b)	14 (a)	15 (c)
16 (b)	17 (b)	18 (a)	19 (b)	20 (b)
21 (a)	22 (a)	23 (a)	24 (b)	25 (b)
26 (d)	27 (b)	28 (b)	29 (a)	30 (b)
31 (c)	32 (c)	33 (b)	34 (b)	35 (c)
36 (b)	37 (b)	38 (d)	39 (a)	40 (c)
41 (b)	42 (c)	43 (b)	44 (b)	45 (a)
46 (b)	47 (b)	48 (a)	49 (a)	50 (a)
51 (b)	52 (d)	53 (a)	54 (a)	55 (b)
56 (b)	57 (d)	58 (b)	59 (c)	60 (c)

Part 1

1

M See you later, Sarah. It was good to meet you.

W ______________________

(a) What a pleasant surprise!
(b) Nice meeting you, too.
(c) I'm doing great.
(d) Excuse me, do I know you?

해석 **M** 나중에 또 봐요, 새라. 만나서 반가웠어요.
W ______________________
(a) 아이고, 이게 누구에요.
(b) 저도 만나서 반가웠습니다.
(c) 전 잘 지내고 있어요.
(d) 실례하지만, 제가 당신을 아나요?

어구 pleasant 즐거운, 유쾌한, 기분 좋은
What a pleasant surprise! 어머 좋아라, 아이고, 이게 누구야.

해설 good to meet you라고 했으므로 두 사람은 처음 만난 사이이다. (a)는 아는 사람을 생각지 못하게 만났을 경우 쓸 수 있는 말이다. 처음 만나는 사람과 헤어질 때 하는 인사로는 (b)가 적절하다.

정답 (b)

2

W Pardon me, can you tell me where the cookbooks are?

M ______________________

(a) Do you work here?
(b) I'm not interested in cooking.
(c) We keep them in aisle 7.
(d) It's OK.

해석 **W** 실례합니다만, 요리책들은 어디에 있나요?
M ______________________
(a) 여기 일하세요?
(b) 전 요리에는 관심이 없습니다.
(c) 7번 칸에 있습니다.
(d) 괜찮아요.

어구 aisle 통로, 복도

해설 서점에서 여자가 남자에게 요리책이 어디 있는지를 묻고 있다. 대답으로는 '어디에 있다', '잘 모르겠다', '다른 사람에게 물어봐라', '난 여기 직원이 아니다' 등이 가능하다.

정답 (c)

3

W Guess what! You're going to be a daddy.

M ______________________

(a) Yeah, my daddy is coming next week.
(b) Oh, my god. I can't believe it.
(c) Time really flies.
(d) Wow, you must be excited.

해석 **W** 들어봐요! 당신 아빠가 될 거에요.
M ______________________
(a) 그래, 내 아빠가 다음 주에 오셔.
(b) 오, 세상에. 믿을 수가 없어.
(c) 세월 정말 빠르네.
(d) 와, 너 정말 흥분되겠다.

어구 Time flies. 세월은 쏜살같이 지나간다.

해설 아내가 남편한테 임신 사실을 알리고 있다. 남자의 반응은 당연히 기뻐해야 적절하다고 하겠다.

정답 (b)

4

W Guess what? I made it into medical school!

M ______________________

(a) Good for you.
(b) Great! Thanks.
(c) You've got the job.
(d) You're welcome.

해석 **W** 들어봐. 나 의대에 들어갔어!
M ______________________

(a) 잘 됐다.
(b) 훌륭해! 고마워.
(c) 취직했구나.
(d) 천만에

어구 **make it** (1) 제시간에 도착하다, (장소에) 이르다, 나타나다 (2) 제대로 수행하다, 성공하다 (3) (서로) 만나기로 하다

해설 여자가 의대에 들어갔다고 좋아하고 있다. 이에 남자는 축하를 해줘야 할 것이다.

정답 (a)

5

M I really appreciate you helping me move.
W ____________________

(a) Thanks a million.
(b) That sounds great.
(c) No problem. Anytime.
(d) I'm moving soon.

해석 **M** 이사하는 거 도와줘서 정말 고마워.
W ____________________

(a) 정말 고마워.
(b) 그거 좋겠는데.
(c) 천만에. 언제든지.
(d) 난 곧 이사해.

어구 **appreciate** 고맙게 생각하다, 진가를 인정하다
Thanks a million. 너무 고마워.
move 이사하다, 옮기다

해설 남자가 이사를 하는데 여자가 돕고 있다. 남자가 여자에게 고마움을 표시하고 있고, 이에 알맞은 대답은 (c)이다. Part 1을 풀 때에는 한 사람만 말을 하기 때문에 자칫 잘못하면 상대방의 대답을 고르는 것이 아니라 말한 사람이 이어서 할 말을 고르는 경우도 있다. 위의 문제에서 (a)를 고르는 경우가 그에 해당할 것이다. Part 1에서는 항상 대답을 고른다는 생각을 갖자.

정답 (c)

6

W Does this skirt come in any other color?
M ____________________

(a) Yes, we have different colors.
(b) Sorry. We don't carry leather skirts.
(c) Why don't you try another one?
(d) Don't you like this kind of style?

해석 **W** 이 치마 다른 색상도 나오나요?
M ____________________

(a) 네, 다른 색상이 있습니다.
(b) 죄송합니다. 저희 가게에는 가죽 치마는 없습니다.
(c) 다른 것도 입어보시죠?
(d) 이런 스타일은 좋아하지 않으세요?

어구 **carry** (상점에서) ~을 (재고로) 가지고 있다, ~을 팔고 있다

해설 여자가 가리키는 치마가 다른 색상으로도 있는지를 묻고 있다. 이 질문에 대해서는 '여기 있다', '곧 가져다주겠다', '미안하지만 없다', '지금은 없지만 언제 들어온다', '이 색상이 맘에 안 드느냐', '그 치마는 한 색상만 있다', '있는데 사이즈가 몇이냐' 등 다양한 응답이 가능하다.

정답 (a)

7

M Could you lower your music?
W ____________________

(a) Sure, I'll keep it down.
(b) I like heavy metal.
(c) Yes, I live on the lower level.
(d) Do you hear me?

해석 **M** 음악을 좀 줄여주시겠어요?
W ____________________

(a) 그럼요, 작게 해 두겠습니다.
(b) 전 헤비메탈을 좋아합니다.
(c) 네, 전 아래층에 삽니다.
(d) 제 말이 들리세요?

어구 **lower** 낮추다, 내리다, 줄이다

해설 남자에게 여자의 음악이 시끄럽게 느껴져서 소리를 작게 해 달라고 요청하고 있다. 이 요청에 긍정 또는 부정을 할 수 있는데, (a)가 적절하다.

정답 (a)

8

W When do you have your sales meeting?
M ____________________

(a) It hasn't arrived yet.
(b) It's up to the manager.
(c) We will have it in room #302.
(d) You should be on time this Friday.

해석 **W** 판매회의는 언제 해요?
M ____________________

(a) 아직 도착하지 않았어요?
(b) 매니저에게 달렸어요.
(c) 302호에서 할 거에요.
(d) 이번 금요일에 제 시간에 와야 해요.

어구 **yet** [부정문에서] 아직~(않다), 지금까지는 ~(않다)
be up to ~에 달려있다

해설 회의시간을 묻고 있다. 어디서 하는 지를 물은 것이 아니므로 (c)는 오답이다. 시간은 매니저에게 달려있다고 한 (b)가 적절하다.

정답 (b)

9

M How come you ate all of the omelet?

W ____________________

(a) I like cheese omelets best.
(b) I'll have it for my dinner.
(c) Sorry, I don't know how to make omelets.
(d) Sorry, I was too hungry.

해석 M 아니 어떻게 오믈렛을 다 먹을 수가 있어?
W ____________________
(a) 나는 치즈 오믈렛이 제일 좋아.
(b) 저녁으로 먹을 거야.
(c) 미안해, 오믈렛을 어떻게 만드는지 몰라.
(d) 미안해, 너무 배가 고팠어.

어구 omelet 오믈렛 (계란 부침 안에 야채나 고기를 넣어 요리한 것)
How come~? 어째서, 왜, ~은 어찌된 일인가?

해설 남자는 여자가 오믈렛을 다 먹어 버린 것에 불만을 표하고 있다. How come~?으로 물으면 why의 의미 이긴 하지만, 예기치 못했다거나 불만을 터뜨릴 때 주로 쓴다. 그러므로 여자가 자신이 오믈렛을 다 먹은 것에 대해 변명을 하거나 사과를 하는 (d)의 응답이 적절하다. 상대방이 왜 오믈렛을 다 먹어 버렸냐고 질책을 하고 있는 상황에서 (a)나 (b)는 응답으로 적절치 않다.

정답 (d)

10

W I don't feel like taking out the trash.

M ____________________

(a) I didn't take out the trash.
(b) But I feel like going out.
(c) Let me do it for you.
(d) Be sure to use the trash bag.

해석 W 쓰레기 내다 놓기 싫어.
M ____________________
(a) 쓰레기 내 놓지 않았어.
(b) 그렇지만 난 나가고 싶은데.
(c) 내가 할게.
(d) 반드시 쓰레기봉투를 사용하도록 해.

어구 feel like ~ing ~하고 싶은 기분이다
take out 꺼내다, 내 놓다
trash 쓰레기

해설 여자가 쓰레기를 내다 놓고 싶지 않다고 했으므로, (c)에서 자신이 대신 해 주겠다는 것이 자연스러운 응답이 된다. (a)는 여자의 말 중 take out과 trash를 그대로 보기에 이용하여 오답을 만들었으며, (b)는 여자의 말에서 feel like를 그대로 이용하여 오답을 만든 것이다.

정답 (c)

11

M Can you tell me where I can grab a bite to eat inside the airport?

W ____________________

(a) I wish I could tell you.
(b) It's very near from here.
(c) I don't like to have hot dogs.
(d) You should go to gate 3.

해석 M 공항 안에서 어디서 요기를 할 수 있는지 말씀해 주시겠어요?
W ____________________
(a) 저도 잘 모르는데요.
(b) 여기서 매우 가까워요.
(c) 저는 핫도그 먹고 싶지 않아요.
(d) 3번 탑승구로 가셔야 합니다.

어구 grab a bite 요기하다, 간식 먹다

해설 남자는 여자에게 간단히 식사를 할 수 있는 곳의 위치를 묻고 있다. 여자가 위치를 가르쳐 줄 수도 있지만, 잘 모르겠다고 대답할 수도 있으므로 정답은 (a)이다. (b)는 특정 위치를 가르쳐 주는 것이 아니라 거리를 말하는 것이므로 정답이 될 수 없다.

정답 (a)

12

W I was thrilled by your speech. It was really fascinating.

M ____________________

(a) Thank you, but she is more attractive.
(b) How nice of you to say so.
(c) I am very nervous in front of a crowd.
(d) You're a born speaker. You did a great job.

해석 W 당신의 연설에 감동 받았어요. 너무 훌륭했어요.
M ____________________
(a) 고맙습니다만, 그녀가 더 매력적이에요.
(b) 그렇게 말씀해 주시니 좋군요.
(c) 저는 대중들 앞에서면 떨려요.
(d) 당신은 타고난 연설가군요. 잘 하셨어요.

어구 thrilled 감동적인, 감격스러운, 흥분한
fascinating 훌륭한, 매혹적인, 황홀한
attractive 매력적인
born 타고난, 천성의

해설 여자는 남자의 연설이 좋다고 칭찬을 해 주었는데, 칭찬에 대한 전형적인 답변은 (b)이다. (d)는 남자가 연설을 했으므로 여자에게는 이렇게 말 할 수 없고, 이것은 여자가 남자에게 할 말이다.

정답 (b)

13

M Your new business card is eye-catching.
W ______________________________

(a) Can I have your card?
(b) Thank you. I made it myself.
(c) How did you recognize it?
(d) I will pay with this card.

해석 M 당신의 명함은 시선을 사로잡네요.
W ______________________________
(a) 명함 한 장 주시겠어요?
(b) 고맙습니다. 제가 만들었어요.
(c) 당신은 그것을 어떻게 알아 봤습니까?
(d) 저는 이 신용카드로 결제 하겠어요.

어구 business card 명함
eye-catching 시선을 사로잡는

해설 남자는 여자의 명함이 멋지다고 칭찬을 해 주고 있으므로, 고맙다는 응답과 함께 자신이 만들었다고 말하는 (b)가 정답이 된다. (d)의 card는 명함이 아니라 신용카드를 의미하는 것이다.

정답 (b)

14

W Greg, this is my friend, Tina. Have you two met before?
M ______________________________

(a) I don't think so.
(b) Nice to meet you.
(c) Can I have your name?
(d) Stay in touch.

해석 W 그렉, 여기는 내 친구 티나야. 둘이 전에 만난 적 있니?
M ______________________________
(a) 아니, 그런 것 같지 않아.
(b) 만나서 반갑습니다.
(c) 성함이 어떻게 되시죠?
(d) 연락하고 지내요.

어구 stay in touch 연락 하고 지내다

해설 Part1에서 두 문장으로 이루어진 말이 가끔 나온다. 그렇다면 첫 문장 보다는 뒷 문장에 중점을 두어서 응답을 골라야 한다. 여자는 남자에게 티나와 만난 적이 있냐고 물었으므로, 만난 적이 있는지 없는지 확인해 주어야 할 것이다. 그러므로 정답은 만난 적이 없다는 (a)가 된다.

정답 (a)

15

M How are you recovering after your accident?
W ______________________________

(a) I got injured badly.
(b) I met him by accident.
(c) I'm almost getting back to normal.
(d) It's okay to ask me.

해석 M 사고 후 몸은 좀 어떠니?
W ______________________________
(a) 난 심하게 다쳤어.
(b) 나는 그를 우연히 만났어.
(c) 거의 정상으로 돌아오고 있어.
(d) 나에게 물어봐도 괜찮아.

어구 badly 심하게
get injured 다치다
by accident 우연히
get back to normal 정상으로 돌아오다

해설 남자는 여자에게 사고 후의 몸 상태를 묻고 있으므로 괜찮아지고 있다는 (c)가 정답이 된다. (b)는 남자의 말에 accident를 그대로 이용하여 오답을 만든 것이다. (a)는 남자가 여자에게 얼마나 다쳤냐고 물은 게 아니므로 정답이 될 수 없다.

정답 (c)

Part 2

16

W What's wrong? You look really worried.
M I just got a call saying that my mother was in a car accident.
W Oh, no. Is she alright?
M ______________________________

(a) Mind your own business.
(b) I'm not sure yet.
(c) Don't worry. I'm okay.
(d) I'm going to the hospital.

해석 W 무슨 일 있어? 정말 걱정되는 것처럼 보이는데.
M 어머니가 차 사고를 당했다는 전화를 방금 받았어.
W 저런. 어머니는 괜찮으시니?
M ______________________________
(a) 참견하지 마.
(b) 아직 잘 몰라.
(c) 걱정하지 마. 난 괜찮아.
(d) 난 병원에 갈 거야.

어구 Mind your own business. 참견마라, 네 일이나 잘해라.

해설 남자의 어머니가 차 사고를 당했다는 소식을 들은 여자가 어머니의 안부를 묻고 있다. 그렇다면 (b)에서와 같이 잘 모르겠다거나, 많이 다쳤다거나, 안 다쳤으니 걱정 안 해도 된다는 식의 대답이 가능하다.

정답 (b)

17

M Your parents don't work, right?
W Yes, they've been retired for about two years.
M Must be nice. How do they spend their free time?
W ______________________

(a) They won't be around this week.
(b) They do some volunteer work.
(c) They are free on weekends.
(d) They started to run a business.

해석 M 너희 부모님들은 일 안 하시지, 그렇지?
W 응, 은퇴하신지 2년 정도 됐어.
M 좋으시겠다. 여가시간을 어떻게 보내시니?
W ______________________
(a) 그들은 이번 주에 오시지 않을 거야.
(b) 자원봉사 일을 좀 하셔.
(c) 주말에는 한가하셔.
(d) 사업을 하기 시작하셨어.

어구 retire 은퇴하다, 퇴직하다
spend (시간을) 보내다, 소비하다
be around 와 있다, 찾아오다
volunteer 자발적인, 자원하는, 자원봉사자
free 할 일이 없는, 한가한

해설 have been retired라고 현재완료로 말했다. 이것은 2년 전에 은퇴를 하고 현재까지도 그 상태가 유지되고 있음을 의미한다. 따라서 (d)는 정답이 될 수 없다. 남는 시간에는 무엇을 하시냐고 물었으므로 (b)가 답으로 적절하다.

정답 (b)

18

W What are you reading?
M It's about the life of Marilyn Monroe.
W What's it like so far?
M ______________________

(a) So interesting that I can't stop reading.
(b) It's a very thick book.
(c) I don't like reading.
(d) I'm almost finished with the book.

해석 W 무슨 책을 읽니?
M 마릴린 먼로의 인생에 관한 책이야.
W 지금까지 보니까 어떠니?
M ______________________
(a) 너무 재미있어서 읽는 것을 멈추지 못 하겠어.
(b) 이것은 정말 두꺼운 책이야.
(c) 난 책 읽기를 좋아하지 않아.
(d) 난 그 책을 거의 다 읽었어.

어구 thick 두꺼운, 굵은

해설 남자가 읽고 있는 책이 어떤지 묻고 있다. 책의 내용에 대해서 묻고 있는 것이기 때문에 너무 재미있다는 (a)가 답이 되어야 한다.

정답 (a)

19

M Do you have any plans today?
W Not really. What's up?
M I'm going shopping. Do you want to come with me?
W ______________________

(a) I am planning to go to the movies.
(b) I'll take a rain check on that.
(c) I can't follow you. Come again?
(d) There is no agreement on that.

해석 M 오늘 무슨 할 일 있니?
W 아니 별로. 무슨 일이야?
M 쇼핑 갈건데 같이 갈래?
W ______________________
(a) 영화 보러 갈 계획이야.
(b) 다음에 갈게.
(c) 미안해. 네 말을 이해할 수 없어.
(d) 그것에 대해서는 의견일치가 없어.

어구 plan 계획, 계획하다, ~할 작정이다
rain check (지금은 사양하지만 나중에 요구할) 후일의 약속[초대, 요구], 초대의 연기
follow (설명 등을) 따라가다, 이해하다
come again 다시 오다, 한 번 더 해보다, 다시 한 번 말해줘, 뭐라고 말했나요?

해설 대화의 내용 자체는 어렵지 않지만 관용어와 단어의 의미를 제대로 파악하지 않으면 틀리기 쉬운 문제이다. 우선 rain check에 대해서 보면, 이 용어는 미국의 야구경기에서 유래된 것으로, 비가 와서 경기가 연기되면 그 경기표를 다음 경기를 볼 수 있는 표로 교환해 주었는데, 이때 주던 것이 rain check(우천교환권)이다. 일상생활에서는 주로 어떤 제안이나 제공을 사양하지만 다음에 하자는 뜻으로 give a rain check 또는 take a rain check으로 많이 사용된다. 그리고 (c)에서 follow를 듣고 쇼핑센터에 따라갈 수 없다고 해석할 수도 있겠지만, (c)에서 "Come again? (뭐라고 했니?)"라고 한 것으로 보아 '네 말을 이해 못했어'라고 해석하는 것이 옳다.

정답 (b)

20

W I thought you had to photocopy something.
M I do, but I'm short on change.
W The machines also take cards. You can buy it from the machine over there.
M ______________________

(a) I don't want to use my credit card.
(b) I guess that's something I need.
(c) But I like my copies double sided.
(d) I think this machine is out of order.

해석 **W** 네가 뭔가 복사해야 하는 줄 알았는데.
M 응, 해야 돼. 그런데 잔돈이 모자라네.
W 복사기는 카드도 돼. 저기 있는 자판기에서 살 수 있어.
M ______________________

(a) 신용카드를 사용하기는 싫어.
(b) 그게 필요하겠구나.
(c) 하지만 난 양면 복사를 하고 싶은데.
(d) 이 기계가 고장 난 것 같아.

어구 photocopy 사진 복사, 복사, 복사하다
change 거스름돈, 잔돈
out of order 고장이 나, 파손되어

해설 동전을 넣고 셀프로 이용하는 복사기를 이용하려 했으나 남자는 잔돈이 없어 복사를 못 하고 있다. 그러자 여자가 복사카드를 사서 이용하라고 제안을 하고 있다. 이에 적절한 답으로는 그녀의 제안을 받아들이거나 거절하는 내용이 되어야 할 것이다. (a)에서 복사카드를 사서 이용하라고 한 것이지, 신용카드를 쓰라고 제안한 것이 아니므로 (a)는 답이 아니다. (b)가 정답이다.

정답 (b)

21

M A-1 Travel Agency. What can I do for you?
W I'd like a one-way ticket to Moscow.
M What date do you have in mind?
W ______________________

(a) I'd like to leave next Thursday.
(b) My flight leaves at noon.
(c) Just for a few days.
(d) Then get me another flight.

해석 **M** A-1 여행사입니다. 무엇을 도와드릴까요?
W 모스크바로 가는 편도 티켓을 사고 싶은데요.
M 날짜는 몇일을 염두에 두고 계십니까?
W ______________________

(a) 다음 주 목요일에 떠나고 싶습니다.
(b) 제 비행기는 정오에 떠납니다.
(c) 며칠 간 만이요.
(d) 그렇다면 다른 항공편을 얻어주세요.

어구 agency 대리점, 대행사, 알선업자, 중개
one-way 한쪽의, 일방통행의, 편도의
cf. round trip 왕복
have in mind ~을 마음에 간직하다, 기억하고 있다, 잊지 않다
flight 비행, 항공 여행, 항공편

해설 여자가 여행사에 전화해 모스크바로 가는 비행기 표를 구하려고 하자 남자가 언제 가는지를 묻고 있다. 여자는 아직 항공편을 구하기 전이므로 (b)는 정답이 될 수 없고, 남자가 여자에게 떠나는 날짜(몇일)를 물어본 것이지, 모스크바에 머무르는 기간(며칠)을 물어본 것은 아니므로 (c)도 답이 될 수 없다.

정답 (a)

22

W Where can I find the main office?
M It's downstairs, room 106.
W They're not closed yet, right?
M ______________________

(a) I think so. They are open until 6 o'clock.
(b) They will close tomorrow.
(c) You need to go to the main office.
(d) Let me help you out.

해석 **W** 주 사무실이 어디 있죠?
M 아래층에 있어요, 106호에요.
W 아직 닫지 않았겠죠?
M ______________________

(a) 그럴 거에요. 6시 까지 엽니다.
(b) 내일은 문 닫을 거에요.
(c) 주 사무실에 가야 하겠네요.
(d) 제가 도와드릴게요.

어구 downstairs 아래층으로, 아래층에

해설 여자가 주 사무실을 찾으면서 닫았는지 궁금해서 남자에게 물었다. 적절한 대답으로는 '닫았을 것이다', '아직 열었을 것이다', 혹은 '잘 모르겠다' 등이 가능할 것이다.

정답 (a)

23

M I like your necklace. I'm looking for one like that for my girlfriend.
W I got this one on sale at the Edenville Mall.
M Is the sale still going on?
W ______________________

(a) Yeah, but you should hurry.
(b) These items are not for sale.
(c) It was a big bargain.
(d) I am still going on a diet.

해석 **M** 네 목걸이 예쁘다. 내 여자친구한테 주려고 그것 같은 것을 찾고 있는데.
W 난 이거 에덴빌 몰에서 세일해서 샀어.

M 아직도 계속 세일하고 있니?

W ______________________

(a) 응, 하지만 서둘러야 해.
(b) 이 품목은 비매품이야.
(c) 정말 싸게 샀어.
(d) 난 여전히 다이어트 중이야.

어구 **necklace** 목걸이
go on 나아가다, 계속하다, 계속되다
not for sale 비매품인, 판매용이 아닌
bargain 싼 물건, 매매계약
go on a diet 다이어트를 하기 시작하다, 감량을 하고 있다

해설 여자가 한 목걸이가 아직도 세일 중인지를 묻고 있다. 적절한 답으로는 '그렇다, 지금도 세일중이다', '아니다, 세일 끝났다', 혹은 '잘 모르겠다' 등이 있겠다. (b)의 not for sale은 할인판매 즉, 세일을 하지 않는다는 뜻이 아니라 팔려고 내 놓은 것이 아니라는 뜻이다.

정답 (a)

24

W Hi, Brad. Long time no see.
M It's because I just started a new job.
W How's that coming along?
M ______________________

(a) I haven't seen you for ages.
(b) It's harder than I expected.
(c) I started it a few weeks ago.
(d) That is my favorite thing.

해석 W 안녕, 브래드. 오랜만이네.
M 내가 새 일을 시작해서 그래.
W 그 일은 어떻게 되어 가니?
M ______________________

(a) 정말 오랜만에 본다.
(b) 예상했던 것 보다 더 힘들어.
(c) 몇 주 전에 시작했어.
(d) 그것은 내가 정말 좋아하는 거야.

어구 **Long time no see!** 오랜만이다, 오랜만에 보네.
come along 잘해 나가다, 살아나가다, 함께 가다
for ages 오랫동안 (= for an age)
favorite 매우 좋아하는, 마음에 드는

해설 남자가 새로 일을 시작해서 자주 만나지 못하고 오랜만에 여자를 만났다. 여자는 남자의 일이 잘 되고 있는지 물었다. 그렇다면 남자는 그 일이 어떻게 되어 가고 있는지를 대답해야 할 것이다. '잘 되고 있다', '일이 어렵다', '그럭저럭 되어가고 있다' 등의 응답이 가능할 것이다.

정답 (b)

25

M Could I please talk to Mary?
W I'm sorry, she just left. Would you like to leave a message?
M Yes. Just tell her Joseph called.
W ______________________

(a) She called you several times this morning.
(b) OK, I'll make sure that she gets that.
(c) Can you call me later?
(d) I'm afraid that she's busy right now.

해석 M 메리와 통화할 수 있을까요?
W 죄송하지만, 방금 나갔습니다. 메시지를 남기시겠어요?
M 네. 그냥 조셉이 전화했었다고만 전해주세요.
W ______________________

(a) 그녀가 오늘 아침에 여러 번 당신에게 전화했었어요.
(b) 알겠습니다, 꼭 전해드리겠습니다.
(c) 나중에 전화해 주시겠습니까?
(d) 죄송하지만, 그녀는 지금 바쁩니다.

어구 **several** 몇 개의, 여러 개의
make sure 확인하다, 확신하다, 꼭 ~ 하다

해설 메리에게 전화를 했지만 지금 나가있어서 그냥 자기가 전화했었다는 메시지를 전해줄 것을 여자에게 부탁하고 있다. 적절한 답으로는 '알았다, 전해주도록 하겠다', 혹은 '지금 막 다시 돌아왔으니 바꿔주겠다' 등이 가능할 것이다.

정답 (b)

26

W Ross, do you think I could borrow your car?
M It's not mine. It's my brother's. Do you want me to ask him for you?
W What do you think he'll say?
M ______________________

(a) Don't worry. You can use mine.
(b) He just bought a brand-new car.
(c) I think he is a nice and sweet guy.
(d) I'm not sure. I'll let you know soon.

해석 W 로스, 내가 네 차 좀 빌릴 수 있을까?
M 내 차가 아니라 형 거야. 내가 형한테 대신 물어봐 줄까?
W 형이 뭐라고 할 것 같아?
M ______________________

(a) 걱정하지 마. 내 것을 써.
(b) 그는 이제 막 신제품 차를 샀어.
(c) 내 생각에 그는 착하고 상냥한 사람이야.
(d) 잘 모르겠어. 금방 알려줄게.

어구 **borrow** 빌리다, 꾸다, 차용하다
brand-new 아주 새로운, 신품의

해설 남자의 형 차를 여자가 빌리려는데 그가 Yes라고 할 것 같은지, No라고 할 것 같은지 남자의 생각을 묻고 있다. 이에 대한 적절한 답으로는 '빌려준다고 할 것 같다', '안 된다고 할 것 같다', 혹은 (d)와 같이 '잘 모르겠다' 등의 대답이 가능하다. (b)는 여자의 질문에 대한 직접적인 대답이 아니기 때문에 정답이 될 수 있다. 다만 '안 빌려준다고 할 것 같다, 왜냐하면 방금 새 차를 샀기 때문이다.' 라고 보기를 고친다면 적절한 대답이 될 수는 있을 것이다.

정답 (d)

27

M Will you be attending Rachel's dinner party this weekend?
W Maybe, but I don't have a date.
M Me neither. Do you want to go together?
W ______________________

(a) I really enjoyed her party.
(b) Sure. Why not?
(c) I don't like dance parties.
(d) Let's get together this Saturday.

해석 **M** 이번 주말에 레이첼의 저녁 파티에 참석할 거니?
W 아마도, 하지만 같이 갈 데이트 상대가 없어.
M 나도 없는데. 우리 같이 갈까?
W ______________________

(a) 그녀의 파티는 정말 즐거웠어.
(b) 그럼. 안 될 것 없지.
(c) 난 댄스파티가 싫어.
(d) 이번 토요일에 같이 모이자.

어구 attend 참석하다, 출석하다
date 데이트 상대, 데이트, 날짜
get together 모이다, 만나다, 단결하다, 모으다

해설 주말에 파티가 있는데 남자와 여자 둘 다 같이 갈 이성파트너가 없다. 남자가 같이 가자고 제안하고 있다. 이에 여자는 긍정 또는 부정하는 대답을 해야 할 것이다.

정답 (b)

28

W Did you go out last night?
M No, I was sick so I went to bed early. Why do you ask?
W I called you about a dozen times.
M ______________________

(a) Sorry, I wasn't at my apartment.
(b) I might not have heard my phone ring.
(c) Can you call me later?
(d) You can reach me with this number.

해석 **W** 어제 밤에 외출했었니?
M 아니, 아파서 일찍 잤는데. 왜 물어봐?
W 12번 정도 전화했었거든.
M ______________________

(a) 미안, 난 집에 없었어.
(b) 전화가 울리는 것을 못 들었나봐.
(c) 나중에 전화해 줄래?
(d) 이 번호로 나한테 연락할 수 있어.

어구 go out 나가다, 외출하다
dozen 12의, 1다스의, 1다스, 12개
reach (전화 등으로) 연락하다

해설 여자가 남자에게 여러 번 전화했지만 통화를 못했고, 다음날 남자에게 외출 했었냐고, 내가 12번 정도 전화했었다고 말하고 있다. (a)는 집에서 일찍 잤다는 남자의 말과 일관성이 없기 때문에 답이 될 수 없다. 따라서 집에 있었지만 전화를 받지 못한 이유를 설명하는 대답이 적절하다.

정답 (b)

29

M I'm going to take my lunch break.
W Same here. Want to eat together?
M Sorry, I can't. I'm using my lunch hour for a doctor's appointment.
W ______________________

(a) Maybe next time then.
(b) I brought some sandwiches and drinks.
(c) Let's meet in front of my building.
(d) I'm in the mood for Chinese food.

해석 **M** 점심시간을 갖을 거에요.
W 나도요. 같이 먹을까요?
M 미안하지만 안 되겠는데요. 점심시간에 진료 받으러 가거든요.
W ______________________

(a) 그럼 다음에 먹죠.
(b) 샌드위치 몇 개하고 마실 것 좀 가져왔어요.
(c) 내가 있는 건물 앞에서 만나요.
(d) 중국 음식이 먹고 싶어요.

어구 doctor's appointment 의사와의 진찰 약속, 진료 예약
in front of ~의 앞에, 정면에
in the mood for ~할 기분이 나서, 마음이 내켜서

해설 남자가 점심시간을 갖겠다고 하자 여자는 남자와 같이 밥을 먹으려고 했으나, 남자는 점심시간을 이용해 의사를 만나러 가기 때문에 같이 먹을 수 없다고 거절했다. 그렇다면 여자는 애초의 제안을 단념하는 것이 자연스러울 것이다. 따라서 같이 먹기를 단념하고 다음에 먹자고 하는 (a)가 적절한 응답이다.

정답 (a)

30

W How are you going to celebrate your graduation?

M Some friends and I are going to have dinner.

W Sounds good. What are you thinking about having?

M ______________________

(a) We will catch a movie.

(b) We will go to a Mexican restaurant.

(c) I feel like going out tonight.

(d) I would like to buy a bag.

해석 W 네 졸업을 어떻게 축하할 거니?

M 친구들 몇 명하고 나하고 저녁 먹을 거야.

W 좋겠는데. 뭐 먹으려고 하는데?

M ______________________

(a) 우리는 영화를 볼 거야.

(b) 멕시코 음식점에 갈 거야.

(c) 오늘 밤에는 외출을 하고 싶어.

(d) 가방을 사고 싶어.

어구 celebrate 축하하다, 경축하다, 공표하다

catch a movie 영화를 보다 (= go to a movie)

해설 친구들과 저녁을 먹는다고 남자가 말하자 무엇을 먹을 것을 것인지 묻고 있다. 멕시코 음식점에 가서 멕시코 음식을 먹을 것이라는 대답이 가장 적절하다.

정답 (b)

Part 3

31

M Hey, can you give me a hand?

W Sure, what's the problem?

M Well, the printer isn't working. I'm not sure what's wrong.

W Have you tried turning it on and off again?

M Not yet. I was just checking to make sure all the cables are plugged in.

W If it's an older model you might just need to buy a new one.

Q What are the speakers discussing?

(a) Buying a new printer

(b) How to fix the man's computer

(c) The man's broken printer

(d) What model of a printer to buy

해석 M 저기, 나 좀 도와줄 수 있겠니?

W 그럼, 뭐가 문제니?

M 음, 프린터가 작동이 안 돼. 뭐가 문제인지 모르겠어.

W 전원을 껐다가 켜봤니?

M 아직. 나는 그냥 케이블이 다 꽂혀있나 확인했어.

W 오래된 모델이라면, 새것을 하나 사야할 지도 몰라.

Q 화자들은 무엇을 논의하고 있는가?

(a) 새 프린터를 사는 것

(b) 남자의 컴퓨터를 고치는 방법

(c) 남자의 고장 난 프린터

(d) 어떤 모델의 프린터를 살지

어구 give a hand 돕다, 박수갈채하다

turn on[off] 켜다[끄다]

plug in 플러그를 꽂다, 접속하다

fix 수리하다, 고정시키다

해설 두 사람은 남자의 작동하지 않는 프린터에 대해서 주로 이야기를 하고 있다. 새 프린터를 사는 것은 고장 난 프린터에 대한 대안으로 잠깐 언급된 것이지, 이 대화의 주된 내용이라고 할 수 는 없다.

정답 (c)

32

M I'd like to go overseas.

W You mean, to find a job?

M Yeah. It seems I can make a lot of money.

W It's true, but do you know where to go?

M Not really. Any ideas?

W I bet you could find a lot of information on the Internet.

Q What is the main topic of the conversation?

(a) How to make a fortune

(b) The way to gather information

(c) Working abroad

(d) Traveling abroad

해석 M 난 외국에 가고 싶어.

W 직업을 구하러 말이니?

M 응. 많은 돈을 벌 수 있을 것 같아.

W 그렇지. 그런데 어디로 가야 하는지는 아니?

M 아니. 좋은 생각 없니?

W 인터넷에서 많은 정보를 얻을 수 있다고 장담해.

Q 이 대화의 주요한 화제는 무엇인가?

(a) 큰 돈을 버는 방법

(b) 정보를 모으는 방법

(c) 외국에서 일하는 것

(d) 외국으로 여행가는 것

어구 overseas 해외의, 외국의, 해외로 가는

bet 장담하다, 보증하다

fortune 부(wealth), 큰 재산

gather 모으다, 거두어들이다

abroad 외국에[으로], 해외에[로]

해설 두 사람은 주로 외국에서 일하는 것에 대해 이야기를 하고 있다. (b)의 정보를 모으는 방법을 외국에서 일하는데 어느 나라로 가야하는지 정보를 얻는 방법으로 인터넷에서 찾는 방법이 제시되기는 했으나, 이것이 위의 대화 전부를 포괄하기에는 부족하다.

정답 (c)

33

W What can I do for you today?
M I was wondering if you sell hiking clothes.
W Yes, are you looking for anything in particular?
M Some shorts for summer hiking.
W Are you looking for a certain color?
M Just plain brown would be fine.

Q What are the speakers mainly talking about?

(a) Shopping at the department store
(b) Finding clothes for hiking
(c) Making a hiking trip
(d) Finding a suitable size

해석 W 무엇을 도와드릴까요?
M 하이킹 옷을 파시나요?
W 네, 특별히 찾는 것이 있으신가요?
M 여름 하이킹에 입을 반바지요.
W 특별히 원하는 색은요?
M 그냥 평범한 갈색이면 돼요.
Q 화자들은 주로 무엇에 관하여 이야기하고 있는가?
(a) 백화점에서 쇼핑하는 것
(b) 하이킹에 입을 옷을 찾는 것
(c) 하이킹 여행을 하는 것
(d) 적당한 사이즈를 찾는 것

어구 wonder 호기심을 가지다, 알고 싶어하다
in particular 특히, 상세히
shorts 짧은 반바지, 남자용 팬티
plain 평범한, 간단한
suitable 적당한, 어울리는, 알맞은

해설 여자가 있는 가게에서 남자가 하이킹에 입을 옷, 보다 자세하게는 반바지를 찾고 있다. (a)는 우선 대화를 하고 있는 곳이 백화점인지 알 수 없을 뿐만 아니라 주제로서 범위가 너무 넓다. 하이킹이라는 단어가 나오지만 그 여행에 대해 말하는 것이 아니라 하이킹용 반바지에 대해 말하고 있는 것이므로 (c)는 답이 아니다. 그리고 옷의 종류, 색깔에 대해서만 이야기했을 뿐 사이즈에 대한 언급은 없었으므로 (d)도 오답이다.

정답 (b)

34

M Crispy Chicken Delivery? I have a problem with my food.
W What's the matter?
M I just received my delivery and I'm missing part of my order.
W Did you talk to our delivery man?
M He left before I could check everything.
W I apologize, sir. What's missing?
M Hot wings are supposed to be included.
W We'll have the rest of your order out to you right away.

Q Which is correct according to the conversation?

(a) The woman is promising to provide better service.
(b) The man is complaining about an incorrect delivery.
(c) The man is placing an order to the restaurant.
(d) The woman is confirming the man's delivery.

해석 M 크리스피 치킨 배달점이죠? 음식에 문제가 있습니다.
W 무슨 문제시죠?
M 배달한 것을 방금 받았는데, 주문에서 빠진 게 있어요.
W 저희 배달원에게 말하셨나요?
M 모든 것을 확인하기 전에 그는 갔어요.
W 죄송합니다, 손님. 뭐가 없으시죠?
M 핫 윙이 있었어야 했는데요.
W 나머지 주문을 지금 바로 가져다 드리겠습니다.
Q 대화에 따르면 옳은 것은 무엇인가?
(a) 여자는 보다 나은 서비스를 제공할 것을 약속하고 있다.
(b) 남자는 잘못된 배달에 대해 불평을 하고 있다.
(c) 남자는 식당에 주문을 하고 있다.
(d) 여자는 남자의 배달을 확인하고 있다.

어구 apologize 사과하다, 사죄하다
be supposed to ~할 예정이다, ~하기로 되어 있다
rest 나머지, 잔여, 그 밖의 것
provide 공급하다, 제공하다
complain 불평하다, 불만을 털어놓다
place an order 주문을 하다
confirm 확인하다, 승인하다

해설 여자는 치킨 배달점의 직원이고, 남자는 주문 배달을 한 손님이다. 핫 윙이 빠진 채로 배달이 되자 남자가 다시 전화를 걸어 불평을 하고 있다. 여자가 사과를 하기는 했지만 이것만으로 보다 나은 서비스 제공을 약속했다고 할 수는 없다. 남자는 이 대화 전에 이미 전화를 했었고, 이 대화는 주문을 받은 후에 이루어 진 것이다. 따라서 (c)도 답이 아니다. 또한 남자는 배달을 받은 사람이지 배달을 한 것이 아니므로 (d)도 오답이다.

정답 (b)

35

W Michael, guess what happened to Rick.
M Not anything horrible, I hope.
W He got into a minor car accident.
M Oh, no. Is he going to be alright?
W He broke an arm, but other than that he's okay.
M That's terrible. I'm glad it wasn't worse.

Q What is the conversation mainly about?
(a) The woman's injury from an accident
(b) Michael's broken car
(c) Rick's car accident
(d) A friend who is hospitalized

해석 **W** 마이클, 릭한테 무슨 일이 났는지 아니?
M 끔찍한 일이 아니면 좋겠는데.
W 작은 교통사고를 당했어.
M 저런. 그가 괜찮을까?
W 팔이 부러지기는 했는데, 그거 말고는 괜찮아.
M 안됐네. 그래도 이보다 더 나쁘지 않아서 기쁘다.
Q 대화는 주로 무엇에 관한 것인가?
(a) 교통사고로 얻은 여자의 부상
(b) 마이클의 고장 난 차
(c) 릭의 차사고
(d) 병원에 입원한 친구

어구 **horrible** 무서운, 끔찍한
minor 경미한, 작은 편의, 중요치 않은, 미성년의, (대학의) 부전공의
injury 부상, 손상, 상해
hospitalize 입원시키다, 병원 치료하다

해설 대화를 나누는 사람은 여자와 마이클이고, 사고를 당한 사람은 릭이다. 릭이 차 사고를 당해서 얼마나 다쳤고 그나마 많이 다치지 않은 것을 다행이라고 여기고 있다. 주로 릭의 차 사고에 대해서 이야기 하고 있는 것이다.

정답 (c)

36

M Sorry to bother you, but I think I know you.
W Really? Your face doesn't ring a bell.
M We met at Rachel's Christmas party last year.
W You were there, too?
M Yeah, but I had a beard back then.
W Oh, yeah. You look totally different without it.

Q What can be inferred about the man and woman from the conversation?
(a) They have known each other for years.
(b) They haven't met for a while.
(c) They don't know each other.
(d) They like parties very much.

해석 **M** 실례하지만, 제가 아는 분 같으신데요.
W 정말요? 당신의 얼굴을 봐서는 떠오르지가 않는데요.
M 작년 레이첼의 크리스마스 파티에서 만났었어요.
W 당신도 거기에 있었나요?
M 네, 하지만 그 때에는 턱수염이 있었죠.
W 아, 맞아요. 수염이 없으니 완전히 다르게 보이네요.
Q 대화에서 무엇을 유추할 수 있는가?
(a) 그들은 몇 년 동안 서로 알고 지냈다.
(b) 그들은 한 동안 만나지 못했다.
(c) 그들은 서로 알지 못한다.
(d) 그들은 파티를 매우 좋아한다.

어구 **bother** 괴롭히다, 귀찮게 하다, 성가시게 하다
ring a bell 생각나게 하다, ~에게 ~을 상기시키다
beard 턱수염

해설 둘은 작년 크리스마스 파티에서 만난 적이 있지만 남자가 수염을 깎아서 여자가 처음에는 알아보지 못하다가 나중에서야 알아보고 이야기를 나누고 있는 상황이다. 작년 파티에서 만났으므로 몇 년 동안 알고 지낸 사이라고 할 수는 없고 둘은 서로 아는 사이이다. 턱수염이 없어서 여자가 처음에 알아보지 못했던 것뿐이다. 두 사람 모두 그 파티에 갔던 것은 사실이지만 파티를 매우 좋아하는지는 알 수 없다.

정답 (b)

37

W Did you think about what I said earlier?
M What, buying a new television?
W Yes. So what do you think? I really want a new one.
M I don't know why you're asking me. You seem really determined.
W I just want to know you are fine with it.
M As long as it's not out of our budget, I don't care.
Q What is the woman doing in this conversation?
(a) Finding out a price range she can afford
(b) Getting approval for buying a new TV set
(c) Finding out how the man is doing
(d) Deciding which television to buy

해석 W 전에 내가 이야기했던 거 생각해 봤어?
M 뭐, 새 텔레비전 사는 거?
W 응. 그래서 어떻게 생각해? 난 정말 새 거 사고 싶은데.
M 나한테 왜 물어보는지 모르겠네. 굳게 결심한 거처럼 보여.
W 그냥 당신이 괜찮은지를 알고 싶은 거야.
M 우리 생활비를 넘지 않는 한, 난 상관없어.
Q 대화에서 여자는 무엇을 하고 있는가?
(a) 그녀가 살 수 있는 가격대를 알아보기
(b) 새로운 TV를 사는데 동의를 얻기
(c) 남자가 잘 지내는지를 알아보기
(d) 어느 TV를 살지 결정하기

어구 determined 단호한, 굳게 결심한, 확정된
budget 예산, 생활비, 경비
range 범위, 구역, 한도, 한계
afford ~할 여유가 있다, 감당할 수 있다
approval 찬성, 동의, 승인

해설 대화에서 여자가 새 TV를 사고 싶은데 남자는 어떻게 생각하는지를 묻고 있다. 여자의 마지막 말에서 TV사는 것을 이미 결심하였음을 알 수 있고, 남자에게 묻는 것은 단지 동의 내지는 찬성을 구하는 것임을 알 수 있다.

정답 (b)

38

M I just heard that the bus fare is increasing.
W It's nothing. The increase is minimal.
M The price just went up a couple of years ago, though.
W Obviously they needed to raise the fare for some reason.
M I wonder why they need the extra money.
W Hopefully they'll use it to buy new buses.
Q Which is correct according to the conversation?
(a) The current bus fare is reasonable.
(b) The bus fare was raised last year.
(c) The current bus fare is outrageous.
(d) The bus fare will go up.

해석 M 내가 방금 들었는데 버스 요금이 오른다며.
W 그거 얼마 안 돼. 인상액은 정말 작아.
M 하지만 불과 2년 전에 가격이 올랐었잖아.
W 분명히 그들도 어떤 이유로 요금을 올릴 필요가 있었을 거야.
M 난 그들이 왜 추가적인 돈이 필요한지 궁금해.
W 아마 그들은 새 버스를 사는데 그 돈을 쓸 거야.
Q 대화에 따르면 어느 것이 옳은가?
(a) 지금의 버스 요금은 적당하다.
(b) 버스 요금은 작년에 인상되었다.
(c) 지금의 버스 요금은 지나치게 비싸다.
(d) 버스 요금은 오를 것이다.

어구 fare 운임, 요금, 통행료
minimal 최소의, 극소의, 극히 작은
a couple of 두 개의, 두서넛의
obviously 명백하게, 분명히
raise 올리다, 향상시키다
hopefully 희망을 가지고, 잘만 되면, 바라건대, 아마
outrageous 난폭한, 부당한, 지나친, 엄청난

해설 두 사람이 2년 전 인상에 이어 다시 오르게 된 버스요금에 대해 서로의 생각을 이야기 하고 있다. 남자는 버스요금이 오르는 것에 대해 부정적으로, 여자는 긍정적으로 생각하고 있다. 이 대화만으로는 요금이 적당한지, 부당한지 판단할 수는 없다. 따라서 (a)와 (c)는 답이 될 수 없다. 그리고 버스 요금은 작년이 아니라 a couple of years ago, 즉 2년 전에 인상되었으므로 (b)도 오답이다.

정답 (d)

39

W I'm sorry, but the store will be closing in 10 minutes.
M Really? I thought it was open until 8.
W That's only Monday through Friday.
M Well, what time do you close on the weekends?
W Today we close at 6 p.m. and we're closed all day Sunday.
M I guess I'll have to come back next week.
Q Which is correct according to the conversation?
(a) It is Saturday evening.
(b) The store's business hours are always the same.
(c) The woman works Monday through Friday from 8 to 6.
(d) The man is a regular customer.

해석 **W** 죄송하지만, 가게가 10분 후에 문을 닫습니다.
M 정말이요? 8시까지 여는 줄 알았는데요.
W 그건 월요일부터 금요일까지만 그렇습니다.
M 그럼, 주말에는 언제 문을 닫습니까?
W 오늘은 오후 6시 닫고, 일요일에는 하루 종일 열지 않습니다.
M 그러면 다음 주에 다시 와야겠네요.
Q 대화에 따르면 어느 것이 옳은가?
(a) 지금은 토요일 저녁이다.
(b) 가게의 영업시간은 항상 같다.
(c) 여자는 월요일부터 금요일 8시부터 6시까지 일한다.
(d) 남자는 단골손님이다.

어구 **business hours** 영업시간, 운영시간
regular customer 단골손님

해설 대화는 쉬운 편이지만 방심하면 정답을 놓치기 쉬운 문제이다. 가게의 문 닫는 시간을 보면 월요일–금요일은 8시, 토요일은 6시, 일요일은 열지 않는다. 남자가 8시까지 여는 줄 알고 쇼핑을 했으나 오늘은 남자의 생각보다 일찍 닫는 날이다. 일주일 중에 8시 이전에 닫는 날은 토요일뿐이고 10분 남았으므로 지금은 토요일 오후 5:50이다. 그리고 일요일은 아예 문을 열지 않기 때문에 남자가 쇼핑을 할 수 없었을 것이다.

정답 (a)

40

M Is life different now that you're retired?
W It's not as fun as I thought it would be.
M Didn't you say you wanted to work on your painting and other hobbies?
W Yes, but I miss having a routine.
M Don't worry. You'll eventually find other things to take up your time.
W You're right, but I'd still like to feel productive.
Q Which is correct about the woman's life?
(a) Her life is full of fun.
(b) Her life is productive.
(c) Her life is less satisfying than expected
(d) Her life is filled with energy.

해석 **M** 은퇴하니까 인생이 달라졌나요?
W 내가 생각했던 것처럼 재미있지는 않네요.
M 그림 그리는 것하고 다른 취미들을 계속 하고 싶다고 하지 않았나요?
W 네, 하지만 일상적인 업무가 그립네요.
M 걱정하지 마세요. 결국에는 당신의 시간을 채울 일 들을 찾게 될 거예요.
W 그 말이 맞아요, 하지만 나는 아직도 생산적이라는 느낌을 받고 싶어요.
Q 여자의 삶에 대해서 옳은 것은 어느 것인가?
(a) 그녀의 삶은 재미로 가득하다.
(b) 그녀의 삶은 생산적이다.
(c) 그녀의 삶은 예상했던 것보다 덜 만족스럽다.
(d) 그녀의 삶은 활기로 가득 차 있다.

어구 **retired** 은퇴한, 퇴직한
hobby 취미
routine 판에 박힌 일, 일과, 일상, 정기적인
eventually 결국, 드디어, 마침내
take up (시간, 장소 등을) 차지하다, 잡다
productive 생산적인, 생산력을 가진
satisfying 만족을 주는, 충분한
be filled with ~으로 가득 차다

해설 여자는 은퇴를 했지만 생각했던 것보다 재미있지 않다고 하면서 예전의 일상을 그리워하고 있다. 그 이유로 생산적이라는 느낌을 받고 싶어서라고 한다. 따라서 현재 여자의 은퇴생활은 생산적이지 않다는 것을 알 수 있다.

정답 (c)

41

W Let's go. Jeff and Kate will be waiting for us.
M I got sucked into the TV again.
W We have to meet them at the restaurant by 6:30.
M Yeah, but I can't stop here. I really want to see what's going to happen next.
W Just set the VCR, so you can watch it later.
M Why didn't I think of that?

Q What is likely to happen next?
(a) The man will keep watching a TV series.
(b) They will go out to have dinner.
(c) They will buy a new VCR.
(d) They will wait for friends.

해석 **W** 가자. 제프와 케이트가 우리를 기다릴 거야.
M 나 또 다시 TV에 빨려들었어.
W 그들을 레스토랑에서 6시 30분까지 만나야 해.
M 그래, 하지만 여기서 멈출 수가 없어. 이 다음에 어떻게 되는지 정말 보고 싶단 말이야.
W 그냥 나중에 볼 수 있도록 VCR로 녹화를 해.
M 왜 그 생각을 못 했을까?
Q 다음에 무슨 일이 일어났을까?
(a) 남자가 계속TV 시리즈를 봤을 것이다.
(b) 그들은 저녁을 먹으러 나갔을 것이다.
(c) 그들은 새로운 비디오 레코더를 샀을 것이다.
(d) 그들은 친구들을 기다릴 것이다.

어구 suck 빨아들이다, 흡수하다
be sucked into ~속에 빨려 들어가다

해설 약속시간에 늦는 것도 아랑곳하지 않고 TV를 보는 남자에게 여자가 VCR로 녹화하고 나중에 보는 것을 권하고 있다. 남자가 "왜 그 생각을 못했을까?"라고 말하는 것으로 보아 여자의 제안을 받아들일 것으로 보인다.

정답 (b)

42

M Are you done packing for the cruise?
W Almost.
M Do you have your passport?
W Yes, I have both mine and yours.
M What about the tickets? Can't leave without those.
W I've got them right here. I think we're all ready to go!

Q What are the man and woman mainly doing?
(a) Making a checklist
(b) Booking a flight
(c) Getting ready to go on a trip
(d) Unpacking a backpack

해석 **M** 크루즈 갈 짐 다 쌌니?
W 거의.
M 네 여권은 가지고 있니?
W 응, 네 것하고 내 것하고 둘 다 가지고 있어.
M 티켓은 어쨌어? 그거 없이 떠날 수는 없지.
W 그것도 바로 여기 가지고 있어. 갈 준비 다 된 거 같은데.
Q 남자와 여자는 주로 무엇을 하고 있는가?
(a) 확인 목록 만들기
(b) 항공편을 예약하기
(c) 여행갈 준비하기
(d) 배낭 풀기

어구 pack 꾸리다, 싸다, 포장하다
cruise 크루즈, 유람선 여행
passport 여권, 통행증
book 예약하다

해설 남자와 여자가 크루즈 여행을 가는데 짐을 다 싸고 여권, 티켓까지 챙겨서 갈 준비가 다 되었다고 하고 있다.

정답 (c)

43

W What's that new Italian place like?
M I don't know. I haven't been there yet.
W Me neither, but I'm thinking about going there for lunch tomorrow.
M Really? Can I tag along? I've been wanting to go, too.
W That's fine, as long as you don't mind if I bring another friend.
M Sure. That sounds great actually.
Q Which is correct according to the conversation?
(a) The man is acquainted with the woman's friend.
(b) The woman didn't check out the Italian restaurant.
(c) The woman is joining the man for dinner.
(d) The man has been to the new Italian restaurant.

해석 W 새로 생긴 이탈리아 식당은 어떠니?
M 나도 몰라. 아직 거기에 가 보지 않았어.
W 나도 안 가 봤는데, 내일 점심에 거기 가 볼 생각이야.
M 정말? 나도 따라갈 수 있을까? 나도 가고 싶었거든?
W 다른 친구를 데려와도 네가 괜찮다면, 따라 와도 돼.
M 물론이지. 사실 좋은 것 같은데.
Q 대화에 따르면 옳은 것은 무엇인가?
(a) 남자는 여자의 친구와 아는 사이이다.
(b) 여자는 이탈리아 레스토랑에 가 보지 않았다.
(c) 여자는 저녁을 먹으려고 남자를 만나고 있다.
(d) 남자는 새로운 이탈리아 레스토랑을 가 봤다.

어구 tag along 따라다니다
be acquainted with 아는 사이이다, 알고 있다, 알다, ~에 정통하다
check out (호텔 등에서) 셈을 치르고 나오다, 체크아웃하다, (성능, 품질 등을) 충분히 검사하다, (도서관에서 책 등을) 대출하다, 확인하다.
join 참가하다, 같이 하다, 만나다

해설 남자와 여자의 친구가 서로 아는 사이인지는 위의 내용만으로는 알 수 없고, 남자와 여자 모두 그 식당에 아직 가보지 못하였다. 그리고 둘은 내일 점심을 같이 먹게 될 것이고, 지금 저녁을 먹으려고 모인 것은 아니다.

정답 (b)

44

M Hi, Dr. Sinclair.
W Good afternoon, Sam. What seems to be the problem?
M Well, I keep having really bad headaches.
W Okay. Is there anything else bothering you?
M Sometimes my chest hurts for no reason.
W I'll check everything out to make sure it's not anything serious.
Q Which is correct according to the conversation?
(a) The man is in critical condition.
(b) The man is being examined by a doctor.
(c) The man needs to visit the doctor again.
(d) The man doesn't have a serious disease.

해석 M 안녕하세요, 싱클레어 박사님.
W 안녕하세요, 샘. 어디가 아프신가요?
M 그게, 정말 심한 두통이 계속 있어요.
W 그래요. 다른데 불편하신 데가 있나요?
M 가끔 가슴이 아무 이유도 없이 아파요.
W 심각한 것이 아닌지 모든 것을 철저히 검사해 볼게요.
Q 대화에 따르면 옳은 것은 무엇인가?
(a) 남자는 위독한 상태이다.
(b) 남자는 의사에게 진찰받고 있다.
(c) 남자는 그 의사를 다시 방문해야 한다.
(d) 남자는 심각한 병이 없다.

어구 headache 두통, 골칫거리
chest 가슴, 흉부, 상자, 궤짝
critical 위험한, 위독한, 결정적인, 중대한
examine 검사하다, 진찰하다, 시험하다

해설 남자에게 두통이 있고 가끔 가슴이 아파서 의사에게 진찰을 받고 있고, 의사는 심각한 것은 아닌지 충분히 검사해 보겠다고 한다. 따라서 남자가 심각한 병이 있는지 없는지 아직 모르는 상태이다. 따라서 위독한 상태인지도 알 수 없다. 만약 검사결과가 좋지 않다면 다시 의사를 방문해야 할 수도 있겠지만, 이 대화에서는 언급이 없었으므로 아직은 알 수 없다.

정답 (b)

45

W Louis, I need to catch my plane. Can't you go any faster?
M I'm going as fast as I can.
W Maybe I should've just taken the airport shuttle.
M The shuttle has to drive through the same traffic.
W Really? I thought it would be faster.
M Actually it's slower than you think.
Q What can be inferred from this conversation?
(a) The woman is in a rush.
(b) The woman knows a lot about the shuttle.
(c) The woman will miss her flight.
(d) The man is speeding over the limit.

해석 **W** 루이스, 나 비행기 타야해. 더 빨리 갈 수는 없니?
M 최대한 빨리 가는 거야.
W 그냥 공항 셔틀버스를 타야 했었는지도 모르겠다.
M 셔틀버스도 똑같이 밀리는 길을 거쳐서 가야 돼.
W 정말? 난 그게 더 빠를 거라고 생각했는데.
M 사실 네 생각보다는 느려.
Q 이 대화에서 추론할 수 있는 것은 무엇인가?
(a) 여자는 서두르고 있다.
(b) 여자는 셔틀버스에 대해서 많이 알고 있다.
(c) 여자는 그녀의 비행기를 놓칠 것이다.
(d) 남자는 제한 속도이상으로 속도를 내고 있다.

어구 **shuttle** 정기 왕복 버스, 우주 왕복선 (= space shuttle)
in a rush 서둘러, 분주히, 급히
flight 비행기 여행, 항공편, 비행
speed 급히 가다, 질주하다, 속도를 내다

해설 여자가 비행기를 타야 한다면서 빨리 가자고 남자를 재촉하고 있다. 여자가 서두르고 있는 것이다. 여자는 셔틀버스가 더 빠른지 알았지만 사실 같은 길을 거쳐서 가기 때문에 다를 게 없다. 따라서 (b)는 오답이다. 그녀가 비행기를 놓칠지는 대화를 통해서는 아직 알 수 없으므로 (c)도 답이 아니다. 그리고 남자와 여자가 같이 탄 차도 셔틀버스와 같이 똑같이 밀리는 길을 간다고 했다. 따라서 둘이 탄 차는 밀리는 길에서 제한속도 이상으로 달리지 못하고 있을 것이다.

정답 (a)

Part 4

46

If you want great Italian cuisine without having to pay an arm and a leg, come to Yummy's Diner. The casual atmosphere is relaxing and our friendly servers can tell you all about our tasty menu. We've got everything, from pasta to salads to burgers to desserts. You can always find a table for one or bring ten of your friends. So join us at Yummy's Diner, so you can find out what a real meal tastes like.

Q What is being advertised?
(a) Delicious Italian food
(b) A nice restaurant with a reasonable bill
(c) A great supermarket down the street
(d) A good buffet restaurant with a variety of food

해석 만약 훌륭한 이탈리아 음식을 거금을 낼 필요없이 드시고 싶으시다면, Yummy's 식당으로 오십시오. 캐주얼한 분위기는 편안하고 친절한 종업원들은 저희 맛있는 메뉴의 모든 것에 대해서 말해 줄 수 있습니다. 저희는 파스타에, 샐러드, 버거, 후식까지 모든 것이 있습니다. 혼자 오시든 친구 열 분을 데리고 오시든 언제나 자리를 찾을 수 있습니다. 저희 Yummy's 식당에 오셔서 진정한 식사의 맛을 느껴 보십시오.
Q 무엇을 광고하고 있는가?
(a) 맛있는 이탈리아 음식
(b) 비싸지 않은 가격의 좋은 레스토랑
(c) 거리 저 쪽에 있는 훌륭한 슈퍼마켓
(d) 다양한 음식이 있는 좋은 뷔페 레스토랑

어구 **cuisine** 요리, 요리법
an arm and a leg 엄청난 금액, 거금
atmosphere 분위기, 환경
dessert 디저트, 후식
reasonable 비싸지 않은, 합당한, 적당한
bill 청구서, 계산서

해설 거금을 내지 않고 이탈리아 음식을 먹고 싶다면 자기 식당으로 오라고 하고 있으므로, 식당이 비싸지 않은 이탈리아 음식점이라고 광고를 하고 있는 것이다. 식당을 광고하는 것이지 이탈리아 음식 자체를 광고하는 것은 아니다.

정답 (b)

47

For those of you heading to the beach this weekend, you're in luck. Friday and Saturday will be filled with blue cloudless skies all day, so don't forget your hats and sunscreen. Sunday afternoon is when we'll see a change. The temperature won't drop much, but we will definitely see some dark clouds bring us some rain. It won't be anything huge, but we should see some light showers in the north starting in the late afternoon all the way through Monday morning.

Q Which is correct according to the report?

(a) The temperature will drop on Saturday afternoon.
(b) It will rain on Monday morning.
(c) It will be sunny and bright all weekend.
(d) It will rain on Sunday all day long.

해석 이번 주말에 해변으로 가시는 분들은 운이 좋으십니다. 금요일과 토요일은 내내 구름 한 점 없는 파란 하늘이 지속되니, 모자와 선크림을 잊지 마시기 바랍니다. 일요일 오후부터는 변화가 있을 것입니다. 기온은 많이 내려가지는 않을 것이지만 약간의 먹구름이 비를 뿌릴 것이 확실합니다. 많이 내리지는 않겠고 오후 늦게부터 월요일 아침까지 북부 지방을 시작으로 약간의 약한 소나기가 있겠습니다.

Q 보도에 따르면 옳은 것은 무엇인가?

(a) 기온이 토요일 오후에 떨어질 것이다.
(b) 월요일 아침에는 비가 내릴 것이다.
(c) 주말 내내 화창하고 환할 것이다.
(d) 일요일 하루 종일 비가 올 것이다.

어구 dark cloud 먹구름 (= black cloud, brewing)

해설 일기예보에 따르면 금요일, 토요일에 날씨가 좋다가 일요일 오후에 기온이 약간 내려가고 비가 오기 시작해서 월요일 아침까지 내린다고 했다.

정답 (b)

48

This is a singing class but the only way you can really improve is to practice. When you are in class I can teach you techniques and make sure you do them correctly, but it is your job when you get home to practice as much as you can. One way to help you practice is to record yourself singing so you can hear it and know what you need to improve in your abilities. It's hard work, and sometimes embarrassing, but if you put in a lot of effort you're bound to get something back.

Q What is the main idea of the talk?

(a) How to improve singing abilities
(b) The way to become a famous singer
(c) How to record songs successfully
(d) How hard it is to be a good singer

해석 이것은 노래 수업이지만 여러분이 진짜로 나아질 수 있는 유일한 방법은 연습뿐입니다. 여러분이 수업을 들을 때 저는 여러분에게 기법들을 가르쳐 주고 여러분들이 올바르게 하는지 확인할 것입니다. 그러나 여러분이 집에 가서 가능한 한 많이 연습을 하는 것은 여러분들의 몫입니다. 연습을 도울 수 있는 한 가지 방법은 여러분 스스로 노래하는 것을 녹음해서 들어보고 여러분의 실력을 향상시키기 위해서 무엇을 해야 하는지를 느끼는 것입니다. 어렵고 가끔은 창피하기도 하지만 여러분이 많이 노력한다면 많은 것을 얻을 것입니다.

Q 이 담화의 주제는 무엇인가?

(a) 노래실력을 향상하는 법
(b) 유명한 가수가 되는 법
(c) 노래를 성공적으로 녹음하는 법
(d) 좋은 가수가 되는 것이 얼마나 어려운지

어구 improve 향상시키다, 나아지다
technique 기법, 기교, 기술
embarrassing 창피한, 당황스러운
effort 노력
be bound to ~할 의무가 있다, ~해야 한다

해설 노래교실에서 기법을 가르치지만, 집에 가서 스스로 연습을 많이 해야 실력을 향상시킬 수 있다고 하면서 연습을 도울 방법으로 자기가 노래하는 것을 녹음해서 들어볼 것을 들었다.

정답 (a)

49

Community leaders all around the state are getting together to find new ways to overcome the economic slump. So far big agricultural businesses have been making great progress, but what happens to the small independent farmers? Every year more and more independent farming operations are being pushed out by bigger agricultural corporations. Although politicians say that they are trying to find solutions it seems as if they are only interested in helping out the big businesses.

Q What is the main purpose of this talk?

(a) To arouse attention to the difficulty of independent farmers
(b) To notify that the conference is being held
(c) To teach how agricultural business can be run effectively
(d) To urge the government to help farmers

해석 주 전역의 지역 지도자들이 경기침체를 극복할 새로운 방안을 찾기 위해서 함께 모일 것입니다. 지금까지 거대한 농업 회사들은 엄청난 발전이 있었지만, 소규모 자영농민들에게는 무슨 일이 일어났습니까? 매년 점점 더 많은 자영농업이 보다 큰 농업기업들에 의해서 밀려나고 있습니다. 비록 정치가들은 그들이 해결책을 찾고 있다고 말하지만 그들은 큰 기업들을 돕는 것에만 관심이 있는 것으로 보입니다.

Q 이 담화의 주된 목적은 무엇인가?

(a) 자영농민들의 어려움에 대한 관심을 일으키기
(b) 회의가 열리는 것을 알리기
(c) 농업기업이 어떻게 효과적으로 운영될 수 있는지를 가르치기
(d) 정부에게 농민들을 도우라고 강요하기

어구 **economic slump** 경기침체
agricultural 농업의, 농사의
progress 진보, 발달, 전진
independent 독자적인, 자영의
push out 밀어내다
corporation 기업, 회사
politician 정치가
arouse 감정, 호기심 등을 자극하다, 환기하다
notify 통지하다, 공고하다, 알리다

해설 농업기업이 큰 발전을 하는 동안 작은 개인농민들이 그들에 의해 밀려났고 정치가들도 그다지 신경 쓰지 않고 있다고 하고 있다. 이 이야기를 통해 소규모 자영농들의 어려움에 대한 관심을 불러 일으키고 있다.

정답 (a)

50

On last week's episode of "Voting for Vehicles," we showed you a range of reliable luxury sedans. This week we're focusing on two particular models, the Luxor and the Noblesse. Both cars have similar price tags. The Luxor scored a total of 6 out of 10 stars while the Noblesse blew away the competition with 8.5 out of 10 stars. Our test proves that even among luxury cars there can be differences in quality even if the prices are the same.

Q What is the speaker's main point?

(a) All prestige cars don't have the same quality.
(b) Expensive cars are dependable.
(c) Pre-owned cars are cost effective.
(d) Luxury cars are not safe compared to their cost.

해석 "자동차에 투표하기"의 마지막 주 에피소드에서, 우리는 믿을 수 있는 고급 세단의 종류를 보여드렸습니다. 이번 주에는 Luxor와 Noblesse 이 두 특정 모델에 집중해 보겠습니다. 두 차량들 모두는 비슷한 가격표를 달고 있습니다. Noblesse가 10개 중에 8.5개의 별을 받아서 경쟁을 휩쓰는 동안, Luxor는 별 10개 중에 총 6개를 받았습니다. 우리의 시험은 고급 자동차들 사이에서도 가격이 같더라도 품질에서 차이가 날 수 있다는 것을 증명했습니다.

Q 화자의 주된 논점은 무엇인가?

(a) 모든 고급차들이 같은 품질을 갖지는 않는다.
(b) 비싼 차들은 믿을 만하다.
(c) 중고차는 비용에 있어서 효율적이다.
(d) 고급차들은 그들의 가격에 비해 안전하지가 않다.

어구 **episode** 에피소드, (연속방송, 영화의) 1회분의 이야기
reliable 믿을 수 있는, 확실한
sedan 세단형 자동차
particular 특별한, 특정한
blow away 날려버리다, 휩쓸어버리다
competition 경쟁
prestige 세평이 좋은, 명문의, 일류의
dependable 의존할 수 있는, 믿을 수 있는
cost effective 비용 효율적인, 연비가 좋은

해설 자동차에 대해 평가를 하고 점수를 매기는 방송 프로그램에서 지난주에 이어 고급차량들을 살펴보고 있는데, 가격이 같은 두 고급차가 성능에 있어서 점수 차가 크게 났고 이 프로그램의 시험이 이를 증명했다고 말하고 있다.

정답 (a)

51

Now that summer's finally here, all you want to do is go to the beach, right? But stop and think for a minute. Don't forget to pack your sunscreen! It's important to use because it helps to block out or absorb ultraviolet rays, depending on which kind you get. Both types work equally well. Just remember that no sunblock is 100% effective, so be sure to take other safety measures too, like wearing a hat.

Q What is the speaker mainly talking about?

(a) How to apply sunblock properly
(b) Ways to protect skin from harmful rays
(c) Introducing a high quality sunscreen
(d) Representing other types of sunscreen

해석 마침내 여름이 왔는데, 여러분들이 하고 싶은 것은 해변에 가는 것이죠, 그렇죠? 하지만 잠시 멈춰서 생각해 보세요. 태양 차단제를 싸는 것을 잊지 마세요. 그것은 당신이 어떤 종류의 자외선을 받느냐에 따라서 자외선을 막기도 하고 흡수하기도 하기 때문에 이것을 사용하는 것은 중요합니다. 어느 종류나 똑같이 잘 작용합니다. 하지만 그 어떤 차단제도 100% 효과적이지는 않다는 것을 기억하세요. 따라서 모자를 쓰는 것과 같은 다른 안전 대책을 확실히 쓰도록 하세요.

Q 화자가 주로 이야기 하는 것은 무엇인가?

(a) 선크림을 올바르게 바르는 방법
(b) 해로운 광선으로부터 피부를 보호하는 방법
(c) 고품질 햇볕 차단제를 소개하기
(d) 다양한 종류의 햇볕 차단제를 설명하기

어구 sunscreen 햇볕 차단제
block 막다, 차단하다
absorb 흡수하다, 빨아들이다
ultraviolet ray 자외선
effective 효과적인, 효력 있는
measure 수단, 대책, 조치
apply (약 등을) 바르다, 사용하다
properly 적당히, 올바르게, 알맞게
represent 나타내다, 대표하다, 설명하다

해설 해변에 가기 전에 햇볕 차단제를 잊지 말고 가져가라고 하고 있다. 다만 차단제가 100% 효과적인 것은 아니므로 자외선을 차단할 다른 방법도 강구하라고 하고 있다. 화자는 주로 태양으로부터 피부를 지키는 방법에 대해서 이야기하고 있는 것이다.

정답 (b)

52

On this week's show we'll review Hunting Justice, a new action film coming out this weekend. The big achievement with this film is that the computer graphics are absolutely amazing. The big disappointment is that almost everything else stinks. Jack Murphy's acting is stiff and the dialogue is often corny and contrived. While the special effects are spectacular on their own, they're definitely not enough to save this movie from being given a score of 1 out of 5 stars.

Q What feature makes this movie distinctive?

(a) The crew and staffs' hard work
(b) Well organized scenarios
(c) The actors' brilliant acting
(d) Terrific computer graphics

해석 이번 주의 쇼에서는 이번 주에 나오는 새로운 액션 영화인 Hunting Justice를 평론하겠습니다. 이 영화의 가장 큰 성공은 컴퓨터 그래픽이 정말 놀랍다는 점입니다. 큰 실망은 나머지 거의 모든 것들이 나쁘다는 것입니다. 잭 머피의 연기는 경직되고 대화는 종종 진부하고 부자연스럽습니다. 특수효과가 단독적으로 장관을 보이지만, 별 5개 중 1개를 받는 것으로부터 이 영화를 구하기에는 확실히 역부족이었습니다.

Q 어떤 특징이 이 영화를 두드러지게 했는가?

(a) 제작자와 직원들의 노력
(b) 잘 짜인 시나리오
(c) 배우의 훌륭한 연기
(d) 굉장한 컴퓨터 그래픽

어구 absolutely 절대적으로, 완전히
amazing 굉장한, 놀랄 만한
disappointment 실망, 기대에 어긋남
stink 악취를 풍기다, 평판이 나쁘다, 질이 나쁘다
stiff 뻣뻣한, 경직된, 부자연스러운
corny 진부한, 촌스러운
contrived 인위적인, 부자연스러운
spectacular 눈부신, 호화스러운
definitely 명확히, 한정적으로, 확실히
distinctive 특유의, 특색 있는, 차별을 나타내는
brilliant 훌륭한, 멋진, 눈부신

해설 이 영화에 대한 평론은 전반적으로 부정적이다. 컴퓨터 그래픽이 출중하기는 하지만 나머지 배우들의 연기라든지 대사 등 모든 것이 좋지 않다고 하고 있다. 따라서 이 영화를 돋보이게 하는 단 한 가지는 컴퓨터 그래픽뿐이다.

정답 (d)

53

One of the most important decisions you will make in college is what kind of club or organization to join. There are many reasons that affect your choice, and time may be the biggest influencing factor. Since you are obviously in school to study, you should be careful not to spend too much time on extracurricular activities. For example, being on the soccer team requires too much time for practice and traveling to and from games.

Q Which is correct according to the talk?

(a) Time is an important factor when joining a club.
(b) Joining a soccer team is recommended.
(c) Extracurricular activities are as important as school work.
(d) All club activities have negative influences on school performance.

해석 대학에서 여러분이 하게 될 가장 중요한 결정들 중 하나는 어느 동아리 또는 단체에 가입하느냐 입니다. 여러분의 결정에 영향을 미치는 것에는 많은 이유들이 있지만, 시간이 아마도 가장 크게 영향을 미치는 요소일 것입니다. 여러분이 분명 공부를 하려고 학교에 있는 이상, 교과 이외의 활동에 너무 많은 시간을 소비하지 않도록 주의해야 합니다. 예를 들면, 축구팀에 들어가는 것은 연습을 하고 경기에 왔다 갔다 여행을 하는 데 너무나 많은 시간을 필요로 합니다.

Q 이 담화에 따르면 옳은 것은 무엇인가?

(a) 동아리를 가입하는데 시간이 중요한 요소이다.
(b) 축구팀에 가입하는 것은 권장된다.
(c) 과외활동은 학업보다 훨씬 중요하다.
(d) 모든 동아리 활동은 학업 성적에 부정적인 영향을 미친다.

어구 club 클럽, 대학의 동아리
join 가입하다, 입회하다
affect 영향을 미치다, 작용하다
influence 영향을 끼치다, 좌우하다
obviously 명백하게, 분명히, 두드러지게
extracurricular 과외의, 일과 이외의, 정규과목 이외의
negatively 부정적으로

해설 우선 공부를 하러 학교에 온 이상 동아리 활동을 너무 많이 하지는 말라고 했는데, 과외 활동이 우선이라고 말하는 (c)는 답이 될 수 없다. 그리고 그 예로서 축구팀을 들었는데, 시간이 너무 많이 요구되기 때문에 권장할 것이 못된다. (b)도 오답이다. 동아리 선택을 할 때 너무 많은 시간을 필요로 하는 것을 피하라는 취지로 이야기한 것이지, 모든 동아리 활동이 학업에 부정적인 영향을 준다고 이야기한 것은 아니다. (d)도 답이 될 수 없다.

정답 (a)

54

Before we begin tonight's community meeting, I'd just like to say how happy I am that unlike the last one, so many of our residents are here. There isn't much on the schedule for tonight, so the faster we're done the faster we can have some refreshments. The one important topic we'll be starting with tonight is Mr. Smith's presentation about suggesting we rebuild the children's park. After his presentation we can move across the hall to have some coffee and discuss the proposal.

Q What can be inferred from this talk?

(a) More people gathered compared to the last meeting
(b) There are many agendas to discuss in this meeting.
(c) People attending the meeting are leaders of the community.
(d) Rebuilding the children's park has been rescheduled.

해석 오늘 밤의 지역주민 회의를 시작하기 전에, 지난 회의와 달리 이렇게 많은 주민 여러분들이 와 주셔서 얼마나 기쁜지 말씀드리고 싶습니다. 오늘밤 스케줄은 많지 않습니다. 그래서 빨리 끝나면 좀 더 일찍 약간의 다과를 즐길 수 있습니다. 오늘밤 회의를 시작할 한 가지 중요한 주제는 아이들 공원 재건축 제안에 관한 스미스 씨의 발표입니다. 스미스 씨의 발표 후에 커피를 마시면서 제안에 대해 논의하기 위해서 복도 건너편으로 이동하겠습니다.

Q 이 담화에서 추론할 수 있는 것은 무엇인가?

(a) 지난 회의보다 더 많은 사람들이 모였다.
(b) 이 회의에서 논의해야 할 의제가 많다.
(c) 회의에 참석한 사람들은 지역의 지도자들이다.
(d) 아이들 공원을 다시 짓는 것은 다시 일정이 잡혔다.

어구 community meeting 지역 회의, 반상회 (neighborhood meeting)
resident 거주자, 살고 있는 사람, 레지던트 (인턴을 마친 전문의 수련자)
refreshment 다과, 간단한 음식
rebuild 재건하다, 다시 세우다, 개조하다
proposal 제안, 건의, 계획
gather 모이다
agenda 의제, 협의 사항

해설 처음에 화자가 지난번 회의와 달리 참석자가 많아서 기쁘다고 했으므로 (a)가 정답이다. 오늘밤 일정이 많지 않다고 했으므로 (b)는 답이 아니고, 참석한 사람들은 residents(거주자들)이다.

정답 (a)

55

Born in 1638, Louis XIV became king of France at the age of five. Known as the Sun King, he increased the power of France in Europe. Although he was one of France's greatest rulers, he was hungry for power, and created a centralized government in France. He is often attributed as saying, "I am the state," meaning that he controlled everything. But whether this quote is accurate is still debated to this day.

Q What is correct according to this lecture?

(a) Louis XIV controlled France from 1638.
(b) Louis XIV established a centralized government.
(c) Louis XIV quoted someone by saying "I am the state."
(d) Louis XIV was a powerless king.

해석 1638년에 태어난 루이 14세는 5살에 프랑스의 왕이 되었다. 태양왕으로 알려진 그는 유럽에서 프랑스의 힘을 증대시켰다. 비록 그가 프랑스의 위대한 통치자들 중 한 사람이었지만, 그는 권력을 갈망했고, 프랑스에 중앙 집권화 된 정부를 만들었다. 그가 모든 것을 통제했다는 것을 의미하는 "짐이 곧 국가이다"라는 말은 종종 그의 것이라고 여겨지고 있다. 그러나 이 인용구가 정확한 지는 오늘날까지 여전히 논쟁에 있다.

Q 이 강의에 따르면 옳은 것은 무엇인가?

(a) 루이 14세는 1638년부터 프랑스를 지배했다.
(b) 루이 14세는 중앙 집권화 된 정부를 만들었다.
(c) 루이 14세는 "짐이 곧 국가이다"라는 말을 인용했다.
(d) 루이 14세는 권력이 없는 왕이었다.

어구 ruler 통치자, 지배자, 주권자, (길이를 재는) 자
be hungry for ~을 갈망하다, 원하다
centralized 집중된, 중앙 집권화 된
be attributed as ~의 결과라고 생각되다, ~의 것이라고 여겨지다
quote 인용문, 인용구
accurate 정확한, 한 치의 오차도 없는
debate 토론하다, 논의하다
establish 설립하다, 수립하다, 제정하다

해설 1638년에 태어나 5살에 왕이 되었다고 했으므로 (a)는 오답이다. 루이 14세의 말이 현대에 많이 인용되고 있는 것이지, 루이 14세가 다른 사람의 말을 인용한 것이 아니다. (c)도 오답이고, 그는 중앙 집권화 된 정부를 만들고 유럽에 프랑스의 힘을 증대시킨 강력한 권력을 가진 왕이었다. (d)도 답이 될 수 없다.

정답 (b)

56

Today we'll be discussing a growing area in psychology, eating disorders. Although some people may think that eating disorders, like anorexia and bulimia, are physical problems, they ultimately stem from some psychological problem. An eating disorder may be a symptom of being unable to deal with stress or it could be an effect of past emotional or physical harm. Because of this it is important to understand that psychological counseling is necessary in order to battle and treat such problems.

Q Which statement best reflects the speaker's views?

(a) A family's support is needed to overcome eating disorders.
(b) Eating disorders should be dealt with psychologically.
(c) Eating disorders are related only to physical problems.
(d) Eating disorders should be treated before worsening.

해석 오늘 심리학에서 성장하고 있는 분야인 섭식장애에 관해서 토론하겠습니다. 비록 어떤 사람들은 거식증이나 폭식증 같은 섭식장애는 육체적인 문제라고 여길지도 모르겠지만, 그것들은 궁극적으로는 어떤 심리적 문제로부터 유래하는 것입니다. 섭식장애는 스트레스를 감당할 수 없음에 관한 증상일 수도 있고, 과거의 정서적 신체적 손상의 영향일 수도 있습니다. 이 때문에 그러한 문제들과 싸우고 치료를 하기 위해서 심리학적 상담이 필요하다는 것을 이해하는 것이 중요합니다.

Q 어느 보기가 화자의 관점을 가장 잘 나타내는가?

(a) 섭식장애를 이겨내기 위해서는 가족들의 도움 필요하다.
(b) 섭식장애는 심리학적으로 다루어져야 한다.
(c) 섭식장애는 육체적인 문제에만 관련되어 있다.
(d) 섭식장애는 악화되기 전에 치료를 해야 한다.

어구 psychology 심리학
eating disorder 섭식 장애
anorexia 거식증, 식욕감퇴
bulimia 폭식증, 이상 식욕 항진
ultimately 최후로, 마침내, 드디어, 궁극적으로
stem 생기다, 일어나다, 유래하다, 시작하다
harm 손상, 손해, 불편
counseling 상담, 조언, 카운슬링

해설 사람들이 섭식장애가 육체적인 문제라고 여기지만 궁극적으로는 심리적 문제로부터 유래하는 것이라고 했고, 이 장애와 싸우고 치료하기 위해서 심리적인 상담이 필요하다는 것을 이해하는 것이 중요하다고 했으므로, 화자는 이 문제가 심리학적으로 다루어져야 한다고 말하는 것이다.

정답 (b)

57

Because of the high cost of construction, rising interest rates, and low demand for more energy, the nuclear power industry is seeing a decline in profits. In 2004, 15 different major companies had their ratings lowered, while last year the same thing happened to six more companies. It was announced that because of the lowered demand, as well as the rise in other energy sources like solar power, the nuclear power industry will have a difficult time generating long term profits.

Q What can be inferred from this talk?

(a) Many nuclear power companies shut down in 2004.
(b) Overall energy supply is continuously increasing.
(c) More nuclear power plants will be constructed.
(d) The nuclear power industry is expecting a decline in profit.

해석 높은 건설비용, 상승하는 이자율, 그리고 추가적인 에너지에 대한 낮은 수요 때문에, 핵발전 산업은 수익의 감소를 맞고 있습니다. 2004년에는 15개의 주요 회사들의 등급이 낮추어 졌고, 작년에는 다른 6개의 회사들에게도 같은 일이 일어났습니다. 줄어든 수요와 또한 태양력과 같은 다른 에너지원의 증대 때문에, 핵발전 산업은 장기 수익을 내는데 어려운 시기를 겪을 것입니다.

Q 이 담화에서 추론할 수 있는 것은 무엇인가?

(a) 많은 핵발전 회사들이 2004년에 문을 닫았다.
(b) 전반적인 에너지 공급이 지속적으로 늘고 있다.
(c) 더 많은 핵발전소가 건설될 것이다.
(d) 핵발전 산업은 수익의 감소가 예상된다.

어구 construction 건설, 건축
interest rate 이자율
nuclear 핵의, 원자력의
decline 기움, 쇠퇴, 하락
rating 신용도, 등급, 평점, 평가
announce 알리다, 발표하다, 공고하다
energy source 에너지 원
generate 일으키다, 발생시키다, 산출하다

해설 2004년에 회사들의 등급이 하향 조정되었을 뿐 이로부터 문을 닫았다고 추론하는 것은 지나치다. 추가적인 에너지에 대한 수요가 낮다고 하였으므로 에너지의 공급이 지속적으로 늘고 있다고 보기는 어렵다. 핵발전 산업이 수익 감소와 등급 하향조정을 겪고 있는데 발전소를 더 건설할 리 없다.

정답 (d)

58

Another tomb has been found very close to the famous King Tutankhamen's tomb in Egypt and it has archaeologists all over the world excited. This discovery was different from other discoveries because scientists have been able to examine the artifacts inside the tomb using special tools. This way none of the valuable relics will be damaged by either human hands or nature. The first round of viewing has revealed a small coffin made of gold that contained the body of a small child. Archaeologists hope to announce more artifacts.

Q Which is correct according to the report?

(a) A couple of tombs have been investigated in Egypt.
(b) Artifacts can be safely viewed using scientific instruments.
(c) There are many difficulties to examining the tombs.
(d) Artifacts found in the tomb date back to millions of years ago.

해석 이집트의 유명한 투탕카멘 왕의 무덤에서 매우 가까운 곳에서 다른 무덤이 발견되었고 그것은 전 세계에 있는 고고학자들을 흥분하게 만들었습니다. 이 발견은 다른 발견들과는 달랐는데 과학자들이 특별한 장비를 사용하여 무덤 내부에 있는 유물들을 조사할 수 있었기 때문이었습니다. 이렇게 함으로서 귀중한 유물들이 인간의 손길이나 자연에 의해 하나도 손상되지 않을 것입니다. 첫 번째 조사에서 작은 아이의 시신을 담고 있는 금으로 만든 작은 관이 드러났습니다. 고고학자들은 더 많은 유물들을 발표하기를 희망하고 있습니다.

Q 이 보도에 따르면 옳은 것은 무엇인가?

(a) 두 개의 무덤들이 이집트에서 조사되고 있다.
(b) 과학적 도구들을 통해서 유물들을 안전하게 볼 수 있다.
(c) 무덤을 조사하는데 많은 어려움이 있다.
(d) 무덤에서 발견된 유물들은 수백만 년 전으로 거슬러 올라간다.

어구 tomb 무덤, 묘
archaeologist 고고학자
examine 조사하다, 진찰하다, 시험하다
artifact 인공물, 공예품, 인공의 유물
relic 유물, 유품, 유적
coffin 관
investigate 조사하다, 수사하다, 연구하다

해설 투탕카멘의 무덤에서 아주 가까운 곳에 다른 묘(another tomb)라고 단수로 표현했으므로, 보도에서 언급하는 무덤은 두 개가 아니라 하나이다. 조사하는데 어려움이 있다는 언급은 없었으며, 발견된 유물의 연대도 아무런 언급이 없었으므로 (c)와 (d) 역시 답이 아니다.

정답 (b)

59

I'd like to thank everyone for coming today to say goodbye to Lauren. She was a wonderful person with love for everyone, and she will be dearly missed. She leaves behind her husband, Rick, and her two adult children, Dave and Rachel. Lauren was a caring mother, sister, daughter, and teacher known for her patience and affection. We all know that she is in a better place today and looking down on us.

Q What's the mood of this talk?

(a) Indifferent
(b) Hopeful
(c) Sorrowful
(d) Frightened

해석 로렌에게 작별의 인사를 하려고 오신 여러분들께 감사를 드리고 싶습니다. 그녀는 모든 사람을 사랑한 훌륭한 사람이었고, 깊이 그리워할 것입니다. 그녀는 그녀의 남편 릭과 장성한 아이들, 데이브와 레이첼을 남기고 떠났습니다. 로렌은 상냥한 어머니, 자매, 딸, 그리고 인내심과 애정으로 알려진 교사였습니다. 우리는 모두 그녀가 더 좋은 세상에서 우리를 내려다보고 있다는 것을 압니다.

Q 이 담화의 분위기는 어떠한가?

(a) 무관심한
(b) 희망에 찬
(c) 슬픈
(d) 겁먹은

어구 **dearly** 극진히, 깊이
leave behind 두고 가다, 남기고 죽다, 뒤에 남기다
caring 상냥한, 잘 돌보는
patience 인내, 끈기, 참을성
affection 애정, 사모
indifferent 무관심한
sorrowful 슬픈
frightened 겁먹은

해설 로렌의 장례식에 모인 사람들에게 한 사람이 대표로 추모사를 낭독하고 있다.

정답 (c)

60

Hi, Dr. Walters. This is Parker. I know your office is closed today, but I was calling to let you know that I won't be able to make it to my appointment tomorrow at 3 p.m. because of a family emergency. If it's possible, I'd like to reschedule my appointment for Thursday at the same time. If that's okay, could you please call me on my cell phone at 213-555-9807? If not, I'll just call again to reschedule for another day. Thanks.

Q Which is correct according to the message on the phone?

(a) The speaker can't come by the doctor's office until next week.
(b) The speaker would like to confirm the appointment.
(c) The speaker can't keep the appointment due to personal matters.
(d) The speaker prefers the morning to afternoon.

해석 안녕하세요, 월터스 박사님. 파커입니다. 오늘 병원이 닫는 날인 것은 알지만, 집의 급한 일 때문에 내일 오후 3시 약속을 지킬 수 없어서, 그걸 알려 드리려고 전화를 했습니다. 가능하다면 예약을 이번 주 목요일 같은 시간으로 옮겼으면 합니다. 만약 괜찮으시다면 제 핸드폰 213-555-9807번으로 전화해 주시겠습니까? 혹시 안 된다면, 다른 날에 예약하기 위해서 제가 다시 전화하겠습니다. 감사합니다.

Q 전화기에 남겨진 메시지에 따르면 옳은 것은 무엇인가?

(a) 화자는 다음 주까지 병원에 올 수가 없다.
(b) 화자는 예약을 확인하고 싶다.
(c) 화자는 개인적인 사정으로 약속을 지킬 수 없다.
(d) 화자는 오후보다 아침 시간을 더 좋아한다.

어구 **make it to** ~에 도착하다, 모습을 나타내다
appointment 약속, 지명
family emergency 가족의 급한 일 (예를 들면 가족의 죽음, 위독, 교통사고 등)
reschedule 예정을 다시 세우다, 스케줄을 다시 조정하다
cell phone 휴대폰 (줄여서 cell이라고도 함)
confirm 확인하다
due to ~ 때문에, ~에 기인하는

해설 급한 일 때문에 내일 약속은 지킬 수 없지만 이번 주 목요일 같은 시간으로 약속을 옮기고 싶어하므로, 다음 주까지 병원에 올 수 없다는 (a)는 오답이다. 예약확인이 아니라 예약변경을 하려고 전화한 것이므로 (b)도 오답이다. 가족의 급한 일로 때문이라고 했으므로 (c)가 정답이다.

정답 (c)

Actual Test 3

1 (c)	2 (c)	3 (b)	4 (c)	5 (a)
6 (a)	7 (c)	8 (d)	9 (b)	10 (d)
11 (c)	12 (c)	13 (c)	14 (a)	15 (b)
16 (a)	17 (b)	18 (b)	19 (c)	20 (c)
21 (c)	22 (c)	23 (a)	24 (b)	25 (b)
26 (a)	27 (c)	28 (b)	29 (d)	30 (c)
31 (b)	32 (a)	33 (a)	34 (a)	35 (a)
36 (b)	37 (b)	38 (c)	39 (c)	40 (c)
41 (c)	42 (d)	43 (d)	44 (a)	45 (c)
46 (a)	47 (b)	48 (d)	49 (a)	50 (c)
51 (b)	52 (b)	53 (a)	54 (c)	55 (a)
56 (c)	57 (b)	58 (c)	59 (b)	60 (a)

Part 1

1

M Do you remember where we parked the car?
W ______________________

(a) Don't forget where we parked the car.
(b) We will go to the park by car.
(c) Around the entrance gate.
(d) I don't know where the park is.

해석 **M** 차를 어디에 주차 했는지 기억하니?
W ______________________
(a) 어디에 주차 했는지 잊지 마.
(b) 우리는 차타고 공원에 갈 거야.
(c) 출입문 근처에.
(d) 나는 공원이 어디 있는지 몰라.

어구 park 주차하다, 공원
entrance gate 출입문

해설 일반의문문으로 시작했지만 중간에 의문사 where를 놓치지 말자. 주차한 장소를 기억하냐고 물었으므로, 장소에 해당하는 출입문 근처 (c)가 정답이다. (b), (d)에서는 park가 공원의 의미로 쓰였다.

정답 (c)

2

W Do you know if George was accepted to law school?
M ______________________

(a) Congratulations on your graduation.
(b) Of course, I know George well.
(c) Yes, I do. I am so glad for him.
(d) He became a great lawyer.

해석 **W** 조지가 법대에 합격 한 사실을 알고 있었니?
M ______________________
(a) 졸업을 축하해.
(b) 당연하지, 난 조지를 잘 알아.
(c) 그럼, 참 잘 됐어.
(d) 그는 변호사가 되었어.

어구 be accepted to ~ ~에 합격하다
law school 법대

해설 여자는 남자에게 조지가 법대에 합격한 사실을 알고 있냐고 확인하고 있다. 남자는 이에 대해 소식을 들었고, 조지에게 기쁜 일이 생겼으므로 잘 됐다고 말하는 (c)가 정답이 된다. 상대에게 기쁜 일이 생겼을 때 말하는 Good for you라는 표현도 알아 두자. 이 대화에서는 조지에게 기쁜 일이 생겼으므로 Good for him이란 응답도 가능하다. TEPS 청해에 빈출하는 표현이므로 꼭 익혀 둔다.

정답 (c)

3

M I'd like to know how much a round trip ticket to New York City is.
W ______________________

(a) I have never been to New York.
(b) You should ask the man over there.
(c) You should pay a lot for this.
(d) Why do you want to visit New York?

해석 **M** 뉴욕까지 왕복 티켓이 얼마인지 알고 싶어요.
W ______________________
(a) 저는 뉴욕에 가본 적이 없어요.
(b) 저기 있는 사람에게 물어 보세요.
(c) 돈을 엄청 많이 냈겠어요.
(d) 뉴욕에 왜 가고 싶나요?

어구 round trip 왕복

해설 남자는 뉴욕까지 왕복 티켓의 가격을 궁금해 하고 있다. 여자가 티켓의 가격을 말해 줄 수도 있지만, 자신은 잘 모르니 다른 사람에게 물어보라는 것도 정답이 될 수 있으므로 답은 (b)이다. 티켓의 가격을 물어 보는데, 자신은 뉴욕에 가본 적이 없다거나, 뉴욕에 왜 가고 싶냐고 되물어 보는 것은 어색한 응답이 되므로 (a)와 (d)는 정답이 될 수 없다.

정답 (b)

4

W I heard it is supposed to snow all day tomorrow.

M ______________________

(a) Don't worry. I can go there myself.
(b) I like to stay at home having some hot tea.
(c) Then we might cancel the softball game tomorrow.
(d) Don't you wish it snowed a lot?

해석 W 내일은 하루 종일 눈이 올 거라고 들었어.
M ______________________
(a) 걱정 마. 나 혼자 거기 갈 수 있어.
(b) 나는 따뜻한 차를 마시며 집에 있는 것을 좋아해.
(c) 그러면 내일 소프트볼 게임을 취소해야겠네.
(d) 눈이 많이 오길 바라지 않니?

어구 be supposed to~ ~하기로 되어 있다.
softball 《미》 소프트볼 (10명이 하는 야구의 일종)

해설 여자는 내일 종일 눈이 올 거라는 소식을 전했고, 평서문이기 때문에 특별히 원하는 정보를 묻는 게 아니므로, 반드시 네 개의 보기를 다 듣고 가장 논리적으로 밀접한 것을 골라야 한다. (b)는 남자의 평소 선호를 말한 것뿐이므로 답이 아니다. 눈이 오니 집에 있어야겠다는 식으로 상상하지 말자. 눈이 많이 올 것이므로 야외에서 하는 소프트볼을 취소해야겠다는 것이 논리적으로 가장 타당하다.

정답 (c)

5

M Christina, long time no see! Where have you been?

W ______________________

(a) I visited my aunt in L.A.
(b) Have a good day.
(c) I'm pretty good.
(d) Chicago is good for sightseeing.

해석 M 크리스티나, 오랜만이야. 어디서 지냈니?
W ______________________
(a) LA에 있는 고모 댁에 방문했었어.
(b) 좋은 하루 보내.
(c) 나는 잘 지내.
(d) 시카고는 관광하기에 좋은 곳이야.

어구 Long time no see. 오랜 만이야.
sightseeing 관광

해설 Part 1이 두 문장으로 이루어 질 때가 있다. 이런 경우 뒷 문장에 더 중심을 두어 응답을 찾아야 한다. 남자와 여자는 오랫만에 만났고, 남자가 where라는 의문사를 넣어서 그동안 어디서 지냈냐고 물었으므로, 여자가 LA에 방문했었다는 (a)가 자연스러운 응답이다. 남자와 여자는 지금 만났으므로 주로 헤어질 때 하는 (b)와 같은 인사는 어울리지 않으며, (d)에는 시카고라는 장소가 나오긴 했지만, 단순히 시카고에 대한 자신의 생각이다.

정답 (a)

6

W I just had a baby girl last night!

M ______________________

(a) Congratulations on the birth of your daughter.
(b) Do you really like her?
(c) Is it a girl or boy?
(d) How old is your baby?

해석 W 지난밤에 딸을 낳았어.
M ______________________
(a) 딸의 탄생을 축하해.
(b) 너는 그녀를 정말로 좋아하니?
(c) 딸이니 아들이니?
(d) 네 아기는 몇 살이니?

해설 여자가 딸을 낳았으므로, 전형적인 축하의 답변 (a)가 정답이 된다. 여자가 딸을 낳았다고 했으므로 딸인지 아들인지 물어보는 (c)는 어색한 응답이 되며, 아기가 어제 태어났으므로 아기는 당연히 한 살이다. 그러므로 (d)의 질문도 여자의 말에 대한 적절한 응답이 될 수 없다.

정답 (a)

7

M When we get to the next rest stop, will you take over driving?

W ______________________

(a) I can take you over there.
(b) No, I don't think that's true.
(c) Sure, I can take the wheel.
(d) It will take some time to get there.

해석 M 다음 휴게소에 도착하면, 네가 운전할래?
W ______________________
(a) 내가 너를 그곳에 데려다 줄 수 있어.
(b) 나는 그렇게 생각 하지 않아.
(c) 당연하지, 내가 운전할게.
(d) 거기에 가는데 시간이 좀 걸릴 거야.

어구 rest stop 휴게소
take the wheel 운전을 하다
take time 시간이 걸리다

해설 남자가 여자에게 운전을 부탁하고 있다. 그러므로 부탁에 대한 수락인 (c)가 정답이다. 남자는 여자에게 운전을 해 달라고 부탁한 것이므로, 이것에 대해 진실인지 아닌지 밝히는 (b)는 답이 아니다. take the wheel이라는 관용 표현을 잘 알아 두어야 하겠다.

정답 (c)

8

W You shouldn't have been so rude to the waiter.

M ______________________

(a) OK. I will forgive you.
(b) I can't wait here any longer.
(c) Sorry for the inconvenience.
(d) Do you think he was offended?

해석 W 웨이터에게 너무 무례하게 굴지 말았어야 했어.
M ______________________
(a) 그래, 너를 용서해 줄게.
(b) 난 더 이상은 기다릴 수 없어.
(c) 불편하게 해서 미안해.
(d) 그가 기분이 나빴을까?

어구 shouldn't have p.p ~하지 말았었야 했다
offend 기분 나쁘게 하다

해설 웨이터에게 무례하게 행동한 사람은 남자인데 남자가 여자를 용서한다는 것은 말이 되지 않으므로 (a)는 답이 아니다. (b)는 여자의 말에서 waiter가 있었기 때문에 wait이라는 비슷한 발음을 넣어 혼동하게 만든 오답이며, 여자의 질책에 대해 재고해 보는 (d)가 정답이 된다.

정답 (d)

9

M I couldn't hear the professor. What did she say?

W ______________________

(a) I think she talks very fast, too.
(b) She reminded us of submitting the paper.
(c) You can say that again.
(d) I'd like to take her class.

해석 M 교수님 말씀을 잘 못들었어. 교수님이 뭐라고 하셨어?
W ______________________
(a) 나도 그녀가 말을 너무 빨리 한다고 생각해.
(b) 숙제를 내라고 상기시켜 주셨어.
(c) 네 말이 맞아.
(d) 나는 그녀의 수업을 듣고 싶어.

어구 hear someone ~의 말이 들리다
remind 상기 시키다, 일깨우다
submit 제출하다 (= hand in, turn in)
You can say that again. 네 말이 맞아.

해설 남자의 말이 두 문장으로 이루어져 있고, 남자의 마지막 말인, 교수님이 뭐라고 말씀하셨냐에 가장 염두를 두어 응답을 골라야 할 것이다. 그러므로 교수님이 말한 내용을 말해주는 (b)가 정답이 된다. 남자가 교수님의 말이 빠르다고 말한 것이 아니므로 (a)의 응답으로 정답을 고르면 안되겠다.

정답 (b)

10

W Jason, I hardly recognize you!

M ______________________

(a) How could you forget me?
(b) I could use some change.
(c) I'm so glad you like it.
(d) Because I dropped 30 pounds.

해석 W 제이슨, 널 거의 못 알아보겠다!
M ______________________
(a) 네가 어떻게 날 잊을 수가 있니?
(b) 동전이 필요해.
(c) 네가 좋아한다니 좋다.
(d) 왜냐하면 체중이 30파운드 빠졌거든.

어구 recognize 알아보다, 알아채다
could use ~필요하다
change 동전
drop ~pounds (몸무게) ~파운드를 빼다

해설 여자는 남자를 못 알아보겠다고 했으므로, 남자의 외모에 변화가 있음을 암시하고 있다. 그러므로 살이 빠졌다는 (d)가 정답이다. (b)에서 change는 동전이라는 의미이므로 전혀 관련이 없는 응답이 되겠다. (c)는 상대방이 선물 등을 좋아 할 때 쓸 수 있는 말이다.

정답 (d)

11

M Oh, no. I think I left my wallet at home.

W ______________________

(a) You can repay me some time later.
(b) I don't know where the ATM is.
(c) Don't worry. I have enough cash.
(d) Can you bring me the check, please?

해석 M 이런, 지갑을 집에 두고 온 것 같아.
W ______________________
(a) 나중에 갚으면 돼.
(b) 나는 현금인출기가 어디에 있는지 몰라.
(c) 걱정 마. 나에게 현금이 충분히 있어.
(d) 계산서를 가져다 주시겠어요?

어구 wallet 지갑
repay 갚다, 상환하다
ATM 현금 자동 입금 · 지급기 (Automated Teller Machine의 약자)

해설 남자는 지갑을 집에 두고 온 상황이다. 곧 돈이 없다는 것과 같다고 생각 할 수 있으므로, 여자가 자신에게 현금이 충분하다고 말하는 (c)가 정답이 된다. 남자가 돈을 이미 빌려간 상황이 아니므로 나중에 갚으라는 것은 어색하다. 너무 앞서서 상상을 하면 안되겠다. 남자가 현금인출기를 찾은 게 아니므로, 현금 인출기의 위치를 모른다고 대답하는 (b)도 정답으로 어색하다.

정답 (c)

12

W Did you have a hard time finding your way here?

M ______________________________

(a) I have no sense of direction.
(b) You get out of the way.
(c) No, you gave me good directions.
(d) Yes, I'm in big trouble now.

해석 **W** 여기 오는데 힘들었니?
M ______________________________
(a) 나는 방향 감각이 없어.
(b) 좀 비켜줘.
(c) 아니, 네가 나에게 길을 잘 설명했어.
(d) 응, 난 지금 큰 곤경에 빠졌어.

어구 have no sense of direction 방향 감각이 없다
get out of the way 길을 비키다
direction 길 안내
be in trouble 곤경에 빠지다

해설 여자는 남자에게 길을 찾는 데 어려웠냐고 묻고 있다. 그러므로 여자가 길을 잘 설명해 주어 찾기 쉬웠다는 (c)가 정답이 된다. (a)는 자신에 관한 일반적 특성을 말한 것이므로 정답이 될 수 없다. 길눈이 어두워서 못 찾았다는 식으로 확대 해석을 하면 안되겠다.

정답 (c)

13

M Can you tell me where I can catch the airport shuttle?

W ______________________________

(a) The road is under construction now.
(b) You can take a taxi over there.
(c) Sorry, I'm not familiar with this area.
(d) The airport is 5 miles away from here.

해석 **M** 공항 셔틀버스를 어디서 탈 수 있는지 말씀해 주시겠어요?
W ______________________________
(a) 도로는 지금 공사 중입니다.
(b) 저기서 택시를 타세요.
(c) 죄송하지만, 저는 이 지역을 잘 몰라요.
(d) 공항은 여기서 5마일 떨어져 있어요.

어구 under construction 공사 중인

해설 남자는 공항버스를 어디서 탈 수 있는지 묻고 있으므로 공항버스를 어디서 탈 수 있는 지 가르쳐 주거나, 모른다는 대답이 나올 수 있으므로 (c)가 정답이 된다. 남자가 택시 타는 곳을 물은 게 아니므로 (b)는 답이 될 수 없고, 공항이 얼마나 떨어져 있는지 묻지 않았으므로 (d)도 답이 아니다.

정답 (c)

14

W Would you like to come to my house warming party this Saturday?

M ______________________________

(a) Sounds great. What time?
(b) I'll throw a party, too.
(c) What should I bring you?
(d) You are more than welcome.

해석 **W** 이번 토요일에 내 집들이에 올래?
M ______________________________
(a) 좋아, 몇 시니?
(b) 나도 파티를 열거야.
(c) 무엇을 가지고 가야 하니?
(d) 너는 대환영이야.

어구 house warming party 집들이
throw a party 파티를 열다
You are more than welcome. 대환영이야, 천만에.

해설 여자는 남자에게 집들이 파티 초대를 하고 있다. 이렇게 초대를 할 경우에, 상대방이 수락하거나 거절하는 것이 가장 전형적인 응답이 되므로, 수락의 표현 (a)가 정답이 된다. (c)는 수락의 표현을 하고, (파티에) 무엇을 가지고 가야 하는지 묻는다면 정답이 될 수 있다. 너무 앞서가는 답이다.

정답 (a)

15

M When is your winter vacation over?

W ______________________________

(a) I'll go on vacation next week.
(b) Two weeks from now.
(c) It was a month ago.
(d) There is never enough time on vacation.

해석 **M** 겨울 방학은 언제 끝나니?
W ______________________________
(a) 다음 주에 휴가를 갈 거에요.
(b) 지금으로부터 2주 있다가요.
(c) 한 달 전에요.
(d) 휴가는 충분할 수가 없죠.

어구 winter vacation 겨울 방학

해설 남자는 여자에게 겨울 방학이 시작하는 시점을 묻고 있다. when 의문사로 질문을 하면 특히 시제를 염두에 두어야 한다. 미래 지향적으로 물었으므로 (c)는 정답이 될 수 없다. 남자는 겨울 방학이 끝나는 시기를 물었지, 언제 휴가 가냐고 물은 것이 아니므로 (a)는 정답이 될 수 없다. 방학이 끝나는 미래 시점을 말해주는 (b)가 정답이 된다.

정답 (b)

Part 2

16

M What took you so long? The show's going to start soon.
W I got out of work late. I'm sorry.
M What about Boris? Wasn't he coming with you?
W ______________________

(a) No, he said he will come here directly.
(b) My boss didn't let me get off work.
(c) He decided to see the show.
(d) Please accept my apology.

해석 M 뭐가 이렇게 오래 걸렸어? 쇼가 금방 시작 할 거야.
W 회사에서 늦게 나왔어. 미안해.
M 보리스는 어떻게 됐어? 보리스도 너와 함께 온다고 하지 않았니?
W ______________________

(a) 아니, 그는 여기로 바로 온다고 했는데.
(b) 나의 상사는 퇴근을 시켜 주지 않았어.
(c) 그는 쇼를 보기로 결정했어.
(d) 나의 사과를 받아줘.

어구 What took you so long? 뭐가 그렇게 오래 걸렸니?
get off the work 퇴근하다
Please accept my apology. 진심으로 사과 드려요.

해설 Part 2에서 마지막 화자의 말은 아무리 강조해도 지나침이 없을 것이다. 마지막에 남자가 '보리스는 너랑 함께 오지 않니?'라고 확인을 하고 있으므로, 그렇지 않다고 말해주는 (a)가 정답이 된다. (b), (c), (d) 모두 보리스에 대한 이야기가 아니므로 정답이 될 수 없다.

정답 (a)

17

W I'm never buying anything online again.
M Did something go wrong?
W I bought a pair of shoes but never received them.
M ______________________

(a) I'd really like to see your shoes.
(b) Are you saying that you got cheated?
(c) Online shopping is very convenient.
(d) I need to buy a pair of sneakers.

해석 W 난 다시는 온라인에서 물건을 구입하지 않을 거야.
M 뭐가 잘못됐니?
W 신발을 한 켤레 샀는데, 받지 못했어.
M ______________________

(a) 네 신발을 보고 싶다.
(b) 사기를 당했다는 얘기니?
(c) 온라인 쇼핑은 편리해.
(d) 나는 스니커즈 한 켤레 사야해.

어구 get cheated 속다, 사기 당하다
convenient 편리한

해설 여자는 인터넷으로 물건을 구입하고 받지 못했으므로, 사기를 당했을 확률이 크다. 그러므로 (b)의 응답이 자연스럽다. 여자는 신발을 받지 못했으므로 남자는 신발을 볼 수 없다. 그러므로 (a)는 답이 아니고, 이 대화는 온라인 쇼핑이라는 커다란 주제에서 여자가 당한 사기로 주제가 좁혀지고 있는 상황이다. 그러므로 남자가 온라인 쇼핑은 편리하다는 의견을 내는 것은 다소 어색한 흐름이다.

정답 (b)

18

M Jenny, you left the yogurt out again!
W I forgot to put it back. I'm sorry.
M How do you forget every single time?
W ______________________

(a) You know how much I like yogurt.
(b) It won't happen again. I swear.
(c) I'm sick and tired of it.
(d) I'll buy you another one, okay?

해석 M 제니, 요거트를 또 밖에다 내놨구나.
W 다시 넣어 놓는 것을 깜박했어. 미안해.
M 어떻게 매번 잊어버리니?
W ______________________

(a) 내가 얼마나 요거트를 좋아하는지 알잖아.
(b) 다시는 이런 일 없을 거야. 맹세해.
(c) 나는 정말 그것이 지겨워.
(d) 내가 하나 더 사줄게, 됐니?

어구 put back 다시 가져다 두다
every single time 매 번
It won't happen again. (상대방에게 용서를 빌며) 다시는 이런 일 없을 거에요.
be sick and tired of something ~이 너무 진저리가 나다

해설 남자는 여자가 요거트를 밖에다 두었다고 비난을 하고 있다. 비난을 할 때는 용서를 빌거나, 도리어 화를 낼 수도 있다. 물론 용서를 비는 내용이 많이 나오기는 한다. 남자가 어떻게 항상 요거트를 밖에 두냐고 질책했으므로, 용서를 비는 (b)가 정답이 된다. (c)는 it이 받아 줄 것이 없다. '남자의 잔소리가 지겹다'는 식으로 상상하면 안되겠다. (c)는 차라리 남자가 여자에게 할 말이다.

정답 (b)

19

W What's your opinion on the movie?
M From what everyone said, I thought it would be better.
W What was wrong with it?
M ______________________________

(a) The acting was superb.
(b) Who is starring in the movie?
(c) It was the same old story.
(d) Let's go to a movie tonight.

해석 W 영화가 어땠니?
M 사람들에게 들은 게 있어서, 훨씬 더 좋을 줄 알았어.
W 뭐가 문제인데?
M ______________________________

(a) 연기가 훌륭했어.
(b) 영화에 누가 나오니?
(c) 진부한 이야기였어.
(d) 오늘 밤에 영화 보러 가자.

어구 superb 최고의, 훌륭한, 멋진
star in 주연하다
same old 진부한
Let's go to a movie. 영화 보러 가자.

해설 남자는 영화에 다소 실망했다는 의견을 건네고 있다. 이에 여자는 영화에 대해 실망스러운 점을 묻고 있다. 그러므로 남자는 영화에 대한 좋지 않은 점을 말해 주어야 한다. 그러므로 (c)가 정답이 된다.

정답 (c)

20

M I smell smoke, do you?
W Yeah, but where is it coming from?
M Did you forget to turn off the stove again?
W ______________________________

(a) No problem. Never mind.
(b) I forgot to turn the lights off.
(c) No, I made sure it was turned off.
(d) Because it's a smoking area.

해석 M 연기 냄새가 나는데, 그렇지?
W 그래, 어디서 나는거야?
M 스토브 끄는 거 잊어 버렸니?
W ______________________________

(a) 문제없어. 신경 쓰지 마.
(b) 불 끄는 것을 깜박 했네.
(c) 아니야. 확실히 껐어.
(d) 왜냐하면 요기는 흡연 구역이기 때문이야.

어구 Never mind. 신경쓰지 마.
turn off (전기, 불, 가스 등을) 끄다
smoking area 흡연 구역
cf. non-smoking area 금연 구역

해설 남자는 여자에게 가스를 껐는지 아닌지 확인을 하고 있으므로, 여자는 이에 대해 확인을 해 주어야 한다. (a)는 언뜻 들으면 정답 같지만, 상대방이 속상해 하거나 심적으로 걱정을 할 때 신경쓰지 말라는 것이므로 정답이 될 수 없다. light는 전기고 남자가 여자에게 불을 껐냐고 물은 것이 아니므로 (b)도 답이 될 수 없다. 가스를 분명히 껐다고 확인해 주는 (c)가 정답이다.

정답 (c)

21

W Oh, no. These eggs are rotten.
M How can you tell?
W I just cracked one open and it smells bad!
M ______________________________

(a) I'll tell you what.
(b) How about making an omelet?
(c) It must have passed its expiration date.
(d) I brought some eggs for you.

해석 W 이런, 계란이 상했네.
M 어떻게 알아?
W 하나를 깼는데, 상한 냄새가 나.
M ______________________________

(a) 실은 말이야.
(b) 오믈렛을 만드는 것은 어떨까?
(c) 유효기간이 지났음에 틀림없어.
(d) 내가 계란을 좀 사왔어.

어구 be rotten 상하다
I'll tell you what. (상대방에게 무언가를 제안할 때) 잘 들어 보세요, (자신의 말을 강조할 때) 실은 말이에요.
crack 깨다
smell bad 상한 냄새가 나다
expiration date 유효기간

해설 계란이 상한 것 같다는 여자의 말에 가장 논리적으로 밀접한 응답은 유효기간이 지난 것 같다는 (c)이다. 계란이 상했는데 오믈렛을 만들 수는 없으므로 (b)는 정답이 될 수 없다. 여자의 처음 말에서 rotten이 잘 안 들릴 수 있으므로 조심해야 한다. 이때의 t 사운드는 콧속으로 먹혀 들어가는 비음이 나므로 잘 들리지 않는다. 여러 번 소리내어 따라해 보자.

정답 (c)

22

M The baby still seems to have a high temperature.
W Why don't you give her some medicine?
M She's crying too much right now.
W ____________________

(a) My mom took the baby's temperature.
(b) She doesn't want to go to a doctor.
(c) Without medicine, the symptoms will get worse.
(d) You'd better take the medicine.

해석 M 아기가 여전히 고열이 나는 것 같아.
W 약을 좀 줘 보는 건 어때?
M 지금은 너무 울어.
W ____________________

(a) 우리 엄마가 아기의 체온을 재봤어.
(b) 아기가 병원에 가기 싫어해.
(c) 약을 먹지 않으면, 증상이 더 심해질 텐데.
(d) 너는 약을 먹는 게 좋겠어.

어구 take one's temperature 체온을 재다
go to a doctor 병원에 가다
take the medicine 약을 먹다

해설 아기가 아픈 상황이고 여자는 아기에게 약을 주라고 제안했지만, 남자는 아기가 너무 운다며 간접적으로 거절을 한 상태이다. 이에 대해 여자는 자신의 입장을 계속 고수하며, 그래도 약을 먹어야 증상이 나아질 것이라고 대답하는 (c)가 정답이다. 아픈 것은 남자가 아니므로 여자가 남자에게 약을 먹으라고 하는 (d)는 정답이 될 수 없다. 이야기의 주체가 누구인지 잘 파악해야 한다.

정답 (c)

23

W How's your wife doing these days?
M She and the baby are happy and healthy.
W That's great to hear. When is she due?
M ____________________

(a) Next month.
(b) For next week.
(c) I'm so happy.
(d) That's good news.

해석 W 네 아내는 잘 지내고 있니?
M 아내와 아기는 행복하고 건강하게 잘 지내.
W 잘됐다. 언제가 출산일이니?
M ____________________

(a) 다음 달.
(b) 다음 주 동안.
(c) 나는 너무 기뻐.
(d) 그거 좋은 소식이네.

어구 due ~하기로 되어 있는, ~에 출산 예정인

해설 여자는 남자에게 남자의 부인의 출산 예정일을 묻고 있다. "When is she due?"의 의미를 잘 몰랐다 해도, when으로 묻고 있으므로 (a)로 정답을 고를 수 있다. (b)는 기간을 나타내므로 정답이 될 수 없다.

정답 (a)

24

M I can't decide which suit to wear tonight.
W I prefer the navy one.
M But the sleeves are a little too short for me.
W ____________________

(a) I think there is a dress code.
(b) Then how about the grey one?
(c) Do you sell black suits?
(d) It doesn't look good on you.

해석 M 오늘 어떤 정장을 입어야 할지 모르겠어.
W 나는 남색 정장이 괜찮은 것 같은데.
M 그렇지만 소매가 너무 짧아.
W ____________________

(a) 복장 규율이 있다고 들었어.
(b) 그러면 회색 정장은 어때?
(c) 검정 정장을 판매 하시나요?
(d) 그것은 너에게 잘 안 어울려.

어구 suit 정장
navy 남색, 남색의
sleeve 소매
dress code 복장 규율
grey 회색, 회색의

해설 남자가 오늘 입을 정장을 고르고 있는 상황이다. 여자가 남색을 추천했지만, 남자는 소매가 짧다고 받아들이지 않았으므로, 여자는 다른 정장을 추천해 주는 것이 자연스러운 흐름이 되므로 (b)가 정답이 된다. (c)는 쇼핑을 가서 손님이 하는 말이므로 정답이 될 수 없다. (d)는 여자가 앞서서는 남색 정장이 멋지다고 해 놓고, 안 어울린다고 말하는 것은 일관적이지 않으므로 정답이 될 수 없다.

정답 (b)

25

W This model is definitely out of our price range.
M I think we can always negotiate the price.
W Do you think they will cut the price?
M ____________________

(a) I guess it's quite reasonable.
(b) I'm not sure, but let's give it a try.
(c) This car is in good condition.
(d) It's almost a new car.

해석 **W** 이 모델은 확실히 우리 예산을 초과해.
M 가격을 조정해 볼 수 있어.
W 그들이 가격을 깎아 줄까?
M ______________________________
(a) 내 생각엔 가격이 꽤 적당한 것 같아.
(b) 잘 모르겠어, 그러나 시도해 보자.
(c) 이 차는 상태가 좋아.
(d) 이것은 거의 새 차 같아.

어구 **definitely** 확실히
out of one's price range ~의 예산을 초과하는
negotiate 협상하다
cut the price 가격을 깎아주다
give it a try 시도해 보다 (= give it a shot)
be in good condition 상태가 좋다, 양호하다

해설 남자와 여자가 어떤 물건을 사러 와서, 물건을 파는 사람이 가격을 깎아 줄지 말지 예상을 하고 있는 상황이다. 남자와 여자가 함께 쇼핑을 하고 있는 상황임을 파악하지 못하면 다소 어렵다. 여자의 마지막 말이 가장 중요한데, 물건을 파는 사람이 값을 깎아 줄 것 같은지 의견을 물었으므로 잘 모르겠다고 대답한 남자의 말 (b)가 정답이다.

정답 (b)

26

M We don't need all that junk food.
W I know, but I like to have snacks at home.
M But it's bad for your health.
W ______________________________
(a) I know, but I can't help eating it.
(b) You need to be careful about food.
(c) Let's grab a snack.
(d) But it's out of stock.

해석 **M** 우리는 저런 정크 푸드는 필요 없어.
W 알아, 그렇지만 집에서 간식을 먹는 걸 좋아해.
M 그렇지만 네 건강에 좋지 않아.
W ______________________________
(a) 나도 알지, 그렇지만 어쩔 수가 없어.
(b) 음식 조심해야해.
(c) 간단히 뭘 좀 먹자.
(d) 그렇지만 그것은 재고가 없어.

어구 **snack** 간식
can't help ~ing ~하는 것은 어쩔 수 없다
grab a bite 간단히 간식을 먹다 (= grab a snack)
be out of stock 재고가 떨어지다

해설 정크 푸드를 좋아하는 여자에게 남자는 건강에 좋지 않다고 충고하고 있다. 그렇다면 여자는 충고를 받아들일 수도 있고, 거절할 수도 있는데, 이 대화에서는 거절을 한 것이다. 몸에 나쁜 것은 알지만, 맛있어서 어쩔 수 없다는 (a)가 정답이 된다. (b)는 여자가 할 말이 아니라 남자가 할 말이다.

정답 (a)

27

W You're back from Jamaica already?
M Yeah, the cruise was amazing.
W How were the beaches there?
M ______________________________
(a) I spent the whole day at the beach.
(b) You should come along next time.
(c) Fantastic. It was perfect for sunbathing.
(d) I really enjoyed this trip.

해석 **W** 자마이카에서 벌써 돌아 왔니?
M 응, 크루즈 여행은 너무 좋았어.
W 거기의 해변은 어땠니?
M ______________________________
(a) 해변에서 하루 종일 있었어.
(b) 다음에는 같이 가자.
(c) 환상적이었어. 일광욕하기 완벽했어.
(d) 정말 여행이 즐거웠어.

어구 **amazing** 놀랄 만한, 굉장한
sunbathing 일광욕
cf. sunbathe 일광욕 하다

해설 여자는 자마이카의 해변이 어떠냐고 how 의문사를 이용해서 묻고 있다. 그렇다면 아주 단순하게, 자마이카의 해변에 대한 평가가 나올 수 있을 것이다. 해변이 너무 좋았다고 하는 (c)가 정답이 된다. 해변에 대한 평가를 물었는데, 그냥 다음에 함께 가자는 것은 어울리지 않으므로 (b)는 정답이 될 수 없다. 대충 여행이라는 분위기만 파악해서는 정답을 고를 수가 없고, 마지막 화자의 말을 항상 정확하게 듣도록 하자.

정답 (c)

28

M I will be charged more for my extra luggage.
W I guess that makes sense.
M Yeah, but I don't want to pay the extra fee.
W ______________________________
(a) The penalty will get larger.
(b) But you should follow the policy.
(c) Only one carry-on is allowed.
(d) I'll get you one.

해석 **M** 가방을 추가로 가져가면 수수료가 더 있을 거야.
W 그렇겠지.
M 그렇지만 수수료를 더 내고 싶지 않은데.
W ______________________________
(a) 벌금은 더 커질 거야.
(b) 그렇지만 규율을 따라야지.
(c) 비행기 안에는 가방 하나만 가지고 갈 수 있어.
(d) 내가 가져다줄게.

어구 **luggage** 짐
penalty 벌금

carry-on 비행기에 가지고 들어갈 수 있는 가방
fee 수수료
follow the policy 규칙을 따르다

해설 남자는 추가 짐에 대한 추가 수수료를 내고 싶지 않아 한다. 그렇지만 규칙은 어쩔 수 없이 따라야 한다고 충고하는 여자의 말 (b)가 정답이 된다. 수수료는 벌금이 아니므로 (a)는 정답이 될 수 없다. (a)는 상대방이 벌금을 안내고 있을 때 할 수 있는 말이다. (c)는 상대방이 비행기에 몇 개의 가방을 가지고 갈 수 있냐고 물을 때 나올 수 있는 응답이다.

정답 (b)

29

W It's almost midnight, so I've got to get going.
M Thanks for coming to my party. I'm glad you came.
W Me too, and it was good to see everyone else as well.
M ______________________

(a) I appreciate your inviting me.
(b) Without you, it will not be the same place.
(c) Are you coming to my party next week?
(d) I'm happy you had a great time.

해석 W 자정이 다 됐네. 난 가야겠어.
M 내 파티에 와줘서 고마워. 네가 와서 기뻤어.
W 나도 그래, 그리고 모두 만날 수 있어서 즐거웠어.
M ______________________

(a) 초대해 줘서 고마워.
(b) 네가 없다면, 여기는 예전 같지 않을 거야.
(c) 다음 주에 내 파티에 올 거니?
(d) 네가 즐거운 시간을 보냈다니 좋다.

어구 I've got to get going. 가야겠어.

해설 파티의 호스트와 손님이 헤어지면서 하는 대화이다. 누가 손님이고, 누가 호스트인지 정확히 파악해 두어야 헷갈리지 않다. 남자가 파티를 연 사람이고, 여자는 손님이므로 남자는 손님이 하는 말인 (a)로는 응답을 할 수 없다. 여자가 파티에서 즐거웠다고 했으므로, 이에 흡족해 하는 (d)가 정답이 되며, (b)는 멀리 떠날 때 하는 말이므로 정답이 될 수 없다.

정답 (d)

30

M Is there anything I can do to help prepare?
W Okay, you could set the table.
M Sure. Where can I find the silverware?
W ______________________

(a) I really appreciate your help.
(b) Can you wash dishes for me?
(c) Please look in the bottom drawer.
(d) There is a big scoop over there.

해석 M 준비하는데 도와줄까?
W 응, 상을 차려줘.
M 알았어, 식기는 어디 있니?
W ______________________

(a) 도움을 줘서 정말 고마워.
(b) 설거지 좀 해줄래?
(c) 아래 서랍을 봐.
(d) 저기에 큰 국자가 있어.

어구 set the table 상을 차리다
silverware 《특히》 식탁용 은그릇
drawer 서랍
scoop 국자

해설 마지막 남자의 말에서, 식기가 어디 있냐고 물었으므로 silverware를 잘 모른다 해도 where 의문사에서 큰 힌트를 얻을 수 있다. (c)에서 '어디에'에 해당하는 아래 서랍이 나왔으므로 정답은 (c)가 된다. (a)를 조심해야 하는데, 남자가 여자를 도와주는 것은 맞지만 남자의 마지막 질문은 식기들이 어디 있냐고 물은 것이기 때문에 (a)로 답할 수 없다.

정답 (c)

Part 3

31

W Hey, Sam. It's me, Emma. What's going on?
M Not much. I just got home from work.
W I was calling to see if you wanted to have dinner with me.
M Okay, as long as we can go somewhere quiet.
W Sure, no problem. How about we meet at Alpha Deli at around 7?
M Sounds great. See you then.

Q What is mainly happening in this conversation?
(a) The woman is ordering food for dinner.
(b) The woman is inviting him to dinner.
(c) The man and woman are having dinner.
(d) The man and woman are comparing restaurants.

해석 **W** 안녕, 샘. 나야, 엠마. 잘 지내니?
M 그냥 그렇지. 지금 막 퇴근해서 집에 왔어.
W 나랑 저녁을 먹을 수 있나 해서 전화 했어.
M 좋아. 조용한 곳으로만 간다면.
W 그럼, 문제없지. 알파 델리에서 7시쯤 만나는 것은 어때?
M 좋아. 그때 보자.
Q 대화에서 주로 무슨 일이 일어나고 있는가?
(a) 여자는 저녁 식사를 주문하고 있다.
(b) 여자는 남자를 저녁 식사에 초대하고 있다.
(c) 여자와 남자는 함께 저녁을 먹고 있다.
(d) 남자와 여자는 식당들을 비교하고 있다.

어구 I was calling to see if~ ~인지 아닌지 알아보러 전화하다

해설 남자와 여자는 전화를 하고 있다. 여자는 남자에게 자신과 저녁을 먹을 수 있는지 물었으므로, 여자는 남자를 저녁 식사에 초대한다고 볼 수 있다. 그러므로 정답은 (b)이다. 여자와 남자는 아직 식당에 간 것이 아니므로 (a)와 (c)는 정답이 될 수 없다.

정답 (b)

32

M What happened to Daniel's hand?
W He had an accident.
M How did he hurt his hand?
W His friend's dog bit him yesterday.
M That's horrible. Is he okay?
W He got some stitches, but everything's okay.

Q What is the conversation mainly about?
(a) Daniel's injury
(b) Daniel's car accident
(c) Daniel's dog
(d) Daniel's hospital treatment

해석 **M** 다니엘의 손이 왜 그러니?
W 사고를 당했대.
M 어떻게 하다가 손을 다쳤대?
W 어제 다니엘 친구의 개가 다니엘을 물었어.
M 끔찍해라. 다니엘은 괜찮니?
W 몇 바늘 꿰맸는데, 괜찮대.
Q 대화는 주로 무엇에 대한 것인가?
(a) 다니엘의 부상
(b) 다니엘의 차사고
(c) 다니엘의 개
(d) 다니엘의 병원 치료

어구 horrible 끔찍한
stitch 한 바늘, 한 땀
injury 부상
treatment 치료

해설 대화의 주제는 다니엘이 친구의 개에게 물렸다는 것이다. 그러므로 넓게 paraphrase하면 다니엘의 부상이 된다. 정답은 (a)이다. 다니엘에게 부상을 입힌 개가 다니엘의 것도 아닐 뿐 더러, 개에 대한 얘기가 아니므로 (c)는 정답이 될 수 없고, 다니엘이 몇 바늘 꿰맸다는 얘기는 있었지만 주제를 (d)로 하기엔 전체를 포괄 할 수 없다.

정답 (a)

33

M This delay is taking forever!
W I hate waiting at airports, too.
M I think I'm going to get some magazines to pass the time.
W Sounds good. Could you grab me a paper while you're at it?
M Sure. Now I just need to find a store.
W I think there's one around the corner.

Q What are the man and woman mainly discussing?

(a) Finding something to kill time
(b) Looking for a place to stay
(c) How to get to the store
(d) Waiting in line to catch a plane

해석 M 너무 오래 지연이 된다.
W 나도 공항에서 기다리는 것이 너무 싫어.
M 시간을 보내게 잡지를 좀 사가지고 올게.
W 좋은 생각이야. 거기 가면 신문도 좀 사다 줄래?
M 좋아. 이제 가게를 찾아 봐야겠군.
W 가까운데 하나 있는 것 같아.
Q 남자와 여자는 주로 무엇에 대해서 얘기하고 있는가?
(a) 시간을 때울 것을 찾기
(b) 머물 장소를 찾기
(c) 가게에 어떻게 가나
(d) 비행기를 타기 위해 줄서기

어구 pass the time 시간을 보내다
kill time 시간을 때우다
while you're at it 네가 ~하는 동안, ~하면서
get to ~도착하다

해설 비행기가 연착이 되는 상황이고, 둘은 시간이 때울 거리를 찾고 있다. 남자는 잡지, 여자는 신문을 읽을 것이므로 전체를 포괄 할 수 있는 주제는 (a)가 된다. 현재 비행기를 타기 위해 줄 서 있는 상황이 아니고, 이들은 waiting area(대합실)에서 기다리고 있는 상황일 것이므로 (d)는 정답이 될 수 없다.

정답 (a)

34

M I'm here to return a coat I got here.
W Is there something wrong with it?
M Yes, the seams on the sleeves are coming apart.
W Was it this way when you bought it?
M No, but this is a new coat. It shouldn't be falling apart already.
W We can only give you an exchange because it wasn't like this when you purchased it.

Q What does the man want to do?

(a) Return a coat.
(b) Call the manager.
(c) Buy another jacket.
(d) Get a different style.

해석 M 제가 산 코트를 반납 하려고 왔는데요.
W 잘못된 것이 있나요?
M 네, 소매의 솔기가 뜯어졌어요.
W 살 때부터 이랬나요?
M 아니요. 그렇지만 이것은 새 코트고, 벌써 이렇게 뜯어지면 안되는 거잖아요.
W 구입 당시 뜯어진 게 아니므로 저희는 교환만 해드릴 수 있어요.
Q 남자는 무엇을 하길 원하는가?
(a) 코트를 반납하기
(b) 매니저를 부르기
(c) 다른 재킷을 사기
(d) 다른 옷을 사기

어구 return 반납하다
exchange 교환하다

해설 남자는 대화의 처음에서 자신의 방문 목적을 알리고 있다. 코트를 반납하러 왔다고 했으므로 정답은 (a)가 된다. 쇼핑하는 상황에서 return(반납), exchange(교환), refund(환불) 등은 자주 나오는 어휘이므로 잘 익혀 두어야 한다.

정답 (a)

35

W What should we have for dinner?
M Let's eat at that new Japanese place.
W Oh, I'm tired of Japanese food. I want something different.
M Okay. What about Indian?
W It's tempting. I've never had that before.
M Then let's try it. I bet we could find a place in the yellow pages.

Q What are the speakers mainly talking about?
(a) What kind of food they should have for dinner
(b) Which restaurant is the best in town
(c) What Indian food is like
(d) Evaluating several restaurants

해석 W 저녁으로 무엇을 먹을까?
M 새로운 일식집에서 먹자.
W 일식은 질렸어. 난 좀 색다른 것을 먹고 싶어.
M 좋아. 그럼 인도 음식은 어때?
W 끌리는데. 전에 한 번도 먹어 본 적이 없어.
M 그럼 한번 먹어보자. 전화번호부에서 찾을 수 있을 거야.
Q 화자들은 무엇에 대해 주로 이야기하고 있는가?
(a) 저녁으로 무엇을 먹을까
(b) 동네에서 어떤 식당이 가장 좋은가
(c) 인도 음식은 어떠한지
(d) 여러 식당을 평가하기

어구 yellow page (미국의) 업소 전화번호부
It's tempting. 끌린다.

해설 남자와 여자는 어디에서 무엇을 먹을까 얘기하고 있다. 전체를 포괄 할 수 있는 답은 (a)가 된다. 동네에서 레스토랑을 찾고 있긴 하지만, 어디가 제일 좋은 지에 대해서 얘기하고 있는 것이 아니므로 (b)는 정답이 될 수 없다. 인도 음식이 이렇다 저렇다하는 얘기를 주로 하는 것이 아니므로 (c)도 정답이 될 수 없다.

정답 (a)

36

M Operator. How can I help you?
W Yes, I'm looking for the number for Phillips Photography.
M I don't see a listing for Phillips Photography, but there is a Phillips Art Studio.
W That might be it. Maybe I got the name wrong.
M Would you like me to connect you now?
W Yes, thank you very much.

Q What is the man doing in this conversation?
(a) Asking for directions
(b) Finding a phone number
(c) Setting up an appointment
(d) Transferring the call

해석 M 교환입니다. 어떻게 도와드릴까요?
W 네, 필립스 사진관의 전화번호를 찾고 있어요.
M 필립스 사진관은 기재가 돼 있지 않습니다. 그렇지만 필립스 스튜디오는 있습니다.
W 아마 그것일 거에요. 제가 이름을 잘못 알았나 봐요.
M 지금 연결해 드릴까요?
W 네, 고맙습니다.
Q 이 대화에서 남자는 주로 무엇을 하고 있는가?
(a) 길을 물어보기
(b) 전화번호 찾기
(c) 약속 잡아 주기
(d) 전화를 연결해 주기

어구 operator 교환원
listing 목록, 기재
connect 연결하다

해설 남자는 교환원이고, 여자가 요청한 전화번호를 찾아 주고 있으므로 정답은 (b)가 된다. 마지막에 남자가 여자의 전화를 연결 해 준다고 했지만, 이것을 주로 한다고는 볼 수 없다.

정답 (b)

37

W I almost got hit today on the way here.
M Really? What happened?
W I was crossing the street when the car didn't stop.
M Oh, my gosh. Are you okay?
W Yeah, just a little shaken up.
M I'm so glad you didn't get hurt.

Q Why was the woman frightened?
(a) She was involved in a car accident.
(b) She was almost hit by a car.
(c) Her car was shaking intensely.
(d) She couldn't stop the car.

해석 W 오늘 여기 오다가 거의 차에 치일 뻔했어.
M 정말? 무슨 일이었는데?
W 차가 멈추지 않았는데, 길을 건너고 있었어.
M 이런, 괜찮니?
W 응, 조금 놀랐어.
M 안 다쳤다니 다행이다.
Q 여자는 왜 깜짝 놀랐나?
(a) 그녀는 차 사고가 났다.
(b) 그녀는 거의 차에 치일 뻔했다.
(c) 그녀의 차는 심하게 흔들렸었다.
(d) 그녀는 차를 멈출 수 없었다.

어구 get hit 차에 치이다
cross the street 길을 건너다
shake up (쇼크 등으로) 놀라게 하다, 동요시키다
get hurt 다치다
frighten 놀라게 하다
intensely 심하게

해설 여자가 차에 치일 뻔한 상황을 설명하고 있다. 그러므로 정답은 (b)이다. almost got hit은 차에 거의 치일 뻔했다는 의미이다. 차에 치인 것은 아니므로 (a)는 정답이 될 수 없다. 질문이 자세하게 제시 되므로, 두 번 째 들을 때 여자가 왜 놀랐는지 염두에 두며 들어야 한다.

정답 (b)

38

W I can't put up with my neighbors. They are too loud.
M Why don't you go say something to them?
W I have, but they're always loud no matter what I say.
M Call the cops then. That's what I'd do.
W I don't want it to go that far.
M There doesn't seem to be any other option.

Q What is the conversation mainly about?
(a) How to be a good neighbor
(b) How to call the police
(c) How to make the woman's neighbors quiet
(d) How to get along with a neighbor

해석 W 내 이웃을 참을 수가 없어. 너무 시끄러워.
M 가서 뭐라고 하지 그러니?
W 그랬지, 그렇지만 내가 뭐라고 하던 그들은 시끄러워.
M 그러면 경찰을 불러. 나도 그랬었어.
W 그렇게 까지 하고 싶진 않은데.
M 다른 선택은 없는 것 같은데.
Q 이 대화는 무엇에 관한 것인가?
(a) 좋은 이웃이 되는 방법
(b) 경찰을 부르는 방법
(c) 여자의 이웃을 조용하게 하는 방법
(d) 이웃과 잘 지내는 방법

어구 cop 경찰
get along with ~사이좋게 지내다

해설 여자는 자신의 시끄러운 이웃에게 불만을 가지고 있다. 여자의 시끄러운 이웃에 대해 남자는 경찰을 부르라고 조언하고 있으므로, 여자의 이웃을 조용하게 하는 방법에 대해 얘기하고 있다고 볼 수 있으므로 정답은 (c)가 된다.

정답 (c)

39

W We're going to watch the soccer match at the bar. Want to come?
M What teams are playing?
W I think Germany versus Brazil.
M Sounds great. Let me get my things.
W We're not leaving for another hour, so you've got time to get ready.
M Oh, good. I'll just quickly change and then we can go.

Q What is the woman asking the man?
(a) What soccer team he likes most
(b) Which team he is rooting for
(c) Whether he wants to join her to watch a game
(d) Where they can meet to get a drink

해석 W 바에서 축구 경기를 볼 거야. 같이 갈래?
M 어떤 팀이 경기하니?
W 독일 대 브라질이야.
M 좋아. 내 물건 좀 챙길게.
W 한 시간 있다가 떠날 거야, 그러니까 준비하는데 시간이 있어.
M 좋아. 얼른 옷을 갈아입고 함께 가자.
Q 여자는 남자에게 무엇을 물어 보고 있는가?
(a) 그가 어떤 축구팀을 가장 좋아하는지
(b) 그가 어떤 팀을 응원하는지
(c) 그녀와 함께 경기를 보고 싶어 하는지
(d) 술을 마시러 어디에서 만날 수 있는지

어구 change 옷을 갈아입다
root for 응원하다

해설 여자가 남자에게 축구 경기를 보자고 초대하고 있고, 남자는 이에 수락을 하고 있으므로 정답은 (c)가 된다. 축구 경기 팀을 말하긴 했지만, 남자가 어떤 팀을 좋아하고 어떤 팀을 응원하는 지에 대한 얘기는 없으므로 (a)와 (b)는 정답이 될 수 없다.

정답 (c)

40

W Have you seen my cell phone?
M No. Let me call it right now.
W Okay. Well, I don't hear anything.
M When do you remember last using it?
W Outside the library, I think.
M Maybe you dropped it somewhere around there.

Q Which is correct according to the conversation?

(a) The woman's cell phone is out of order.
(b) The woman left her cell phone in the library.
(c) The woman can't locate her cell phone.
(d) The woman has been to the lost and found.

해석 W 내 핸드폰 봤어?
M 아니, 내가 지금 전화 한번 해볼게.
W 알았어. 그런데 아무 소리도 들리지 않네.
M 마지막으로 언제 썼어?
W 아마도 도서관 밖에서.
M 그럼 그 근처 어디에 떨어뜨렸나 보다.
Q 대화에 따르면 맞는 것은?
(a) 여자의 핸드폰은 고장 났다.
(b) 여자는 도서관에 핸드폰을 두고 나왔다.
(c) 여자는 핸드폰을 잃어 버렸다.
(d) 여자는 분실물 센터에 갔다 왔다.

어구 drop 떨어뜨리다
have been to ~에 갔다 오다
locate ~의 위치를 파악하다
lost and found 분실물 센터

해설 여자는 핸드폰을 잃어 버렸다. 핸드폰을 도서관 밖에서 쓴 후 행방을 알 수 없으므로, 도서관에 핸드폰을 두고 나왔다는 (b)는 정답이 될 수 없다. 여자의 핸드폰이 고장 난 상황은 아니므로 (a)는 정답이 될 수 없고, 여자가 분실물 센터에 갔다 왔다는 것은 상상이다. (d)는 정답이 될 수 없다. 보기에서 locate가 위치를 파악하다는 의미인 것을 반드시 익혀 두어야 한다. can't locate는 위치 파악이 안되는 것이므로, 즉 물건 등을 잃어버렸다는 의미가 될 수 있다.

정답 (c)

41

M Want to get a snack before class?
W But class starts in 15 minutes.
M It's alright. We can just get some chips and soda.
W Where can we go?
M There's a vending machine upstairs.
W Alright, you convinced me.

Q Which is correct according to the conversation?

(a) The vending machine downstairs is broken.
(b) The man and woman will skip the class.
(c) The man and woman have 15 minutes to have a snack.
(d) The man and woman will watch a movie in 15 minutes.

해석 M 수업하기 전에 뭘 좀 먹을래?
W 15분 있으면 수업 시작 하는데.
M 괜찮아. 과자와 음료수는 먹을 수 있어.
W 어디로 가지?
M 아래층에 자판기가 있어.
W 좋아. 네가 나에게 확신을 주는 구나.
Q 대화에 맞는 사실은 무엇인가?
(a) 아래층의 자판기는 고장 났다.
(b) 남자와 여자는 수업을 빼 먹을 것이다.
(c) 남자와 여자는 간식을 먹을 15분의 여유가 있다.
(d) 남자와 여자는 15분 후에 영화를 볼 것이다.

어구 snack 간단한[가벼운] 식사, 간식, 스낵
soda 탄산음료
vending machine 자판기
convince 설득하다, 확신시키다
skip the class 수업을 빼먹다

해설 남자가 여자에게 간식을 먹자고 제안하고 있다. 여자가 수업이 15분 있다가 시작한다고 했으므로, 남자와 여자는 간식을 먹기 위해 15분의 여유가 있는 것이다. 그러므로 정답은 (c)가 된다. 화자들은 15분의 여유동안 간식을 먹고 수업에 들어 갈 것이므로 (b)는 정답이 될 수 없다.

정답 (c)

42

M Did you go to Melissa's party?
W Yes, but only for a short time.
M I guess that's why I didn't see you there.
W Did you need to talk to me about something?
M No, I just wanted you to meet my cousin who's visiting me.
W Oh, you did? Maybe we can all have lunch next week.

Q What can be inferred from this conversation?
(a) The woman didn't show up for the party.
(b) Melissa's party was too short.
(c) The man stayed at the party for a short time.
(d) The man's cousin was at the party.

해석 M 멜리사의 파티에 갔었니?
W 응, 그런데 잠깐 있었어.
M 그래서 너를 못 봤구나.
W 나한테 뭐 할 말 있었니?
M 아니, 나를 만나러온 내 사촌을 소개시켜 주려 했었어.
W 아, 그랬니? 다음 주에 점심을 같이 하자.
Q 대화에서 추론할 수 있는 것은 무엇인가?
(a) 여자는 파티에 참석하지 않았다.
(b) 멜리사의 파티는 짧았다.
(c) 남자는 파티에 짧게 머물렀다.
(d) 남자의 사촌은 파티에 왔었다.

어구 show up 나타나다, 참석하다

해설 남자는 멜리사의 파티에서 자신의 사촌을 여자에게 소개시켜 주려 했었다고 했으므로, 사촌이 파티에 왔다는 직접적 언급은 없지만 사촌이 파티에 왔기 때문에 소개를 시켜주려 했었을 것이다. 그러므로 정답은 (d)가 된다. 남자가 파티에 짧게 머무른 것이 아니라 여자가 짧게 머물렀다. 그러므로 (c)는 오답이다.

정답 (d)

43

W What should I do about my son? He's out of control.
M What's the problem?
W His grades are horrible and he only plays computer games.
M Have you tried having a serious talk?
W Yes, but it didn't help anything.
M Then maybe it's time to look for professional help.

Q What does the man suggest the woman do?
(a) Talk to her son's teacher.
(b) Have a serious talk.
(c) Hire a tutor to improve her son's grades.
(d) Seek an expert's advice.

해석 W 우리 아들을 어쩌면 좋죠? 통제 불능이에요.
M 무엇이 문제죠?
W 성적이 좋지 않고 컴퓨터 게임만 해요.
M 진지하게 얘기를 해 보셨나요?
W 네, 그렇지만 별 도움이 되지 않았어요.
M 그러면 전문가의 도움을 구해야할 때 인 것 같네요.
Q 남자가 여자에게 무엇을 제안했는가?
(a) 아들의 선생님과 이야기 해봐라.
(b) 심각하게 얘기해 봐라.
(c) 아들의 성적을 올리기 위해 과외 선생님을 고용해라.
(d) 전문가의 조언을 구해라.

어구 out of control 통제할 수 없는
expert 전문가

해설 남자는 맨 마지막에서 professional help를 구하라고 조언하고 있으므로, 전문가의 조언을 구하라는 (d)가 정답이 된다. 남자는 여자에게 여자의 아들과 진지하게 얘기해 봤냐고 확인을 했지 조언을 한 것은 아니므로 (b)는 정답이 될 수 없겠다.

정답 (d)

44

M Welcome to DFW International Airport. How can I help you?
W Can you tell me of a good hotel nearby?
M Well, there are several three and four star hotels right outside the airport.
W I'm looking for something around $100 a night.
M The Majestic is only a few minutes away and has rooms for $90 a night.
W That sounds perfect. Now I just need to make a reservation.

Q What can be inferred from this conversation?
(a) The woman is not familiar with the area.
(b) The woman is taking a sightseeing trip.
(c) The woman doesn't seem to like the man's suggestion.
(d) The woman wants to confirm her reservation.

해석 **M** DFW 국제공항에 오신 것을 환영 합니다. 무엇을 도와 드릴까요?
W 근처에 좋은 호텔을 말씀해 주시겠어요?
M 글쎄요, 공항 바로 나가시면 3성, 4성급 호텔이 여러 개 있습니다.
W 저는 하루에 $100 정도의 호텔을 찾고 있어요.
M 마제스틱 호텔은 여기서 몇 분 거리이고, 하룻밤에 90달러에요.
W 아주 좋군요. 예약을 해야겠어요.
Q 이 대화에서 추론 할 수 있는 것은?
(a) 여자는 이 지역에 익숙하지 않다.
(b) 여자는 관광 여행을 할 것이다.
(c) 여자는 남자의 제안을 좋아 하지 않는 것 같다.
(d) 여자는 자신의 예약을 확인 하고 싶어 한다.

어구 make a reservation 예약하다
confirm a reservation 예약 확인하다
be familiar with~ ~에 익숙하다
take a trip 여행하다
sightseeing 관광

해설 여자는 공항에서 자신이 묵을 수 있는 호텔을 물어 보는 것을 봐서는 공항 근처의 지역에 대해 익숙하다고 보기 힘드므로 정답은 (a)가 된다. 여자가 단지 공항에 있다는 것만으로, 여자가 여행을 할 것이라고 추론하기는 힘드므로 (b)는 정답이 될 수 없다. 여자는 남자의 제안을 받아 들였으므로 (c)는 오답이다.

정답 (a)

45

W I really need to switch offices.
M Why? The one you have now is huge.
W Yeah, but the view is horrible. I want a river view.
M Did you ask your boss yet?
W Not yet. I'm not sure how to ask him.
M Good luck. I heard he hasn't approved the change of an office ever before.

Q What can be inferred about the boss?
(a) He also likes an office with a river view.
(b) He would like to switch offices.
(c) He might not accept the woman's request.
(d) He has an office with a river view.

해석 **W** 사무실을 정말 바꾸고 싶어.
M 왜? 네가 있는 사무실은 크잖아.
W 그래, 그렇지만 경관이 좋지 않아. 나는 강이 보이는 게 좋아.
M 상사에게 물어 봤니?
W 아직. 그에게 어떻게 물어 봐야 할 지 모르겠어.
M 행운을 빌어. 그는 전에 사무실 바꾸는 것을 아무에게도 허락하지 않았다고 들었어.
Q 상사에 대해서 추론 할 수 있는 것은?
(a) 그도 역시 강이 보이는 사무실을 좋아 한다.
(b) 그는 사무실을 바꾸고 싶어 한다.
(c) 그는 아마도 여자의 요청을 받아들일 것 같지 않다.
(d) 그는 강이 보이는 사무실을 가지고 있다.

어구 switch 바꾸다
river view 강이 보이는 경관
approve 승인하다, 허락하다

해설 여자는 자신의 사무실을 바꾸고 싶어 하지만, 상사에게 어떻게 말해야 할지 고민하고 있다. 남자는 지금껏 상사가 사무실을 바꾸어 준 적이 없다고 얘기 했으므로, 여자의 상사에 대해서 추론할 수 있는 것은 여자의 요청을 거절할 가능성이 크다는 것이다. 그러므로 정답은 (c)가 된다.

정답 (c)

Part 4

46

The Kodiak is the number one cruise line that takes you personally into the wilds of Alaska. Our quiet smokeless engines won't disturb you from watching whales from the railing, and the animals can be left in peace to live naturally. We take every precaution to ensure your safety as well as preserve the safety and environment of the animals. The reliable crew also helps to make every trip with us memorable. Call 1-800-555-8078 for more information today!

Q What is mainly being advertised?

(a) A cruise trip to Alaska
(b) A quiet smokeless engine
(c) A trip to the zoo
(d) A program for protecting animals

해석 코디악사는 여러분을 알라스카의 자연으로 직접 데려다 주는 최고의 크루즈 여행입니다. 조용하고 연기가 없는 엔진은 여러분이 배의 난간에서 고래를 구경하는 것을 절대 방해하지 않을 것입니다. 그리고 동물들은 자연에서 평화롭게 살 수 있습니다. 저희는 동물들의 환경과 안전을 지키는 것 뿐 아니라, 여러분의 안전 또한 보장해 드리기 위해 사전 조치를 취하고 있습니다. 신뢰할 수 있는 승무원들이 여러분의 여행이 추억에 남는 여행이 되도록 도울 것입니다. 더 많은 정보를 위해서 1-800-555-8078로 오늘 전화 주세요.

Q 주로 무엇이 광고 되고 있는가?

(a) 알라스카로의 크루즈 여행
(b) 조용한 연기 없는 엔진
(c) 동물원으로의 여행
(d) 동물을 보호하기 위한 프로그램

어구 line 《기차 · 버스 등의》 (정기) 항로, 운송 회사
railing 난간
smokeless 무연의, 연기가 없는
take precaution 조심하다
preserve 보존하다, 지키다.
ensure 안전하게 하다
reliable 신뢰할 수 있는, 믿을 수 있는
crew 배의 승무원

해설 코디악사의 조용한 엔진을 장착한 크루즈 선, 자신들의 안전 조치, 신뢰할 수 있는 승무원들이 알라스카로의 여행을 즐겁게 만들어 준다고 요약할 수 있겠다. 그러므로 정답은 (a)가 된다. 중간 즈음에 동물들의 안전과 환경을 지킨다는 말이 있었지만, 동물을 보호하기 위한 프로그램이 아니라, 자신들의 여행 상품이 자연을 망치지 않는다는 내용이므로 정답을 (d)로 혼동하지 말자. 광고문은 전반에 주제가 나오기 쉬우니, 전반부를 더 주의깊게 듣자.

정답 (a)

47

Good morning, faculty members. I'm so glad to see everyone out to meet and greet our four new adjunct professors. Today's meeting is to let each person introduce themselves. Also, other members of our faculty can personally meet the new professors as well. These four professors will only be with us for varying amounts of time. But I'm sure that this is only the beginning of many strong personal and academic relationships. Now let's get on with our meeting.

Q What is the main purpose of the meeting?

(a) To discuss the salary of the new professors
(b) To make new acquaintances among faculty
(c) To introduce the new president of the university
(d) To welcome new students of the university

해석 안녕하세요, 교수님들. 저는 여러분들이 새로 오신 외래 교수님들을 뵙고 인사하기 위해 나와 주셔서 너무나 기쁩니다. 오늘 회의는 서로 소개를 하기 위함입니다. 또한 우리 학교의 교수님들은 새로운 교수님들을 직접 만나실 수 있습니다. 네 분의 교수님들은 모두 다른 근무 기간을 함께 하실 것입니다. 그러나 이것은 개인적, 학문적 관계를 돈독히 형성하는 시작이 될 것입니다. 이제 회의를 시작하도록 하죠.

Q 이 회의의 목적은 무엇인가?

(a) 새로 온 교수들의 연봉을 논의하기 위해서
(b) 교수들 간에 서로 안면을 익히기 위해서
(c) 대학의 새 총장을 소개하기 위해
(d) 대학의 신입생을 환영하기 위해

어구 faculty 교수진
adjunct professor 비상근[외래] 교수
make acquaintance 사귀다, 알다
president 대통령, 총장, 회장

해설 회의나 세미나 등은 맨 처음에 목적을 밝히기 쉽다. 화자는 교수들이 새 교수들을 만나기 위해 나와 주어서 감사하다고 하며, 회의의 목적은 서로 소개하기 위함이라고 했으므로, 교수들 간의 얼굴 익히기가 회의의 목적이라고 볼 수 있다. 그러므로 정답은 (b)가 되겠다.

정답 (b)

48

In today's class, we'll examine the accomplishments of Ansel Adams, one of the most famous American photographers. He is best known for his dramatic black and white landscape photos of the American southwest. His name is forever associated with the High Sierra and Yosemite Valley areas, which is where he also did some of his work. Adams worked to bring public attention toward nature conservation.

Q What is the main topic of the lecture?

(a) Ansel Adams' activities promoting nature conservation
(b) How Ansel Adams became a photographer
(c) Where Ansel Adams worked
(d) Ansel Adams' achievements

해석 오늘 수업에서는, 미국의 가장 저명한 사진작가 중 한 사람인 앤젤 아담스의 업적에 대해서 알아보겠습니다. 그는 미국 남서부의 극적인 흑백사진으로 잘 알려져 있습니다. 그의 이름은 그가 작업했던 하이 시에라와 요세미티 밸리 지역과 영원히 기억 될 것입니다. 아담스는 자연 보호에 대해 대중의 관심을 모으기 위해 활동했습니다.

Q 이 강의의 주제는 무엇인가?

(a) 앤젤 아담스의 자연 보호를 위한 활동들
(b) 앤젤 아담스가 어떻게 사진작가가 되었는지
(c) 엔젤 아담스가 어디서 일했는지
(d) 앤젤 아담스의 업적

어구 accomplishment 성취, 완성, 실행
dramatic 극적인
landscape 풍경, 경치
be associated with~ ~과 연관되다

해설 Part 4에서 학술문이 많아지고 있는데, 학술문에서 특히 In today's class로 시작하면 뒤를 잘 들어야 주제를 파악 할 수 있다. 화자는 오늘 엔젤 아담스의 업적에 대해서 알아보겠다고 했으므로 정답은 (d)가 된다. (a), (c)가 담화에 언급되기는 하지만, 전체적인 주제로 보기에는 너무 세부적인 사항이고 전체를 포괄 할 수 있는 것은 (d)다.

정답 (d)

49

Welcome to British Literature 4600. This class will focus mostly on discussion and comprehension of romantic literature. You'll have two papers throughout the semester on the topic of your choice and then another final paper at the end of the semester. The final paper topic will be given to you towards the end of the semester. Each paper is worth 25% of your grade. The last quarter will come from class discussion and participation.

Q What is the main purpose of this talk?

(a) To inform about assignments and grading policy
(b) To announce the paper topic
(c) To give tips on how to get a good grade
(d) To emphasize how important school work is

해석 영국 문학 4600에 오신 것을 환영합니다. 이 수업은 주로 로맨틱 문학의 이해와 토론에 집중될 것입니다. 이번 학기 중 여러분이 선택한 주제에 대해 쓰는 숙제가 두 개 있으며, 학기말에 기말 리포트가 있습니다. 기말 리포트의 주제는 학기 말 즈음에 주어질 것입니다. 각각의 리포트는 여러분의 학점에 25%를 차지할 것입니다. 마지막 25%는 수업 중 토론과 참여로 평가 될 것입니다.

Q 이 담화의 주요 목적은 무엇인가?

(a) 숙제와 성적 방침에 대해서 알려주기 위해
(b) 리포트 주제를 발표하기 위해
(c) 좋은 학점을 받기 위해 조언을 해주기 위해
(d) 학교 수업이 얼마나 중요한지 강조하기 위해

어구 comprehension 이해
final paper 기말 리포트
quarter 4분의 1

해설 대학 수업의 첫 시간 이루어지는 담화이다. 화자는 숙제와 성적이 어떻게 매겨 질지에 대해서 주로 얘기하고 있으므로 정답은 (a)가 된다.

정답 (a)

50

Thanks for calling the Berkely residence. We can't pick up the phone right now, but leave us a name and a number and we'll get back to you as soon as possible. For those of you calling about the car we advertised, it's still for sale. If you're interested, please leave a name, number, and when you'd like to come and take a look at the car. We will call you back ASAP to set up a meeting. Thanks for calling.

Q Which is correct according to the phone message?

(a) The speaker is moving to a different city.
(b) The speaker is willing to cut the car price.
(c) The speaker's car is still available to buy.
(d) The speaker's car is in good condition.

해석 버클리의 집에 전화 주셔서 감사합니다. 저희는 지금 전화를 받을 수가 없습니다. 그렇지만 이름과 전화번호를 남겨 주시면 가능한 빨리 연락드리겠습니다. 저희가 광고한 차에 대해서 전화하신 분들이라면, 그 차는 아직 팔리지 않았습니다. 관심이 있으시면, 이름과 전화번호, 언제 방문해서 차를 보시고 싶으신지 남겨주세요. 약속을 잡기 위해 최대한 빨리 연락드리겠습니다. 전화 주셔서 감사합니다.

Q 전화 음성 메시지에 의하면 사실인 것은 무엇인가?
(a) 화자는 다른 도시로 이사를 갈 것이다.
(b) 화자는 차의 가격을 깎아줄 의향이 있다.
(c) 화자의 차는 여전히 판매될 수 있다.
(d) 화자의 차는 성능이 좋다.

어구 residence 주거, 주택
pick up the phone 전화를 받다
ASAP 가능한 빨리 (as soon as possible의 줄임말)
take a look 보다
be willing to~ ~할 의향이 있다
set up (약속 등을) 잡다
cut the price 가격을 깎아주다
be in good condition 상태가 좋다, 양호하다
cf. be in bad condition 상태가 나쁘다

해설 화자는 차를 내 놓았고, 아직 팔리지 않았다고 했으므로 정답은 (c)가 된다. 차가 팔리지 않았다고만 했지, 차의 상태와 가격 협상 대해서는 언급이 없으므로 (b)와 (d)는 정답이 될 수 없다.

정답 (c)

51

Although there is much talk surrounding the release of John Carter's new movie, Beyond the Dark, to this critic, it was a complete disappointment. The movie barely has a plotline and the acting reflects that. The dialogue is boring and at times quite unrealistic. Every other scene is a violent blood-filled fight. The only people that this movie will appeal to are those who just want to see a lot of violence played out with a simplistic storyline.

Q What is the speaker's attitude toward the movie?

(a) Enthusiastic
(b) Negative
(c) Approving
(d) Sarcastic

해석 존 카터의 신작 영화 '어둠 너머에'의 개봉을 둘러싸고 많은 평들이 있었지만, 저에게 이 영화는 완전히 실망을 안겨주는 것이었습니다. 이 영화는 줄거리가 거의 없으며, 연기 또한 그것을 반영합니다. 영화의 대사는 지겹고, 때때로 비현실적입니다. 모든 장면들은 유혈이 낭자한 잔인한 격투 장면으로 이루어져 있습니다. 이 영화가 흥미로울 수 있는 사람들은 단순한 스토리 전개와 많은 폭력적인 장면을 보고 싶어 하는 사람들뿐일 것입니다.

Q 이 영화에 대한 화자의 태도는 어떠한가?
(a) 열광적인
(b) 부정적인
(c) 만족해하는
(d) 냉소적인

어구 reflect 반영하다
release (영화 등의) 개봉
blood-filled 유혈이 낭자한
enthusiastic 열렬한, 열정적인
sarcastic 냉소적인

해설 화자의 태도를 묻는 문제는 감정이 실리는 형용사, 명사, 동사 등에 주의해서 들어야 한다. disappointment, boring, unrealistic 이런 단어들을 잘 들었다면 화자는 이 영화에 대해 좋지 않게 생각하고 있음을 알 수 있다. 그러므로 정답은 (b)가 된다.

정답 (b)

52

Although many people are aware of different stars in the sky, like Polaris or Ursa Major, what many people don't know is that there are many different classes of stars grouped by size. There are five different groups supergiants, giants, red giants, dwarf stars and white dwarfs, largest to smallest. Supergiants are hundreds of times bigger than the sun. Our own sun is what is known as a dwarf star and a white dwarf's diameter is smaller than the distance across Asia.

Q What is the lecture mainly about?

(a) The largest star in the universe
(b) Different categories of stars by size
(c) What category the sun belongs to
(d) What characteristics a dwarf star has

해석 많은 사람들이 하늘에 많은 별들, 예를 들면 북극성이나 큰곰자리와 같은 별들이 있다고 알긴 하지만, 크기별로 나누어진 각기 다른 별들의 분류가 있다는 사실은 잘 모른다. 다섯 개의 그룹이 있다. 즉, 큰 별부터 작은 별 순으로 초거성, 거성, 적색 거성, 왜성, 백색 왜성이다. 초거성은 태양보다 수백 배나 크다. 태양은 왜성으로 알려져 있으며 백색 왜성의 지름은 아시아를 가로지르는 거리보다 작다.

Q 이 강의는 주로 무엇에 관한 것인가?

(a) 우주에서 가장 큰 별
(b) 크기에 따른 별들의 다른 분류
(c) 태양은 어떤 별의 분류에 속하는지
(d) 왜성의 특징들

어구 Polaris 북극성
Ursa Major 큰곰자리
supergiants 초거성
giants 거성
red giants 적색 거성
dwarf stars 왜성
white dwarfs 백색 왜성

해설 초거성, 거성, 적색 거성 등의 천문학 전문 용어들이 들어있어 어렵게 들리겠지만, 이 전문 용어들을 몰라도 주제는 충분히 찾을 수 있다. 화자는 별을 크기에 따라 나누는 다섯 개의 분류법을 말하고, 태양이 어떤 별에 속하는지 얘기하고 있으므로 전체 주제는 (b)가 된다. (c)에 대한 언급은 있지만, 전체를 포괄할 수 있는 주제가 될 수는 없다.

정답 (b)

53

Attention all students. Because of weather conditions, the rest of classes will be cancelled for today and tomorrow. It has been reported by the weather bureau that the snow will only be worse tonight. Any tests you may have scheduled during the time that we're out of classes will be rescheduled by your professors. The adminstration office will be open for another two hours today, but will be closed all day tomorrow and reopen the next day at 9 a.m.

Q Which is correct according to the announcement?

(a) The school will be closed tomorrow.
(b) Classes will be cancelled for the rest of the week.
(c) School events will be delayed for one week.
(d) Tests will be given despite the bad weather.

해석 모든 학생들은 주목해 주세요. 좋지 않은 날씨 때문에, 오늘 수업의 나머지와 내일 수업은 휴강이 되겠습니다. 기상청에서는 오늘밤에 눈이 가장 심하게 내릴 것이라고 보도했습니다. 휴강된 기간에 시험 일정이 있었다면 여러분의 교수님에 의해서 재조정 될 것입니다. 학사 행정처는 오늘 두 시간 후 문을 닫습니다. 그러나 내일은 문을 닫을 것이며, 그 다음 날 오전 9시에 다시 업무를 시작할 것입니다.

Q 이 공지에 따르면 맞는 것은 무엇인가?

(a) 학교는 내일 문을 닫을 것이다.
(b) 학교 수업이 이 주의 나머지 동안 휴강될 것이다.
(c) 학교 행사는 일주일 동안 연기 될 것이다.
(d) 악천후에도 시험은 치러 질 것이다.

어구 the weather bureau 기상청
adminstration office 행정처

해설 날씨로 인해 학교가 임시로 문을 닫는다는 내용이다. 지금 으로부터 내일까지 학교의 모든 수업이 휴강되고, 행정처도 문을 닫으므로 학교는 내일 문을 닫는다는 (a)가 정답이 된다. 오늘과 내일 사이에 시험 일정이 있다면, 시험일정이 재조정된다고 했으므로 (d)는 오답이다.

정답 (a)

54

The National Health Center released a news report this week that proposes married people may be more healthy and live longer lives than single people. The study was conducted with interviews and research from over 100,000 single and married people from ages 30 to 80. The study concluded that married people do not smoke as much, drink less alcohol, and are more physically active than their single counterparts. They are also less likely to suffer from stress or headaches.

Q What is revealed from the research?

(a) Single people are healthier than married people.
(b) Single people are under less stress than married people.
(c) Married people's longevity is greater than single people's.
(d) Having children is a secret to longevity.

해석 국민 건강 센터는 이번 주에 새로운 보고서를 발표 했습니다. 보고서는 결혼을 한 사람이 독신으로 사는 사람보다 훨씬 건강하게 살고, 오래 산다고 밝혔습니다. 이 연구는 100,000명의 독신인 사람들과 결혼한 사람, 30세에서 80세까지 대상으로 한 인터뷰와 리서치로 행해졌습니다. 이 연구는 결혼을 한 사람은 그렇지 않은 사람들에 비해 담배를 덜 피우고, 음주를 덜 하며, 신체적으로 훨씬 활동적이라고 결론을 내렸습니다. 결혼을 한 사람들은 또한 스트레스나 두통에도 덜 고통 받습니다.

Q 이 연구에서 밝혀진 것은 무엇인가?

(a) 독신인 사람들이 결혼한 사람들보다 더 건강하다.
(b) 독신인 사람들이 결혼한 사람들보다 스트레스를 덜 받는다.
(c) 결혼한 사람들의 수명이 독신인 사람들의 수명보다 길다.
(d) 아이를 갖는 것이 장수의 비결이다.

어구 propose 주장하다, 제안하다
married people 결혼한 사람들
single people 결혼을 안 한 사람들
physically 신체적으로
counterpart (한 쌍의) 한 쪽, 상대방
longevity 장수, 생명

해설 의학에 관련된 담화에서는 새로운 발견, 혹은 연구 결과 등이 주제로 나오기 쉬우므로 그것을 잘 파악해야 한다. 이 담화에서는 The study concluded 뒤에서 결혼한 사람들이 더 건강하고, 오래 살며, 스트레스를 덜 받는다고 연구의 결론을 말해줬으므로 (c)가 정답이 된다. 연구 결과는 The study concluded, The research showed, The research revealed 등의 말로 발표되기 쉬우므로 이 말들의 뒤를 잘 들어야 한다.

정답 (c)

55

Country leaders in Scotland are urging citizens more than ever to watch what they eat since their country has one of the highest rates of heart disease in the world. It is estimated that one out of every three Scots has been treated for some form of heart disease. The reason seems that people tend to eat large amounts of deep fried foods. So the government has been campaigning to get the people of Scotland conscious about their heart health.

Q Which is correct according to the report?

(a) Fried foods are responsible for heart disease.
(b) Fast foods should be banned from school.
(c) Leaders in Scotland didn't take care of the health problem.
(d) The incidence of heart disease of Scotland has decreased.

해석 스코틀랜드의 지도자들은 국민들이 자신들의 식생활에 더욱 신경을 쓰도록 촉구했다. 왜냐하면 스코틀랜드는 세계에서 심장 질환이 가장 많은 나라 중 하나이기 때문이다. 스코틀랜드 사람의 3분의 1은 심장질환으로 치료를 받은 적이 있다. 사람들이 많은 양의 튀긴 음식을 먹기 때문인 것 같다. 그러므로 정부는 심장 건강에 대해 스코틀랜드 국민의 의식을 고취시키기 위해 캠페인을 하고 있다.

Q 이 보고에 따르면 맞는 것은 무엇인가?

(a) 튀긴 음식은 심장병의 원인이다.
(b) 패스트푸드는 학교에서 금지되어야 한다.
(c) 스코틀랜드의 지도자들은 건강 문제를 다루지 않는다.
(d) 스코틀랜드의 심장병 발병률은 감소 추세이다.

어구 urge 주목시키다, 관심을 향하게 하다
estimate 어림하다, 추정하다
treat 치료하다
heart disease 심장병
campaign (사회적 · 정치적) 운동하다, 캠페인하다

해설 스코틀랜드가 세계적으로 심장병이 많은 나라라고 밝히고, 원인은 튀긴 음식이라고 했으므로 정답은 (a)가 된다. 심장병의 원인인 튀긴 음식이 많은 패스트푸드가 학교에서 금지되어야 한다는 것은 상상해 볼 수는 있겠지만, 보도에는 언급이 없으므로 (b)는 정답이 될 수 없다.

정답 (a)

56

In Greek mythology, Zeus was supreme among all the other gods and goddesses. He was the ruler of the court on Mount Olympus and was the symbol for rule, power, and law. As the ruler of all the gods and as the one to uphold morals, it was also Zeus' job to punish the evil and reward the good. Because he was the god of weather and fertility, he was worshipped in connection with almost every aspect of ancient Greek life, from harvests to weddings.

Q Which is correct about Zeus?

(a) He was an actual figure who lived in Greece.
(b) He was the person ancient Greeks worshipped most.
(c) He was the king of the gods in Greek mythology.
(d) His primary job was to punish the evil.

해석 그리스 신화에서, 제우스는 모든 신과 여신 중에 최고의 신이었다. 그는 올림푸스산 법정의 통치자였으며, 지배, 권력과 법의 상징이었다. 모든 신의 통치자로서, 윤리를 지지하는 신으로서, 악을 벌하고 선을 칭찬하는 것은 제우스의 일이었다. 제우스는 날씨와 다산의 신이었으므로, 추수에서 결혼까지 그리스인들의 삶에 거의 모든 면에 관련되어 숭배 되었다.

Q 제우스신에 대해서 맞는 것은 무엇인가?

(a) 그는 그리스에 살았던 실존 인물이다.
(b) 그는 고대 그리스 사람들이 가장 숭배했던 사람이었다.
(c) 그는 그리스 신화에서 신들의 왕이었다.
(d) 그의 주요한 일은 악을 벌하는 일이었다.

어구 mythology 신화
Zeus [그리스 신화] 제우스
supreme 최고의, 최상의, 최우수의
uphold 지지하다, 변호하다
moral 윤리의, 도덕의
fertility 비옥, 다산, 풍부
worship 숭배하다, 존경하다

해설 그리스 신 제우스에 관한 담화이다. 제우스가 신들 중에 최고의 위치에 있으며, 그리스 인들의 거의 모든 삶을 관장하며 숭배되었다는 내용이므로 정답은 (c)가 된다. 제우스는 신이지 사람이 아니므로 (a)와 (b)는 정답이 될 수 없다.

정답 (c)

57

There is a huge accident with 10 cars on the southbound side heading out of downtown, which will make this rush hour traffic going home even worse. It seems like the accident was caused by a truck that ran into the barrier in the middle of the highway and then that caused the other cars behind it to crash into it. It will take several hours to clear up this mess, so if you are in downtown heading home take an alternate route.

Q Which is correct according to the traffic report?

(a) A clean-up crew is on the scene.
(b) Several cars are involved in an accident.
(c) The cause of the accident is uncertain.
(d) The traffic jam will be relieved soon.

해석 다운타운에서 나가는 남쪽 방면에 차량 10대가 큰 사고가 났습니다. 이 사고는 집으로 돌아가는 혼잡한 교통을 더욱 악화시키고 있습니다. 이 사고는 고속도로 중앙 분리대를 들이 받은 트럭이 원인이 되었습니다. 그런 후 그 뒤에 있던 다른 차들이 트럭에 충돌하였습니다. 이 혼잡을 정리하기 위해선 여러 시간이 걸릴 것 같습니다. 그러므로 귀가할 예정에 있는 다운타운에 계시는 분들은 다른 우회로를 찾으시기 바랍니다.

Q 교통 방송에 따르면 맞는 것은 무엇인가?

(a) 교통 정리반은 현장에 있다.
(b) 여러 대의 차가 사고가 났다.
(c) 이 사고의 원인은 확실하지 않다.
(d) 교통 정체는 곧 풀릴 것이다.

어구 head ~로 향하다
run into (차가) ~와 충돌하다
barrier 장벽
crash 충돌하다, 산산조각으로 부수다
take 시간이 걸리다
clear up 치우다, 청소하다
mess 난잡, 뒤죽박죽, 엉망진창
alternative route 우회로
clean-up crew 정리반
be involved in ~관련되다, 연루되다
relieve 경감 시키다, (교통 정체 등) 풀리다

해설 교통 방송은 여러가지 정보들이 쏟아져 나오므로, 정보들을 잘 외우려는 마음가짐으로 들어야 하겠다. 이 사고는 10중 추돌사고였다. 중앙 분리대를 들이 받은 트럭이 원인이 되어 뒤에 있는 차들과 함께 사고가 난 것이므로 정답은 (b)가 된다. 사고의 원인은 밝혀졌으므로 (c)는 정답이 될 수 없다. 교통방송은 사고의 원인과 우회도로 등이 늘 중요한 내용이 되니 주의 깊게 듣자.

정답 (b)

58

Although not as popular as gasoline powered cars, hybrid cars are on the rise. The most popular feature, obviously, is that it saves gas by having a gasoline engine that is helped by an electric motor. The hybrid engine is special because it can recapture lost electricity and store it in a battery pack, which is used again and again. Hybrid cars are also designed to run on little or no help from the gasoline engine.

Q According to the talk, which characteristic of hybrid cars do people like the most?

(a) The powerful engine
(b) The beautiful design
(c) The fuel-saving engine
(d) The smooth driving

해석 기름으로 동력을 얻는 차만큼 인기가 좋진 않아도, 하이브리드 차는 상승세에 있습니다. 명백히 가장 인기 있는 특징은 전기 모터의 도움을 받는 가솔린 엔진을 통해 기름을 절약할 수 있다는 데에 있습니다. 하이브리드 엔진은 잃어버린 전기를 다시 얻어서 전지에 축적을 하고, 계속 다시 쓸 수 있기 때문에 특별합니다. 하이브리드 차는 가솔린 엔진의 도움이 전혀 없거나, 조금의 도움으로도 작동될 수 있도록 고안 되었습니다.

Q 이 담화에 따르면, 하이브리드 차의 어떠한 면을 사람들이 가장 좋아하는가?

(a) 강한 엔진
(b) 멋진 디자인
(c) 연료를 절약하는 엔진
(d) 부드러운 주행

어구 on the rise 상승세에 있는
fuel-saving 연료를 절약하는

해설 하이브리드 차의 가장 큰 장점은 기름을 절약하는 것이라고 했으므로 정답은 (c)가 된다. 전체적으로 하이브리드 차가 연료를 아껴준다는 것을 크게 강조하고 있다.

정답 (c)

59

In today's lecture, we will explore global warming. The earth is like a greenhouse: it lets heat in, but doesn't let it out. Gases like carbon dioxide, methane, and nitrogen come from human pollution and build up in our atmosphere and raise the temperature of the planet. Warmer temperatures around the world can result in the polar ice caps melting, more droughts and tornadoes, changed weather patterns, and it may even cause the extinction of several species of animals.

Q What can be inferred from this talk?

(a) Global warming is caused by a change in weather.
(b) Global warming might break the balance of the ecosystem.
(c) Humans are trying to find a solution to global warming.
(d) The government launched a campaign against pollution.

해석 오늘 강의에서는, 지구 온난화에 대해서 알아보도록 하겠습니다. 지구는 마치 온실과 같습니다. 안에서 데워지지만, 열은 바깥으로 방출되지 않습니다. 인간들의 환경오염으로부터 이산화탄소, 메탄과 질소가 나오고, 우리의 대기에 축적되어 지구의 온도가 올라갑니다. 지구의 따뜻한 온도는 극지방의 만년설을 녹게 하고, 더 많은 가뭄과 토네이도, 변화된 기후를 야기합니다. 그리고 여러 종의 동물의 멸종을 야기시킵니다.

Q 이 담화에서 추론할 수 있는 것은 무엇인가?

(a) 지구 온난화는 기후의 변화에 의해 야기 되었다.
(b) 지구 온난화는 생태계의 균형을 깨뜨릴 수 있다.
(c) 인간들은 지구 온난화의 해결책을 찾고 있다.
(d) 정보는 공해를 반대하는 캠페인을 시작했다.

어구 global warming 지구 온난화
greenhouse 온실
raise 올리다
pollution 공해, 오염
polar ice cap 극지방의 빙원(氷原), 만년설
drought 가뭄
extinction 멸종

해설 온실 효과를 설명하면서 지구 온난화에 대한 강의를 하고 있다. 지구가 따뜻해지는 원리를 설명하고, 지구 온난화로 인해 야기되는 결과들에 대해 언급하고 있다. 맨 마지막에서 지구 온난화로 여러 종의 동물이 멸종할 수 있다는 사실로 미루어, 생태계의 균형이 깨질 수 있다고 추론할 수 있으므로 정답은 (b)가 된다. (c)는 쉽게 상상 되는 내용이지만, 위에서는 전혀 언급이 없으므로 추론할 수 없는 바이다.

정답 (b)

60

The period after the American Civil War from 1865 to 1877 is known as Reconstruction. It came in three parts. The first part was Presidential Reconstruction and the goal was to reunite the country quickly. The second phase was Radical Reconstruction and it was mostly concerned with voting rights for freed slaves. Redemption was the last stage of Reconstruction, where the defeated South took control again of the southern states and thus ended Reconstruction.

Q What can be inferred from this lecture?

(a) The American Civil War brought a great change.
(b) Because of the Civil War, America was divided into three parts.
(c) Due to the Civil War, America experienced economic hardship.
(d) After the Civil War, voting rights for women were ensured.

해석 1865에서 1877까지 남북 전쟁이 끝나고 난 후의 시기는 재건의 시기로 알려졌다. 이 시기는 세 부분으로 이루어져 있다. 첫 번째는 대통령이 명한 재건이었으며, 이것의 목적은 나라를 빠르게 통합시키려는 것이었다. 두 번째는 급진적 재건이었는데, 이것은 주로 자유로워진 노예들의 투표권에 관련된 것이었다. 재건의 마지막 단계는 되찾기였는데, 패배한 남부가 남부의 주들의 지배권을 다시 얻으며 재건은 끝났다.

Q 이 강의에서 추론할 수 있는 것은 무엇인가?

(a) 미국의 남북전쟁은 큰 변화를 가지고 왔다.
(b) 미국의 남북 전쟁은 세 부분으로 나누어진다.
(c) 남북 전쟁으로 인해 미국은 경제적 궁핍을 겪었다.
(d) 남북 전쟁이후 여성의 투표권이 보장 되었다.

어구 reconstruction 재건, 복구, 부흥
reunite 재결합 시키다
phase (변화하는 것의) 상(相), 면
be concerned with ~에 관계가 있다, 관심이 있다
voting right 투표권
redemption 되찾기
defeat 패배시키다

해설 남북 전쟁 이후의 시기에 대해 세 가지로 나누어 특징을 설명하고 있다. 이 세 가지의 특징 모두 미국의 큰 변화를 나타내므로 정답은 (a)이다.

정답 (a)

Actual Test 4

1 (c)	2 (b)	3 (b)	4 (a)	5 (a)
6 (c)	7 (b)	8 (a)	9 (a)	10 (b)
11 (b)	12 (c)	13 (c)	14 (b)	15 (b)
16 (b)	17 (b)	18 (c)	19 (c)	20 (c)
21 (b)	22 (a)	23 (b)	24 (b)	25 (b)
26 (b)	27 (b)	28 (d)	29 (a)	30 (b)
31 (b)	32 (a)	33 (a)	34 (b)	35 (a)
36 (c)	37 (d)	38 (c)	39 (c)	40 (b)
41 (a)	42 (c)	43 (b)	44 (a)	45 (b)
46 (c)	47 (c)	48 (b)	49 (b)	50 (b)
51 (c)	52 (d)	53 (a)	54 (b)	55 (a)
56 (a)	57 (c)	58 (a)	59 (a)	60 (a)

Part 1

1

M What do you think about the painting hanging over my sofa?

W ____________________

(a) I'm not good at drawing.
(b) Did you buy it at a gallery?
(c) I really like the colors used in it.
(d) Your sofa looks cozy.

해석 **M** 내 소파 위에 걸려있는 그림 어떻게 생각해?

W ____________________

(a) 나는 그림을 잘 못 그려.
(b) 이 그림을 화랑에서 샀니?
(c) 그림에 사용된 색깔이 너무 마음에 든다.
(d) 네 소파는 너무 편안해 보여.

어구 hang (물건을) 걸다, 달아매다
be good at ~을 잘하다
gallery 화랑, 전시장
cozy 편안한

해설 남자는 여자에게 자신의 집에 걸려있는 그림에 대해 평가를 내려주길 기대하고 있다. What do you think~?라고 물으면, 상대방의 의견을 물어 보는 것이다. 그러므로 그림에 사용된 색깔이 좋다는 평을 내린 (c)가 정답이다.

정답 (c)

2

W Have you ever been to this museum before?

M ____________________

(a) I often go to the gallery to view paintings.
(b) No, I didn't have a chance to check it out.
(c) When can we meet to go to the museum?
(d) I knew that you would like to visit the museum.

해석 W 이 박물관에 와 본적 있니?
M ____________________
(a) 난 그림을 보러 종종 전시장에 가곤해.
(b) 아니, 가볼 기회가 없었어.
(c) 박물관에 가게 언제 만날 수 있을까?
(d) 네가 박물관에 가는 것을 좋아할 거라고 알고 있었어.

어구 have been to~ ~에 가보다

해설 여자는 남자에게 이 박물관에 와본 경험이 있냐고 물었으므로 정답은 (b)가 된다. (b)에서 check out은 '구경하다', '둘러보다' 정도로 생각하면 되겠다. (a)는 자신의 일반적인 취향을 말하는 것이므로 정답이 될 수 없다. 전시장에 가곤했다고 해서 이 박물관에 와 봤다고 상상하면 안 된다.

정답 (b)

3

M My car is making funny noises.

W ____________________

(a) Your car is brand-new.
(b) You should have it checked.
(c) Don't make loud noises here.
(d) I thought you were a good mechanic.

해석 M 내 차에서 이상한 소리가 나.
W ____________________
(a) 네 차는 새 차야.
(b) 정비를 받아야겠다.
(c) 여기서 떠들지 마.
(d) 나는 네가 훌륭한 정비공이라고 생각했어.

어구 make noises 소리를 내다, 떠들다
mechanic 정비공

해설 남자는 자신의 차의 이상을 말했으므로, 여자가 할 수 있는 충고로는 정비를 받아보라는 게 가장 자연스럽다. 정답은 (b)이다. 정답에 사역 동사가 쓰였으므로 잘 들리지 않고, 들렸다 하더라도 의미 파악이 안 될 수 있으므로, 여러 번 따라서 읽어 보아야 한다. 사역 동사는 공식으로만 외우면 실전에서 들리지 않을 수 있으니, 많이 따라 읽어서 익숙해지도록 하자.

정답 (b)

4

W Doesn't this bus stop at Stanford Avenue?

M ____________________

(a) Yeah, I think so.
(b) The bus stopped running.
(c) I'd rather take a cab.
(d) How much is bus fare?

해석 W 이 버스는 스탠포드 가에서 서지 않나요?
M ____________________
(a) 아니요, 설걸요.
(b) 버스는 운행을 멈췄어요.
(c) 나는 차라리 택시를 타겠어요.
(d) 버스 요금은 얼마죠?

어구 take a cab 택시를 타다
bus fare 버스 요금

해설 여자는 버스가 스탠포드 가에서 서지 않냐고 물었다. (a)에서 설 것이라고 답했으므로 정답은 (a)가 된다. 영어에서는 이 대화에서처럼 부정으로 물어보던 긍정으로 물어보건 간에, 사실에 대한 Yes/No는 변하지 않는다. 즉, 상대방의 질문에 관계없이, 버스가 스탠포드 가에서 서면 Yes이고, 버스가 스탠포드 가에서 서지 않으면 No이다.

정답 (a)

5

M We'll have to wait forever for this movie.

W ____________________

(a) But it'll be worth it.
(b) I'm sorry to keep you waiting.
(c) What took you so long?
(d) What is the title of the movie?

해석 M 이 영화를 보려면 영원히 기다려야 하겠어.
W ____________________
(a) 그렇지만 그럴만한 가치가 있잖아.
(b) 너를 기다리게 해서 미안해.
(c) 뭐가 그렇게 오래 걸렸어?
(d) 영화 제목이 뭐니?

어구 keep someone ~ing ~를 계속 ~하게 하다
title 제목
What took you so long? 왜 그렇게 오래 걸렸니?

해설 남자는 영화를 보는데 오래 기다려야 하는 것에 대해 불만을 터뜨리고 있는 상황이다. 특히 forever라는 단어에서 남자가 불만을 말하고 있는 것이라고 눈치 챌 수 있다. 남자는 불만을 말하지만, 여자는 함께 불만을 얘기하는 것이 아니라 영화가 그럴만한 가치가 있다고 말해 줌으로써 응답하고 있다. 정답은 (a)이다. 여자가 남자를 기다리게 한 것이 아니라, 남자와 여자가 함께 영화를 기다리고 있는 것이므로 (b)는 정답이 될 수 없다.

정답 (a)

6

W I ordered my eggs scrambled, not fried.

M ________________________________

(a) How do you like your eggs?
(b) But fried food is so tasty.
(c) Sorry, I got your order wrong.
(d) I'd like to confirm your order.

해석 W 저는 기름에 구은 계란을 주문한 게 아니라, 스크램블로 주문했는데요.

M ________________________________

(a) 계란을 어떻게 해드릴까요?
(b) 그렇지만 튀긴 음식은 맛있어요.
(c) 죄송해요, 주문을 잘못 받았네요.
(d) 당신의 주문을 확인해 드릴게요.

어구 scramble (달걀을) 휘저으며 부치다
How do you like your eggs? 계란 요리를 어떻게 해드릴까요?
tasty 맛있는

해설 여자는 식당에서 잘못 나온 계란 요리에 대해 불평을 하고 있다. 그러면 남자는 잘못 나온 요리에 대해 사과를 해야 할 것이다. 따라서 정답은 (c)가 된다. (a)와 (d)는 주문을 하고 있는 상황에서 할 수 있는 말인데, 이 대화는 이미 주문을 다 하고 음식이 나온 상태에서 한 것이므로 정답이 될 수 없다.

정답 (c)

7

M I finally finished registering for my classes.

W ________________________________

(a) I'm planning to take an ecology class.
(b) Good. How many courses did you sign up for?
(c) Congratulations on your graduation.
(d) Fall semester will start next week.

해석 M 드디어 수강신청을 마쳤어.

W ________________________________

(a) 나는 생물학 수업을 들을 계획이야.
(b) 잘됐다. 몇 과목을 신청했니?
(c) 졸업을 축하해.
(d) 가을 학기는 다음 학기에 시작해.

어구 register 신청하다, 등록하다 (= sign up for)
ecology 생태학

해설 남자가 수강 신청을 마쳤다고 했으므로, 이것과 가장 밀접한 응답은, 무슨 과목을 신청했느냐, 혹은 몇 과목을 신청 했느냐 등등의 남자의 수강 신청에 대한 응답이 자연스러운 응답이 될 것이다. 그러므로 정답은 (b)가 되며, 여자가 자신이 무슨 과목을 들을 것이라고 말해주는 (a)는, 상대가 여자에게 무슨 과목을 들을 것이냐고 물을 때 적합한 응답이 될 것이다.

정답 (b)

8

W So who do you think will win the tennis match today?

M ________________________________

(a) I have no idea.
(b) How about you?
(c) Are you participating in the match?
(d) I don't like playing tennis.

해석 W 오늘 테니스 경기에서 누가 이길 거라 생각해?

M ________________________________

(a) 잘 모르겠어.
(b) 너는 어떠니?
(c) 너는 경기에 참여하니?
(d) 나는 테니스 치는 것을 좋아해.

어구 match 경기, 시합
I have no idea 잘 모르겠어.
participate in 참석하다

해설 여자는 남자에게 테니스 경기의 승자가 누가 될지 물어 보고 있다. 남자는 어떤 팀이 이길 것이라고 대답해 주는 것도 맞는 응답이 될 수 있지만, 예견을 못하겠다고 하는 (a)도 정답이 된다. (b)로 착각 할 수도 있는데, 일단 여자가 남자에게 의견을 물었으므로, 남자는 이렇다 저렇다 의견을 얘기하고 여자의 의견을 물어야 될 것이다. 그러므로 (b)는 정답이 도리 수 없다.

정답 (a)

9

M When do you think Professor Park will return our essays?

W ________________________________

(a) We will get them back next week.
(b) It should be turned in by today.
(c) You should send me your paper by tomorrow.
(d) It took one whole week for me.

해석 M 박 교수님이 에세이를 언제 돌려주실 거라 생각하니?

W ________________________________

(a) 아마 다음 주에 돌려받을 거야.
(b) 그것은 오늘 까지 제출 되어야 해.
(c) 내일 까니 네 숙제를 나에게 보내야 한다.
(d) 나한테 온전히 한 주가 걸렸어.

어구 return 돌려주다
turn in 제출하다 (= hand in, submit)

해설 남자는 숙제를 언제 다시 돌려받을 수 있을지 묻고 있다. 여기서 의문사 when을 놓치지 말아야 한다. 여자는 다음 주에 돌려받을 것이라고 했으므로 정답은 (a)가 된다.

정답 (a)

10

W How much more does it cost to get a large coffee?

M ______________________________

(a) It's so expensive I can't afford it.
(b) I guess it's around seventy cents.
(c) Do you think you can finish the large one?
(d) I would like to have a large coffee, too.

해석 W 큰 커피를 사려면 얼마를 더 내야 돼?
M ______________________________
(a) 너무 비싸서 감당 할 수 없어.
(b) 70센트 정도 될 걸.
(c) 네가 큰 것을 다 마실 수 있겠니?
(d) 나도 큰 커피를 마시고 싶어.

해설 여자는 큰 커피를 사려면 추가로 얼마를 더 내야 하는지 물었다. 그러므로 '얼마'라는 것에 가장 집중해서 풀어야 하겠다. 70센트라고 말해주는 (b)가 정답이 된다.

정답 (b)

11

M I really need something for my stomachache.

W ______________________________

(a) I'll go to the doctor's office this afternoon.
(b) Let me get you a pill to relieve your pain.
(c) I hope it works out well.
(d) I didn't go to the pharmacy.

해석 M 배가 아파서 약을 먹어야겠어.
W ______________________________
(a) 나는 오늘 오후에 병원에 갈 거야.
(b) 통증을 가시게 할 알약을 가져다줄게.
(c) 이게 잘 되길 바래.
(d) 나는 약국에 가지 않았어.

어구 stomachache 복통
relieve (고통 등을) 경감시키다
work out 운동하다, (계획 등이) 잘 되어가다
pharmacy 약국

해설 남자가 배가 아픈 것에 대한 해결책이 주어져야 할 것이다. 그러므로 정답은 (b)가 된다. 배가 아픈 것은 남자인데 여자가 병원에 갈 것이라고 말하는 (a)는 어색하다.

정답 (b)

12

W Can I open a student checking account?

M ______________________________

(a) We have savings accounts and checking accounts.
(b) What can I do for you?
(c) Sure, as long as you are a student.
(d) Can you write me a check?

해석 W 학생 당좌 계좌를 열 수 있을까요?
M ______________________________
(a) 저희는 보통 계좌와 당좌 계좌가 있습니다.
(b) 무엇을 도와 드릴까요?
(c) 그럼요, 학생이기만 하시다면요.
(d) 수표를 써주시겠어요.

어구 savings accounts 보통 예금 계좌
checking account 당좌 계좌
write a check 수표를 쓰다

해설 은행에서 이루어지고 있는 대화이다. 여자가 당좌 계좌를 열 수 있냐고 물었으므로, 학생이라면 학생 당좌 계좌를 열 수 있다고 하는 (c)가 정답이 된다. 여자가 어떤 계좌가 있냐고 물은 것이 아니므로 (a)는 정답이 될 수 없다. 여자는 용건을 말했는데, 은행직원이 (b)로 다시 물어 보는 것은 어색하다.

정답 (c)

13

M Did you already buy our train tickets?

W ______________________________

(a) It is very cheap.
(b) I am not sure.
(c) Yeah, it's all set.
(d) At the ticket booth.

해석 M 우리 열차표를 이미 샀니?
W ______________________________
(a) 그것은 굉장히 싸.
(b) 확신할 수 없어.
(c) 응, 이제 모든 준비가 다 됐어.
(d) 매표소에서.

어구 ticket booth 매표소

해설 남자는 여자에게 열차표를 샀냐고 확인을 하고 있다. 샀다고 확인해 주는 (c)가 정답이 된다. (a)는 상대방이 가격이 어땠냐고 물어 볼 때 쓸 수 있는 말이다. 표를 어디에서 샀냐고 물은 것이 아니므로 (d)도 답이 아니다.

정답 (c)

14

W Do you want to come with me to grab a quick bite?

M ____________________

(a) Fast food is not good for your health.
(b) Sure, why not?
(c) Where are you going now?
(d) Sure. You can go out now.

해석 W 나랑 같이 뭐 먹으로 갈래?
M ____________________
(a) 패스트푸드는 건강에 좋지 않아.
(b) 당연하지, 왜 안되겠어.
(c) 너 지금 어디가?
(d) 당연하지, 넌 지금 나가도 돼.

어구 grab a bite 간단히 먹다

해설 여자가 남자에게 뭘 먹으러 가자고 제안 했는데, 남자는 그것에 대해서 (b)로 대답하여 수락을 해 주었으므로 정답이다. Sure, why not?, That sounds great, I'd love to 등이 대표적인 수락의 표현이다.

정답 (b)

15

W I'm so in love. My boyfriend is the best of all.

M ____________________

(a) Don't keep asking him out.
(b) Tell me what your boyfriend is like.
(c) I finally have met Ms. Right.
(d) I had a blind date, too.

해석 W 나는 정말 사랑에 빠졌어. 내 남자친구는 정말 최고야.
M ____________________
(a) 그에게 계속 데이트 신청하지 마.
(b) 네 남자친구가 어떤지 말해줘.
(c) 난 드디어 나의 짝을 만났어.
(d) 나도 소개팅을 했어.

어구 ask someone out ~에게 데이트 신청하다
Mr. Right 백마 탄 왕자님, 천생연분
blind date 소개팅

해설 여자는 자신의 남자친구에게 푹 빠져있는 상태이다. 남자가 그에 대해 말해달라는 (b)가 정답이다. 여자가 계속 데이트 신청을 하며 쫓아다니는 상황인지는 알 수 없으므로 (a)는 답이 될 수 없다.

정답 (b)

Part 2

16

W I think my television is broken.

M Why don't you just call Mr. Robinson to fix it?

W I don't think he is home today.

M ____________________

(a) He goes out every Sunday.
(b) Just give him a ring to make sure.
(c) Mr. Robinson is a good repairman.
(d) He won't charge you much.

해석 W 내 텔레비전이 고장 난 것 같아.
M 수리를 위해 로빈슨 씨에게 전화 해보지 그러니?
W 오늘은 집에 안 계실 것 같은데.
M ____________________
(a) 그는 일요일마다 나가.
(b) 확실히 하기 위해 전화를 해봐.
(c) 로빈슨 씨는 훌륭한 수리공이야.
(d) 그는 너에게 요금을 많이 부과하지 않을 거야.

어구 be broken 망가지다
give someone a ring ~에게 전화를 하다
make sure 확실히 하다
charge (요금 등을) 부과하다

해설 여자가 로빈슨씨가 집에 안 계실 것 같다고 전화하는 것을 망설이고 있다. 그러므로 남자가 확실하게 하기 위해 전화를 해보라고 설득하는 (b)가 정답이 된다. (a)는 남자가 아니라 여자가 할 말이다. 남자는 위에서 이미 전화를 해 보라고 했으므로, (a)처럼 로빈슨 씨가 일요일마다 나간다고 하면 일관성이 떨어지게 된다.

정답 (b)

17

M That was the hardest test of my life!

W You can say that again. I'm totally exhausted.

M I studied all night, but I didn't do that well.

W ____________________

(a) You let me down.
(b) Don't be discouraged.
(c) I'm extremely tired.
(d) Give it a try.

해석 M 내 인생에서 가장 어려운 시험이었어.
W 맞아. 난 완전히 지쳤어.
M 난 밤새 공부 했는데, 잘 보지 못했어.
W ____________________
(a) 넌 나를 실망시키는구나.
(b) 너무 낙담하지 마.
(c) 나는 정말 피곤해.
(d) 한번 해봐.

어구 You can say that again. (상대방의 말에 동의할 때) 맞아.
exhausted 지친, 피곤한
let someone down ~를 실망시키다
discourage 낙담시키다, 용기를 잃게 하다
Give it a try. 한번 해봐, 한번 시도해 봐.

해설 남자와 여자 모두 시험을 망친 상황이다. 남자가 시험을 못 봤다고 대화를 끝맺고 있지만, 여자와 남자 모두 못 본 상황이므로 (a)로 대답하는 것은 어색하며, 시험을 못 봤다고 말하는 남자에게 위로를 해주는 (b)가 정답이 된다. (d)는 무엇인가 시도하기를 망설이는 사람에게 한번 해보라고 용기를 북돋아 줄 때 쓰는 표현이므로 정답이 될 수 없다.

정답 (b)

18

W So how's your first semester as a medical student?
M It's so much harder than I thought it would be.
W Don't give up hope just yet.
M ______________________________

(a) It's not that hard.
(b) My dreams will come true.
(c) Don't worry. I'll stick with it.
(d) This is just my first semester.

해석 W 의대생로의 첫 학기는 어땠니?
M 내가 생각했던 것보다 훨씬 힘들었어.
W 아직 희망을 잃지 마.
M ______________________________

(a) 그렇게 힘들진 않았어.
(b) 내 꿈이 이루어 질 거야.
(c) 걱정 마, 포기하지 않을 거야.
(d) 이번이 나의 첫 학기였어.

어구 medical student 의대생
stick with ~을 고수하다

해설 남자는 의대생으로 힘든 첫 학기를 보냈다. 여자가 희망을 잃지 말라고 위로와 걱정을 해 주었으므로 (c)가 위로에 대한 적절한 응답이 된다. (a)는 남자가 힘들었다고 말했으므로 남자의 입장에 벗어나게 된다. 상대가 남자에게 몇 학기 째냐고 물은 게 아니므로 (d)도 정답이 될 수 없다.

정답 (c)

19

M Hey, Jill. Are you at home?
W Yeah, what's up?
M I'm passing through and wanted to know if I could stop by.
W ______________________________

(a) Feel free to call me.
(b) What is your final destination?
(c) I'm free now. You can drop by.
(d) Sorry, I can't visit you now.

해석 M 질, 너 집에 있니?
W 응, 무슨 일이야?
M 지나 가는 길인데, 널 만날 수 있을지 알고 싶었어.
W ______________________________

(a) 주저하지 말고 나에게 전화해.
(b) 네 목적지가 어디니?
(c) 나 지금 한가해. 들러도 돼.
(d) 미안해, 지금 너에게 못 가겠어.

어구 What's up? 안녕, 무슨 일이야?
pass through 지나가다
final destination 최종 목적지
stop by 들르다 (= drop by)

해설 남자는 자신의 일을 보고 지나가는 길에 여자를 만나길 원하고 있고, 여자는 흔쾌히 만나자고 하는 (c)가 정답이 된다. 남자가 여자에게 들르라고 한 것이 아니라, 자신이 들를 수 있는지 물었으므로 (d)는 정답이 될 수 없다.

정답 (c)

20

W Hey, Allen. Got any plans for summer vacation?
M I'll probably get a part time job. What about you?
W I'm not sure yet. I'd like to go on a short trip.
M ______________________________

(a) My vacation will start next week.
(b) I just got back from a short trip.
(c) Do you have any specific place in mind?
(d) Let's go to the travel agency.

해석 W 안녕, 앨런. 여름 방학 계획은 있니?
M 나는 아마도 아르바이트를 할 것 같아. 너는 어때?
W 아직 잘 모르겠어. 나는 짧은 여행을 가고 싶어.
M ______________________________

(a) 내 방학은 다음 주부터 시작이야.
(b) 나는 막 짧은 여행에서 돌아왔어.
(c) 특별히 마음에 둔 특정한 계획이 있니?
(d) 여행사에 가자.

어구 part time job 아르바이트
go on a trip 여행 가다
travel agency 여행사

해설 남자와 여자는 서로의 여행 계획에 대해서 묻고 있다. 남자는 일을 할 계획이고, 여자는 짧은 여행을 가고 싶다고 했다. 여자는 그냥 막연히 여행을 가고 싶다고 했으므로, 남자가 특별한 계획이 있냐고 물어 보는 것이 자연스러운 흐름이 되므로 (c)가 정답이다. Part 2는 첫 대화부터 흐름을 잘 따라가는 것이 중요한데, 남자는 일을 한다고 했으므로 함께 여행을 갈 것처럼 (d)와 같이 말하는 것은 어색하다.

정답 (c)

21

M Did you hear the news?
W No, what happened?
M Someone crashed their car into City Hall.
W ______________________

(a) That's good news to me.
(b) Anybody get injured?
(c) I've been to City Hall.
(d) City Hall has just been renovated.

해석 M 뉴스 들었니?
W 아니, 무슨 일인데?
M 어떤 사람이 시청에다가 자신의 차를 박았대.
W ______________________

(a) 그거 좋은 소식이다.
(b) 다친 사람은 있니?
(c) 나는 시청에 가봤어.
(d) 시청은 막 보수되었어.

어구 crash 충돌하다

해설 남자는 여자에게 누군가 차로 시청을 들이 받았다는 뉴스를 얘기해 주고 있으므로, 인명 피해가 있냐고 물어보는 (b)가 정답이 된다.

정답 (b)

22

W Let's go shopping this weekend.
M I thought we were going to the beach.
W I heard on the news it's supposed to pour all weekend.
M ______________________

(a) Then an indoor activity is better.
(b) I don't like that shopping mall.
(c) When will I see you?
(d) I was waiting for rain.

해석 W 이번 주말에 쇼핑 가자.
M 나는 우리가 해변에 갈 것으로 생각했는데.
W 뉴스에서 이번 주말 내내 폭우가 내린다고 그랬어.
M ______________________

(a) 그렇다면 실내 활동이 낫겠구나.
(b) 나는 그 쇼핑 몰이 싫어.
(c) 언제 만날까?
(d) 나는 비를 기다리고 있었어.

어구 pour 폭우가 내리다

해설 남자와 여자는 비 때문에 해변에 가지 못하고 계획을 수정해야 하는 상황이다. 비가 오니 여자는 쇼핑몰에 가자고 했는데, 남자는 이에 대해 수락과 거절의 의사표시를 해 주는 것이 좋다. 답을 (b)로 착각하기 쉬운데, 여자가 특정 쇼핑몰에 가자고 한 것이 아니므로 정답이 될 수 없다. 실내 활동이 낫겠다고 대답한 (a)는 간접적으로 쇼핑을 가겠다는 의미이므로 정답이 된다.

정답 (a)

23

M Can I help you with anything else today?
W I also need some stamps, please.
M For regular mail or postcards?
W ______________________

(a) It comes to $2.50.
(b) Both of them.
(c) I'd like to send it by airmail.
(d) It was registered mail.

해석 M 오늘 다른 것을 도와드릴 것은 없습니까?
W 저는 우표도 필요해요.
M 엽서용이요, 아니면 보통 우표를 드릴까요?
W ______________________

(a) $2.50입니다.
(b) 둘 다 주세요.
(c) 항공우편으로 보내고 싶어요.
(d) 그것은 등기였어요.

어구 regular mail 보통 우편
postcard 엽서
airmail 항공 우편
registered mail 등기 우편

해설 여자는 우표를 사야하고, 남자는 여자에게 선택의문문으로 엽서용을 원하는지 보통 우편을 원하는지를 묻고 있다. 그러면 여자는 두 개 중 하나를 고르거나 제3의 대답을 해야 한다. 여기서는 두 종류 다 필요하다는 제3의 답변을 했으므로 (b)가 정답이 된다. 우편을 어떻게 보낼 것인지 방법을 물은 것이 아니므로 (c)는 정답이 될 수 없다.

정답 (b)

24

W Did you find your dog yet?
M No, and I put up signs all over town.
W Do you think it can find its way home?
M ______________________

(a) Are you on the way home?
(b) No idea. But it has an ID tag.
(c) We've been together for some time.
(d) It is a black dog with curly hair.

해석 W 네 강아지 찾았니?
M 아니, 온 동네 곳곳에다가 전단을 붙였어.
W 강아지가 집을 찾아 올 수 있을까?
M ______________________
(a) 집에 오는 길이니?
(b) 잘 모르겠어. 그렇지만 강아지에게 이름표가 있는데.
(c) 우리는 한동안 함께 해왔어.
(d) 곱슬거리는 털을 가진 검정개에요.

어구 on one's way ~가는 중, ~가는 길
ID tag 이름표
curly 곱슬거리는

해설 남자는 강아지를 잃어버렸다. 여자의 마지막 말에 집중하도록 한다. 대충 강아지를 잃어버린 상황이라고 생각하면 (c)나 (d)가 정답이 되는 듯하다. 그러나 여자는 강아지가 집을 찾을 수 있을 가능성을 묻고 있으므로, 남자는 확신할 수는 없지만 강아지가 이름표를 달고 있으니 희망은 있다고 말하는 (b)가 정답이다.

정답 (b)

25

M I feel like ordering pizza tonight.
W But greasy food like that is bad for you.
M I know, but it is so delicious.
W ______________________

(a) Let me make a pizza for you.
(b) But you should be careful with your food.
(c) When will you come over then?
(d) You seem to have lost a few pounds.

해석 M 나 오늘밤 피자를 시키고 싶어.
W 피자 같은 기름진 음식은 건강에 좋지 않아.
M 나도 알아. 그렇지만 너무 맛있어.
W ______________________
(a) 내가 피자를 만들어 줄게.
(b) 그렇지만 음식을 신경써야해.
(c) 그럼 우리 집에 언제 올래?
(d) 너 몇 파운드 살 빠진 것 같다.

어구 greasy 기름진, 느끼한
come over (말하는 사람의) 집으로 오다
lose pounds 살이 빠지다

해설 건강을 위해 음식을 조심해서 먹어야 한다는 내용은 TEPS 청해에 빈출하는 내용이니 반드시 익숙해져야 한다. 기름진 음식에 대해서 여자는 먹지 말라고 충고하고 있고, 남자는 맛있으니 어쩔 수 없다고 말하고 있다. 이럴 때에는 각자의 입장이 일관적이어야 한다. 여자는 기름진 음식을 피하라고 얘기했으므로, 남자에게 계속 음식에 신경을 써야 한다고 말하는 (b)가 정답이 된다.

정답 (b)

26

W I totally forgot it's my mom's birthday today.
M What are you going to do?
W I should at least call her. I think I'll send flowers, too.
M ______________________

(a) I can't afford to buy them all.
(b) That sounds like a great idea.
(c) She will like your birthday card.
(d) When is her birthday?

해석 W 오늘이 엄마 생신인 것을 완전히 잊어버리고 있었어.
M 어떻게 할 거니?
W 적어도 전화는 드려야겠지. 꽃도 보내야겠다.
M ______________________
(a) 그것을 다 살 여유가 없어.
(b) 좋은 생각이다.
(c) 엄마는 네 생일 카드를 좋아하실 거야.
(d) 엄마의 생신은 언제니?

어구 afford ~할 수 있다, 할 여유가 있다

해설 여자는 엄마의 생일을 잊어 버렸지만, 전화를 드리고 꽃을 보낸다고 했으므로, 좋은 생각이라고 맞장구 쳐주는 (b)가 자연스런 응답이 된다. 여자는 꽃을 사는 것이므로 (a)는 어색한 응답이 되며, 여자의 엄마의 생일이 오늘이라고 미리 말을 했으므로 (d)도 답이 아니다.

정답 (b)

27

M Where are you going for your yearly vacation?
W I'm not sure yet. Got any suggestions?
M Go somewhere exotic, like Bali. I heard it's beautiful there.
W ______________________

(a) But my vacation is at the end of this month.
(b) That's a place I'd be interested in.
(c) I've never been to Bali.
(d) Why don't you book a flight first?

해석 M 일 년에 한번 있는 휴가는 어디로 갈 거니?
W 잘 모르겠어. 추천할 곳 있니?
M 발리처럼 이국적인 곳으로 가봐. 거기 아주 아름답다고 하더라.
W ______________________________

(a) 그렇지만 내 휴가는 이번 달 말이야.
(b) 내가 관심있을 만한 곳이다.
(c) 나는 발리에 가본 적이 없어.
(d) 비행기부터 알아보지 그러니?

어구 yearly 일 년의, 그해의
exotic 이국적인

해설 여자는 어디로 휴가를 갈지 정하지 못하고 있고, 남자는 발리를 추천해 주었다. 그러므로 제안을 받아들이거나 거절하는 응답이 자연스러운데, 여자는 발리로 가는 것이 관심있다고 했으므로 (b)가 정답이 된다. 발리에 가본 적이 없다는 것은 여자의 제안에 대해서 받아들인다는 것인지 아닌지 애매한 응답이므로 (c)는 오답이다.

정답 (b)

28

W Did you see those new apartments downtown?
M Yeah, they look really nice. I wonder when they'll open.
W I don't know, but I definitely want to find out more.
M ______________________________

(a) I am moving in this week.
(b) Is there anything else you need for tonight?
(c) The apartment is easy to find.
(d) Why don't we ask the apartment manager?

해석 W 시내의 새 아파트 봤니?
M 응, 정말 멋져 보이더라. 언제 입주 하는지 궁금해.
W 나도 잘 몰라, 그렇지만 더 알아 봐야겠어.
M ______________________________

(a) 나 이번 주에 이사 들어가.
(b) 오늘밤에 더 필요한 게 있니?
(c) 그 아파트는 찾기 쉬워.
(d) 아파트 관리인에게 물어 보는 건 어떨까?

어구 definitely 명확히; 한정적으로

해설 시내의 새로운 아파트에 대해 남자와 여자 모두 긍정적인 의견을 가지고 있고, 여자가 더 알아 봐야겠다고 했으므로, 함께 그 아파트 매니저에게 정보를 물어보자는 (d)가 정답이 된다.

정답 (d)

29

M When are you holding the fund-raiser?
W It's going on next Monday.
M And what charity is it for?
W ______________________________

(a) To help poor children.
(b) We'll give a concert.
(c) You would enjoy it.
(d) It'll end this Sunday.

해석 M 기금 모금 행사는 언제 열 거니?
W 다음 주 월요일에 열릴 거야.
M 이번 자선 행사는 무엇을 위한 거야?
W ______________________________

(a) 가난한 어린이들을 돕기 위함이야.
(b) 우리는 콘서트를 열거야.
(c) 넌 즐거울 거야.
(d) 이번 주 일요일에 끝날 거야.

어구 fund-raiser (기금) 모금 행사
charity 자선, 자선 행사

해설 남자의 마지막 말에서 자선 행사의 목적을 묻고 있으므로 정답은 (a)이다. 자선 행사에 어떤 행사가 있냐고 물은 것이 아니므로 (b)는 답이 아니고, 자선행사가 언제 끝나는지 물은 것도 아니므로 (d)도 오답이다.

정답 (a)

30

W That was the best meal I've had in a long time.
M Thanks. Would you like some coffee or tea?
W No thanks. I'm trying not to have too much caffeine.
M ______________________________

(a) I like my coffee with sugar and cream.
(b) Then how about some fresh juice?
(c) Let me take another coffee.
(d) I really enjoyed the meal, too.

해석 W 정말 오랜만에 먹어본 최고의 식사였어요.
M 고맙습니다. 커피나 홍차를 드시겠어요?
W 괜찮아요. 카페인을 많이 먹지 않으려고 노력 중이에요.
M ______________________________

(a) 커피에 설탕과 크림을 함께 주세요.
(b) 그러면 신선한 주스는 어떠세요?
(c) 커피 한잔 더 주세요.
(d) 저도 정말 맛있게 먹었어요.

해설 식당에서 이루어지는 대화이다. 여자가 카페인을 먹지 않겠다고 하자, 카페인 없는 주스를 권하는 (b)가 자연스런 응답이다. 남자는 웨이터인데 (c)나 (d)는 웨이터가 할 수 없는 말이므로 정답이 될 수 없다.

정답 (b)

Part 3

31

M Hi, Lisa. What's going on?
W Oh, not much. Just hanging out. What's up?
M I was just wondering if you want to go shopping.
W Sounds great. When are you heading out?
M I was thinking around 3 p.m. How does that sound?
W Perfect. I'll see you then.

Q What is the man mainly doing in the conversation?
(a) Asking the woman where to go
(b) Inviting the woman to go shopping
(c) Making an appointment for dinner
(d) Giving his opinion to the woman

해석 M 안녕, 리사. 어떻게 지내니?
W 별일 없어. 그냥 그렇게 지내. 잘 지냈니?
M 네가 쇼핑가고 싶어하나 궁금해서.
W 좋아, 언제 가고 싶은데?
M 오후 3시 정도. 어때?
W 좋아. 그럼 그때 보자.
Q 남자는 대화에서 주로 무엇을 하고 있는가?
(a) 여자에게 자신이 어디를 가야할지 물어 보기
(b) 여자를 쇼핑에 초대하기
(c) 저녁 약속 잡기
(d) 자신의 의견 주기

해설 남자의 말 I was just wondering if you want to go shopping에서 남자는 여자에게 쇼핑을 같이 가자고 제안하는 것임을 알 수 있다. 그러므로 정답은 (b)가 된다.

정답 (b)

32

W Did you hear about Jack and Jill?
M No. Did something happen?
W Nothing bad. They're going to tie the knot!
M Wow. When's the happy day?
W Not for another year, but they seem really happy.
M I'm glad for them, too.

Q Which is correct about Jack and Jill?
(a) They will get married.
(b) They announced the wedding day.
(c) They will go on a trip.
(d) They will become parents.

해석 W 잭과 질에 대한 얘기 들었니?
M 아니, 무슨 일 있니?
W 나쁜 일은 아니고. 걔네들 결혼한대.
M 와. 결혼식이 언제래?
W 앞으로 일 년 안에는 아니야. 그렇지만 걔네들 엄청 행복해 보여.
M 잘 됐다.
Q 잭과 질에 대해서 맞는 것은?
(a) 그들은 결혼할 것이다.
(b) 그들은 결혼식 날을 발표 했다.
(c) 그들은 여행을 갈 것이다.
(d) 그들은 부모가 될 것이다.

어구 tie the knot 결혼하다
wedding day 결혼식 날
go on a trip 여행가다

해설 이 대화에서는 tie the knot라는 숙어가 정답을 맞힐 수 있는 관건이 된다. tie the knot는 결혼한다는 의미이므로 잭과 질은 결혼을 할 것이다. 그러므로 정답은 (a)이다. 그러나 앞으로 일 년 안에 하는 것은 아니고, 결혼식 날짜를 잡은 것도 아니므로 (b)는 답이 될 수 없으니 주의하자.

정답 (a)

33

M I have so much anxiety lately.
W What's the matter?
M I think I'm just too stressed out about work.
W You should take a kickboxing class. It helped me.
M Really? Maybe I should try it.
W It really helps to get your mind off things.

Q Why does the woman suggest kickboxing to the man?
(a) Because he has been under pressure
(b) Because he has many things to do
(c) Because it is required for his job
(d) Because he wanted to try it

해석 M 요즘 너무나 불안해.
W 무슨 일 있니?
M 내 생각에 일 때문에 스트레스를 너무 많이 받나 봐.
W 킥복싱 수업을 들어봐. 나에겐 도움이 되었어.
M 정말? 한번 시도해 봐야겠다.
W 걱정을 사라지게 하는데 정말 도움이 될 거야.
Q 여자는 남자에게 왜 킥복싱 수업을 권했는가?
(a) 남자가 스트레스를 받고 있으므로
(b) 남자가 할 일이 많으므로
(c) 남자의 직무에 필요하므로
(d) 남자가 시도해 보길 원하므로

어구 anxiety 걱정, 근심, 불안
get one's mind off ~ 걱정 등을 사라지게 하다
under pressure 스트레스 받는

해설 남자는 일 때문에 스트레스를 받고 있고, 스트레스 때문에 불안하기까지 하다. 여자는 이런 남자에게 해결책으로 킥복싱 수업을 권한 것이므로 정답은 (a)가 된다. 여자가 킥복싱을 권하니까 남자가 시도해보길 원한 것이지, 처음부터 남자가 하고 싶었던 것은 아니므로 (d)는 정답이 될 수 없다.

정답 (a)

34

W I'm sorry, but don't I know you?
M Yes, I'm Simon. We met at the company's orientation last year.
W Oh, that's right. You work in sales, right?
M That's me. Do you eat here often?
W Every day. What about you?
M This is my first time. Maybe we can meet up sometime.

Q What can be inferred from this conversation?

(a) The man and woman will attend an orientation.
(b) The man and woman work for the same company.
(c) The man has his meals at the same restaurant every day.
(d) The man and woman don't know each other at all.

해석 **W** 죄송한데요, 혹시 저 모르시겠어요?
M 네, 전 사이먼이에요. 우리는 지난 해 회사 오리엔테이션에서 만났잖아요.
W 아, 맞아요. 영업부에서 일하시죠?
M 네, 저에요. 여기서 자주 드시나요?
W 매일이요. 당신은 어떠세요?
M 저는 여기서 처음 먹어요. 언제 한 번 만나요.
Q 이 대화에서 추론할 수 있는 것은 무엇인가?
(a) 남자와 여자는 오리엔테이션에 참석할 것이다.
(b) 남자와 여자는 같은 회사에서 일한다.
(c) 남자는 같은 식당에서 매일 식사를 한다.
(d) 남자와 여자는 서로 전혀 모른다.

어구 **orientation** 오리엔테이션, (신입사원 등의) 집무 예비 교육
work for ~에서 일하다

해설 남자와 여자는 지난 해 오리엔테이션에서 만난 사이이다. 오리엔테이션에서 만났다는 것으로 미루어 같은 회사에서 일한다고 추론할 수 있다. 그러므로 정답은 (b)이다. 서로 잘 아는 것은 아니지만, 전혀 모르는 것이 아니므로 (d)는 정답이 될 수 없고, 여자가 같은 식당에서 매일 식사를 하는 것이지 남자는 아니므로 (c)도 오답이다.

정답 (b)

35

M You speak German so well.
W Thanks. I've been studying for a few years.
M Do you speak any other languages?
W I just started learning Japanese, but I'm not so good.
M Did you teach yourself?
W No, I take classes at my university.

Q What is the conversation mainly about?

(a) The woman's great ability in foreign languages
(b) How German and Japanese are different
(c) How long the woman studied foreign languages
(d) The woman's position to teach Japanese

해석 **M** 너 독일어 정말 잘한다.
W 고마워. 몇 년 동안 공부 하고 있어.
M 다른 언어도 할 줄 아니?
W 막 일본어를 배우기 시작했어. 그렇지만 잘은 못해.
M 혼자 공부 하는 거니?
W 아니, 대학에서 수업을 듣고 있어.
Q 이 대화는 주로 무엇에 대한 것인가?
(a) 외국어를 하는 여자의 훌륭한 능력
(b) 독일어와 일본어가 얼마나 다른지
(c) 여자가 외국어를 얼마나 오랫동안 공부했는지
(d) 일본어를 가르치는 여자의 직무

어구 **German** 독일의, 독일 사람의, 독일어
Japanese 일본의, 일본 사람의, 일본어

해설 남자는 여자의 독일어를 잘 하는 능력에 감탄을 하고 있다. 그러면서 다른 언어를 할 수 있는지 물었고, 여자는 일어 또한 공부하고 있다. 그러므로 전체적인 주제는 (a)가 된다. 독일어와 일본어의 다른 점은 대화에서 언급한 적이 없으므로 (b)는 정답이 될 수 없고, 여자가 몇 년 동안 독일어를 공부했다고 했지만, 여자가 외국어를 얼마나 오래 공부했는지를 주로 얘기하는 것은 아니므로 (c)도 답이 아니다.

정답 (a)

36

M Can I do something for you?
W I'm looking for some fabric to make a dress.
M Are you looking for anything in particular?
W Something fancy that feels soft, too.
M What about this chiffon? It's very lightweight.
W I'm looking for something a bit thicker.

Q What does the woman want to do?
(a) Buy some nice dresses.
(b) Buy warm clothes.
(c) Buy material to make a dress.
(d) Buy fabric to make curtains.

해석 M 도와드릴까요?
W 저는 원피스를 만들 직물을 찾고 있어요.
M 특별히 찾고 계신 게 있나요?
W 부드러우면서 화려한 것을 찾고 있어요.
M 이 쉬폰은 어떠세요? 굉장히 가벼운데.
W 저는 조금 두꺼운 것을 찾고 있는데요.
Q 여자는 무엇을 하길 원하는가?
(a) 멋진 원피스를 사기
(b) 따뜻한 옷 사기
(c) 원피스를 만들 직물 사기
(d) 커튼을 만들 직물 사기

어구 fabric 직물, 천
fancy 화려한, 비싼
lightweight 경량의, 가벼운
thick 두꺼운

해설 Can I do something for you? 혹은 What can I do for you?, How may I help you? 등의 질문에 대한 답변은 항상 잘 들어야 한다. 주제가 나오기 쉽기 때문이다. 여자는 원피스를 살 천을 찾고 있으므로 (c)가 정답이 된다. fabric이 material로 paraphrase 되었다.

정답 (c)

37

W I got the promotion at work!
M That's great! You've been so worried about it.
W I know. I beat out two other people for it, too.
M Congratulations. Now you can relax a little.
W Actually I want to start on a new project right away.
M You are such a workaholic.

Q Which is correct according to the conversation?
(a) The woman gave a presentation successfully.
(b) The woman had no chance to get a promotion.
(c) The woman completed a hard project.
(d) The woman got a promotion.

해석 W 나 승진했어.
M 잘됐다. 너 정말 걱정 했었잖아.
W 그래. 두 명을 이겼어.
M 축하해. 이제 좀 쉴 수 있겠네.
W 사실 당장 새로운 프로젝트를 시작하고 싶어.
M 넌 정말 일 중독이구나.
Q 이 대화에 따르면 맞는 것은 무엇인가?
(a) 여자는 성공적으로 프레젠테이션을 했다.
(b) 여자는 승진할 가능성이 없었다.
(c) 여자는 어려운 프로젝트를 끝냈다.
(d) 여자는 승진했다.

어구 get a promotion 승진하다
give a presentation 프레젠테이션을 하다
workaholic 일중독자

해설 여자가 승진을 하고 기뻐하고 있다. 정답은 (d)인데, 여자가 승진할 가능성이 있었는지 없었는지는 알 수 없다. 다른 두 명과 경쟁을 했다고 승진할 가능성이 없다고 할 수는 없으므로 (b)는 정답이 될 수 없다. 여자는 프로젝트를 시작할 것이지 끝낸 것이 아니므로 (c)도 답이 될 수 없다.

정답 (d)

38

M Why are you still working on the project?
W I just wanted to put some more details into it.
M I thought everything looked okay when we finished yesterday.
W Yeah, but I just wanted to make it more detailed.
M Anything I can do to help?
W Nope, I'm just about done.

Q What is the woman trying to do?
(a) Look over the proposal.
(b) Ask the man to help her.
(c) Make her work more perfect.
(d) Provide an analysis to the man.

해석 **M** 왜 아직도 프로젝트를 하고 있어?
W 세부 사항을 더 넣고 싶었어.
M 어제 우리가 끝냈을 때 다 괜찮아 보였는데.
W 그래. 난 그냥 세부적인 사항을 더 넣고 싶을 뿐이야.
M 내가 도와 줄 일이 있니?
W 아니. 이제 곧 끝나.
Q 여자는 무엇을 시도하고 있는가?
(a) 제안서 보기
(b) 남자에게 자신을 도와 달라고 부탁하기
(c) 그녀의 작업을 더 완벽하기 만들기
(d) 남자에게 분석을 제공하기

어구 work on ~ 일하다
detail 세부사항, 세목, 항목
proposal 제의, 건의, 계획
analysis 분석

해설 여자는 거의 끝난 작업에 세부사항을 넣어서 프로젝트를 더 완벽히 하고 있으므로 정답은 (d)가 된다. 여자가 자신의 작업에 세부사항을 넣는 것을 그녀의 작업을 완벽하게 하고 있다고 넓게 paraphrase하고 있어서 (c)가 정답이라는 생각이 들기 어려우므로, 오답을 확실히 제거해서 정답을 찾도록 한다.

정답 (c)

39

W This suit really looks good on you.
M Thanks. I had it tailor-made.
W But isn't that really expensive?
M A little, but I saved up and it was worth every penny.
W Well, at least it will last you a long time.
M That's true. I've already had this suit for 7 years.

Q What is the advantage of a tailor-made suit?
(a) It is expensive.
(b) It has a good design.
(c) It is durable.
(d) It is fancy.

해석 **W** 이 정장 너에게 정말 잘 어울린다.
M 고마워, 이거 맞춘 거야.
W 그렇지만 비싸지 않니?
M 조금, 그렇지만 정장을 맞추려고 돈을 모아놨고, 맞춰 입는 것은 돈의 가치를 한다고.
W 적어도 오래 입을 수 있지.
M 이 정장은 7년 입은 거야.
Q 맞춤 정장의 장점은 무엇인가?
(a) 비싸다.
(b) 디자인이 좋다.
(c) 오래 간다.
(d) 화려하다.

어구 tailor-made 재봉사가 만든, 맞춤의
suit 정장
save up 저축하다
worth every penny 값어치를 하는
durable 오래 견디는, 튼튼한

해설 남자는 비싸지만 정장을 맞춰 입었고, 맞춤 정장의 장점은 대화에서 last a long time으로 오래 간다는 것 하나만 언급이 되었으므로 (c)가 정답이 된다.

정답 (c)

40

M Christine, do you want to go camping with us this weekend?
W I'm not much of an outdoors person.
M Oh, come on. It'll be lots of fun.
W Will there be wild animals?
M Maybe some deer or small snakes.
W No, thanks. I think I'll just stay at home.

Q What is the main subject of the conversation?

(a) Visiting a zoo housing wild animals
(b) Participating in an outdoor activity
(c) Discussing the woman's personality
(d) Taking a break at home

해석 **M** 크리스틴, 이번 주말에 우리랑 캠핑 갈래?
W 난 야외활동을 좋아하는 사람이 아니야.
M 아, 그러지 말고. 정말 재밌을 거야.
W 야생 동물들은 없니?
M 사슴과 작은 뱀 정도 있겠지.
W 고맙지만 사양하겠어. 나는 그냥 집에 있을래.
Q 이 대화의 주제는 무엇인가?
(a) 야생동물이 있는 동물원 가기
(b) 야외 활동에 참여하기
(c) 여자의 성격에 대해 얘기하기
(d) 집에서 쉬기

어구 go camping 캠핑가다
outdoors 야외의
wild animal 야생 동물
house 숙박 시켜 주다, 수용하다
participate in~ ~참여하다
take a break 쉬다

해설 야외 활동을 좋아하지 않는 여자에게 남자는 계속 캠핑 가기를 권유하고 있으므로 주제는 (b)가 된다.

정답 (b)

41

W Oh, my gosh. Are you hurt?
M No, just a little embarrassed.
W Take my hand. Let me help you.
M Thank you. I didn't even see that hole in the ground.
W That could've been a horrible accident.
M You're right, but really, I'm totally okay.

Q Which is correct about the man?

(a) He escaped injury.
(b) He got hurt badly.
(c) He had an accident.
(d) He broke his leg.

해석 **W** 오, 이런. 다쳤니?
M 아니야. 조금 당황했을 뿐이야.
W 내 손을 잡아. 내가 도와줄게.
M 고마워. 바닥에 구멍이 있는 지도 몰랐어.
W 정말 끔찍한 사고가 될 수도 있었어.
M 맞아. 그런데 정말 난 괜찮아.
Q 남자에 대해서 맞는 것은 무엇인가?
(a) 그는 부상을 모면했다.
(b) 그는 심하게 다쳤다.
(c) 그는 사고를 당했다.
(d) 그는 다리가 부러졌다.

어구 escape 피하다, 모면하다
injury 부상
badly 심하게

해설 남자는 바닥에 난 구멍에 빠져 다칠 뻔한 상황이다. 다칠 뻔한 것이니 실제로 다친 것은 아니므로 (b), (c), (d) 모두 정답이 될 수 없다.

정답 (a)

42

M The new photography exhibit at the museum is wonderful.
W When did you go? I've been meaning to see it.
M I just went there yesterday.
W Why didn't you tell me? I would've gone with you.
M I wouldn't mind seeing it again.
W Really? Okay, then let's do it.

Q According to the conversation, what will the man probably do next?

(a) The man will buy her a ticket to the exhibit.
(b) The man will invite the woman to see another exhibit.
(c) The man will join the woman to attend the exhibit.
(d) The man will pick up the woman to get to the exhibit.

해석 **M** 박물관에서 한 새로운 사진전 정말 좋았어.
W 언제 갔니? 나도 보려고 했었는데.
M 어제 갔었어.
W 왜 나한테 말하지 않았니? 너와 함께 갔을 텐데.
M 다시 보는 것도 괜찮아.
W 정말? 그럼 같이 가자.
Q 이 대화에 따르면, 남자와 여자는 무엇을 할 것인가?
(a) 남자는 여자에게 전시회 티켓을 사줄 것이다.
(b) 남자는 여자를 다른 전시회에 초대할 것이다.
(c) 남자는 여자와 함께 전시회에 갈 것이다.
(d) 남자는 전시회에 가기 위해서 여자를 데리러 갈 것이다.

어구 exhibit 전시회

해설 다음의 행동을 묻는 대화는 마지막 대화가 가장 중요한데, 남자가 봤던 전시회를 또 봐도 된다고 하자, 여자는 함께 전시회에 가달라고 했으므로 둘은 사진전에 갈 것이다. 그러므로 정답은 (c)가 되며, 다른 전시회를 가는 것이 아니라 남자가 갔던 그 전시회에 가는 것이므로 (b)는 답이 될 수 없다.

정답 (c)

43

W Can you give me your recipe for that curry dish?

M Sure. Are you trying to learn more recipes?

W Yeah, I want to try more new foods.

M My curry recipe will amaze you. Listen carefully. If you need, take notes, too.

W OK. I really can't wait to try it out tonight.

Q Which is correct according to the conversation?

(a) The man and woman will make curry together.
(b) The woman wants to learn how to make curry.
(c) The woman is planning to invite guests.
(d) The man's recipe includes special ingredients.

해석 W 카레 요리 만드는 네 요리법을 가르쳐 줄 수 있니?

M 그럼. 더 많은 요리법을 배우려는 거야?

W 응, 새로운 음식을 더 만들어 보고 싶어.

M 내 카레 요리법은 널 깜짝 놀라게 할 거야. 잘 듣고, 필요하면 메모를 해 둬.

W 오늘 밤에 너무 만들어 보고 싶은걸.

Q 이 대화에 따르면 맞는 것은 무엇인가?

(a) 남자와 여자는 카레를 함께 만들 것이다.
(b) 여자는 카레를 어떻게 만드는지 배우고 싶어 한다.
(c) 여자는 손님을 초대할 계획이다.
(d) 남자의 요리법은 특별한 재료가 들어간다.

어구 recipe 요리법
dish 요리
ingredient 성분, 원료

해설 여자는 남자에게 카레 요리 하는 방법을 묻고 있다. 정답은 (b)이며, 남자가 카레 요리법을 그냥 말로 설명하는 것이지, 함께 만들면서 여자를 가르쳐 주는 것이 아니므로 (a)는 정답이 될 수 없다. 남자의 요리법이 특별할 것 같긴 하지만, 어떻게 특별한지는 알 수가 없다. 특별한 재료가 들어가는지 아닌지는 알 수 없으므로 (d) 또한 답이 아니다.

정답 (b)

44

M Do you think you can help me with my English homework?

W Sure. What can I do?

M I really need to improve my vocabulary. Any tips?

W Have you tried making flash cards?

M That's a good idea. Anything else?

W Just study as much as you can.

Q What is taking place in this conversation?

(a) The woman is giving the man advice.
(b) The woman is offering the man tutoring.
(c) The woman is explaining how to make flash cards.
(d) The woman is testing the man's vocabulary ability.

해석 M 영어 숙제 좀 도와 줄 수 있겠니?

W 당연하지, 어떻게 도와줄까?

M 난 어휘 실력을 향상 시키고 싶어, 조언 해줄 게 있니?

W 플래쉬 카드를 만들어 본 적 있니?

M 좋은 생각이다. 다른 것은 없니?

W 네가 할 수 있는 한 많이 공부해.

Q 이 대화에서 일어나고 있는 것은?

(a) 여자는 남자에게 조언을 주고 있다.
(b) 여자는 남자에게 과외를 제안하고 있다.
(c) 여자는 플래쉬 카드를 어떻게 만드는지 설명해 주고 있다.
(d) 여자는 남자의 어휘 실력을 테스트하고 있다.

어구 flash card (시청각 교육용) 플래시 카드
tutor ~를 개인지도를 하다
vocabulary ability 어휘 능력

해설 남자는 여자에게 어휘 실력을 향상시킬 수 있는 방법을 묻고 있고, 이에 여자는 플래시 카드를 만들어 공부해 보라고 조언 하고 있으므로 정답은 (a)가 된다.

정답 (a)

45

W Can you mail that package for me?
M Sure, no problem.
W Could I ask you one more favor?
M What is it?
W Can you stop by the store and get some eggs and milk?
M It's on the way, so no problem.

Q What is happening in the conversation?
(a) The woman is going grocery shopping.
(b) The woman is asking the man for a few favors.
(c) The woman is asking him out.
(d) The woman is sending her package.

해석 W 이 소포를 부쳐 줄 수 있겠니?
M 그럼, 문제없어.
W 하나 더 부탁해도 될까?
M 뭔데?
W 가게에 들러서 계란이랑 우유를 사다 줄 수 있겠니?
M 가는 길이니까, 문제없어.
Q 이 대화에서 일어나고 있는 것은 무엇인가?
(a) 여자는 식료품 쇼핑을 하고 있다.
(b) 여자는 남자에게 몇 가지 부탁을 하고 있다.
(c) 여자는 남자에게 데이트 신청을 하고 있다.
(d) 여자는 소포를 보내고 있다.

어구 package 소포
ask a favor 부탁하다

해설 여자는 남자에게 소포를 부쳐 줄 것과 계란과 우유를 사다 줄 것을 부탁 하고 있으므로 정답은 (b)가 된다. 여자 자신이 직접 식료품을 사거나 소포를 보내고 있는 것이 아니므로 (a), (d)는 정답이 될 수 없다.

정답 (b)

Part 4

46

Welcome everyone to an overview of Sociology 401, which is an introduction to women's history in America. The objective for this class is to raise your awareness about contemporary women's issues as well as to provide a strong historical background. The biggest grade is a project that is due at the end of the semester, and accounts for 50% of your overall grade. The topic is your choice but must be related to women's issues in the 20th century.

Q What is the purpose of this talk?
(a) To provide historical background
(b) To explain the grading policy
(c) To outline the course
(d) To give the topic of the paper

해석 미국의 여성들의 역사를 소개하는 사회학 개론 401 수업에 온 여러분을 환영합니다. 이 강의의 목표는 현 시대 여성들의 이슈들에 대한 여러분들의 인식을 높이는 동시에 강한 역사적 배경을 제공하는 것입니다. 가장 큰 점수는 이번 학기 말이 기한인 프로젝트이고, 여러분의 총 점수에 50%를 차지할 것입니다. 주제는 여러분의 선택이지만 20세기 여성의 이슈들과 관련이 있어야 합니다.
Q 이 담화의 목적은 무엇인가?
(a) 역사적 배경을 제공하기
(b) 학점 정책에 대하여 설명하기
(c) 이 수업의 개요를 말하기
(d) 리포트의 주제를 주기

어구 sociology 사회학
objective 목표, 목적
raise 늘리다, 높이다, 일으키다
awareness 깨달음, 자각, 인식, 의식
contemporary 같은 시대의 현대의, 당대의
be due 만기가 되다, 마감일이 되다
semester 한 학기
account for (점수를) 따다, (~의 비율을) 차지하다

해설 첫 문장에서 이 수업에 온 학생들에게 환영의 말을 건네고 있다. 이어서 수업의 목표와 점수체계 그리고 과제물에 대해서 말하고 있다. 대부분의 강의 첫 시간이 그러하듯 강의에 대한 전반적인 소개를 하고 있다.

정답 (c)

47

Thanks for tuning in. On tonight's broadcast of *That's Amazing!* we will interview people who have successfully dieted in a healthy way and lost more than 100 pounds. Some of our guests were even able to keep eating fast food. We will also have a segment about which fast food choices are the healthiest for people who don't have time to cook for themselves at home. You can eat something healthy without having to sacrifice taste. We'll be back right after this commercial.

Q What can be inferred about the show?

(a) Viewers can meet the guests of the show.
(b) Viewers can learn how to cook.
(c) Viewers can get advice on a heathy diet.
(d) Viewers are watching a commercial free show.

해석 저희 채널을 시청해 주셔서 감사합니다. '그거 놀랍군!'의 오늘 밤 방송에서는 건강한 방법으로 다이어트에 성공하고 100파운드 넘게 체중을 감량하신 분들과 인터뷰를 나눠보겠습니다. 오늘 초대 손님들 중 몇 분들은 패스트푸드도 계속 먹을 수 있었다고 합니다. 또한 집에서 스스로 요리를 할 시간이 없는 사람들을 위해 어떤 패스트푸드가 가장 건강에 좋은가에 대한 코너도 마련되어 있습니다. 여러분은 맛을 희생시키지 않고서도 건강에 좋은 것을 먹을 수 있습니다. 이 광고 듣고 계속 하겠습니다.

Q 쇼에 대해서 추론할 수 있는 것은 무엇인가?

(a) 시청자들은 쇼의 초대 손님들을 만날 수 있다.
(b) 시청자들은 요리하는 방법을 배울 수 있다.
(c) 시청자들은 건강한 식이요법에 대해 조언을 얻을 수 있다.
(d) 시청자들은 광고가 없는 쇼를 보고 있다.

어구 **tune in** (라디오의) 주파수를 맞추다, 채널에 맞추다
diet 식이 요법을 하다
segment (TV나 라디오 쇼 안에서) 작은 부분, 코너
sacrifice 희생하다

해설 TV쇼에 다이어트에 성공한 사람들이 출연을 한다고 한다. 그러나 시청자가 그들을 직접 만날 수는 없으므로 (a)는 답이 아니다. 직접 요리할 시간이 없는 사람들에게 어떤 패스트푸드가 건강에 좋은 지를 알려준다고 했을 뿐, 요리를 가르쳐 준다고 하지는 않았으므로 (b)도 오답이다.

정답 (c)

48

Nicolaus Copernicus is a Polish astronomer who is well known for developing the Copernican system, which is also known as the heliocentric system. In the Copernican system, the sun is the center of the solar system and all the other planets, including Earth, revolve around it. Copernicus' book, *On the Revolutions of the Celestial Spheres*, is often pinpointed as the beginning of modern astronomy and his ideas are seen as great turning points in the history of science.

Q How can Nicolaus Copernicus be described?

(a) He is the most famous scientist in Poland.
(b) He is a pioneer of modern astronomy.
(c) He is a writer who produced many books.
(d) He is a genius in many different fields.

해석 니콜라스 코페르니쿠스는 태양중심설이라고도 알려진 코페르니쿠스설을 전개한 것으로 유명한 폴란드의 천문학자이다. 태양중심설에서 태양은 태양계의 중심에 자리하고 지구를 포함한 다른 모든 행성들은 그 둘레를 회전한다. 코페르니쿠스의 책, '천체의 회전에 관하여'는 근대 천문학의 시초로 자주 지적되고, 그의 사상들은 과학사에서 큰 전환점으로 여겨진다.

Q 니콜라스 코페르니쿠스는 어떻게 묘사될 수 있는가?

(a) 그는 폴란드에서 가장 유명한 과학자이다.
(b) 그는 현대 천문학의 개척자이다.
(c) 그는 많은 책을 저술한 작가이다.
(d) 그는 많은 다른 분야에 있어서 천재이다.

어구 **Polish** 폴란드의, 폴란드 사람의, 폴란드말
astronomer 천문학자
heliocentric 태양을 중심으로 하는
the solar system 태양계
revolve 공전하다, 회전하다
revolution 공전
celestial 하늘의, 천체의
sphere 구(球)형, 구체, 천구(天球)
pinpoint ~의 위치를 정확하게 나타내다, 지적하다
turning point 전환점, 전환기
pioneer 개척자, 선구자

해설 코페르니쿠스가 폴란드의 과학자였지만 가장 유명한지는 알 수 없고, 또 이 글의 주된 내용은 그의 이론이 근대 천문학과 과학사에 큰 영향을 미쳤다는 것이므로 (a)는 정답과 거리가 멀다. 그리고 그의 책이 하나 언급되기는 했지만, 다른 책이 또 있는지는 알 수 없다. 또 천문학 이외의 다른 분야에 대한 언급도 없으므로 (c)와 (d)도 적절하지 않다. 그의 이론과 사상이 현대 천문학에 시초로 여겨지고 과학사의 전환점이 되었다면 그는 개척자, 선구자라고 표현될 수 있을 것이다.

정답 (b)

49

Claire, this is Russell. I just wanted to call and let you know that the opening of the outdoor sculpture exhibit at the modern art museum has been pushed back a week because of the weather, so I won't see you tomorrow afternoon. Sorry this is at the last minute, but I just found out only a few minutes ago. Please give me a call as soon as you get this message. My number is 555-9407. I'll talk to you later. Bye.

Q What is the purpose of this message?

(a) To urge attendance of the exhibit
(b) To inform her of a delay
(c) To arrange an appointment
(d) To give the caller's number

해석 클레어, 나 러셀이야. 근대 미술 박물관에서 하는 야외 조각상 전시회의 개회가 날씨 때문에 연기된 것을 알려주려고 전화했어. 그래서 난 내일 너를 못 만날 것 같아. 이렇게 막판에 가서 알려줘서 미안해, 하지만 나도 방금 전에 알았어. 이 메시지 들으면 바로 나한테 전화 좀 해줘. 내 전화번호는 555-9407이야. 나중에 이야기 하자. 안녕.

Q 이 메시지의 목적은 무엇인가?
(a) 전시회 참석을 강요하려고
(b) 그녀에게 연기를 알리려고
(c) 약속을 정하려고
(d) 전화건 사람의 전화번호 주려고

어구 sculpture 조각, 조각물
exhibit 전시(회), 전람(회), 진열
push back 뒤로 미루다, 밀어내다
at the last minute 마지막 순간에, 막판에 가서
urge 강요하다, 열심히 권하다
inform 알리다, 통지하다
arrange 준비하다, 미리 정하다, 마련하다, 조정하다

해설 러셀이 클레어에게 전화한 이유는 아마도 내일 같이 가기로 한 조각상 전시회가 연기되었다는 것을 알려주기 위해서 일 것이다.

정답 (b)

50

We're sorry to interrupt your regular broadcast with this breaking news. We've just received word that there has been a plane crash about half an hour ago at Smithson International Airport. No word has been received yet about any fatalities. It seems there was some engine failure while the plane was taking off and the aircraft fell about three hundred feet to the ground. Fire and rescue crews are currently on site. We'll bring you more news as soon as details are released.

Q Which is correct according to the report?

(a) None of the passengers survived.
(b) The engine of the plane didn't seem to work properly.
(c) There was a big fire when the plane fell.
(d) Emergency crews are on the way to the scene.

해석 죄송하지만 정규방송을 중단하고 속보를 알려 드리겠습니다. 스미드슨 국제공항에서 약 30분 전에 비행기 추락사고가 있었다는 소식이 방금 들어왔습니다. 사망자에 대해서는 다른 소식이 아직 없습니다. 비행기가 이륙하는 동안 엔진 결함이 있었던 것으로 보이고, 비행기는 300피트 상공에서 추락했습니다. 소방대원들과 구조대가 현재 사고현장에 있습니다. 자세한 사항이 나오는 대로 더 전해드리겠습니다.

Q 보도에 따르면 어느 것이 맞는가?
(a) 승객들 중 아무도 살아남지 못했다.
(b) 비행기의 엔진이 올바르게 작동하지 않은 것으로 보인다.
(c) 비행기가 추락했을 때 큰 불이 났다.
(d) 응급대원들은 현장에 출동하는 길이다.

어구 breaking news 속보
fatality 죽음, 사망자 (수)
take off 이륙하다, 날아가다
cf. land 착륙하다 (= touch down)
failure 고장, 정지, 오작동
on site 현장에 있는
survive 살아남다

해설 비행기 추락소식이 속보로 들어오고 있다. 아직까지는 사망자에 대한 소식은 없다고 했으므로 (a)는 오답이다. 그리고 소방대원들이 현장에 있기는 하지만 불이 났는지에 대해서는 보도가 없었으므로 (c)도 오답이다. 그리고 대원들은 현장에 있지 현장에 가는 도중이 아니므로 (d)도 답이 아니다. (b)가 정답이다. 이륙도중 엔진결함이 있었던 것으로 보인다고 속보를 전했다.

정답 (b)

51

The Amazon Rainforest in South America contains over half of the world's remaining rain forests and also has one of the highest levels of biodiversity in the world. But because of deforestation it is getting smaller year after year. The main cause of deforestation is human settlement. Because people cut down and clear away the rain forest, more animals are losing their habitats, with some on the verge of extinction. People also use the cleared land to raise livestock and crops, such as soybeans.

Q Why is the Amazon Rainforest being destroyed?

(a) Because of the increasing number of extinct species
(b) Because many animals live in it
(c) Because of humans' inconsiderate activities
(d) Because of low rainfall in this area

해석 남미에 있는 아마존 우림은 전 세계에 남아있는 우림의 절반 이상을 포함하고 있고, 또한 세계에서 가장 높은 수준의 생물 다양성을 갖고 있다. 그러나 산림 개간 때문에 해를 거듭할수록 점차 작아지고 있다. 산림개간의 주된 이유는 인간의 정착 때문이다. 사람들이 우림을 잘라내고 없애기 때문에 점점 더 많은 동물들이 그들의 서식지를 잃어 가고 있고, 그들 중 몇 종은 멸종의 직전에 있는 것도 있다. 사람들은 개간한 땅을 가축을 기르거나 콩 같은 작물을 키우기 위해서 사용하기도 한다.

Q 왜 아마존 우림이 파괴되고 있는가?

(a) 멸종된 종의 수의 증가 때문에
(b) 많은 동물들이 그 안에 살기 때문에
(c) 인간의 무분별한 행동 때문에
(d) 이 지역에 적은 강수량 때문에

어구 rainforest 우림(雨林)
biodiversity 생물의 다양성
deforestation 삼림 벌채, 산림 개간
settlement 정착, 이주
habitat 서식지, 자생지
on the verge of ~하기 직전에, ~에 직면하여
extinction 멸종, 종족의 단절
livestock 가축, 가축류
crop 농작물, 수확물
soybean 콩, 대두
inconsiderate 남을 배려할 줄 모르는, 사려 없는, 분별없는

해설 아마존 우림이 매년 점차 작아지고 있는데, 그 이유가 인간의 산림개간 때문이라고 말하고 있다. 인간들은 개간을 해서 그 안에 살고 가축을 기르고 농작물을 키우고 있다.

정답 (c)

52

Besides a minor fender bender, I'm amazed to report that there are no major accidents or delays this afternoon during rush hour traffic. Everything is still slow, of course, but at least drivers won't be delayed by any accidents. Also, don't forget that tomorrow night exit 3 on the 408 highway will be closed because of construction. Please keep this in mind and adjust your schedules if you need to.

Q What can be inferred from this traffic report?

(a) Several exits on the highway were closed down.
(b) There was a serious car accident this afternoon.
(c) There will be no traffic jam tonight.
(d) Drivers can use exit 3 on the 408 highway tonight.

해석 경미한 접촉사고를 제외하고, 오늘 오후 러시아워 동안에 큰 사고나 지체가 없다는 것을 보도하게 되어서 정말 놀랍습니다. 물론 여전히 느리기는 하지만, 적어도 어떤 사고에 의해서 지체가 되지는 않습니다. 또, 내일 밤 408 고속도로에 3번 출구가 공사 때문에 폐쇄되는 것을 잊지 마세요. 유념하시고 필요하시다면 일정을 조정하십시오.

Q 이 교통정보에서 유추할 수 있는 것은 무엇인가?

(a) 고속도로의 여러 출구가 폐쇄되었다.
(b) 오늘 오후 심각한 자동차 사고가 있었다.
(c) 오늘밤에는 교통정체가 없을 것이다.
(d) 운전자들은 오늘밤에 408 고속도로에 3번 출구를 이용할 수 있다.

어구 fender bender 접촉사고
amaze 몹시 놀라게 하다, 몹시 놀라다
delay 늦추다, 지체시키다, 지연, 지체, 연기
construction 건설, 공사
keep in mind 기억하고 있다, 유의하다
adjust 조절하다, 조정하다

해설 오늘은 경미한 접촉사고를 제외하고는 큰 사고가 없었다고 했으므로 (b)는 답이 아니다. 지금 이 시각 퇴근시간에 사고는 없지만 여전히 느리다고 전하고 있기는 하지만, 오늘 밤은 어떨지 이 보도만으로는 알 수 없다. 따라서 (c)도 오답이다. 공사로 3번 출구를 폐쇄하는 것은 오늘이 아니라 내일 밤이다. 오늘 밤은 이용할 수 있다.

정답 (d)

53

The Superium refrigerator is a top of the line product that everyone is talking about. Its sleek aluminum design attracts and holds your attention, but its appearance isn't the only thing that's appealing. It has a specialized motor that is designed to use less electricity, so it also saves on your energy bill. There's also plenty of space in both the freezer and refrigerator, so it can hold anything you can think of. It perfectly combines form and function, so come take a look today!

Q What is NOT the main selling feature of the refrigerator?

(a) Its reasonable price
(b) Its terrific design
(c) Its good efficiency
(d) Its spacious room

해석 수퍼리움 냉장고는 모든 사람들이 이야기하는 최고의 제품입니다. 이것의 매끈한 알루미늄 디자인은 여러분의 이목을 끌지만 매력적인 것은 그것의 외관만이 아닙니다. 이것은 보다 적은 전기를 쓰도록 설계된 특화된 모터를 달고 있어서 여러분의 전기료를 절약해 줄 것입니다. 또한 냉동실과 냉장실 양쪽 모두 넓은 공간이 있어서, 당신이 생각할 수 있는 어떤 것이라도 보관할 수 있습니다. 이것은 모양과 기능을 완벽하게 겸비하였으니, 오늘 오셔서 한번 보세요!

Q 이 냉장고를 잘 팔리게 하는 주요한 특징이 아닌 것은 어느 것인가?

(a) 적당한 가격
(b) 훌륭한 디자인
(c) 높은 효율
(d) 넓은 공간

어구 refrigerator 냉장고
sleek 매끄러운, 날씬한
attract 끌어당기다, 유인하다, 매혹하다
attention 주의, 관심, 주목
appearance 외관, 생김새, 겉모습
appealing 마음을 끄는, 매력적인
electricity 전기
combine 겸비하다, 결합시키다
selling 잘 팔리는, 수요가 많은
reasonable 비싸지 않은, 가격이 적당한, 정당한
spacious 넓은, 훤히 트인

해설 이 냉장고가 최고의 제품이라고 하면서 장점, 특징들을 하나씩 이야기 하고 있는데 디자인, 전기절약형 모터, 넓은 공간을 자랑하고 있다. 가격에 대해서는 언급이 없다.

정답 (a)

54

When they are sick, many people cannot tell if it is because of a common cold or the flu, but there are a few ways to tell the difference. With a cold, a fever is usually rare, but with the flu a fever is expected and normally lasts 3-4 days. A headache is also an unusual occurrence with a cold, but very common with the flu. Another difference is that with a cold a person doesn't generally experience fatigue but with the flu weakness in the body can last up to 2-3 weeks.

Q What is the main focus of this talk?

(a) Several symptoms of a cold
(b) Differences between a cold and the flu
(c) Duration of the flu and a cold
(d) Treatment of the flu and a cold

해석 사람들이 아플 때, 많은 사람들은 그것이 보통 감기인지 아니면 유행성 감기인지 구별하지 못하지만, 그것을 구별할 수 있는 몇 가지 방법이 있습니다. 감기에 걸렸을 때에는 일반적으로 열이 드물게 나타나지만, 유행성 감기에 걸렸을 때는 열이 날 것으로 예상되고, 대개 3-4일 지속됩니다. 두통은 또한 보통 감기에서는 드문 증상이지만, 유행성 감기에서는 매우 흔합니다. 또 다른 차이점은 일반 감기에 걸린 사람은 일반적으로 피로를 겪지 않지만, 유행성 감기에 걸린 사람은 몸의 병약함이 2-3주까지 지속 될 수 있습니다.

Q 이 담화의 주제는 무엇인가?

(a) 보통 감기의 여러 가지 증상
(b) 보통 감기와 유행성 감기의 다른 점
(c) 유행성 감기와 보통 감기의 지속 기간
(d) 유행성 감기와 보통 감기의 치료

어구 tell 알다, 납득하다
cold 감기, 고뿔
flu 인플루엔자 (influenza), 유행성 감기, 독감
fever 열, 발열, 열병
rare 드문, 희박한
last 지속하다, 오래가다
occurrence 발생, 일어남, 사건, 출현
fatigue 피로, 피곤
symptom 증상, 징후, 조짐
duration 지속, 존속기간

해설 첫 문장에서 보통 감기와 유행성 감기를 구별할 수 있는 방법이 몇 가지 있다고 말하고, 이어서 여러 가지의 차이점들을 나열했다. 두 질병의 차이점에 초점이 맞춰져 있다.

정답 (b)

55

Attention SuperSaver shoppers. For the next thirty minutes we will be having a super sale in our deli and bakery. Birthday cakes will be buy one get one at half price. Baguette bread will be two for the price of one, and all fresh cookies will be 50% off. All sliced cheeses and sandwich meats will be discounted 25%. All purchases from the deli or bakery will come with a free small order of potato salad, so hurry before time runs out!

Q Which is correct according to the announcement?

(a) The sale is for a limited time.
(b) SuperSaver sells only baked goods.
(c) Birthday cakes are 50% off.
(d) Most goods are discounted at the same rate.

해석 슈퍼세이버 쇼핑객 여러분, 주목해주세요. 앞으로 30분 동안 델리와 빵 코너에서 슈퍼세일을 할 것입니다. 생일 케이크를 하나 사시면 다른 하나를 반값에 드립니다. 바게트 빵은 한 개 값에 두 개를, 그리고 모든 신선한 쿠키들은 50% 할인해 드립니다. 얇게 썬 치즈와 샌드위치 고기 모두 25% 할인될 것입니다. 델리나 빵 코너에서 구매하신 모든 것에는 작은 무료 감자 샐러드가 같이 나옵니다. 그러니 시간이 다 되기 전에 서두르세요.

Q 공지에 따르면 어느 것이 옳은가?

(a) 세일은 제한된 시간동안 한다.
(b) 슈퍼세이버는 구운 상품만을 판매한다.
(c) 생일케이크는 50% 할인된다.
(d) 모든 품목들은 같은 할인율로 할인된다.

어구 **deli** 조제 식품 판매점(식당)
run out 다하다, 만기가 되다, 바닥나다, 다 써버리다
limited 한정된, 제한된

해설 앞으로 30분 동안만 한다고 했으므로 세일 시간은 한정된 것이다. 빵 말고도 치즈와 고기도 판매하므로 (b)는 오답이고, 생일 케이크는 한 개사면 두 번째 사는 케이크를 50% 싸게 주는 것인데, 다시 말해 케이크를 두 개 사면 1개 반 값에 사는 것이다. 굳이 계산을 해 본다면 75% 할인인 셈이다. 따라서 (c)도 오답이다.

정답 (a)

56

The sequel to *Road Rage* has finally been released. *Road Rage: On the Road Again* is an action film to be loved by anybody. Although there were many rumors that Jay Hawking's character, Jack Spade, is killed, we find out in the end that he lives. I won't reveal what exactly happens to him, but it's worth it to find out. The soundtrack perfectly complemented every scene and the acting from all members of the cast was superb. It's definitely four stars.

Q What is the main focus of the talk?

(a) Introducing a new movie
(b) Introducing a superb novel
(c) Describing the characters of a movie
(d) Explaining the plot line of a novel

해석 '길 위의 분노'의 속편이 개봉되었습니다. '길 위의 분노: 다시 길 위에'는 모든 이가 좋아할 만한 액션영화입니다. 비록 제이 호킹의 배역, 잭 스페이드가 살해될 것이라는 소문이 있었지만, 마지막에 그가 산다는 것을 알았습니다. 그에게 정확히 어떤 일이 일어났는지는 밝히지 않겠지만, 직접 알아내기에 충분한 가치가 있습니다. 영화음악은 완벽하게 모든 장면을 보완했고, 모든 배역의 구성원들의 연기는 훌륭했습니다. 이 영화는 확실히 별 4개짜리입니다.

Q 이 이야기의 주요 초점은 무엇인가?

(a) 새로운 영화를 소개하는 것
(b) 훌륭한 소설을 소개하는 것
(c) 영화의 인물을 묘사하는 것
(d) 소설의 줄거리를 설명하는 것

어구 **sequel** 속편, 후편
release 개봉하다, 공개하다, 발매하다
rumor 소문, 풍문
find out 알아내다, (조사하여) 발견하다, 찾아내다
reveal 폭로하다, 밝히다, 누설하다
complement 보완하다, 보충하다
superb 최고의, 훌륭한, 뛰어난, 화려한
plot line 줄거리, 이야기

해설 속편이 나왔다는 것으로는 이것이 소설인지 영화인지 알 수 없지만, '액션 영화'와 '사운드 트랙'이라는 어휘들로 영화를 이야기 하는 것임을 알 수 있다. 그리고 인물뿐 아니라 영화음악도 언급하고 있으므로 (c)는 답이 될 수 없다.

정답 (a)

57

There are four categories of deserts. Subtropical deserts are the hottest, with little water and very dry land. Cool coastal deserts have a much lower average temperature because of extremely cold offshore ocean currents. Then there are cold winter deserts, which are characterized by completely different temperatures in different seasons. Finally, polar regions are also thought to be deserts because almost all moisture is found in the form of ice.

Q What is the main subject of the lecture?

(a) The four steps to develop a desert
(b) How cold polar regions are
(c) Different types of deserts
(d) Different categories of weather

해석 사막에는 4가지의 유형이 있다. 아열대성 사막들은 물이 거의 없고, 땅이 매우 건조하고, 가장 뜨겁다. 시원한 연안지역의 사막들은 그 해안에서 떨어진 대양의 차가운 조류 때문에 훨씬 낮은 평균 기온을 나타낸다. 그리고 계절마다 완전히 다른 기온으로 특징 지어지는 추운 겨울 사막들이 있다. 마지막으로 극지방도 또한 사막이라고 여겨지는데, 이는 거의 모든 습기가 얼음의 형태로 존재하기 때문이다.

Q 강의의 주제는 무엇인가?
(a) 사막이 발달하는 4단계
(b) 극지방이 얼마나 추운지
(c) 사막의 여러 형태
(d) 날씨의 여러 종류

어구 category 범주, 부문, 구분, 종류
desert 사막, 불모지대, 황야
subtropical 아열대의, 아열대성의
coastal 근해의, 연안의, 해안가의
average 평균, 보통수준
offshore 앞바다에, 해안에서 떨어진 곳에서, 국외에서 정한
current 조류, 흐름
characterize 특징짓다, 성격을 묘사하다
polar 남극의, 북극의, 극지의
region 지방, 지역
find 발견할 수 있다, (~에) 있다, 존재하다

해설 지문의 내용은 약간 어려울 수도 있지만, 첫 문장만 놓치지 않고 잘 들었다면 충분히 풀 수 있는 문제이다. 사막에는 4가지 유형이 있다고 주제를 밝히고, 이어서 각 유형들을 설명하고 있다.

정답 (c)

58

The last book of the *Wizard Wars* book series was finally released today. Fans were waiting in long lines at book stores all across the country to get their copies. Melgar, the main character, goes on his last journey and fights his last battle with his biggest rival, Stefan. The imagery is beautiful and the storyline keeps you turning the page. Many think that this is only the beginning of a new series, but for me, this novel is enough for now.

Q What can be inferred about the *Wizard Wars*?

(a) It is a popular book.
(b) It is a thick book.
(c) It is out of stock.
(d) It sells internationally.

해석 '마법사 전쟁' 책 시리즈의 마지막 권이 마침내 오늘 발간되었습니다. 팬들은 전국의 서점에서 이 책을 사기 위해서 긴 줄에 서서 기다렸습니다. 주인공 멜가는 그의 마지막 여정을 계속하고, 최대의 적 스테판과 마지막 전투를 벌입니다. 비유적인 묘사가 아름답고, 줄거리는 페이지를 계속 넘기게 합니다. 많은 사람들은 이 책이 새로운 연작물의 시작에 불과하다고 하지만, 저에게 있어서 이 소설은 지금으로서 충분한 것 같습니다.

Q '마법사의 전쟁'에 대하여 무엇을 유추할 수 있는가?
(a) 이것은 인기 있는 책이다.
(b) 이것은 두꺼운 책이다.
(c) 이것은 품절이다.
(d) 이것은 국제적으로 판매된다.

어구 copy (같은 책, 잡지의) 부, 권
journey 여행, 여정
imagery [문학] 비유적 묘사, 수사적 표현, 이미지
thick 두꺼운, 굵은
out of stock 매진된, 품절인

해설 이 연작 소설의 마지막 권을 사기 위해서 팬들이 전국 서점에서 긴 줄을 서서 기다렸다는 것으로 보아 매우 인기 있는 책임을 알 수 있다.

정답 (a)

59

Obsessive-Compulsive Disorder (OCD) is a psychological disorder. The obsessive part has to do with a person's obsessive thoughts about something, for example cleanliness. The compulsive part has to do with the person's compulsions, or rituals, to counteract those thoughts. For instance, if a person is constantly worried about germs and getting sick, these are obsessive thoughts. To counterbalance these thoughts the person might constantly wash their hands, which is a compulsive behavior.

Q What is the main purpose of this lecture?

(a) Promoting an understanding of OCD
(b) Difficulties of getting over OCD
(c) Recommending to wash your hands frequently
(d) Showing the dangers of mental illnesses

해석 강박 신경증은 심리적인 장애이다. 강박적인 부분은 한 사람의, 예를 들면 청결과 같은, 무엇인가에 대한 강박적인 생각과 관련이 있다. 강제적인 부분은 그 사람의 그런 생각들은 중화시키는 강제, 또는 의식과 관련이 있다. 예를 들면, 한 사람이 끊임없이 세균과 병에 걸리는 것을 걱정한다면, 이것이 강박적인 생각이다. 이 생각들을 견제하기 위해서 그 사람은 계속 손을 닦을 수도 있는데, 그것이 강제 행동이다.

Q 이 강의의 주된 목적은 무엇인가?

(a) 강박 신경증에 대한 이해를 증진시키기
(b) 강박 신경증을 극복하는 것의 어려움
(c) 손을 자주 씻도록 권장하기
(d) 정신병의 위험함을 보여주기

어구 obsessive-compulsive disorder 강박 신경증
obsessive 강박 관념의, 사로잡힌 듯한
compulsive 강제적인, 강박 관념에 사로잡힌
disorder 무질서, 장애, 병
psychological 심리학의, 심리적인, 정신의
have to do with ~와 관계가 있다, 관련이 있다
cleanliness 청결, 깨끗함
compulsion 강제, 강박, 충동
ritual 종교적 의식, 제사, 전례
counteract 거스르다, 중화하다, 좌절시키다
constantly 끊임없이, 항상
germ 세균, 병원균
counterbalance 견제하다, 효과를 상쇄하다
behavior 행동, 행실

해설 강의에서 강박 신경증이라는 병을 강박적인 부분과 강제적인 부분으로 나누고, 각각의 예를 들어 보이면서 무엇인지를 설명하고 있다. 즉 따라서 강의의 주된 목적은 이 병이 무엇인지 이해를 높이기 위한 것이다.

정답 (a)

60

It seems like there will be plenty of sunshine this holiday weekend. Thursday will be a bit cloudy and there might be a few showers in the afternoon, but it will be smooth sailing from Friday morning on. Saturday will be the hottest day this weekend, so be sure to pack your hats and sunglasses if you go to the lake. Sunday will be a bit cooler, but just as sunny and clear. Monday morning should be overcast again, but at least the weekend will be nice.

Q Which is correct about the weather on Saturday?

(a) It will be hot.
(b) It will be sunny and windy.
(c) It will rain all day.
(d) It will be chilly all afternoon.

해석 이번 휴일 주말에는 풍부한 햇살이 있을 것으로 보입니다. 목요일은 약간의 구름이 있겠고 오후에 몇 차례 소나기가 내릴 지도 모르지만, 금요일 아침부터 구름이 걷히겠습니다. 토요일은 이번 주말에 가장 더운 날이 될 것이므로, 호수에 가신다면 모자와 선글라스를 반드시 챙기십시오. 일요일은 약간 시원해 질 것이지만, 화창하고 맑겠습니다. 월요일 아침에는 다시 흐리겠지만, 적어도 주말은 날씨가 좋을 것입니다.

Q 토요일의 날씨에 대해서 어느 것이 옳은가?

(a) 더울 것이다.
(b) 화창하고 바람이 불 것이다.
(c) 하루 내내 비가 올 것이다.
(d) 오후 내내 쌀쌀할 것이다.

어구 plenty of 많은, 풍부한
sail (구름, 달이) 뜨다, 떠다니다
be sure to 반드시 ~해라
overcast 구름으로 덮다, 흐린, 우중충한
chilly 차가운, 쌀쌀한, 으스스한

해설 토요일은 주말 중 가장 더운 날이라고 했으므로 (a)가 정답이 된다.

정답 (a)

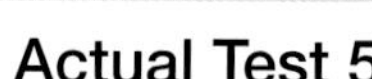

Actual Test 5

1 (a)	2 (b)	3 (b)	4 (a)	5 (a)
6 (c)	7 (c)	8 (b)	9 (b)	10 (a)
11 (d)	12 (a)	13 (b)	14 (a)	15 (b)
16 (c)	17 (c)	18 (a)	19 (b)	20 (a)
21 (a)	22 (c)	23 (c)	24 (c)	25 (b)
26 (d)	27 (b)	28 (d)	29 (a)	30 (b)
31 (b)	32 (b)	33 (a)	34 (b)	35 (c)
36 (a)	37 (b)	38 (d)	39 (c)	40 (b)
41 (b)	42 (b)	43 (c)	44 (a)	45 (b)
46 (b)	47 (c)	48 (a)	49 (b)	50 (a)
51 (b)	52 (b)	53 (a)	54 (c)	55 (b)
56 (b)	57 (c)	58 (c)	59 (b)	60 (d)

Part 1

1

M Is the mail here yet?

W ______________________

(a) Yeah, it came a few minutes ago.
(b) You should mail this out.
(c) Is this still here yet?
(d) I'm going to the post office.

해석 **M** 우편물 도착했니?

W ______________________

(a) 응, 몇 분 전에 왔어.
(b) 넌 이것을 부쳐야 해.
(c) 이거 아직도 여기 있니?
(d) 난 우체국에 갈 거야.

어구 mail out 우편으로 보내다

해설 남자는 여자에게 우편물이 도착 했는지 아닌지 확인을 하고 있으므로, 도착했다고 말해주고, 몇 분전에 왔다고 까지 말해주는 (a)가 정답이다.

정답 (a)

2

W Look at that line. We should've gotten here earlier.

M ______________________

(a) Are you in line?
(b) Right. We should've left early.
(c) You must leave earlier.
(d) I just got here by myself.

해석 **W** 이 줄 좀 봐. 좀 더 일찍 왔어야 했는데.

M ______________________

(a) 줄 서 계신 건가요?
(b) 맞아. 일찍 떠났어야해 했어.
(c) 넌 좀 더 일찍 떠났어야 했어.
(d) 난 여기 혼자 왔어.

어구 should have p.p ~했었어야 했는데

해설 여자는 줄이 너무 길다며, 좀 더 일찍 왔어야 했다고 후회를 하고 있다. 이에 남자도 일찍 떠났어야 했다고 맞장구를 쳐주는 (b)가 정답이 된다. (a)는 여자의 말에서 line을 그대로 넣어서 혼동용 오답을 만든 것이며, 남자와 여자가 함께 일찍 떠났어야 했는데 그렇지 않았던 것이므로, (c)에서처럼 네가 일찍 떠났어야 했다고 말하는 것은 어색한 응답이 된다.

정답 (b)

3

M Where did you get that beautiful dress?

W ______________________

(a) I love that jacket.
(b) At the mall downtown.
(c) It really looks great on you.
(d) About two weeks ago.

해석 **M** 이렇게 예쁜 원피스 어디서 샀니?

W ______________________

(a) 나는 저 자켓이 맘에 들어.
(b) 시내의 쇼핑몰에서 샀어.
(c) 너에게 잘 어울린다.
(d) 2주 전에

어구 look great on ~ ~에게 ~이 잘 어울린다

해설 남자가 여자의 옷을 칭찬하며 어디서 샀냐고 물었으므로, 장소에 대한 개념이 응답이 들어가는 게 좋다. 시내의 쇼핑몰에서 샀다는 (b)가 정답이 된다. 지금 쇼핑을 하고 있는 상황이 아니므로 (a)는 정답이 될 수 없고, (c)는 여자가 아니라 남자가 할 수 있는 말이다.

정답 (b)

4

W Care for some iced tea?
M ______________________________

(a) Yes, please.
(b) No ice in my drink.
(c) Let me treat you.
(d) How can I thank you!

해석 W 시원한 홍차 마실래요?
M ______________________________
(a) 네, 한 잔 주세요.
(b) 제 음료에는 얼음 넣지 마세요.
(c) 제가 살게요.
(d) 어떻게 감사를 드려야 할지 모르겠네요.

어구 care for 좋아하다
Let me treat you. 제가 살게요.
How can I thank you! 제가 어떻게 감사를 드려야 할지.

해설 여자는 남자에게 홍차를 마실 것인지 의향을 묻고 있으므로, 이에 대해 남자는 수락이나 거절을 해주는 것이 좋다. 여자의 제안에 수락을 한 (a)가 정답이 된다. 여자가 시원한 홍차를 권했는데, 남자는 얼음을 넣거나 시원한 것이 싫다면, 일단 거절을 하고 따뜻한 것으로 달라고 해야지 자연스러운 응답이 된다. 그러므로 (b)는 답이 될 수 없다.

정답 (a)

5

M Let's go a different way. I heard traffic is horrible in this area.
W ______________________________

(a) But there is no alternative route.
(b) Then let's take a bus instead.
(c) Which way is your house?
(d) I was caught in traffic on the way.

해석 M 다른 길로 가자. 이 지역은 교통이 심하게 밀린다고 들었어.
W ______________________________
(a) 그렇지만 다른 길이 없어.
(b) 그러면 버스를 타자.
(c) 너희 집은 어느 쪽이니?
(d) 오다가 교통 체증으로 꼼짝 못하게 되었어.

어구 alternative 대신의, 양자택일의
route 길, 노선
be caught in~ ~에 잡혀 있다

해설 남자가 다른 길로 가자고 제안 했다. 그러면 여자는 남자의 제안을 어떻게 할지 정해 주는 것이 좋은데, 다른 길이 없다고 거절하는 (a)가 정답이 된다. 지금 남자와 여자는 차 안에 타 있는 상태이고, 버스를 탄다고 교통 체증을 피할 수 없으므로 (b)는 정답이 될 수 없다.

정답 (a)

6

W Can you tell me where the exit is?
M ______________________________

(a) I'll tell you what.
(b) There's an elevator over there.
(c) Sorry, I'm new here.
(d) You can't walk to get there.

해석 W 출구가 어디 있는지 말씀해 주시겠어요?
M ______________________________
(a) 실은 말이에요.
(b) 저기에 엘리베이터가 있어요.
(c) 죄송하지만, 저는 여기 처음이에요.
(d) 거기까지 걸어 갈 수 없어요.

어구 I'll tell you what. (제안할 때) 내가 말해줄게, (강조할 때) 내 얘기 좀 들어봐, 할 말이 있어.

해설 여자는 출구의 위치를 물었으므로, 남자는 출구의 위치를 가르쳐 주거나, 혹은 모른다고 답할 것이다. (c)는 모른다고 답한 것이므로 정답이다. (b)라고 착각 할 수도 있는데, 여자는 출구의 위치를 물었으므로 엘리베이터의 위치를 가르쳐주면 안 된다. '엘리베이터를 타고 어디로 가세요?'라고 하면 정답이 되지만, 여기선 단순히 엘리베이터의 위치만 가르쳐 줬으므로 정답이 될 수 없다.

정답 (c)

7

M Oh, no. My car won't start again!
W ______________________________

(a) Used cars aren't that expensive.
(b) I'm not in good condition.
(c) Let me have a look.
(d) Stop complaining about this.

해석 M 오, 이런. 내 차가 또 시동이 걸리지 않아.
W ______________________________
(a) 중고차는 그리 비싸지 않아.
(b) 나는 컨디션이 좋지 않아.
(c) 내가 한번 볼게.
(d) 이것에 대해 그만 불평해.

어구 used car 중고차
be in a good condition (사람의 컨디션이, 물건의 상태가) 좋은 상태이다
cf. be in a bad [terrible] condition 나쁜 상태이다
have a look 보다

해설 남자의 차가 시동이 걸리지 않으므로, 여자는 정비소에 가져가 보라던가, 혹은 자신이 한번 봐준다고 하는 응답이 자연스럽다. (c)가 정답이다. 남자는 불평하는 것이 아니므로 (d)는 정답이 될 수 없다.

정답 (c)

8

W Did you remember to get eggs from the store?

M ______________________________

(a) I'll let you know later.
(b) It slipped my mind.
(c) I just got back from the store.
(d) Don't boss me around.

해석 W 가게에서 계란 사오는 것 기억했지?

M ______________________________

(a) 이따가 가르쳐 줄게.
(b) 깜박 잊어 버렸어.
(c) 가게에서 지금 막 돌아왔어.
(d) 나한테 이래라 저래라 하지 마.

어구 It slipped my mind. 잊어버렸다, 깜빡했다.
boss around 이래라 저래라 명령하다

해설 여자는 일반 의문문을 써서 남자가 계란을 사왔는지 확인하고 싶어 한다. 남자는 계란을 사는 것을 기억해 사왔거나, 잊어버릴 수 있을 것이다. 정답은 (b)이다. 여자는 계란을 사왔는지 확인을 하는 것이지, 이래라 저래라 명령하는 것이 아니므로 (d)는 정답이 될 수 없다. (d)는 정답은 아니지만 boss around는 중요한 표현이므로 잘 익혀 두자.

정답 (b)

9

M I think my cat is sick. He won't eat anything.

W ______________________________

(a) Have him eat a balanced diet.
(b) You should get him checked.
(c) An eating disorder is a serious problem.
(d) Eating anything might be dangerous.

해석 M 내 고양이가 아픈 것 같아. 아무것도 먹질 않아.

W ______________________________

(a) 네 고양이가 균형잡힌 식사를 하도록 해.
(b) 진료를 받아 보게 해.
(c) 섭식 장애는 심각한 문제야.
(d) 아무 것이나 먹는 것은 위험해.

어구 get something p.p ~이 ~하도록 하다
balanced diet 균형 잡힌 식생활
eating disorder 섭식 장애

해설 남자의 고양이가 아픈지 아무것도 먹지 않고 있으므로, 고양이를 병원에 데리고 가 보라는 것이 자연스런 응답이 된다. 사역을 사용해 답을 했으므로 조심해야 한다. 직역을 하면 고양이가 검사를 받아 지도록 해 보라는 것이다. 고양이가 섭식 장애가 있는 것이 아니라, 지금 아파서 안 먹는 것일 수 있으므로 (c)는 정답이 될 수 없다.

정답 (b)

10

W What time are we supposed to meet tomorrow?

M ______________________________

(a) We should be there around noon.
(b) Early morning on Thursday.
(c) We will meet in front of our building.
(d) Can we meet tomorrow instead of Thursday?

해석 W 내일 우리 언제 만나지?

M ______________________________

(a) 거기서 정오에 만나자.
(b) 화요일 이른 아침에.
(c) 우리 건물 앞에서 만나자.
(d) 우리 목요일 대신 내일 만날까?

어구 in front of ~앞에

해설 여자는 남자에게 내일 언제 만나기로 되어 있냐고 물었다. 의문사 when을 놓치면 안 되겠다. 남자는 정오에 만나자고 시간을 정확히 얘기해 주었으므로 (a)가 정답이 된다. (b)는 내일이 화요일인지 아닌 지도 알 수 없고, 남자는 내일 정확히 언제 만나냐고 묻고 있으므로, 그냥 이른 아침에 라고 말하는 것도 좋은 응답이 될 수 없다.

정답 (a)

11

M There is absolutely nowhere to park.

W ______________________________

(a) Double parking isn't allowed.
(b) Let's buy a parking pass.
(c) That's too far from here.
(d) Oh, no. What should we do?

해석 M 정말로 주차할 공간이 없어.

W ______________________________

(a) 이중 주차는 허용 되지 않아.
(b) 주차 정기권을 사자.
(c) 거기는 여기서 너무 멀어.
(d) 안 돼. 그럼 어쩌지?

어구 double parking 이중 주차

해설 주차할 공간이 없는 난감한 상태 이므로 (d)로 응답을 할 수 있다. 남자가 여자에게 이중 주차를 하겠다고 말한 것이 아니므로 (a)는 정답이 될 수 없고, 지금 당장 주차할 공간이 없는데 주차 정기권을 사는 것은 해결책이 될 수 없다. 남자가 다른 데에 차를 대자고 한 것도 아니므로 (c)도 자연스런 응답이 될 수 없다.

정답 (d)

12

W I'm dead. I flunked my chemistry final!

M ______________________________

(a) Why don't you get some help?

(b) It has never been better before.

(c) Don't be nervous. Do your best.

(d) Chemistry is my weak subject.

해석 **W** 난 죽었다. 화학 기말고사 낙제했어.

M ______________________________

(a) 도움을 좀 받아 보는 게 어떠니?

(b) 이전에 이것보다 더 좋은 적이 없었어.

(c) 긴장하지 마. 최선을 다해.

(d) 화학은 내가 약한 과목이야.

어구 **flunk** 낙제하다, F 받다 (= get an F)

weak subject 약한 과목

해설 여자가 화학 시험을 망쳤으므로 현실적인 남자의 제안 (a)가 정답이 된다. (b)는 언뜻 들으면 나쁜 상황에 쓰는 말 같지만, 지금이 최상의 상태라는 좋은 상황에 쓰는 말이므로 정답이 될 수 없다. (c)는 여자는 이미 시험을 봤으므로, 시험 전에 주로 나올 수 있는 (c)의 응답은 시기가 적절치 않다. 여자가 화학 시험을 망쳤는데, 남자가 자신의 약한 과목을 말하는 것도 논리적 연결성이 희박하므로 (d)도 정답이 될 수 없다.

정답 (a)

13

M I'm sorry. I stained your carpet.

W ______________________________

(a) Please accept my apology.

(b) Don't worry. Accidents can happen.

(c) Sorry I couldn't get this stain out.

(d) I'll pay for cleaning.

해석 **M** 미안해. 네 카펫에 얼룩을 만들었어.

W ______________________________

(a) 나의 사과를 받아줘.

(b) 괜찮아. 사고는 늘 일어나는 거지.

(c) 미안해. 이 얼룩을 제거 할 수 없었어.

(d) 세탁비를 지불할게.

어구 **stain** 얼룩

Please accept my apology. 제 사과를 받아 주세요.

get stain out 얼룩을 제거하다

해설 남자가 카펫에 얼룩을 남긴 것에 사과하고 있으므로, 여자는 사과를 받아 줄 수 도 있고 화를 낼 수도 있다. 여기서는 사과를 받아주는 (b)가 정답이 된다. 사과를 할 때에는 누가 사과를 하는 사람이고, 누가 용서를 해야 할 사람인지 구분해서 외워두어야 헷갈리지 않는다. 남자가 사과할 사람이므로 여자의 응답으로 (a)나 (d)는 어색하다.

정답 (b)

14

W Can you tell me how often this bus comes?

M ______________________________

(a) Every 15 minutes.

(b) One left a minute ago.

(c) For about one hour.

(d) Tell me about it.

해석 **W** 버스가 얼마나 자주 오는지 말씀해 주시겠어요?

M ______________________________

(a) 15분마다 옵니다.

(b) 방금 전에 한 대 떠났어요.

(c) 한 시간 동안이요.

(d) 누가 아니래요.

어구 **Tell me about it.** (상대방의 말에 동의하며) 누가 아니래요, 내 말이 그 말이에요.

해설 버스가 얼마나 자주 오는지 how often을 이용해 물었으므로 15분마다 온다는 (a)가 정답이 된다. (c)는 기간을 나타내는 것이므로 how long으로 물었을 때 적합한 응답이다. (d)는 오답이지만, 중요한 표현이므로 반드시 익혀 두어야 한다.

정답 (a)

15

M Thank you for switching working hours.

W ______________________________

(a) Really? I don't think I am that great.

(b) Don't mention it. You'd do the same for me.

(c) Don't worry. I used to work at the store.

(d) If only you worked the night shift.

해석 **M** 일 하는 시간을 바꿔줘서 고마워.

W ______________________________

(a) 정말? 난 내가 그렇게 잘 한다고 생각지 않는데.

(b) 그런 말 마. 너도 똑같이 해줄 거잖아.

(c) 걱정 마. 나도 가게에서 일했었어.

(d) 네가 밤 교대조에 일했으면 좋았을 텐데.

어구 **switch** 바꾸다

Don't mention it. 천만에요.

night shift 밤 교대조

If only (가정법) 만약 ~라면 좋을 텐데

해설 남자는 여자에게 여자가 일하는 시간을 바꿔준 데에 대해서 고마움을 표하고 있다. 그러므로 고마움을 표시하는 것에 가장 전형적인 응답인 "Don't mention it"으로 응답을 하고, 이런 일이 있으면 "너도 나처럼 똑같이 해 줄 거잖니"라고 말하는 (b)가 정답이다. 상대방이 고마움을 표시할 때 전형적으로 나오는 대답이므로 반드시 익히자.

정답 (b)

Part 2

16

W Why are you bringing an umbrella?

M Just in case it rains.

W But the forecast didn't mention anything about bad weather today.

M ______________________

(a) Tell me about it. I was caught in a shower.

(b) But I thought it would be fine today.

(c) I know, but the weather report hasn't been reliable recently.

(d) Leave me alone. I've had a bad day today.

해석 **W** 우산은 왜 가지고 왔니?

M 혹시 비가 올지 모르니까.

W 오늘 날씨가 좋지 않을 거라는 일기 예보는 없었는데.

M ______________________

(a) 누가 아니래. 소나기 때문에 꼼짝 못했어.

(b) 그렇지만 나는 오늘 날씨가 좋을 거라 생각했는데.

(c) 나도 알아. 하지만 요즘 일기 예보는 믿을 수가 없어.

(d) 나 좀 내버려 둘래. 오늘 일진이 좋지 않아.

어구 be caught in~ ~에 갇히다, 꼼짝 달싹 못하다
weather forecast 일기 예보
reliable 신뢰할 수 있는

해설 일기 예보에 비가 온다고 하지도 않았는데 여자는 우산을 가져 왔다. 그러나 여자는 일기 예보를 믿지 않으므로 우산을 가져 왔다는 것이 우산을 가지고 온 이유로 타당하다. 그러므로 정답은 (c)다. 지금은 비가 오고 있는 것이 아니므로 (a)는 정답이 될 수 없고, 여자는 비가 올 수도 있다고 생각하는 것이므로 (b)도 오답이다.

정답 (c)

17

M When is your party? I haven't heard anything about it.

W I sent you an invitation about a week ago.

M But I haven't received anything yet.

W ______________________

(a) I would be glad if you can make it.

(b) Thank you for inviting me.

(c) That's strange. I sent it by mail.

(d) Don't be late. See you there.

해석 **M** 네 파티가 언제니? 파티에 대해서 전혀 못 들었어.

W 일주일 전에 초대장을 보냈는데.

M 아무것도 받지 못했어.

W ______________________

(a) 네가 올 수 있으면 좋겠어.

(b) 초대해 줘서 고마워.

(c) 이상하다. 우편으로 보냈는데.

(d) 늦지 마. 거기서 보자.

어구 make it 제시간에 도착하다, 참석하다, 성공하다
invitation 초대장

해설 이 대화의 주제는 초대 자체가 아니라, 남자에게 초대장이 제대로 가지 않았다는 것이다. 여자가 보냈는데도 남자가 받지 못했으므로, 의아해하는 (c)가 정답이 된다. 여자가 파티의 주인이므로 (b)는 정답이 될 수 없고, 초대장을 받지 못했다는 이야기를 하고 있으므로 (a)와 (d)도 자연스러운 응답이 될 수 없다.

정답 (c)

18

W Do you get paid vacation at your company?

M Yes, but I can't seem to get the time that I want.

W So when did you have in mind?

M ______________________

(a) I'd like to get away next month.

(b) I don't like busy places.

(c) I can't finish the paper by next week.

(d) Mexico sounds interesting to visit.

해석 **W** 회사에서 유급 휴가를 받았니?

M 응, 그렇지만 내가 원하는 시간에 휴가를 갈 수 있을지 모르겠어.

W 너는 언제로 마음먹고 있는데?

M ______________________

(a) 다음 달에 가고 싶어.

(b) 나는 붐비는 장소는 싫어.

(c) 다음 주 까지 리포트를 마칠 수 없어.

(d) 멕시코가 놀러가기 흥미로울 것 같아.

어구 paid vacation 유급 휴가
get away ~를 벗어나다, ~에 놀러가다

해설 여자는 남자에게 언제 휴가가고 싶은지 물었으므로 다음 달에 가고 싶다는 (a)가 정답이 된다. (c)에도 next week가 들어가 있지만, 이것은 다음 주까지 리포트를 마칠 수 없다는 것이므로 여자의 질문에 상관이 없는 응답이 된다. 시간 표시 부사구만 듣고 답으로 고르지 않도록 유의하자.

정답 (a)

19

M You'd better study for your final exam or you'll fail the class.
W But I'm so busy lately. I can't seem to find the time.
M Don't you know your first priority is studying?
W ______________________

(a) What makes you so busy?
(b) I know. I'll catch up on my schoolwork.
(c) I can't afford the tuition.
(d) What would be on the final exam?

해석 M 기말 고사 공부를 더 열심히 하는 게 좋을 거야. 안 그러면 넌 수업에서 낙제할거야.
W 그렇지만 난 요즘 너무 바빠. 시간이 없는 것 같아.
M 제일 우선순위가 공부라는 것을 모르니?
W ______________________
(a) 무엇 때문에 바쁘니?
(b) 나도 알아. 학교 공부를 따라 잡을 거야.
(c) 난 등록금을 낼 여유가 없어.
(d) 시험에 뭐가 나올까?

어구 final exam 기말고사
fail the course 수업에 낙제하다
priority 우선순위
catch up 따라 잡다, 쫓아가다

해설 남자는 공부를 게을리 하는 여자에게 공부가 제일 우선순위에 있다고 충고하고 있다. 이에 여자도 남자의 말을 수긍하고 있으므로 (b)가 자연스러운 응답이 된다. 바쁘다고 말한 것은 여자였으므로, 여자가 남자에게 무엇 때문에 바쁘냐고 묻는 (a)는 정답이 될 수 없다.

정답 (b)

20

W Hi, could I please speak to Greg?
M Sure. May I ask who's calling?
W This is his co-worker, Jenny.
M ______________________

(a) Let me transfer your call to him.
(b) I'll have Greg return your call.
(c) I will call you later.
(d) Can I call you at your office?

해석 W 그렉과 통화할 수 있을까요?
M 그럼요. 전화 거시는 분은 누구시죠?
W 저는 그렉의 동료 제니에요.
M ______________________
(a) 그렉에게 전화를 돌려 드리죠.
(b) 그렉에게 당신에게 전화하라고 할게요.
(c) 제가 나중에 전화 드릴게요.
(d) 사무실로 전화 드려도 되나요?

어구 co-worker 동료
return someone's call ~에게 회답 전화하다

해설 여자는 그렉과 통과를 하고 싶어 한다. 남자는 그렉과 통화할 수 있다고 했으므로 정답은 (a)가 된다. (b)는 그렉이 없을 때 남자가 하는 말이므로 정답이 될 수 없다. 여자는 그렉과 통화하고 싶은데, 남자가 나중에 전화한다는 (c)도 어색한 답이 된다.

정답 (a)

21

M You look upset. Is something the matter?
W On the way here I got a speeding ticket!
M That's terrible. How fast were you going anyway?
W ______________________

(a) 15 miles over the limit.
(b) It was totally my fault.
(c) I need to pay $100.
(d) I sped up going down.

해석 M 속상해 보인다. 무슨 문제 있니?
W 여기 오는 길에 속도위반 티켓을 뗐어.
M 안 됐다. 그런데 얼마나 빨리 달렸니?
W ______________________
(a) 제한 속도에서 15마일 더 달렸어.
(b) 그것은 완전히 내 잘못이었어.
(c) 100 달러 내야해.
(d) 내려오면서 속력을 냈어.

어구 speeding ticket 속도위반 티켓
cf. parking ticket 주차 위반 티켓
speed up 속력을 내다

해설 여자는 속도위반 티켓을 받았다. 남자는 여자에게 how fast를 써서 얼마나 빨리 달렸냐고 물었으므로, 제한 속도에서 15마일 이상 달렸다는 (a)가 정답이 된다.

정답 (a)

22

W Are you any good at basketball?
M I'm horrible, but I love to play.
W Same here. Do you want to play next weekend?
M ______________________

(a) Sounds great. I'd like to watch a game.
(b) I know James wants to join us.
(c) Why not? I'm always free on weekends.
(d) I went to the movies Sunday afternoon.

해석 W 농구 잘하니?
M 잘 못해. 그렇지만 경기하는 것은 좋아해.
W 나도 그래. 다음 주말에 같이 경기 할래?
M ______________________
(a) 좋아. 나는 경기 보는 것을 좋아해.
(b) 제임스도 우리와 함께 하고 싶어 할 거야.
(c) 왜 안되겠어? 난 항상 주말에는 한가해.
(d) 일요일 오후에 영화관에 갔었어.

어구 Same here. 나도 그래.

해설 여자는 농구 경기에 남자를 초대했으므로 초대에 응하는 (c)가 정답이 된다. (a)는 Sounds great까지는 좋지만, 여자가 경기를 관람하자고 한 것이 아니므로 정답이 될 수 없다. (b)는 일단 남자가 수락을 한 후에 나오면 답이 될 수도 있겠지만, 자신의 의사는 밝히지도 않은 채, 제임스 얘기를 하는 것은 부자연스러운 응답이 된다.

정답 (c)

23

M Am I allowed to take video inside the museum?
W Absolutely not, sorry.
M What about just taking pictures?
W ______________________
(a) That picture is absolutely beautiful.
(b) Sorry I'm not good at taking photos.
(c) As long as you don't use a flash.
(d) I'm afraid I can't do that for you.

해석 M 박물관 안에서 비디오를 찍어도 되나요?
W 죄송하지만 안됩니다.
M 사진은 찍어도 되나요?
W ______________________
(a) 저 그림은 너무 아름다워요.
(b) 죄송하지만 저는 사진을 잘 못 찍어요.
(c) 플래시를 사용하지만 않으신다면요.
(d) 죄송하지만 당신을 위해 그것을 해 드릴 수 없어요.

어구 take video 비디오 촬영하다
take pictures 사진 촬영하다

해설 남자는 박물관에 온 관람객이고, 여자는 박물관 관계자이다. 남자가 박물관 안에서 사진을 찍어도 되냐고 묻고 있다. (c)는 플래시만 사용하지 않으면 사진을 찍어도 된다고 간접적으로 수락을 한 것이 되므로 정답이다. (d)는 언뜻 들으면 정답 같지만, 여자가 직접 남자를 위해서 무엇을 해 주는 것은 아니므로 정답이 될 수 없다. I can't let you do that(당신이 그렇게 하도록 허락할 수 없습니다)이라고 하면 정답이다.

정답 (c)

24

M Do you need a lift back to your place?
W That's alright. My car is parked just a few blocks away.
M I'll walk with you then since it's so late.
W ______________________
(a) I prefer driving to walking home.
(b) Right. I need to hurry to get there.
(c) Thanks. It's very kind of you.
(d) I kept you waiting for a long time.

해석 M 집에 가는데 차 태워 줄까?
W 괜찮아. 내 차가 몇 블록 떨어져서 주차되어 있어.
M 그럼 지금 너무 늦었으니까 함께 걸어가 줄게.
W ______________________
(a) 나는 집에 걸어가는 것 보다 차타고 가는 게 좋아.
(b) 맞아. 거기에 가는데 서둘러야 해.
(c) 고마워. 정말 친절하구나.
(d) 너를 너무 오래 기다리도록 했어.

어구 lift 차 편 *cf.* give someone a lift 차 태워주다

해설 남자는 밤늦은 시간에 여자가 자신의 차까지 걸어가는 게 위험할까봐 함께 걸어가 주겠다고 제안하고 있다. 흔쾌히 제안을 받아들이는 (c)가 정답이다.

정답 (c)

25

M I heard you went to France for vacation.
W Yeah, I traveled through a few cities actually.
M Which city did you like the best?
W ______________________
(a) I just stopped by three cities.
(b) Lyon was my favorite place.
(c) Next time we can go together.
(d) You must have had a good time.

해석 M 이번 휴가에 프랑스에 갔다 왔다고 들었어.
W 응, 사실 몇 군데 도시를 여행했지.
M 어떤 도시가 제일 좋았니?
W ______________________
(a) 난 단지 세 개의 도시에 갔었어.
(b) 리옹이 제일 좋았어.
(c) 다음에는 함께 가자.
(d) 너 정말 재미있는 시간을 보냈구나.

어구 have a good time 좋은 시간을 보내다

해설 남자가 여자의 여행지 중 어디가 제일 좋았냐고 물었으므로, 리옹이 제일 좋았다는 (b)가 정답이 된다. 남자가 몇 개의 도시를 여행했냐고 물은 것이 아니므로 (a)는 답이 될 수 없고, 여행을 간 것은 여자이므로 (d)는 여행을 갔다 온 사람이 할 수 없는 말이다.

정답 (b)

26

W What are you making for lunch today?

M What do you mean? It's your turn to make lunch.

W Don't you remember I made turkey sandwiches yesterday?

M ______________________________

(a) I usually cook my own meal myself.
(b) Today let me get tuna sandwiches.
(c) I like turkey sandwiches best.
(d) You're right. I was confused.

해석 W 오늘 점심으로 뭘 만들 거야?
M 무슨 말이야? 오늘 점심은 네가 할 차례야.
W 내가 어제 칠면조 샌드위치 만들었던 거 기억 안나?
M ______________________________
(a) 보통 내가 요리를 해서 먹어.
(b) 오늘은 참치 샌드위치 주세요.
(c) 나는 칠면조 샌드위치가 제일 좋더라.
(d) 네 말이 맞아. 헷갈렸어.

어구 turn 차례
turkey 칠면조

해설 이 대화의 주제는 처음에는 점심 식사로 무엇을 만들어 먹나 처럼 들리지만, 짧은 Part 2 대화에서도 주제의 변화가 생길 수 있다. 주제는 누가 점심 식사를 준비하느냐로 바뀐다. 여자는 자신이 어제 했으니 오늘은 남자의 차례라고 하는데, 남자는 이것을 사실로 받아들이던지, 아니면 여자가 잘못 알았다고 따져야 할 것이다. 남자가 착각해서 여자의 말이 맞다고 대답하는 (d)가 정답이다.

정답 (d)

27

M It's raining cats and dogs outside.

W Oh, no. Does this mean we can't go to the beach?

M How about if we reschedule for this weekend?

W ______________________________

(a) It will continue raining tomorrow.
(b) That sounds good for me.
(c) Let me set up an appointment for you.
(d) I told you I won't do it again.

해석 M 밖에 비가 엄청 오네.
W 안 돼. 우리가 해변에 갈 수 없는 거니?
M 이번 주말로 날짜를 다시 잡으면 어떨까?
W ______________________________
(a) 내일까지 비가 계속 올 거래.
(b) 좋아.
(c) 내가 약속을 잡아 줄게.
(d) 나는 다시는 이것을 하지 않을 거라고 말했잖아.

어구 rain cats and dogs 비가 억수로 퍼 붓다
reschedule (행사, 계획 등의) 예정을 다시 세우다

해설 비가 와서 해변에 못 가게 되자 남자는 여자에게 스케줄을 이번 주말로 변경하자고 제안했으므로, 이것에 대해 여자는 수락이나 거절을 해 주는 것이 좋으므로 정답은 수락을 하는 (b)가 된다. (d)는 스케줄을 다시 잡고 싶지 않다는 의미가 아니라, 예전에 했던 어떤 일을 다시는 하고 싶지 않다는 의미이므로 정답이 되지 않는다. 헷갈릴 수 있으므로 조심해야 한다.

정답 (b)

28

W I'm really unsatisfied with Helen's work .

M She's only been here for a couple of months.

W True, but she just seems to be struggling more than other newcomers.

M ______________________________

(a) You can make friends with her in no time.
(b) Helen has had enough time to get used to her work.
(c) She said she can finish her work by tomorrow.
(d) She will be getting the hang of it soon.

해석 W 난 헬렌이 한 일이 정말 맘에 들지 않아요.
M 그녀는 여기 두어 달 밖에 있지 않았잖아요.
W 맞아요, 그렇지만 그녀는 다른 신입사원들 보다 더 힘들어 해요.
M ______________________________
(a) 금방 그녀와 친해질 수 있을 거에요.
(b) 헬렌은 자신의 일에 익숙할 수 있는 충분한 시간을 가졌어요.
(c) 그녀는 내일까지 일을 끝낼 수 있다고 말했어요.
(d) 그녀는 곧 자신의 일을 파악할 거에요.

어구 be unsatisfied with ~에 불만족하다
a couple of 두어 개의
struggle 고군분투 하다, 애쓰다
newcomer 새로 온 사람
make friends 친하게 사귀다
in no time 금방
get used to~ ~에 익숙해지다
get the hang of 감이 잡히다, ~파악하다

해설 일을 잘 못하는 신입사원 헬렌에 대한 이야기이다. 여자는 헬렌이 일을 잘 못해 불만족스럽게 느끼고 있고, 남자는 두 달 정도 밖에 안 된 사원이라고 얘기하고 있으므로, 여자보단 헬렌을 너그럽게 보고 있다고 할 수 있다. 그러므로 곧 잘 할 것이라고 낙관적으로 이야기 하는 (d)가 좋은 응답이 된다. 이 대화에서는 익혀야 할 어휘와 표현이 많으므로 확실히 익혀두자.

정답 (d)

29

M Did you go to that new French restaurant?
W No, how is it?
M The food was excellent. You should go there sometime.
W ______________________________

(a) Of course. I love French food.
(b) I'll let you know where it is.
(c) I will make sure to attend.
(d) The food there is out of this world.

해석 M 새로운 프랑스 식당에 가 보셨어요?
W 아니요. 어때요?
M 음식이 너무 맛있어요. 언제 한번 가 보세요.
W ______________________________

(a) 당연하죠. 전 프랑스 음식을 좋아해요.
(b) 제가 식당이 어디 있는지 알려 드릴게요.
(c) 꼭 참석할게요.
(d) 거기 음식은 너무 맛있어요.

어구 out of this world 너무 훌륭한

해설 남자는 자신이 갔던 프랑스 식당이 너무 뛰어나므로 여자도 한번 가보길 권하고 있다. 이에 남자의 조언을 받아들이는 (a)가 정답이 된다.

정답 (a)

30

W I think I lost my favorite pen. Have you seen it?
M Isn't this it right here by the copier?
W Yes, but I don't remember leaving it over there recently.
M ______________________________

(a) I'm sorry I lost your favorite pen.
(b) I saw Jake using it here.
(c) Don't worry. It happens to everyone.
(d) How can I make it up to you?

해석 W 내가 좋아하는 펜을 잃어버린 것 같아. 혹시 봤니?
M 복사기 옆에 있는 이거 아니니?
W 응, 그런데 최근에 이쪽에 둔 적이 없는데.
M ______________________________

(a) 미안해. 내가 네가 좋아하는 펜을 잃어버렸어.
(b) 제이크가 여기서 쓰는 것을 봤어.
(c) 걱정 마. 누구에게나 있는 일이야.
(d) 내가 너에게 어떻게 보상을 해야 할까?

어구 copier 복사기 (= photocopier)
make up 보상하다, 만회하다, 보충하다

해설 여자가 잃어버린 펜이 왜 복사기 옆에 있는지 간접적으로 설명해 주는 (b)가 가장 좋은 정답이 된다. (c)는 여자에게 좋지 않은 일이 일어났을 때 위로의 말로 해 주는 것인데, 여자는 이미 펜을 찾았으므로 좋은 응답이 될 수 없다.

정답 (b)

Part 3

31

M Do you have everything set?
W I think so. I packed food, sleeping bags, flashlights. What else?
M What about extra clothes?
W Yes, I got that too, but I feel like I'm forgetting something.
M Did you remember to pack insect repellent?
W Yes. Oh, now I remember. The tent!

Q What are the man and woman planning to do?

(a) To attend the conference
(b) To go camping
(c) To go on a picnic
(d) To travel abroad

해석 M 모든 것이 다 준비 됐니?
W 그런 것 같아. 음식, 침낭, 손전등 다 챙겼어. 또 필요한 거 있나?
M 여분의 옷도 챙겼니?
W 그것도 챙겼어. 그런데도 뭔가 빠진 듯한 느낌이네.
M 살충제도 챙겼니?
W 응. 아, 이제 생각났다. 텐트.

Q 남자와 여자는 무엇을 계획하고 있는가?
(a) 회의 참석
(b) 캠핑가기
(c) 소풍가기
(d) 해외여행 가기

어구 pack 챙기다, 짐 등을 싸다
sleeping bag 침낭
insect repellent 살충제

해설 남자와 여자가 챙기는 물건을 통해서 무엇을 계획하는 지 추론할 수 있다. 손전등, 텐트, 침낭, 살충제 등을 챙기는 것으로 봐서 이들은 캠핑가는 준비를 하는 것이므로 정답은 (b)가 된다.

정답 (b)

32

M I should've ordered the vegetarian lasagna instead.
W Why? Isn't your spaghetti good?
M It's fine, but it is a little bit greasy.
W Do you want to try some of my salmon?
M No, thanks. This spaghetti is fine.
W Just let me know if you change your mind.

Q What are the speakers mainly talking about?
(a) Service at the restaurant
(b) Food at the restaurant
(c) Selecting what to eat
(d) Atmosphere of the restaurant

해석 **M** 야채 라자냐를 주문했을 걸 그랬어.
W 왜? 네 스파게티 맛이 없니?
M 괜찮아. 그렇지만 좀 느끼해.
W 내 연어 좀 먹어 볼래?
M 아니야, 괜찮아. 스파게티도 괜찮아.
W 마음 바뀌면 말해.
Q 화자들은 주로 무엇에 대해서 이야기 하고 있는가?
(a) 레스토랑의 서비스
(b) 레스토랑의 음식
(c) 무엇을 먹을까 선택하기
(d) 레스토랑의 분위기

어구 lasagna 라자냐 (파스타, 치즈, 고기, 토마토소스 등으로 만든 이탈리아의 요리)
greasy 느끼한
atmosphere 분위기

해설 남자와 여자는 식당에서 식사를 하고 있는 상황이다. 특히 남자가 주문한 음식에 대해서 화자들은 말하고 있으므로 정답은 (b)이다. 음식은 이미 골랐고, 주문해서 나온 상태이므로 (c)는 정답이 될 수 없다.

정답 (b)

33

W Did you take your cat to the vet yet?
M Yes, I went today, actually.
W Did everything turn out okay?
M Actually the vet told me that my cat has ear mites.
W Oh, no. Is that very bad?
M No, it's easily treated with one or two treatments of medicine.

Q What is the main subject of the conversation?
(a) A sick cat taken to the vet
(b) A serious illness the cat has
(c) A cure of ear mites
(d) The duration of treatments

해석 **W** 네 고양이 수의사에게 데리고 갔니?
M 응, 사실 오늘 갔었어.
W 다 괜찮았니?
M 사실 수의사가 내 고양이가 귀 진드기가 있대.
W 이런, 심각한 거니?
M 아니, 한 두 번 치료를 받으면 쉽게 고쳐진대.
Q 이 대화의 주제는 무엇인가?
(a) 병원에 간 아픈 고양이
(b) 고양이가 가진 심각한 병
(c) 귀 진드기의 치료법
(d) 치료의 기간

어구 vet 수의사
ear mite 귀 진드기
duration 기간

해설 이 대화의 주제는 남자의 고양이이다. 그런데 그 고양이가 귀 진드기가 있어서 아프므로 정답은 (a)가 되어야 할 것이다. 남자의 고양이는 한 두 번의 치료로 금방 나을 수 있으므로 (b)는 정답이 될 수 없다.

정답 (a)

34

M How was your sister's wedding?
W It was just beautiful. Everything was perfect.
M That's great. Were there many people?
W It seems like there were enough people to fill a stadium.
M Do you guys have a lot of relatives?
W Yes, but there were a lot of her friends and coworkers there, too.

Q What is the main topic of this conversation?

(a) How many people will attend the wedding
(b) What the woman's sister's wedding was like
(c) How the woman will prepare for her sister's wedding
(d) What the woman liked most in her wedding

해석 M 네 동생 결혼식은 어땠니?
W 아주 아름다웠어. 모든 것이 완벽했지.
M 잘 됐다. 많은 사람이 참석했니?
W 스테디엄을 채울 만큼 충분한 사람이 왔었어.
M 친척이 많니?
W 응, 그렇지만 친구들과 회사 동료들도 많이 왔었어.
Q 이 대화의 주제는 무엇인가?
(a) 결혼식에 얼마나 많은 사람이 참석할 것인지
(b) 여자의 동생 결혼식이 어떠했는지
(c) 여자는 여동생의 결혼식을 어떻게 준비할 것인지
(d) 여자는 그녀의 결혼식에서 무엇이 제일 좋았는지

어구 fill 채우다
relative 친척

해설 대화의 주제는 여자의 동생 결혼식이 어떠했는지 이므로 정답은 (b)이다. 결혼식은 이미 끝났으므로 (a), (c)는 정답이 될 수가 없고, 여자가 결혼을 하는 것이 아니므로 (d) 또한 정답이 될 수 없다.

정답 (b)

35

M What are you reading?
W It's a mystery novel I just started.
M Is it any good?
W Well, I'm only on the second chapter, but so far so good.
M Could I borrow it from you when you're done?
W Sure. I'll let you know as soon as I finish it.

Q What is the topic of the conversation?

(a) How the story is developing
(b) Borrowing a book from the library
(c) The novel the woman is reading
(d) What makes the woman like the novel

해석 M 뭘 읽고 있니?
W 막 읽기 시작한 미스터리 소설이야.
M 재미있니?
W 글쎄, 지금 두 번째 장을 읽고 있는데 지금까진 재미있어.
M 너 다 읽으면 빌려 줄래?
W 당연하지. 내가 다 읽자마자 알려 줄게.
Q 이 대화의 주제는 무엇인가?
(a) 이야기 전개가 어떻게 되고 있는지
(b) 도서관에서 책 빌리기
(c) 여자가 읽고 있는 소설
(d) 어떤 점이 여자가 소설을 좋아하게 만드는지

어구 so far 지금 까지

해설 대화의 주제는 여자가 막 읽기 시작한 미스터리 소설이다. 그러므로 정답은 (c)이다. 소설의 이야기에 대해서 구체적으로 말한 적은 없으므로 (a)는 정답이 될 수 없고, 남자는 책을 여자에게 빌리는 것이지 도서관에서 빌리는 것이 아니므로 (b) 역시 답이 아니다.

정답 (c)

36

M What time is it?
W Almost 9:30. Why?
M Doesn't our train leave at 10?
W It actually leaves at 10:30, but I told you 10:00, so you'd be on time.
M Really? I can't believe you thought I would miss the train.
W Well, you're always late for everything else.

Q Which is correct according to the conversation?
(a) The man is not usually punctual.
(b) The train is delayed for an hour.
(c) The man and woman missed the train.
(d) The man wasn't on time today.

해석 **M** 지금 몇 시니?
W 거의 9시 30분이야. 왜?
M 우리 기차가 10시에 떠나는 거 아니니?
W 사실 10시 30분에 떠나. 그렇지만 내가 10시라고 말했어. 그래야 네가 제 시간에 오니까.
M 정말? 내가 기차를 놓칠 수 있다고 생각하다니 믿을 수가 없다.
W 너 맨날 늦잖아.
Q 이 대화에 따르면 맞는 것은?
(a) 남자는 대개 시간을 잘 지키지 않는다.
(b) 기차가 한 시간 연착 되었다.
(c) 남자와 여자는 기차를 놓쳤다.
(d) 남자는 오늘도 제 시간에 오지 않았다.

어구 **be on time** 제시간에 맞춰 오다
punctual 시간을 잘 지키는

해설 이 대화의 주제는 기차의 시간이라기보다, 남자의 시간관념에 대한 것이다. 여자는 남자가 늘 늦기 때문에, 기차 시간을 일부러 당겨 말했을 정도이므로 남자는 시간을 잘 지키지 않는 사람이라고 할 수 있으므로 정답은 (a)이다.

정답 (a)

37

W I'd like to send this package to Ireland by express delivery.
M Okay, you have a couple of delivery options.
W What are they?
M You can send it overnight or in 2 to 3 business days.
W What's the price difference?
M The overnight shipping is $20 more expensive.

Q Which is correct according to the conversation?
(a) There are only two options for international shipping.
(b) Having the package shipped next day costs more.
(c) The overnight shipping includes insurance service.
(d) The regular service is $12 more expensive.

해석 **W** 저는 이 소포를 속달로 아일랜드에 보내고 싶어요.
M 알겠습니다. 두서너 가지 선택 사항이 있으신대요.
W 뭐죠?
M 익일 배송이나 2~3일 만에 가는 배송이 있습니다.
W 가격 차이는 얼마나 나나요?
M 익일 배송이 20 달러 더 비쌉니다.
Q 이 대화에 따르면 맞는 것은 무엇인가?
(a) 국제 배송에는 두 가지 선택 조건만이 있다.
(b) 소포가 다음 날 배송되는 것은 더 비싸다.
(c) 익일 배송은 보험료가 포함되어있다.
(d) 보통 배송은 12 달러 더 비싸다.

어구 **express delivery** 속달 편
overnight 익일 배달의, 다음 날 도착하는
ship (우편물, 소포) 부치다
business day 영업일
insurance 보험

해설 우체국에서 이루어지는 대화이다. 속달 편에 여러 배송 선택이 있다고 했지 국제 배송 전체에 두 가지 선택 조건만 있다고 한 것이 아니므로 (a)는 정답이 될 수 없다. 익일 배송은 20달러 더 비싸다고 했으므로 (b)가 정답이다. 보험료에 대한 언급은 없었으므로 (c)는 오답이다.

정답 (b)

38

M I shouldn't have spent so much money on my new TV.

W Why? Do you need the money for something else?

M No, I can afford it, but I just feel guilty.

W You work a lot, so I think you deserve to treat yourself.

M I guess you're right.

W Besides, you are pretty frugal with everything else.

Q Which is correct according to the conversation?

(a) The man is a big shopper.
(b) The man needs to buy something.
(c) The man has a financial problem.
(d) The man is usually thrifty.

해석 M TV 사는데 돈을 그렇게 쓰지 말았어야 했어.
W 왜? 다른 데에 돈이 필요하니?
M 아니. 텔레비전을 살 경제적 여유는 되지만, 죄책감이 좀 들어서.
W 넌 열심히 일했고, 네 자신에게 그렇게 대접할만해.
M 그래. 네 말이 맞다.
W 게다가 넌 다른 데에 무지 검소하잖아.
Q 이 대화에 따르면 맞는 것은 무엇인가?
(a) 남자는 쇼핑을 많이 하는 사람이다.
(b) 남자는 무엇을 살 필요가 있다.
(c) 남자는 재정적 문제가 있다.
(d) 남자는 보통 검소하다.

어구 frugal 검소한
financial 재정적인
thrifty 절약하는

해설 남자는 자신이 산 텔레비전에 돈을 많이 썼다고 후회하고 있다. 그러므로 (d)가 정답이다. 남자가 재정적인 문제가 있는 것은 아니고, 단지 돈을 많이 써서 마음이 좋지 않은 것이므로 (c)는 정답이 될 수 없다.

정답 (d)

39

W Did you watch that new movie about the Roman Empire?

M Not yet. Was it any good?

W It was out of this world!

M What was so amazing about it?

W It had my favorite actors in it and the special effects were awesome.

M I'll definitely have to go see it this weekend.

Q What makes the woman like the film?

(a) Its director and actors
(b) Its plot and story
(c) Its actors and special effects
(d) Great reviews on the movie

해석 W 로마 제국에 관한 새 영화 봤니?
M 아직, 괜찮니?
W 너무 훌륭했어.
M 뭐가 그렇게 멋지니?
W 내가 제일 좋아하는 배우가 나왔고, 특수 효과도 굉장했어.
M 이번 주말에 꼭 가서 봐야겠다.
Q 이 영화의 어떤 점이 여자를 매료 시켰는가?
(a) 감독과 배우들
(b) 각색과 이야기
(c) 배우와 특수 효과
(d) 영화에 대한 좋은 평

어구 out of this world 너무 훌륭한
awesome 좋은, 훌륭한, 대단한
special effect 특수 효과
plot 줄거리, 구상, 각색

해설 여자는 새로 나온 영화에 대해서 극찬을 하고 있으며, 영화가 좋은 이유는 배우와 특수 효과라고 밝혔으므로 정답은 (c)가 된다. 질문이 구체적이므로 두 번째 대화를 들을 때, 남자의 말 What was so amazing about it? 뒤를 잘 들어야 하겠다.

정답 (c)

40

M What are you cooking for dinner?
W Some baked chicken. What kind of vegetables would you like to go with it?
M Something light. Something healthy.
W Okay, how about some broccoli and carrots?
M That sounds perfect. What about for dessert?
W I was thinking fresh fruit with a scoop of ice cream.

Q What are the speakers mainly doing?
(a) Selecting a menu
(b) Preparing for a meal
(c) Having dinner together
(d) Shopping at the supermarket

해석 M 저녁은 무엇을 요리 할 거니?
W 구운 치킨. 치킨과 어떤 야채가 어울릴까?
M 가볍게 먹을 수 있는 것. 몸에 좋은 것으로.
W 알았어. 브로콜리와 당근 어때?
M 좋아. 디저트는 뭐로 할까?
W 아이스크림과 신선한 과일을 생각하고 있었어.
Q 화자들은 무엇을 하고 있는가?
(a) 메뉴 고르기
(b) 음식 준비하기
(c) 저녁 식사 준비하기
(d) 슈퍼마켓에서 쇼핑하기

어구 scoop 한 국자

해설 어렵지 않게 들을 수 있는 대화지만, 맨 처음을 놓치면 정답을 고를 때 보기가 매우 헷갈릴 수 있다. 남자가 맨 처음에 저녁으로 무엇을 요리할 것이냐고 물었으므로 함께 저녁 준비를 하고 있는 것이라고 볼 수 있다. 정답은 (b)이다.

정답 (b)

41

W Wasn't that the exit we were supposed to take?
M No way. Our exit isn't for another few miles.
W I'm sure you just passed our exit. I'm going to check the map.
M There's no need. I know exactly where we are.
W You're wrong. The map says that was our exit you just passed.
M Really? Gosh, I'm sorry. I'll turn around at the next exit.

Q What problem do the man and woman have?
(a) They don't like each other.
(b) They missed their exit.
(c) The woman has the wrong information.
(d) They have been driving for a long time.

해석 W 저기가 우리가 나가야 하는 출구 아니니?
M 아니야. 우리가 나가야 할 출구는 몇 마일 더 가야 해.
W 출구를 확실히 지나쳤어. 지도를 확인해 볼 거야.
M 그럴 필요 없어. 난 우리가 어디 있는지 확실히 알고 있어.
W 네가 틀렸어. 지도에는 출구가 지났다고 나온다고.
M 정말? 이런, 미안해. 다음 출구에서 유턴 할게.
Q 남자와 여자가 가지고 있는 문제는?
(a) 그들은 서로 좋아하지 않는다.
(b) 그들은 출구를 놓쳤다.
(c) 여자는 잘못된 정보를 가지고 있다.
(d) 그들은 오랜 시간동안 운전을 했다.

어구 exit 출구
pass 지나치다
turn around 유턴 하다

해설 남자와 여자가 자신들이 나가야 할 출구에 대해서 이견을 보이고 있다. 그러나 여자가 지도를 확인한 결과 그들은 출구를 지나쳤으므로, 그들이 가진 문제는 (b)가 된다.

정답 (b)

42

W What can I do for you today, John?
M Professor Marks, I wanted to talk about my low grade on the final paper.
W Yes, I was a bit disappointed with your lack of supporting details.
M I really thought my point was clear enough.
W For the final paper, you really need to put in a lot of effort.
M I understand, but I wish there was some way to raise my grade.

Q Why did the man visit the professor?
(a) To get advice on how to write a good paper
(b) To discuss his poor grade on the paper
(c) To get an extension to finish his paper
(d) To get feedback on his paper

해석 **W** 존, 오늘은 무엇을 도와줄까?
M 마크 교수님. 기말 리포트에서 받은 좋지 않은 성적에 대해서 상의 드리고 싶어요.
W 그래, 사실 네가 지지하는 세부사항들이 부족해서 좀 실망했단다.
M 저는 제 논점이 명확하다고 생각했어요.
W 기말 숙제는 많은 노력을 해야 한단다.
M 알겠습니다, 그렇지만 제 성적을 높을 수 있는 방법이 있으면 참 좋을 텐데요.
Q 남자는 왜 교수님을 만나러 갔는가?
(a) 보고서를 잘 쓰기 위한 조언을 얻으려고
(b) 보고서의 부진한 성적에 대해 논의하려고
(c) 보고서를 완성할 시간을 연장하려고
(d) 그의 보고서 평가를 들으려고

어구 put in a lot of effort 많은 노력을 쏟다
raise 올리다
grade 점수
extension 연장

해설 남자는 보고서 점수가 너무 낮게 나와서 교수님을 찾았다. 초반을 놓치고 중반부터 듣는다면 자칫 (a)나 (d)를 답으로 고를 수 있으니 조심해야 한다.

정답 (b)

43

W I don't think we can go to the BBQ party today.
M Why not? The weather's perfect.
W But the news said it was supposed to rain later today.
M We'll just take an umbrella.
W But I hate getting caught in the rain.
M A little rain never hurt anybody.

Q Which is correct according to the conversation?
(a) The man and woman agreed on cancelling the party.
(b) The woman decided not to show up for the party.
(c) The man thinks light rain won't affect their plan.
(d) The man likes rainy weather a lot.

해석 **W** 바비큐 파티에 못 갈 것 같아.
M 왜? 날씨가 너무 좋은데.
W 그렇지만 뉴스에서 오늘 이따가 비가 온다고 했어.
M 우산을 가져가면 돼.
W 그렇지만 난 비에 갇혀 꼼짝 달싹 못하는 것 싫어.
M 비가 조금 오는 게 해가 되진 않아.
Q 이 대화에 따르면 맞는 것은 무엇인가?
(a) 남자와 여자는 파티를 취소하는 것에 동의했다.
(b) 여자는 파티에 오지 않기로 결정했다.
(c) 남자는 가벼운 비가 그들의 계획에 영향을 줄 것이라고 생각지 않는다.
(d) 남자는 비오는 날씨를 매우 좋아한다.

어구 agree on ~에 동의하다, 의견의 일치를 보다
show up 참석하다

해설 비가 올 것이므로 여자는 바비큐 파티에 별로 가고 싶어하지 않고, 남자는 날씨에 관계없이 파티에 가고 싶어 한다. 그러므로 정답은 (c)이다. 둘의 의견은 다르고 파티가 취소될 것이라는 얘기는 없으므로 (a)는 정답이 될 수 없고, 여자의 참석 여부는 아직 결정되지 않았으므로 (b)도 답이 아니다.

정답 (c)

44

W Come on, let's go!
M What's the rush? It's only 7.
W Yeah, but the department store closes at 8 and the sale ends today.
M What do you need to get?
W I want to get a new bathing suit for summer.
M Alright, I'll get my things.

Q What can be inferred from this conversation?
(a) The woman has something to buy.
(b) The department store is far from their place.
(c) The department store closes earlier than usual.
(d) The man and woman often go shopping.

해석 W 서둘러, 가자.
M 왜 그렇게 서두르니? 7시밖에 되지 않았어.
W 그래, 그렇지만 백화점은 8시에 문을 닫고, 오늘 세일이 끝난단 말이야.
M 그럼 뭐가 필요한데?
W 난 이번 여름에 입을 수영복을 사고 싶어.
M 알았어. 나도 준비할게.
Q 이 대화에서 추론할 수 있는 것은 무엇인가?
(a) 여자는 살 것이 있다.
(b) 백화점은 그들의 집에서 멀다.
(c) 백화점은 평소보다 일찍 문 닫는다.
(d) 남자와 여자는 종종 쇼핑을 간다.

어구 rush 성급, 서두름
bathing suit 수영복

해설 남자와 여자가 쇼핑을 가려하는 상황이고, 여자는 수영복이 필요하다고 했으므로, 이를 넓게 paraphrase 한다면 여자는 살 것이 있는 것이다. 그러므로 정답은 (a)가 된다. 화자들의 집과 백화점 간의 거리에 대한 얘기는 없으므로 (b)는 정답이 될 수 없고, 이들이 종종 쇼핑을 가는지 안 가는지는 알 수 없으므로 (d)도 오답이다.

정답 (a)

45

W This weather is killing me!
M You can say that again. When is it going to get cooler?
W I heard it was going to rain this weekend.
M Oh, that's good. That'll be a little relief.
W It's already the middle of August, so fall isn't too far off.
M I guess that's true, but right now it seems far away.

Q What are the speakers mainly doing in this conversation?
(a) Talking about how precise the weather forecast is
(b) Complaining about the hot weather
(c) Cancelling their plans due to rain
(d) Discussing what season they like most

해석 W 날씨 때문에 죽겠어.
M 맞아. 언제 쯤 시원해질까?
W 이번 주말에 비가 온다고 그랬어.
M 그거 좋군. 다행이야.
W 이제 벌써 8월 중순이야. 가을이 멀지 않았어.
M 맞아, 그런데 너무 먼 것 같아.
Q 화자들은 주로 무슨 이야기를 하고 있는가?
(a) 일기 예보가 얼마나 정확한지
(b) 더운 날씨를 불평하기
(c) 비로인해 자신들의 계획을 취소하기
(d) 그들이 가장 좋아하는 계절에 대해 얘기하기

어구 ~ killing someone ~때문에 힘들다, 죽겠다

해설 화자들은 날씨가 너무 덥다고 시원해지기를 기다리고 있으므로 정답은 (b)가 된다. 여자의 첫 마디 "This weather is killing me!"에서 날씨에 대한 불평이라는 것을 알 수 있다. 그러므로 어떤 날씨인지 파악해 두어야 하는데, 매우 더운 날씨였다. 일기 예보에 대한 이야기는 전혀 없었으므로 (b)는 정답이 될 수 없다.

정답 (b)

Part 4

46

You've just finished running five miles. It's hot. The sun is burning you up. Sweat is streaming down your face, your back, your whole body. All you want to do is drink something cold and refreshing, but don't just reach for that water in the fridge. Try new Glacier Water. Glacier Water is fortified with vitamins and minerals, so it's good for you and satisfies your thirst. After drinking Glacier Water you could run another five miles.

Q What is being advertised?

(a) A beverage
(b) A bottled water
(c) A vitamin pill
(d) Running shoes

해석 당신은 방금 5마일을 다 달렸습니다. 덥습니다. 태양이 당신을 뜨겁게 비추고 있습니다. 땀이 당신의 얼굴, 등, 몸 전체에서 흘러내리고 있습니다. 차갑고 상쾌한 것을 마시고 싶습니다. 하지만 냉장고에 그 물을 잡지는 마세요. 새로운 빙하수를 마셔보세요. 빙하수는 비타민과 미네랄이 보강되어서, 여러분의 몸에 좋고 당신의 갈증을 해소시켜줍니다. 빙하수를 마신 후라면 5마일을 더 달릴 수 있을 것입니다.

Q 무엇을 광고하고 있는가?

(a) 음료수
(b) 병에 든 물
(c) 비타민 알약
(d) 운동화

어구 stream 흐르다, 흘러내리다
refreshing 상쾌한, 산뜻한
reach (손 등을) 내밀다, (손을 뻗어) ~을 잡다, 집다
fridge 냉장고
glacier 빙하
fortified 강화된, 보강된
thirst 갈증, 목마름, 수분 부족
beverage 음료
bottled 병에 담긴

해설 냉장고에 있는 그냥 물 말고 빙하수라는 제품을 권하고 있다. 음료수가 아닌 생수를 광고하고 있다.

정답 (b)

47

If you're in the market for a new desktop computer, come to Top Buy's summer sale where you can get a fully loaded PC for under $1000. The HRX 600 comes equipped with a CD/DVD burner, a 200 gigabyte hard drive, 2 gigabytes of RAM, and a 17" LCD flat screen monitor. If you buy one this weekend, you'll also receive a free year of tech support and a new web cam. This is a deal you can't beat, so hurry while supplies last.

Q What is the selling feature of this desktop?

(a) Two years of tech support
(b) A free new printer
(c) A CD/DVD writer
(d) A slim design

해석 새 데스크탑 컴퓨터를 사려고 하신다면, 모든 것을 탑재한 PC를 1000달러 밑으로 살 수 있는 Top Buy의 여름 세일로 오십시오. HRX 600은 CD/DVD 버너, 200기가 하드 드라이브, 2기가의 램, 그리고 17인치 LCD 평면 모니터를 갖추었습니다. 만약 이번 주말에 구매하신다면, 일 년간 무료 기술지원과 새 웹카메라도 받으실 수 있습니다. 이것은 당신이 피할 수 없는 거래이므로 재고가 있는 동안 서두르세요.

Q 이 데스크탑의 판매 강점은 무엇인가?

(a) 2년간의 기술 지원
(b) 새로운 공짜 프린터
(c) CD/DVD 라이터
(d) 얇은 디자인

어구 be in the market for ~을 사려고 하다
loaded 부속품을 완전히 갖춘, 모든 장비를 장착한
equip 장비하다, 갖추어 주다
flat 평평한, 평탄한, 납작한
beat 패배시키다, 이기다
last 계속하다, 지속하다
selling feature 판매 강점 (사람들로 하여금 그것을 사고 싶게끔 만드는 그 물건의 좋은 점)

해설 PC를 광고하면서 CD/DVD 버너, 200기가 하드 드라이브, 2기가의 램, 17인치 LCD 평면 모니터, 일 년간 무료 기술지원과 새 웹카메라를 내세워 구매를 권하고 있다.

정답 (c)

48

Welcome to orientation for the 10th biannual Southwestern Birdwatcher's Association conference. I'm so glad all of you came out to Farmington for this year's meeting. We've got a lot on the agenda today unlike this summer. The first half of today's conference will focus on preservation and education with guest speakers, while the second half will center on seminars about sightseeing trips. During this second half you can attend lectures, share pictures of past trips, and sign up for future trips.

Q Which is correct according to this orientation?

(a) The conference is held twice a year.
(b) The conference consists of three parts.
(c) The participants must make a presentation.
(d) The conference takes place internationally.

해석 제 10회 일 년에 두 번 열리는 사우스웨스턴 들새 관찰자 협회 회의의 오리엔테이션에 오신 것을 환영합니다. 올해의 모임을 위해 여러분 모두 파밍턴까지 와 주셔서 너무 기쁩니다. 오늘은 올해 여름과 달리 많은 의제들 올라와 있습니다. 오늘 회의의 전반은 초대 연사와 함께 보전과 교육에 초점을 둘 것이고, 후반에는 관광 여행에 대한 세미나에 중점을 둘 것입니다. 이 회의 후반에 여러분들은 강의에 참석할 수도 있고, 지난 여행사진을 공유할 수도 있고, 장래의 여행에 참가 서명을 할 수 있습니다.

Q 이 오리엔테이션에 따르면 옳은 것은 무엇인가?

(a) 이 회의는 일 년에 두 번 열린다.
(b) 이 회의는 세 부분으로 이루어져 있다.
(c) 참가자들은 발표를 해야 한다.
(d) 이 회의는 국제적으로 열린다.

어구 biannual 1년에 두 번의, 반 년 마다의
conference 회의, 상의
agenda 협의사항, 의제
preservation 보존, 보호
separately 따로따로, 개별적으로, 단독으로
hold 개최하다, 열다, 거행하다
consist of ~으로 구성되다
participant 참가자, 참여자

해설 biannual은 1년에 두 번 있음을 의미한다. 혹시 biannual을 잘 못 듣거나 의미를 모르는 경우라도 중간에 이번 여름과는 달리 오늘은 의제가 많다고 하였으므로 오늘 말고도 올해에 회의가 한 번 더 있었음을 알 수 있다. 회의는 first half와 second half 두 부분으로 되어있으므로 (b)는 오답이다. 그리고 참가자들이 발표를 해야 한다거나, 회의가 국제적으로 열린다고 언급한 적이 없으므로 (c), (d)는 답이 아니다.

정답 (a)

49

For those of you planning on seeing a lot of fireworks this Fourth of July weekend, you might be disappointed. We're going to see plenty of clouds Friday afternoon and along with them some showers. Although there shouldn't be any heavy thunderstorms, any outdoor festivities will either be postponed or cancelled, depending on the weather. There will be high levels of humidity to go along with the rain, so dress lightly if you do go out.

Q Why aren't fireworks expected on July 4th?

(a) Because it will be humid and hot
(b) Because it will be raining and cloudy
(c) Because there will be thunderstorms
(d) Because outdoor festivities are prohibited

해석 독립기념일 주말에 많은 불꽃놀이를 보려고 계획하신 분들은 실망하실 지도 모릅니다. 금요일 오후에 구름이 많이 끼고 더불어 몇 차례 소나기도 있을 것입니다. 비록 강풍을 동반한 뇌우는 없을 것이지만, 야외 경축행사들은 날씨에 따라서 연기되거나 취소될 것입니다. 비와 함께 습도가 높을 것이니, 외출하신다면 옷을 가볍게 입으세요.

Q 7월 4일에 왜 불꽃놀이가 기대되지 않는가?

(a) 습하고 더울 것이기 때문에
(b) 비가 오고 흐릴 것이기 때문에
(c) 강풍을 수반한 뇌우가 있을 것이기 때문에
(d) 야외 경축행사들은 금지되었기 때문에

어구 fireworks 불꽃놀이
Fourth of July 독립기념일 (= Independence Day)
disappointed 실망한, 기대가 어긋난
along with ~와 함께, 같이
thunderstorm 강풍이 따르는 뇌우
festivity 축제, 잔치, 경축행사
humidity 습기, 축축한 기운
prohibit 금지하다, 방해하다

해설 금요일 오후에 구름이 많이 끼고 소나기가 와서 야외행사들이 연기 또는 취소될 것이라고 했다. 따라서 불꽃놀이를 보기는 어려울 것이다.

정답 (b)

50

On today's show we'll be sharing tips for parents on how to communicate better with their teenage children. Many parents know what it's like when their child starts to grow up and enters their more rebellious teenage years. First and foremost parents need to understand that their children are going through a confusing period in their lives. Just letting your teenager know that you will be there to listen can be a great help.

Q What is the instruction mainly about?

(a) How parents can talk better with their children
(b) How children can get over a difficult period
(c) How parents can make their children listen to them
(d) How children can help their parents

해석 오늘 쇼에서는 어떻게 십대 자녀들과 보다 잘 의사소통을 하는가에 대한 부모들을 위한 비결을 함께 나누어 보겠습니다. 많은 부모님들은 아이들이 자라기 시작해서 보다 반항적인 십대시절로 들어가는 것이 어떤지 알고 있습니다. 첫 번째 가장 중요한 것은 부모님들이 자녀들이 인생에서 혼란의 시기를 겪고 있는 중이라는 것을 이해하는 것이 필요합니다. 여러분이 자녀들의 말을 들어주기 위해서 곁에 있다는 것을 여러분의 십대에게 알려주는 것만으로도 많은 도움이 될 수 있습니다.

Q 지침은 주로 무엇에 관한 것인가?

(a) 어떻게 부모들이 자녀들과 더 잘 대화할 수 있는지
(b) 어떻게 자녀들이 어려운 시기를 극복할 수 있는지
(c) 어떻게 부모들이 자녀가 그들의 말을 듣게 할 수 있는지
(d) 어떻게 자녀들이 그들의 부모를 도울 수 있는지

어구 share 공유하다, 나누어 주다
grow up 어른이 되다, 자라나다
rebellious 반항하는, 반역하는
foremost 맨 앞의, 먼저의, 으뜸가는
go through ~을 통과하다, 겪다, 경험하다, 전 과정을 마치다
confusing 혼란시키는, 당황케 하는

해설 반항하는 십대의 자녀들과 보다 잘 대화할 수 있는 팁을 오늘 쇼에서 준다고 하고 있다. 그 중 최우선으로서 자녀들의 이야기를 들어주기 위해서 곁에 있다는 것을 알려주는 것이라고 했다.

정답 (a)

51

Jack Sawyer's new movie *Christmas Killer* was a delightful surprise. The simple but complicated plotline involves a killer who dresses up as Santa so that he seems friendly and approachable but he is also anonymous. Since there are so many Santas at Christmas time, detective Sam Malone has a hard time finding his killer. Although the acting is a bit weak, there are many twists and turns in the story and an incredible fight scene at the end.

Q Which is correct about Christmas Killer?

(a) It is a new detective novel.
(b) The last fight scene is marvelous.
(c) The acting is excellent.
(d) It is not recommendable to see.

해석 잭 소이어의 새 영화 '크리스마스 킬러'는 즐거운 사건입니다. 단순하고도 복잡한 줄거리는 산타처럼 차려입어서 친근하고 접근하기 쉽게 보이지만 이름을 알 수 없는 킬러를 포함합니다. 크리스마스 시기에 산타들이 너무 많기 때문에, 샘 말론 형사는 킬러를 찾는데 어려움을 겪습니다. 비록 연기가 다소 약하기도 하지만, 이야기에 많은 굴곡이 있고 결말에 훌륭한 격투신이 있습니다.

Q 크리스마스 킬러에 관하여 옳은 것은 무엇인가?

(a) 새로운 형사 소설이다.
(b) 마지막 격투신은 화려하다.
(c) 연기는 훌륭하다.
(d) 보라고 권장할 만하지 않다.

어구 delightful 매우 기쁜, 즐거운, 몹시 유쾌한
plot line 줄거리, 이야기
involve 포함하다
dress up 차려 입다, 보기 좋게 하다, 꾸미다
approachable 가까이하기 쉬운, 사귀기 쉬운
anonymous 익명의, 작자 불명의
detective 탐정, 형사
twists and turns 굴곡, 곡절, 구불구불
incredible 놀라운, 믿어지지 않는, 훌륭한
marvelous 놀라운, 믿기 어려운, 신기한

해설 처음에 새 영화라고 했으므로 (a)는 오답이다. 연기가 다소 빈약하다고 했으므로 (c) 역시 답이 아니고, 관람을 권장할 만한지 아닌지에 대해서는 구체적 언급은 없었지만 처음에 이 영화를 delightful surprise라고 표현한 것으로 보아 이 영화에 대해 긍정적인 평을 하고 있음을 알 수 있다.

정답 (b)

52

In today's lecture we will begin to cover the life and work of Salvador Dali, a Spanish painter. He began his career in 1924 when his paintings were mostly influenced by fellow artist Giorgio de Chirico, but by 1929 he had become well known and was the leading artist of the surrealist movement, which focused on the expression of the imagination and dreams. His most famous piece is probably Persistence of Memory, a painting with melting watches. Besides painting, he also worked in film, advertising, and even ballet.

Q Which is true about Salvador Dali?

(a) His paintings sold well.
(b) He is a versatile artist.
(c) His paintings are realistic.
(d) He used dull colors.

해석 오늘 강의는 스페인 화가 살바도르 달리의 인생과 작품을 다룰 것입니다. 그는 그의 그림들이 동료 화가인 Giorgio de Chirico에 의해서 대부분 영향을 받았던 1924년에 그의 경력을 시작했습니다. 그러나 1929년에 이르러 그는 잘 알려졌고 상상과 몽상의 표현에 집중하는 초현실주의 운동의 선구적인 예술가가 되었습니다. 그의 가장 유명한 작품은 아마도 녹아내린 시계들이 있는 그림, '기억의 영속'일 것입니다. 그림 외에도 그는 또한 영화, 광고, 심지어는 무용극에서도 일했었다.

Q 살바도르 달리에 대해 어느 것이 사실인가?

(a) 그의 그림은 잘 팔렸다.
(b) 그는 다재다능한 예술가였다.
(c) 그의 그림은 현실적이다.
(d) 그는 흐릿한 색을 사용했다.

어구 **cover** (어떤 범위에) 걸치다, (분야, 영역 등을) 포함하다, (연구, 주제를) 다루고 있다, 학습하다, 강의하다
influence 영향을 끼치다, 좌우하다
leading 이끄는, 선도하는, 손꼽히는, 일류의
surrealist 초현실주의자
imagination 상상, 상상력, 몽상
piece 한 점의 그림, 작품, 한 편의 시[글, 악곡, 각본]
ballet 발레, 무용극
versatile 다재다능한, 다방면의, 다용도의
dull 무딘, (색, 빛, 음색 등이) 분명치 않은

해설 그의 그림이 잘 팔렸는지 위에서 언급이 없었다. (a)는 답에서 제외되고, 그는 초현실주의에 선구적인 화가였다고 했으므로 (c)도 답이 아니다. 그가 어떤 색을 이용해서 그림을 그렸는지도 언급이 없으므로 (d)도 정답이 아니다. 그가 그림뿐만 아니라 영화나 발레 분야에서도 일했다는 것으로 보아 그는 다재다능한 예술가였음을 알 수 있다.

정답 (b)

53

Although most people know that English is a mixture of many different borrowed words, there are even some everyday words that surprise many people with their Japanese roots. For instance, most people know that a futon is a type of mattress but most people don't know that it's originally a Japanese word. It's the same with karaoke. Everyone knows that karaoke is singing a song with background music. In Japanese "kara" means "empty" and "oke" is a short form of "orchestra".

Q What is the purpose of this lecture?

(a) To show that certain English words originate from Japanese
(b) To reveal that English is a mixture of borrowed words
(c) To explain how "karaoke" developed into a English word
(d) To emphasize studying Japanese to improve English

해석 비록 대부분의 사람들이 영어가 많은 다른 차용어들의 혼합물임을 알지만, 일본어가 근원이라는 것으로 많은 사람들을 놀라게 하는 여러 일상단어들이 있습니다. 예를 들면, 거의 모든 사람들이 futon이 매트리스의 한 종류인 것을 알고 있지만, 대부분의 사람들은 그것이 본래 일본어의 단어라는 것을 모릅니다. 그것은 가라오케에서도 같습니다. 모든 사람이 가라오케가 배경음악과 함께 노래를 부르는 것임을 알고 있습니다. 일본어에서 '가라'는 '비었다'는 뜻이고 '오케'는 '오케스트라'의 줄임말입니다.

Q 이 강의의 목적은 무엇인가?

(a) 일정 영어 단어들이 일본어에서 생겨났다는 것을 보여주기 위해
(b) 영어가 차용어들의 혼합물이라는 것을 밝히기 위해
(c) '가라오케'라는 말이 어떻게 영어 단어로 전개되었는지를 설명하기 위해
(d) 영어를 향상시키기 위해 일본어를 공부하는 것을 강조하기 위해

어구 **mixture** 혼합물, 혼합
borrowed word 차용어, 외래어
root 근원, 어근, 뿌리, 본원
futon 매트리스, 이불, 요
originate 시작하다, 비롯하다, 유래하다
reveal 드러내다, 밝히다, 누설하다
emphasize 강조하다, 역설하다

해설 영어가 여러 차용어들의 혼합물임은 이미 대부분의 사람들이 알고 있다고 했으므로 (b)는 답이 될 수 없다. (c)에서 가라오케는 사람들이 일본어에서 온 것임을 잘 알지 못하는 단어에 대한 하나의 예에 불과하다.

정답 (a)

54

Although to many people Santa Claus may seem like a strictly western traditional character, there are many Santas all around the world. He just has a different name depending on where you go. For example, in France and Belgium he is referred to as Pere Noel. In China, he is called Dun Che Lao Ren, which roughly translates to "Christmas Old Man".

Q What is the talk mainly about?

(a) Where Santa Claus originated from

(b) How many different christmas traditions exist

(c) The different names of Santa Claus from nation to nation

(d) How people celebrate Christmas differently

해석 비록 산타 클로스는 많은 사람들이 주로 서양의 인물로 여기지만, 전 세계적으로 산타 클로스는 존재합니다. 지역에 따라서 산타클로스의 이름이 각기 다릅니다. 예를 들면 프랑스나 벨기에에서 산타클로스는 '페레 노엘'이라고 불립니다. 중국에서는 '둔체 라오렌'으로 불리며, 이것은 대략 크리스마스 노인이라는 의미입니다.

Q 이 담화는 주로 무엇에 관한 것인가?

(a) 산타클로스는 어디에서 유래 하는가

(b) 얼마나 많은 다른 크리스마스 전통이 존재하는지

(c) 나라마다 다른 산타클로스의 이름

(d) 사람들이 어떻게 크리스마스를 다르게 축하하는지

어구 strictly 엄격히, 정확히, 엄밀히 말하자면
refer to ~를 ~라고 부르다
roughly 거칠게, 대충, 개략적으로
translate 번역하다, 해석하다

해설 산타클로스는 서양의 인물이라고 많이 생각하는데, 세계적으로 각기 다른 나라들에게 산타클로스가 존재하며, 각각 불리는 이름이 다르다는 것이 전체 주제이므로 정답은 (c)가 된다.

정답 (c)

55

Even though it's the middle of the week, the traffic looks like a Saturday night. Because of the soccer match at Foute Stadium, traffic will be backed up for miles both ways probably for at least another hour. If you're already stuck, there are no alternative routes around the stadium, but if you're on the outside of this massive traffic jam, be sure to take route 408 going north to avoid any delays.

Q What can be inferred from this report?

(a) There will be a soccer match on Saturday.

(b) There is usually heavy traffic on Saturday nights.

(c) Route 408 is an alternate route around the stadium.

(d) The traffic jam will be relieved in less than an hour.

해석 주의 중반인데도 불구하고, 교통의 흐름은 마치 토요일 밤 같습니다. 포우트 경기장에서의 축구 경기 때문에 교통은 적어도 앞으로 한 시간 동안은 양방향 수 마일에 걸쳐 체증이 있을 것입니다. 이미 막힌 길에 계신다면, 경기장 주변으로는 우회로가 없습니다. 그렇지만 교통 체증 밖에 계시다면, 지연을 피하기 위해 408 도로 북쪽방향을 타시기 바랍니다.

Q 이 보도에서 추론할 수 있는 것은 무엇인가?

(a) 토요일에 축구 경기가 있을 것이다.

(b) 토요일 밤에는 주로 교통 체증이 심하다.

(c) 408 도로는 경기장 주변에 있는 우회로 이다.

(d) 교통 체증은 한 시간 안에 풀릴 것이다.

어구 back up 밀리다, 정체하다
stuck stick의 과거, 과거분사
stick 끼다, 못 움직이게 되다, 교착되다
alternative 대신의, 하나를 택해야 할, 대안
massive 크고 무거운, 대규모의, 강력한
relieved (~에) 안심한, 안도한, (~에서) 해방된

해설 교통 방송이다. 지금은 주중이지만 토요일 밤처럼 교통이 밀린다고 했으므로, 토요일 밤은 대개 교통이 많이 밀린다는 것을 추론 할 수 있다. 그러므로 정답은 (b)가 되며, 경기는 지금 있는 것이지, 토요일에 있는 것이 아니므로 (a)는 정답이 될 수 없다. 또한 경기장 주변에는 우회로가 없다고 했으므로 (c)도 오답이다.

정답 (b)

56

Hi, Stephen, this is Chloe. I'm just calling to let you know the schedule for the performing arts fair this weekend. The opening ceremony is tomorrow and starts at 4 p.m., so don't be late. The rest of tomorrow will be filled with eating and browsing shops and seeing a couple of short shows. If you have any questions about where we're meeting or what time, just give me a ring. Otherwise just check your schedule. See you soon.

Q Why did Chloe call Stephen?

(a) To set up an appointment
(b) To outline a schedule
(c) To urge him to attend the seminar
(d) To discuss the meeting agenda

해석 안녕, 스티븐, 클로이야. 이번 주말에 예술 공연 스케줄을 가르쳐 주려고 전화했어. 개회식은 내일 4시부터 시작이니 늦지 마. 4시 이후에는 식사를 하고, 가게를 구경하고, 두어 개의 짧은 쇼를 보게 될 거야. 어디서 만나는지 언제 만나는지 질문이 더 있으면 전화 줘. 그렇지 않으면 네 스케줄을 확인해봐. 곧 만나자.

Q 클로이는 왜 스티븐에게 전화 했는가?

(a) 약속을 정하려고
(b) 스케줄의 개요를 잡아 주려고
(c) 그를 세미나에 참석하라고 하려고
(d) 회의 안건을 토의하려고

어구 performing art 행위예술
fair 박람회, 전시회, 설명회
opening ceremony 개회식
browse 대강 훑어보다, 상품을 쓱 훑어보다
give ~ a ring ~에게 전화를 하다
urge 강요하다, 주장하다, 역설하다
agenda 의제, 협의사항

해설 자동 응답에서는 특히나 메시지를 남기는 목적이 중요한데, 주로 I'm just calling to로 시작하는 경우가 많으니, 늘 뒤를 더 집중해서 듣도록 한다. 이 메시지에서는 let you know the schedule이라고 했으니 스케줄을 말해 주려는 목적으로 전화를 한 것이므로 정답은 (b)이며, 약속은 이미 정했으므로 (a)는 정답이 될 수 없다.

정답 (b)

57

Attention all students, this is your principal with the morning announcements. Starting today prom tickets will be available for purchase for seniors only. Each student may buy up to two tickets. SAT prep classes start next week, but it's not too late to sign up in the counseling center. One last note today is Friday and that means we have a pep rally for tonight's football game during last period. Students who are late, are caught skipping, or leave early will not be allowed to attend tonight's game.

Q Which is correct according to the announcement?

(a) Freshmen can't attend the game.
(b) The registration period for an SAT class is over.
(c) Only seniors can purchase tickets for the prom.
(d) Each student can buy only one ticket for prom.

해석 모든 학생들은 주목하세요. 교장 선생님의 아침 공지입니다. 오늘부터 졸업반 학생에게만 파티티켓 구입이 가능합니다. 각각의 학생은 2매까지 티켓 구매가 가능합니다. SAT 준비반은 다음 주부터 시작합니다. 그렇지만 카운슬링 센터에서 아직 등록이 가능합니다. 마지막 공지 사항으로, 오늘은 금요일이고 마지막 교시에 오늘밤 축구 경기를 위한 단합집회가 있습니다. 늦거나, 빼먹거나, 일찍 집에 가는 학생들은 오늘밤 경기에 입장할 수 없습니다.

Q 이 공지에 따르면 맞는 것은?

(a) 일학년은 경기에 참여 할 수 없다.
(b) SAT 수업의 등록은 끝났다.
(c) 졸업반 학생만 파티 티켓 구입이 가능하다.
(d) 각각의 학생들은 파티 티켓을 한 매만 구입할 수 있다.

어구 principal 교장, 학장, 우두머리
prom 무도회, 댄스파티
purchase 구매, 구입, 획득
senior 최고 학년, 4학년, 선임자, 선배, 상급자
prep 준비, 예습, 예습시간
pep rally 응원전
period 수업시간, 교시, 주기, 시기
skip (수업 등을) 빼먹다, 결석하다
freshman 신입생, 1학년생
registration 등록, 기재, 등기

해설 교장 선생님의 공지사항이 여러 개라서 각각의 정보를 구분해서 외워 두어야 하기 때문에 조금 어렵게 느껴질 수 있다. (a)는 일학년이 경기에 참여 못하는 것이 아니라, prom 티켓 구매가 불가한 것이므로 답이 아니고, SAT 수업 신청은 아직 가능 하므로 (b)도 오답이다. 정답은 졸업반 학생만 파티 티켓을 살 수 있다는 (c)가 된다.

정답 (c)

58

Dissociative identity disorder is a mental disorder in which a person manifests two or more distinct and separate personalities. Each personality has its own characteristics and each identity regularly controls the individual's behavior. A high percentage of people with this condition have reported abuse in their childhood and many experts claim that this could be one of many reasons to cause this condition to develop. Psychotherapy is often used in combination with other treatments to help sufferers.

Q What is the lecture mainly about?

(a) How child abuse causes serious illnesses
(b) How to treat dissociative identity disorder
(c) What dissociative identity disorder is
(d) How important it is to treat mental disorders properly

해석 해리성 정체장애는 한 사람에게서 둘 혹은 그 이상의 구분되고 독립적인 인격이 발현되는 것이다. 각각의 인격은 그것만의 특징을 가지고 있으며, 각각의 정체성은 정기적으로 행동을 지배하게 된다. 이런 병을 가지고 있는 사람들 중 높은 비율이 어린 시절에 학대를 받았다고 보고되고 있다. 많은 전문가들이 이 병이 발생하게 된 많은 원인 중 하나를 이것에 돌릴 수 있다고 주장하고 있다. 환자들을 돕기 위해 다른 치료와 함께 종종 정신치료가 병행 되고 있다.

Q 이 강의는 무엇에 관한 것인가?

(a) 아동 학대가 어떻게 심각한 질병을 일으키는지
(b) 해리성 정체장애를 어떻게 치료하는지
(c) 해리성 정체장애는 무엇인가
(d) 정신병을 제대로 치료하는 것이 얼마나 중요한지

어구 dissociative 분리적인, 분열성의
identity 정체, 신원, 주체성, 동일성
manifest 밝혀지다, 나타나다, 명시하다, 표명하다
distinct 별개의 독특한, 뚜렷한, 명료한
behavior 행동, 습성, 거동
abuse 남용, 학대, 혹사, 폭행
expert 숙련가, 전문가
psychotherapy 심리요법, 정신요법
combination 결합, 배합, 화합
sufferer 고생하는 사람, 환자, 피해자

해설 아동학대가 해리성 정체장애의 한 원인이 될 수 있다는 언급은 있었지만, 아동학대에 초점이 맞추어 져서 아동학대가 여러 심각한 질병을 야기한다는 것이 주요 강의의 내용이 아니므로 (a)는 오답이다. 해리성 정체장애가 무엇인지에 대해서 설명하는 것이므로 (c)가 정답이 된다.

정답 (c)

59

Tridecaphobia is the fear of the number thirteen. But why are so many people afraid of it? Many Christians consider it to be evil because it comes after twelve, a lucky number. In the Bible, there were 13 people at the last supper, with the traitor Judas as the thirteenth guest. There is also a Scandinavian belief that the number is evil, which came from twelve traditional gods. Loki, the thirteenth god, was cruel and brought humans great misfortune and misery.

Q What is the speaker mainly discussing?

(a) Describing a superstition from nation to nation
(b) Explaining how the number 13 is linked with the fear
(c) Revealing that the number 13 has nothing to do with bad luck
(d) Showing the misfortune that the number 13 brings to humans

해석 트라이데커포비아는 숫자 13을 두려워하는 것이다. 그러나 왜 많은 사람들이 13을 두려워하는가? 많은 기독교인들은 이것을 13이 행운의 숫자인 12뒤에 오기 때문에 악이라고 여긴다. 성서에서는 최후의 만찬에서 열세 번째 손님인 배반자 유다와 함께 13명이 있었다. 또한 13이 악이라는 믿음은 스칸디나비아에서도 있는데, 그것은 12명의 신으로부터 온 것이다. 로키는 13번째 신으로서 매우 잔인하고 사람들에게 불운과 비참함을 가져다주었다.

Q 화자는 주로 무엇을 말하고 있는가?

(a) 각국의 미신 설명하기
(b) 어떻게 숫자 13이 두려움과 연관되는지 설명하기
(c) 숫자 13은 불운과 아무 연관이 없다고 밝히기
(d) 숫자 13이 인간에게 가지고 온 불운을 설명하기

어구 Tridecaphobia 13 공포증
evil 사악한, 불길한, 운이 나쁜
supper 저녁식사, 만찬
traitor 반역자, 배신자
belief 믿음, 확신, 신뢰, 신앙
cruel 잔혹한, 잔인한, 무자비한, 심한
misfortune 불운, 불행, 재난
misery 비참, 고통, 비난, 고난
superstition 미신, 두려움, 미신적 습관

해설 사람들이 숫자 13을 매우 두려워하는데, 어떻게 이런 두려움을 가지게 되었는지 유래를 밝혀 주고 있다. 강의 초반에 던져진 질문에서도 알 수 있듯이, 사람들이 왜 그렇게 13이라는 숫자를 두려워하기 시작했는지 이유를 설명해 주고 있으므로 정답은 (b)가 된다. Tridecaphobia라는 어려운 단어가 강의 맨 처음에 등장 했지만, 이러한 전문용어는 강의에서 설명되기 마련이다.

정답 (b)

60

Jupiter, the largest planet in the solar system, got its name from the Roman god of the same name. The planet is roughly 1300 times larger than Earth. It is distinguishable by "the great Red Spot," which is actually a windstorm larger than our planet. Its atmosphere is a mixture of various gases and liquids, like hydrogen, helium, methane, water, and ammonia. Its average temperature is -148℃ and it has 63 separate satellites. It's also identifiable by its four rings that surround the planet.

Q What can be inferred?

(a) Jupiter is 1300 times heavier than Earth.
(b) The ancient Romans named the planet.
(c) The surface of Jupiter is rough.
(d) Jupiter has a big red windstorm.

해석 태양계에서 가장 큰 행성인 목성은 같은 이름을 가진 로마의 신에서 그 이름이 유래된다. 이 행성은 대략 지구보다 1300배가 크다. 이것은 실제로 지구보다 큰 폭풍인 대적점에 의해서 구별이 된다. 목성의 대기는 수소, 헬륨, 메탄, 물, 암모니아와 같은 여러 종류의 가스와 액체의 혼합물이다. 목성의 평균 온도는 −148℃ 이며 63개의 개별적인 위성을 가지고 있다. 또한 목성은 목성을 둘러싼 4개의 띠로도 구분이 가능하다.

Q 추론 될 수 있는 것은 무엇인가?

(a) 목성은 지구보다 1300배 무겁다.
(b) 고대 로마 사람들이 이 행성의 이름을 지었다.
(c) 목성의 표면은 거칠다.
(d) 목성은 거대한 붉은 폭풍을 가지고 있다.

어구 **Jupiter** 목성, 【로마 신화】 주피터 (모든 신의 우두머리로 하늘의 지배자, 그리스 신화의 Zeus)
solar system 【천문】 태양계
roughly 대충, 개략적으로, 거칠게
distinguishable 구별할 수 있는, 분간할 수 있는
windstorm (비를 동반하지 않는) 폭풍
atmosphere 대기, 가스체
liquid 액체
hydrogen 【화학】 수소
satellite 【천문】 위성, 인공위성
identifiable 구분할 수 있는

해설 목성의 이름은 어떻게 유래했는지, 크기는 어떠한지, 대기는 어떻게 구성이 되었는지 목성에 대해서 대략적인 설명을 해 주고 있다. 목성이 지구보다 1300배 크다는 것이 1300배 무겁다는 것을 의미하는 것은 아니므로 (a)는 답이 아니고, 로마의 신에서 이름이 유래되었다고 고대 로마 사람들이 이름을 지은 것은 아니므로 (b)도 오답이다. (c)는 강의에 전혀 언급이 없고, 목성은 실제상 폭풍인 대적점을 가지고 있다고 했으므로 정답은 (d)가 된다.

정답 (d)

TEPS 서울대학교 TEPS관리위원회 기출문제 활용

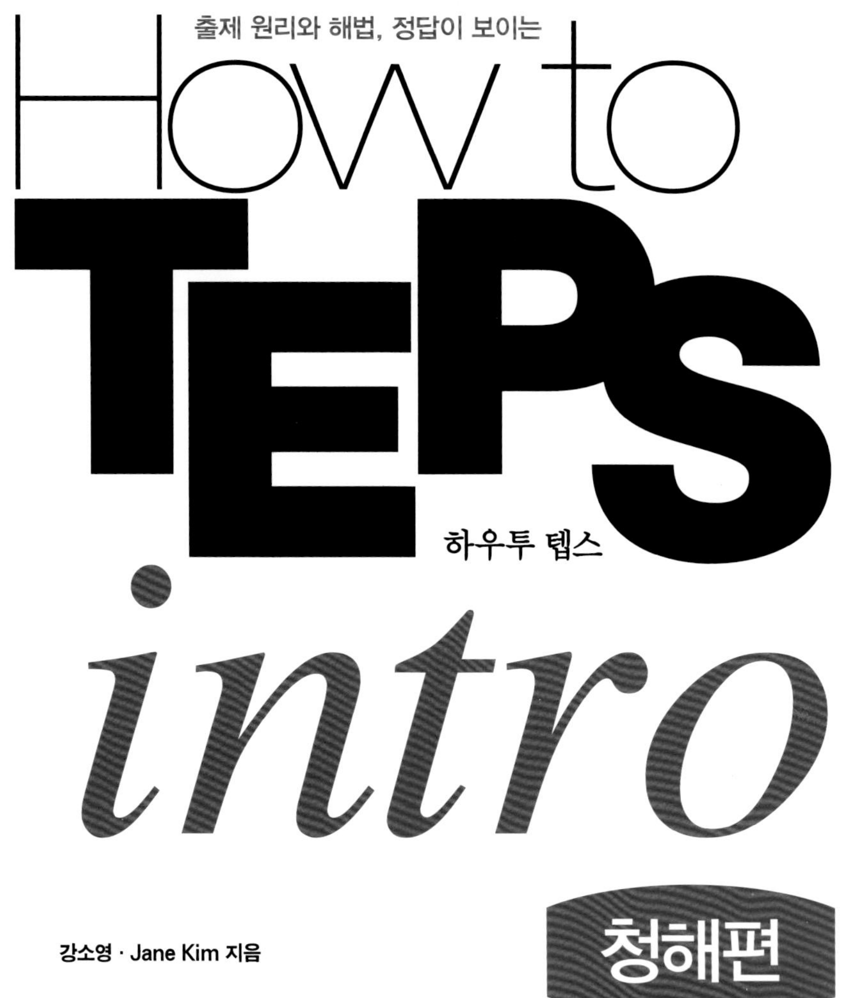

청해편

강소영 · Jane Kim 지음

Actual Test 5회분 Dictation Workbook

넥서스

Actual Test 5회분
Dictation Workbook

Actual Test 1

Part I

1>> W ______________________________?

M ____

(a) It was delicious.

(b) Great job, well done.

(c) I like it ___________.

(d) __________ salad first.

2>> M __________________ take you home?

W ____

(a) Don't bother.

(b) I am _______________.

(c) You should visit my place.

(d) __________.

3>> W ______________?

M ____

(a) Can I ________________?

(b) ________ is fine.

(c) __________.

(d) ________ hear your opinion.

4>> M Wow, your apartment ______________ and quiet.

W ____

(a) Thanks, ____________________.

(b) It's my pleasure.

(c) Take it easy.

(d) __________________ my apartment?

5>> W Jason, nice to meet you!

M ____

(a) It's very __________!

(b) Not at all.

(c) ____________ before?
(d) __________.

6>> M ______________ upset you.
W ____

(a) _________________.
(b) I mean it.
(c) Forget about it.
(d) It's you who ________________.

7>> W _____________ laptop for a second?
M ____

(a) I'll ask about it.
(b) ____________.
(c) Sure. It's _________________.
(d) Let me show you another.

8>> W My computer ____________.
M ____

(a) _____________________.
(b) Just ______ your system.
(c) I'll take it to the garage.
(d) Great. How did you do that?

9>> M ___________________ go home now?
W ____

(a) I'm afraid _____________.
(b) Sorry, but the night is _____.
(c) I cannot _______________.
(d) My father does not _________________.

10>> M Am I ____________________?
W ____

(a) Smoking is ___________________.
(b) Smoking is _________________.
(c) I'm sorry I can't.
(d) Of course. Now you're 20.

11>> W ________ into my old friend Fred ______________.

M ____

(a) The traffic is terrible __________________.
(b) You _________________ first.
(c) _________________________ meet him?
(d) ______. What a coincidence!

12>> M __________ leave the hospital. _____________?

W ____

(a) You can't leave here ___________________.
(b) ________________ in a car accident.
(c) Don't worry. I feel much better now.
(d) _________. I'm going to leave work.

13>> W Would you help me _________________?

M ____

(a) ___________ needs organization.
(b) I'm still _________________.
(c) Yes. When do you need it done?
(d) I'm going to _________________.

14>> W John, would you like to join us for the movie?

M ____

(a) Sorry. __________________ 8 p.m.
(b) I wish I could, but ___________________.
(c) Great. I've already seen the movie.
(d) I think you would really like that movie.

15>> W _____________________ India.

M ____

(a) __________. I don't like __________.
(b) How long _____________________?
(c) Everything around me was so interesting.
(d) It sounds like ___________________.

Part I

16>> M Oh, no. It looks like ________________ all day.

W Does that mean we ________________?

M I guess it will be fine ____________________________.

W ____________________________________

(a) I like sunny and warm weather.

(b) ___________________________.

(c) Oh, no. I forgot my umbrella.

(d) Then the weather ________________.

17>> W Hello, ____________________?

M Jeff is busy. Would you like to ____________?

W But it's really important that I speak to him.

M ____________________________________

(a) I'm afraid he is not here.

(b) OK, ______________________.

(c) Can you let me know his cell phone number?

(d) May I ask ______________?

18>> M ________________________ at Laurel Street?

W I'm not sure, but you can _______________.

M Where can I find ________________?

W ____________________________________

(a) ________________________________.

(b) The bus ________________.

(c) If I were you, __________________.

(d) ________________ over there.

19>> W ____________________?

M It's pasta with shrimp in a cream sauce, but _________________.

W Do they both _____________?

M ____________________________________

(a) ____________ a salad to the steak?

(b) Then let me get a shrimp salad.

(c) Yes, ____________.

(d) We also have ____________________.

20>> M What will you pick ___________ at university?

W I'm thinking of science.

M What kind of science ________________?

W ____

(a) _______________________.

(b) I think biology is ________________.

(c) I didn't ___________ a specific field yet.

(d) Actually, I am not _______________.

21>> W The librarian told me I can only ______________________.

M Does that include magazines and videos?

W Yes, but I'm going to need more than ten materials.

M ____

(a) I ____________________ yesterday.

(b) I heard that ___________________________________.

(c) How about borrowing books _____________?

(d) You should return _____________________.

22>> M Do you need any cream or sugar for your coffee?

W _________, please.

M Oh, no. I think _______________.

W ____

(a) Never mind. I don't like black coffee.

(b) It's okay. I love ice cream.

(c) Milk can be ____________________.

(d) If you don't mind, I can __________.

23>> W I'm sorry, but is your name Sam Armstrong?

M Yes, but I'm sorry, _________________.

W It's me, Sally White, from Georgia High School.

M ____

(a) _____________ remembering names.

(b) It's you? Sally? Where are your glasses?
(c) Let's ___________.
(d) ________________!

24>> M I think ______________ garbage bags and milk.

W Are you going to the store to buy more?

M Yes, do you want to ____________?

W ____

(a) Let me get ___________.
(b) Sure, I'm _____________ shopping.
(c) I thought you went to the store.
(d) Is there anything else ______________?

25>> W I wish my sister would stop asking me to borrow money.

M ___________________________?

W Yes, she's my sister. _______________?

M ____

(a) She needs to learn to _____________.
(b) __________________.
(c) Easy come, easy go.
(d) So you ______________?

26>> M I'm calling to cancel ______________________.

W If you cancel less than 24 hours _________, there is a small fee.

M My reservation is for next Wednesday.

W ____

(a) How can I help you?
(b) If so, don't worry about the fee.
(c) Do you want to ____________________?
(d) Then we ___________________________.

27>> W Have you decided where you want to ____________?

M I want to __________________.

W What about Thailand? It's ______________________.

M ____

(a) That sounds good.
(b) I've never been ______.
(c) Do you want to __________?
(d) It rains a lot there during the summer.

28>> M ________________________ all day!
W How did you ______________________?
M I ate a lot of medicine, but it isn't helping.
W ____

(a) Today's meeting was quite successful.
(b) You need to _____________ right away.
(c) Let me get you some medicine.
(d) ___________, too.

29>> W I'd like to mail this letter to Japan.
M Would you like to ________________________________?
W _________________________?
M ____

(a) We don't do international shipping.
(b) It's not that expensive.
(c) This will ________________.
(d) Express service is _______.

30>> M The copy machine is broken again.
W __________________________!
M I know, I wish the boss would just buy a new one.
W ____

(a) ___________________.
(b) Don't worry. It's ______________.
(c) It's not like _________.
(d) How many times should I tell you?

Part III

31>> M You don't sound so good.

W Yeah, I think ____________.

M But the weather's so warm outside.

W I always ________ in the summer.

M I didn't know you could ________ in hot weather.

W You can ________________________.

Q **What are they mainly talking about?**

(a) About the cold weather

(b) About ______________

(c) About the woman's _______

(d) About going outside

32>> W The windows in my room are ______________.

M Why? What's wrong?

W My windows are too big and the sun is so bright in the morning ____________.

M Maybe __________________________.

W I know, but they're so expensive.

M You could always _____________.

Q **What are the speakers mainly talking about?**

(a) Getting up early in the morning

(b) ______________________________

(c) The large windows in her room

(d) ____________________________

33>> M I like your background, but you seem to __________________.

W I know, but I promise ________________.

M I'm afraid you'd be coming in ______________.

W ____?

M Yes, but it depends on your performance after three months.

W If you give me a chance I know ________________.

Q **What is mainly happening in this conversation?**

(a) The man is ____________________.
(b) The man is interviewing the woman.
(c) The man is explaining the company policy.
(d) The man is offering the woman ________.

34>> W ____________________?
M I got a second job, so I have no time.
W That's really going to ____________________.
M I really need the money to buy a car.
W What's more important, ____________________?
M You're right. ____________________.
Q **What are the speakers mainly discussing?**
(a) About the man's schoolwork
(b) About the man's ____________
(c) About the man's ______________
(d) About borrowing some money for a car

35>> M ____________________?
W I think I ate some bad shrimp.
M Do you have ________?
W ________. I eat shrimp all the time.
M What symptoms have you had?
W ____________________.
Q **What is the man doing in the conversation?**
(a) ______________
(b) Talking about seafood
(c) Worrying about the woman
(d) ____________________

36>> M Did you hear about that fire?
W No, what happened?
M There was ____________________.
W Oh, no. Were many people hurt?
M I'm not sure. ____________________.
W The news ________ for another 30 minutes.

Q **What is correct according to the talk?**

(a) There were ____________________.

(b) The woman saw the news on TV.

(c) There was ____________________.

(d) A few people were injured from the accident.

37>> W Hey, I really like this song.

M I don't. I prefer classical music.

W ____________________ pop music?

M It's too ______________.

W Not all classical music is complex, you know.

M Yes, but I still ________________________.

Q **What is the main topic of this conversation?**

(a) _________ music these days

(b) ______________ of pop music

(c) ______________________

(d) The history of classical music

38>> M Thank you for calling the Central Hotel. How can I help you?

W I'd like to ____________.

M Would you prefer a room ____________________?

W Can I get ______________________?

M I'm sorry, mountain view rooms are ___________________.

W I'll take a single room anyway.

Q **According to the phone conversation, in which room would the woman stay?**

(a) A single room with a mountain view

(b) A single room with no mountain view

(c) _________ with a mountain view

(d) ______________ with no mountain view

39>> M Do you remember _________________ today?

W Sure, don't forget your _______.

M That's okay. It's cloudy outside.

W You should always ___________ outside.

M Even when the sun is not out?

W You can still be affected by ___________.

Q **According to the woman, what should the man do?**

(a) _________________________.

(b) _______ inside.

(c) Wear protective gear.

(d) ______________.

40>> M _______________ law school!

W Congratulations! When do you leave?

M Classes start in three months.

W Do you __________________?

M That's the only problem. I don't.

W At least you have some time to find a place.

Q **Which is the man's concern?**

(a) ___________________________

(b) ________________

(c) Paying tuition for law school

(d) Lack of time for finding an apartment

41>> M Amy, do you want to _________ next weekend?

W _________________________.

M But we're going to be _____________________.

W Aren't there wild animals though?

M Sometimes there are deer, but ___________________.

W I think I'll stay in my cozy city apartment.

Q **According to the talk, what would the woman like the most?**

(a) Playing tennis at a park

(b) Visiting __________

(c) Staying inside the cabin

(d) Staying at her place

42>> W Did you see the new comedy playing in the cinema downtown?

M Three times already!

W I heard ______________________.

M Yeah, and ______________, too.

W I want to see it, but ______________________________________.

M I wouldn't mind seeing it again.

Q **What can be inferred from this conversation?**

(a) The man enjoyed the movie a lot.
(b) The man will not see the play again.
(c) The woman doesn't like comedy.
(d) The woman ___________.

43>> W Did Sally tell you about her foot?

M No. ________________?

W Yeah, she __________________________.

M How did she do that?

W She wasn't wearing shoes outside.

M I hope ____________ at the hospital.

Q **Which is correct according to the conversation?**

(a) Sally ________________________.
(b) The man works at a hospital.
(c) The man has not heard about the accident.
(d) Sally _________________________.

44>> W I really need to go to the library.

M ___________________?

W I need to finish my final paper.

M You must be going to the library that's open 24 hours, right?

W Yeah. ___________________!

M You always _________________.

Q **What can be inferred about the woman?**

(a) The woman often studies in the library.
(b) The woman has finished her assignment.
(c) The woman ___________________________.
(d) The woman usually __________________.

45>> W I'm hungry. What are you ____________?

M I want to eat ____________.

W We had __________ yesterday.

M I know, but I'm still ________.

W Well, I'm ________________________. Can we try something else?

M How about Italian? We can both get what we want.

Q **What would the woman probably have?**

(a) A spicy Italian dish

(b) ___________________________________

(c) Non-spicy food

(d) The same curry they had yesterday

Part IV

46>> On this important day, I'd like to remind ____________________ that leaving university shouldn't be ______________, but rather a happy moment when you can finally say, "I did it." Years of studying and learning have ________________ ____________________. On this day we become citizens of the world that will help to improve and shape the future. ______________________________________ __________ that will help us to help others. So don't ______________________ _____.

Q **What is the purpose of this talk?**

(a) To encourage _____ students

(b) To celebrate graduation

(c) To ____ students to study hard

(d) To ____________ for the election

47>> Although Martin Luther King, Jr. _______________ working in church, he was best known as a civil rights leader in America during the 1950s and 1960s. _______ __________________________, King's most famous political act was probably an ____ in Montgomery, Alabama. In 1956, African-Americans __________________ and King ___________ as a civil rights leader when _____________________________________.

Q **What is the talk mainly about?**

(a) People's respect for Martin Luther King
(b) Martin Luther King's achievement
(c) Martin Luther King's career in church
(d) ______________________________

48>> Hi, you've reached Mac Arthur Pest Control. Your business is important to us and we're __________________________. ________________________ are from Monday through Friday, 9 a.m. to 6 p.m. and Saturday from noon to 5 p.m. ____________________ as soon as possible, ______________________________ ______________________________________. For pest emergencies, please call 1-800-555-4432. Thanks again for your call.

Q Which is correct according to the recording?

(a) They __________________________ everyday.
(b) They ask for personal information __________________.
(c) ____________________, they require your address.
(d) They are open around the clock.

49>> When traveling in Southeast Asia, there are certain health recommendations ______________________________. First, ______________________________, especially those in close contact with chickens and other birds. Also, ____________ your children. Young kids tend to touch things and then ____________________, which can spread disease. And _______________, wash your hands. This is the simplest and most effective way to keep you and your family ___________________ while traveling abroad.

Q What is the topic of the talk?

(a) How to be _______________
(b) ________________________________
(c) How to take care of children safely
(d) Safety rules while driving

50>> ____________________ every cream and lotion out there? Do you just want a simple product that will give you _______________________? Well, throw out all those other bottles. 'Skinfully Beautiful' is the only serum you will ever need. It ________________________________. ______________________________ ____________________. Just apply once in the morning and evening after washing your skin and ______________________. Try it today!

Q What is being advertised?

(a) ____________

(b) A product to improve skin

(c) A cleansing product

(d) A vitamin pill

51>> Welcome future graduates of the class of 2010. As president of the school I'd like to first congratulate all of you ____________. Since you know how difficult it is to get into university, ____________. But let me say that college is not only ____________, but also ____________, and I sincerely hope that you will learn about the world and yourselves during your years with us.

Q What point is the speaker trying to make?

(a) ____________ is important.

(b) Studying hard is the first priority.

(c) Searching for identity is ____________.

(d) Traveling the world is encouraged.

52>> Attention all library patrons. We'd like to thank you for visiting the New York City Public Library today. ____________. Please ____________. All reference books and other media should be returned to specific carts located throughout the library. ____________ in 10 minutes, so please ____________. We will open again Monday morning at 9 a.m. Thank you.

Q What is the main purpose of this announcement?

(a) To announce the library policy

(b) ____________

(c) To welcome visitors of the library

(d) To notify the time of library opening

53>> The first U.S. census was taken in 1790 and only recorded general information such as the name of ____________ of the rest of the members of the family. As the country developed its wants and needs, the information the census ____________. Eventually other data, such as the number of slaves per household and causes of death, were included in the census, ____________.

Q What is the lecture mainly about?

(a) The importance of ____________

(b) The history of the U.S. census
(c) ______________________ in the U.S
(d) How the ____________________

54>> Although there were several different causes for World War II, ______ ________________, there are two more popular causes ____________ ______________________ why World War II happened. The first of these reasons was ______________________ in 1939. The second cause was Japan's attacks on the U.S., China, and other countries. These attacks were ____________________________ from different countries, known as the Allied countries.

Q What is the cause of World War II according to the lecture?

(a) _______________
(b) Poland's invasion of Germany
(c) _____________
(d) Japan's invasions

55>> Today is ______________, but everyone should know that our weather can change ________, and that's the case for us this week. Tomorrow there will be __________________________ from the east, but on Tuesday that will all change. Clouds will come in sometime in the late afternoon and _______ we will have heavy thunderstorms in various parts of the north, so don't put away your umbrellas just yet. Sports is ________________________.

Q Which is correct according to the weather forecast?

(a) It's cloudy and windy today.
(b) The weather is ____________ this week.
(c) There is ______________ this week.
(d) It is likely to rain on Tuesday.

56>> This is ________ about the monthly meeting for October. This month's meeting is especially important since we are going to _______________ for our upcoming financial year. All employees ___________________________ ______________ concerning any aspect of their departments at the meeting. ______________: this Thursday, September 27 at 3 p.m. in Central Meeting Hall, room 604. ____________________________ in room 603 across the hall.

Q Which is correct according to the announcement?

(a) Only executives need to attend the meeting.
(b) This upcoming meeting is ______________.
(c) The meeting will be held outside the company.
(d) ______________ after the meeting.

57>> Today's lecture will ______________________________. The first stage is identification, which is when ______________________________ ______________ specific signs on their surfaces, ____________. Any kind of foreign object, whether it is bacteria or a virus or something else, has its own individual antigen that makes it different from the body's cells, so when ___ ____________________________, it attacks and kills them.

Q **Which is correct about the immune system?**

(a) It ______________ in the body.
(b) It will be developed by ______________.
(c) Only bacteria and viruses attack the body.
(d) Antigens are the main cause of diseases.

58>> In today's workshop you are going to learn ______________ PhotoCap, the best software to create images as well as edit them. The easy to use interface allows you to jump from one file to another ______________________ __________. Another benefit of the software is all the different capabilities for photo editing. If you want to ______________________, it's no problem for PhotoCap and ______________. So let's get started.

Q **Which is correct according to the talk?**

(a) Wearing the cap can make you look younger.
(b) The software has superb image editing functions.
(c) By using this software ______________.
(d) The software doesn't support ______________.

59>> Cancer vaccines can be used to ______________________________ ______________________________. One controversial example is the human papillomavirus (HPV) vaccine, which targets certain kinds of ________ ______________. This disease can ______________________________ ______ and some states in the U.S. are considering passing laws ________ ______________________________________.

Q **What can be inferred from this lecture?**

(a) Not taking a cancer vaccine is illegal.

(b) Cancer vaccines can ______________________.
(c) Women have ______________________.
(d) Cancer vaccines have been used in practice recently.

60>> Sander Cole's newest film, *Fatal Fantasy*, is ____________. As a child Lara, played by Sophia Morgan, witnessed the murder of her entire family. After spending twelve years in a mental hospital, she is __________. Her only goal is to find the nameless killer, played by James Fry, ______________________. This story has __________ that will not be soon forgotten.

Q Which is correct about *Fatal Fantasy*?

(a) It is based on the newest novel.
(b) The heroine is ________________.
(c) The heroine lost her memory.
(d) It is ______________.

Actual Test 2

Part I

1>> M See you later, Sarah. It was good to meet you.

W ______________________________

(a) ______________!
(b) Nice meeting you, too.
(c) I'm doing great.
(d) Excuse me, ________?

2>> W ________, can you tell me where the cookbooks are?

M ______________________________

(a) Do you work here?
(b) I'm not interested in cooking.
(c) ______________.
(d) It's OK.

3>> W Guess what! You're ____________.

M ______________________________

(a) Yeah, my daddy is coming next week.
(b) Oh, my god. I can't believe it.
(c) ________.
(d) Wow, you must be excited.

4>> W Guess what? ________________!

M ______________________________

(a) Good for you.
(b) Great! Thanks.
(c) You've got the job.
(d) You're welcome.

5>> M I really appreciate you __________.

W ______________________________

(a) __________.

(b) That sounds great.

(c) No problem. Anytime.

(d) ______________.

6>> W Does this skirt ____________________?

M ______________________________________

(a) Yes, we have different colors.

(b) Sorry. We don't ______________.

(c) ______________ another one?

(d) Don't you like this kind of style?

7>> M Could you ______________?

W ______________________________________

(a) Sure, I'll ___________.

(b) I like heavy metal.

(c) Yes, I live ______________.

(d) Do you hear me?

8>> W When do you ____________________?

M ______________________________________

(a) It hasn't arrived yet.

(b) _______ the manager.

(c) We will have it in room #302.

(d) __________________ this Friday.

9>> M _________ you ate all of the omelet?

W ______________________________________

(a) I like cheese omelets best.

(b) ________ for my dinner.

(c) Sorry, I don't know how to make omelets.

(d) Sorry, I was too hungry.

10>> W I don't feel like ________________.

M ______________________________________

(a) I didn't ______________.

(b) But I feel like going out.

(c) Let me do it for you.
(d) ___________ the trash bag.

11>> M Can you tell me where I can ______________ inside the airport?
W ____

(a) _________________.
(b) It's very near from here.
(c) I don't like to ____________.
(d) You should go to gate 3.

12>> W _____________ your speech. It was really _________.
M ____

(a) Thank you, but she is more attractive.
(b) _____________________.
(c) I am very nervous in front of a crowd.
(d) __________________. You did a great job.

13>> M Your new business card is ___________.
W ____

(a) Can I have your card?
(b) Thank you. _____________.
(c) How did you recognize it?
(d) I will _______________.

14>> W Greg, this is my friend, Tina. _____________________?
M ____

(a) I don't think so.
(b) Nice to meet you.
(c) Can I _____________?
(d) ___________.

15>> M ____________________ after your accident?
W ____

(a) ______________.
(b) I met him by accident.
(c) I'm almost ___________________.
(d) It's okay to ask me.

Part II

16>> W What's wrong? You ______________.

M I just got a call saying that my mother was in a car accident.

W Oh, no. __________?

M ____

(a) ____________________.
(b) I'm not sure yet.
(c) Don't worry. I'm okay.
(d) I'm going to the hospital.

17>> M Your parents don't work, right?

W Yes, ________________ for about two years.

M Must be nice. ____________________________?

W ____

(a) They won't be around this week.
(b) They ____________________.
(c) They are free on weekends.
(d) They started to ____________.

18>> W What are you reading?

M It's about the life of Marilyn Monroe.

W _______________?

M ____

(a) So interesting that _______________.
(b) It's a very thick book.
(c) I don't like reading.
(d) I'm almost finished with the book.

19>> M Do you ____________ today?

W Not really. What's up?

M I'm going shopping. Do you want to ___________?

W ____

(a) I am planning to go to the movies.
(b) I'll ____________________.

(c) I can't ________. Come again?

(d) There is no agreement on that.

20>> W I thought you had to photocopy something.

M I do, but I'm ____________.

W The machines also ________. You can buy it from the machine over there.

M ____

(a) I don't want to use my credit card.

(b) I guess that's something I need.

(c) But I like ________________.

(d) I think this machine is _________.

21>> M A-1 Travel Agency. What can I do for you?

W ____________________ Moscow.

M What date ________________?

W ____

(a) I'd like to leave next Thursday.

(b) My flight leaves at noon.

(c) Just for a few days.

(d) Then ________________.

22>> W Where can I find the main office?

M ___________, room 106.

W They're not closed yet, right?

M ____

(a) I think so. They are open until 6 o'clock.

(b) They will close tomorrow.

(c) You need to go to the main office.

(d) Let me __________.

23>> M I like your necklace. I'm looking for one like that for my girlfriend.

W I _______________ at the Edenville Mall.

M __________________?

W ____

(a) Yeah, but you should hurry.

(b) These items are ___________.
(c) It was a big bargain.
(d) I am still ______________.

24>> W Hi, Brad. Long time no see.
M It's because I just started a new job.
W ______________________?
M ____

(a) _________________________.
(b) It's harder than I expected.
(c) I started it a few weeks ago.
(d) That is my favorite thing.

25>> M Could I please talk to Mary?
W I'm sorry, she just left. Would you like to ________________?
M Yes. _________________________.
W ____

(a) She called you several times this morning.
(b) OK, I'll make sure that ____________.
(c) Can you call me later?
(d) I'm afraid that she's busy right now.

26>> W Ross, do you think ______________________?
M It's not mine. It's my brother's. Do you __________________________?
W What do you think he'll say?
M ____

(a) Don't worry. You can use mine.
(b) He just bought _______________.
(c) I think he is a nice and sweet guy.
(d) I'm not sure. I'll _________________.

27>> M ____________________ Rachel's dinner party this weekend?
W Maybe, but ________________.
M Me neither. Do you want to go together?
W ____

(a) I really enjoyed her party.
(b) Sure. Why not?
(c) I don't like dance parties.
(d) ______________ this Saturday.

28. W Did you go out last night?
M No, I was ____________________. Why do you ask?
W I called you ________________.
M ____

(a) Sorry, ____________________.
(b) I might not have _________________.
(c) Can you call me later?
(d) You can _____________________.

29. M I'm going to ________________.
W Same here. Want to eat together?
M Sorry, I can't. I'm using my lunch hour ____________________.
W ____

(a) Maybe next time then.
(b) I brought some sandwiches and drinks.
(c) Let's meet in front of my building.
(d) _______________ Chinese food.

30. W How are you going to ____________________?
M Some friends and I are going to have dinner.
W Sounds good. What _______________________?
M ____

(a) ________________.
(b) We will go to a Mexican restaurant.
(c) _______________ tonight.
(d) I would like to buy a bag.

Part III

31>> M Hey, can you ____________?

W Sure, what's the problem?

M Well, ____________________. I'm not sure what's wrong.

W Have you tried ______________________?

M Not yet. I was just checking to make sure ________________________.

W If it's an older model you might just need to buy a new one.

Q **What are the speakers discussing?**

(a) Buying a new printer
(b) How to fix the man's computer
(c) The man's broken printer
(d) __________________________

32>> M I'd like to __________.

W You mean, to find a job?

M Yeah. It seems ______________________.

W It's true, but do you know __________?

M Not really. Any ideas?

W I bet you could find a lot of information on the Internet.

Q **What is the main topic of the conversation?**

(a) ___________________
(b) The way to gather information
(c) Working abroad
(d) Traveling abroad

33>> W What can I do for you today?

M I was wondering ____________________.

W Yes, are you looking for __________________?

M Some shorts for summer hiking.

W Are you looking for a certain color?

M Just plain brown would be fine.

Q **What are the speakers mainly talking about?**

(a) Shopping at the department store
(b) Finding clothes for hiking
(c) ______________
(d) Finding __________

34>> M Crispy Chicken Delivery? I have a problem with my food.
W What's the matter?
M I just received my delivery and I'm __________________.
W Did you talk to our delivery man?
M He left _______________________.
W I apologize, sir. What's missing?
M _____________________________.
W We'll have _______________________ right away.
Q **Which is correct according to the conversation?**
(a) The woman is promising to provide better service.
(b) The man is ____________________________.
(c) The man is ____________ to the restaurant.
(d) The woman is confirming the man's delivery.

35>> W Michael, guess what happened to Rick.
M _______________, I hope.
W He ___________ car accident.
M Oh, no. Is he going to be alright?
W He __________, but other than that he's okay.
M That's terrible. I'm glad it wasn't worse.
Q **What is the conversation mainly about?**
(a) The woman's injury from an accident
(b) Michael's broken car
(c) Rick's car accident
(d) ____________________

36>> M _______________, but I think I know you.
W Really? Your face doesn't _______.
M We met at Rachel's Christmas party last year.

W You were there, too?

M Yeah, but I had ________________.

W Oh, yeah. You look ______________________.

Q What can be inferred about the man and the woman from the conversation?

(a) They have known each other for years.
(b) They ____________________.
(c) They don't know each other.
(d) They like parties very much.

37>> W Did you think about ________________?

M What, buying a new television?

W Yes. So what do you think? I really want a new one.

M I don't know why you're asking me. _________________________.

W I just want to know you are fine with it.

M As long as it's __________________, I don't care.

Q What is the woman doing in this conversation?

(a) Finding out _________________________
(b) __________________ buying a new TV set
(c) Finding out how the man is doing
(d) Deciding which television to buy

38>> M I just heard that ______________________.

W It's nothing. The increase is minimal.

M The price just ___________________________, though.

W Obviously they needed to raise the fare for some reason.

M ___________________________________.

W Hopefully they'll use it to buy new buses.

Q Which is correct according to the conversation?

(a) The current bus fare is __________.
(b) The bus fare was raised last year.
(c) The current bus fare is __________.
(d) The bus fare will go up.

39>> W I'm sorry, but the store will be ________________.

M Really? I thought it was open until 8.

W That's only Monday through Friday.

M Well, what time do you close on the weekends?

W Today we close at 6 p.m. and ________________ Sunday.

M I guess I'll have to come back next week.

Q **Which is correct according to the conversation?**

(a) It is Saturday evening.

(b) ____.

(c) The woman works Monday through Friday from 8 to 6.

(d) The man is ________________.

40>> M Is life different ________________?

W It's not as fun as I thought it would be.

M Didn't you say you wanted to work on your painting and other hobbies?

W Yes, but I ________________.

M Don't worry. You'll eventually find other things to ______________.

W You're right, but I'd still like to ____________.

Q **Which is correct about the woman's life?**

(a) Her life is full of fun.

(b) Her life is ________.

(c) Her life is less satisfying than expected

(d) Her life is _____________.

41>> W Let's go. Jeff and Kate will be waiting for us.

M I ________________ again.

W We have to meet them at the restaurant by 6:30.

M Yeah, but I can't stop here. I really want to see ________________________.

W Just set the VCR, so you can watch it later.

M ____________________?

Q **What is likely to happen next?**

(a) The man will keep watching _________.

(b) They will _________________.

(c) They will buy a new VCR.

(d) They will wait for friends.

42 M Are you done ________________?

W Almost.

M Do you have your passport?

W Yes, I have both mine and yours.

M What about the tickets? ________________.

W I've got them right here. I think we're __________!

Q What are the man and woman mainly doing?

(a) ____________

(b) __________

(c) Getting ready to go on a trip

(d) ________________

43 W What's that new Italian place like?

M I don't know. ________________.

W Me neither, but I'm thinking about going there for lunch tomorrow.

M Really? __________? I've been wanting to go, too.

W That's fine, ________________________ another friend.

M Sure. That sounds great actually.

Q Which is correct according to the conversation?

(a) The man is ___________ the woman's friend.

(b) The woman didn't check out the Italian restaurant.

(c) The woman is joining the man for dinner.

(d) The man has been to the new Italian restaurant.

44 M Hi, Dr. Sinclair.

W Good afternoon, Sam. What seems to be the problem?

M Well, I keep ____________________.

W Okay. Is there anything else bothering you?

M Sometimes ____________________.

W I'll check everything out to make sure it's not anything serious.

Q Which is correct according to the conversation?

(a) The man is ________________.
(b) The man is ________________________.
(c) The man needs to visit the doctor again.
(d) The man doesn't have a serious disease.

45>> W Louis, I need to catch my plane. ____________________?

M ____________________.

W Maybe I should've just taken the airport shuttle.

M The shuttle has to ________________________.

W Really? I thought it would be faster.

M Actually it's slower than you think.

Q **What can be inferred from this conversation?**

(a) The woman is _______.
(b) The woman knows a lot about the shuttle.
(c) The woman will ____________.
(d) The man is ____________________.

Part IV

46>> If you want great Italian cuisine without having to __________________, come to Yummy's Diner. ______________________________ and our friendly servers can tell you all about our tasty menu. We've got everything from pasta to salads to burgers to desserts. You can always find a table for one or bring ten of your friends. So join us at Yummy's Diner, so you can find out ____________________.

Q **What is being advertised?**

(a) Delicious Italian food
(b) A nice restaurant __________________
(c) A great supermarket down the street
(d) A good buffet restaurant with a variety of food

47>> For those of you heading to the beach this weekend, you're _____. Friday and Saturday will be __________________________ all day, so don't forget your hats and sunscreen. Sunday afternoon is ______________________. The temperature won't drop much, but we will definitely see some dark clouds ______________. It won't be anything huge, but we should ____________________ in the north starting in the late afternoon all the way through Monday morning.

Q Which is correct according to the report?

(a) ____________________ on Saturday afternoon.
(b) It will rain on Monday morning.
(c) It will be _____________ all weekend.
(d) It will rain on Sunday _________.

48>> This is a singing class but the only way you can really improve is to practice. When you are in class I can teach you techniques and ____________________, but it is your job when you get home to practice as much as you can. One way to help you practice is to __________________ so you can hear it and know _________________________________. It's hard work, and sometimes embarrassing, but if you _______________ you're _______________________.

Q What is the main idea of the talk?

(a) How to ___________________
(b) The way to become a famous singer
(c) How to record songs successfully
(d) How hard it is to be a good singer

49>> Community leaders all around the state are getting together to find new ways ____________________________. So far big agricultural businesses have been ___________________, but what happens to the small independent farmers? Every year more and more independent farming operations are ____________________________________. Although politicians say that they are trying to find solutions it seems ____________________________________ the big businesses.

Q What is the main purpose of this talk?

(a) To ___________________________ independent farmers
(b) To notify that the conference is being held
(c) To teach how agricultural business can be ___________
(d) To urge the government to help farmers

50>> On last week's episode of "Voting for Vehicles," we showed you ______________ luxury sedans. This week we're focusing on two particular models, the Luxor and the Noblesse. Both cars ___________________. The Luxor scored a total of 6 out of 10 stars while the Noblesse ____________________ with 8.5 out of 10 stars. Our test proves that even among luxury cars there can be ______________ even if the prices are the same.

Q What is the speaker's main point?

(a) All ____________________________.
(b) Expensive cars are dependable.
(c) Pre-owned cars are _________.
(d) Luxury cars are not safe ________________.

51>> ______________________, all you want to do is go to the beach, right? But stop and think for a minute. Don't forget to pack your sunscreen! It's important to use because it helps to ________________________, depending on which kind you get. Both types work equally well. Just remember that ______________________, so be sure to ___________________ too, like wearing a hat.

Q What is the speaker mainly talking about?

(a) How to ________________
(b) Ways to protect skin from harmful rays
(c) Introducing a high quality sunscreen
(d) ___________________ sunscreen

52>> On this week's show we'll review *Hunting Justice*, a new action film coming out this weekend. ________________________ is that the computer graphics are absolutely amazing. The big disappointment is that ____________________. Jack Murphy's acting is ___ and the dialogue is often ______________. While the special effects are spectacular on their own, they're definitely not enough to save this movie from _______________ 1 out of 5 stars.

Q What feature makes this movie distinctive?

(a) The crew and staffs' hard work
(b) _________________
(c) The actors' brilliant acting
(d) __________________

53>> One of the most important decisions you will make in college is what kind of club or organization to join. There are many reasons that _____________, and time may be ____________________. Since you are obviously in school to study, you should be careful not to spend too much time on _______________. For example, being on the soccer team requires too much time for practice and traveling to and from games.

Q Which is correct according to the talk?

(a) Time is an important factor when joining a club.
(b) Joining a soccer team is recommended.
(c) ______________________________.
(d) All club activities ______________ school performance.

54 Before we begin tonight's community meeting, I'd just like to say ______________________, so many of our residents are here. There isn't much on the schedule for tonight, so the faster we're done ______________________. The one important topic we'll be starting with tonight is Mr. Smith's presentation ______________________. After his presentation we can move across the hall to have some coffee and discuss the proposal.

Q What can be inferred from this talk?

(a) More people gathered compared to the last meeting
(b) There are many ______________ in this meeting.
(c) People attending the meeting are ______________.
(d) Rebuilding the children's park has been rescheduled.

55 Born in 1638, Louis XIV became king of France at the age of five. Known as the Sun King, he increased the power of France in Europe. Although he was one of France's greatest rulers, he was hungry for power, and ______________________ in France. He is often ______________, "I am the state," meaning that he controlled everything. But ______________________ is still debated to this day.

Q What is correct according to this lecture?

(a) Louis XIV controlled France from 1638.
(b) Louis XIV ______________________.
(c) Louis XIV quoted someone by saying "I am the state."
(d) Louis XIV was ______________.

56 Today we'll be discussing a growing area in psychology: ______________. Although some people may think that ______________________, are physical problems, they ultimately stem from some psychological problem. ______________ may be a symptom of being unable to deal with stress or it could be ______________________. Because of this it is

important to understand that psychological counseling is necessary in order to ________________________.

Q **Which statement best reflects the speaker's views?**

(a) A family's support is needed to overcome eating disorders.
(b) Eating disorders ________________ psychologically.
(c) Eating disorders are ____________ physical problems.
(d) Eating disorders should be ____________________.

57>> Because of the high cost of construction, rising interest rates, and low demand for more energy, the nuclear power industry is ____________________. In 2004, 15 different major companies had ________________, while last year the same thing happened to six more companies. It was announced that ________________________, as well as the rise in other energy sources like solar power, the nuclear power industry will have a difficult time ______________________.

Q **What can be inferred from this talk?**

(a) Many nuclear power companies _________ in 2004.
(b) Overall energy supply is continuously increasing.
(c) More nuclear power plants will be constructed.
(d) The nuclear power industry is ______________________.

58>> Another tomb has been found very close to the famous King Tutankhamen's tomb in Egypt and it ____________________________________. This discovery was different from other discoveries because scientists have been able to examine the artifacts inside the tomb ______________. This way ______________________ will be damaged by either human hands or nature. The first round of viewing has revealed a small coffin made of gold that contained the body of a small child. Archaeologists __________________________.

Q **Which is correct according to the report?**

(a) A couple of tombs have been investigated in Egypt.
(b) Artifacts can be safely viewed using _________________.
(c) There are many difficulties to examining the tombs.
(d) Artifacts found in the tomb __________ millions of years ago.

59>> I'd like to thank everyone for coming today to say goodbye to Lauren. She was a wonderful person with love for everyone, and she will be ___________. She _____________________, Rick, and her two adult children, Dave and Rachel. Lauren was _____________, sister, daughter, and teacher _______________________

________. We all know that she is in a better place today and ________________.

Q What's the mood of this talk?

(a) Indifferent
(b) Hopeful
(c) Sorrowful
(d) Frightened

60>> Hi, Dr. Walters. This is Parker. I know your office is closed today, but I was calling to let you know that ____ tomorrow at 3 p.m. because of ________________. If it's possible, I'd like to reschedule my appointment for Thursday at the same time. If that's okay, could you please call me on my cell phone at 213-555-9807? If not, I'll just ________________________________. Thanks.

Q Which is correct according to the message on the phone?

(a) The speaker can't come by the doctor's office until next week.
(b) The speaker would like to ____________________.
(c) The speaker can't ___________________ due to personal matters.
(d) The speaker ____________________________.

Actual Test 3

Part I

1. M Do you remember where we ____________?
W ____

(a) Don't forget where we parked the car.
(b) We will go to the park by car.
(c) Around ______________.
(d) I don't know where the park is.

2. W Do you know if George _______________________?
M ____

(a) ___________________ graduation.
(b) Of course, I know George well.
(c) Yes, I do. I am so glad for him.
(d) He became a great lawyer.

3. M I'd like to know __________________________ New York City is.
W ____

(a) I have never been to New York.
(b) You should ask the man over there.
(c) You should _____________.
(d) Why do you want to visit New York?

4. W I heard __________________ all day tomorrow.
M ____

(a) Don't worry. I can ____________.
(b) I like to stay at home having some hot tea.
(c) Then we might cancel the softball game tomorrow.
(d) ____________________ a lot?

5. M Christina, _____________! Where have you been?
W ____

(a) I visited my aunt in L.A.

(b) Have a good day.

(c) I'm pretty good.

(d) Chicago is ________________.

6>> W I just ____________ last night!

M ____

(a) ________________________ your daughter.

(b) Do you really like her?

(c) Is it a girl or boy?

(d) How old is your baby?

7>> M When we get to the next _______, will you _____________?

W ____

(a) I can _______________.

(b) No, I don't think that's true.

(c) Sure, I can ___________.

(d) It will take some time to get there.

8>> W You _______________________ to the waiter.

M ____

(a) OK. I will forgive you.

(b) I can't wait here any longer.

(c) Sorry for ______________.

(d) Do you think _____________?

9>> M I couldn't hear the professor. ______________?

W ____

(a) I think she talks very fast, too.

(b) She _____________________ the paper.

(c) You can say that again.

(d) I'd like to ___________.

10>> W Jason, __________________!

M ____

(a) How could you forget me?

(b) ____________________.

(c) I'm so glad you like it.
(d) Because ________________.

11>> M Oh, no. I think I left my wallet at home.

W ____

(a) You can repay me some time later.
(b) I don't know where the ATM is.
(c) Don't worry. ________________.
(d) Can you ________________, please?

12>> W Did you ____________________________ here?

M ____

(a) I have ________________.
(b) You get out of the way.
(c) No, you gave me good directions.
(d) Yes, ______________ now.

13>> M ____________________________ the airport shuttle?

W ____

(a) The road is ________________ now.
(b) You can take a taxi over there.
(c) Sorry, ________________ this area.
(d) The airport is 5 miles away from here.

14>> W Would you like to come to ____________________ this Saturday?

M ____

(a) Sounds great. What time?
(b) I'll ____________, too.
(c) What should I bring you?
(d) You are ________________.

15>> M When is your winter vacation over?

W ____

(a) I'll ____________ next week.
(b) Two weeks from now.
(c) It was a month ago.
(d) ______________________ on vacation.

Part II

16>> M ______________? The show's going to start soon.

W I got ____________. I'm sorry.

M What about Boris? Wasn't he coming with you?

W ______________________________

(a) No, he said he will come here directly.

(b) My boss didn't ______________.

(c) He decided to see the show.

(d) Please ______________.

17>> W I'm never buying anything online again.

M Did something ________?

W I bought a pair of shoes but never received them.

M ______________________________

(a) I'd really like to see your shoes.

(b) Are you saying that you __________?

(c) Online shopping is very convenient.

(d) I need to buy ______________.

18>> M Jenny, you ______________ again!

W I forgot ____________. I'm sorry.

M How do you forget every single time?

W ______________________________

(a) You know how much I like yogurt.

(b) It ______________. I swear.

(c) I'm ______________.

(d) I'll buy you another one, okay?

19>> W What's your opinion on the movie?

M From what everyone said, ______________________.

W ____________________?

M ______________________________

(a) ____________________.

(b) Who is ______ in the movie?

(c) It was ______________.
(d) Let's go to a movie tonight.

20>> M ______________, do you?
W Yeah, but where is it coming from?
M Did you forget to ______________?
W ______________________________

(a) No problem. Never mind.
(b) ______________.
(c) No, I made sure it was turned off.
(d) Because it's ______________.

21>> W Oh, no. These eggs are ______.
M ______________?
W I just ______________ and it smells bad!
M ______________________________

(a) ______________.
(b) How about making an omelet?
(c) It must have ______________.
(d) I brought some eggs for you.

22>> M The baby still seems to ______________.
W Why don't you give her some medicine?
M She's crying too much right now.
W ______________________________

(a) My mom ______________.
(b) She doesn't want to go to a doctor.
(c) Without medicine, ______________.
(d) You'd better take the medicine.

23>> W How's your wife doing these days?
M She and the baby are happy and healthy.
W That's great to hear. ______________?
M ______________________________

(a) Next month.

(b) For next week.
(c) I'm so happy.
(d) That's good news.

24>> M I can't decide which suit to wear tonight.

W ________________.

M But the sleeves are ________________.

W ____

(a) I think there is __________.
(b) Then how about the grey one?
(c) Do you sell black suits?
(d) It doesn't ______________.

25>> W This model is definitely ________________.

M I think we can always negotiate the price.

W Do you think they will __________?

M ____

(a) I guess it's quite reasonable.
(b) I'm not sure, but ____________.
(c) This car is ______________.
(d) It's almost a new car.

26>> M We don't need ______________.

W I know, but I like to have snacks at home.

M But it's bad for your health.

W ____

(a) I know, but ________________.
(b) You need to be careful about food.
(c) _______________.
(d) But it's out of stock.

27>> W You're back from Jamaica already?

M Yeah, ___________________.

W How were the beaches there?

M ____

(a) I spent the whole day at the beach.
(b) You should come along next time.
(c) Fantastic. It was ____________________.
(d) I really enjoyed this trip.

28>> M I will be ____________ for my extra luggage.
W I guess that ____________.
M Yeah, but I don't want to ______________.
W ____

(a) The penalty will get larger.
(b) But you should follow the policy.
(c) _______________ is allowed.
(d) I'll get you one.

29>> W It's almost midnight, so __________________.
M Thanks for coming to my party. I'm glad you came.
W Me too, and it was good to see everyone else as well.
M ____

(a) I appreciate your inviting me.
(b) Without you, it will ____________________.
(c) Are you coming to my party next week?
(d) I'm happy you had a great time.

30>> M Is there anything ______________________?
W Okay, you could ___________.
M Sure. Where can I find the silverware?
W ____

(a) I really appreciate your help.
(b) Can you ___________ for me?
(c) Please _____________________.
(d) There is __________ over there.

Part III

31>> W Hey, Sam. It's me, Emma. What's going on?

M Not much. I just ________________.

W ________________ you wanted to have dinner with me.

M Okay, as long as we can ________________.

W Sure, no problem. How about we meet at Alpha Deli at around 7?

M Sounds great. See you then.

Q **What is mainly happening in this conversation?**

(a) The woman is ordering food for dinner.
(b) The woman is ________________.
(c) The man and woman are having dinner.
(d) The man and woman are comparing restaurants.

32>> M What happened to Daniel's hand?

W ________________.

M How ________________?

W His friend's dog bit him yesterday.

M That's horrible. Is he okay?

W He ________________, but everything's okay.

Q **What is the conversation mainly about?**

(a) Daniel's injury
(b) Daniel's car accident
(c) Daniel's dog
(d) Daniel's hospital treatment

33>> M ________________!

W I hate waiting at airports, too.

M I think I'm going to get some magazines to ____________.

W Sounds good. Could you ____________________________?

M Sure. Now I just need to find a store.

W I think ________________.

Q **What are the man and woman mainly discussing?**

(a) Finding something to kill time
(b) Looking for a place to stay
(c) How to get to the store
(d) ____________________

34>> M I'm here ____________________.
W Is there something wrong with it?
M Yes, ____________________.
W Was it this way when you bought it?
M No, but this is a new coat. It shouldn't be __________ already.
W We can only ____________________ because it wasn't like this when you purchased it.

Q **What does the man want to do?**
(a) __________.
(b) Call the manager.
(c) Buy another jacket.
(d) Get a different style.

35>> W What should we have for dinner?
M Let's eat at that new Japanese place.
W Oh, I'm tired of Japanese food. ____________________.
M Okay. What about Indian?
W __________. I've never had that before.
M Then let's try it. I bet we could find a place ____________________.

Q **What are the speakers mainly talking about?**
(a) What kind of food they should have for dinner
(b) Which restaurant is the best in town
(c) What Indian food is like
(d) Evaluating several restaurants

36>> M Operator. How can I help you?
W Yes, I'm looking for the number for Phillips Photography.
M ____________________ Phillips Photography, but there is a Phillips Art Studio.
W ______________. Maybe I got ______________.
M Would you like me to connect you now?

W Yes, thank you very much.

Q **What is the man doing in this conversation?**

(a) ________________
(b) Finding a phone number
(c) Setting up an appointment
(d) ________________

37>> W ____________ today on the way here.

M Really? What happened?

W I was crossing the street when the car didn't stop.

M Oh, my gosh. Are you okay?

W Yeah, ________________.

M I'm so glad you didn't get hurt.

Q **Why was the woman frightened?**

(a) She was ____________________.
(b) She was ________________.
(c) Her car was ______________.
(d) She couldn't stop the car.

38>> W ______________ my neighbors. They are too loud.

M Why don't you go say something to them?

W I have, but they're always loud ________________.

M Call the cops then. ______________.

W ______________________.

M There doesn't seem to be ____________.

Q **What is the conversation mainly about?**

(a) How to be a good neighbor
(b) How to call the police
(c) How to ____________________________
(d) How to ___________ a neighbor

39>> W We're going to watch the soccer match at the bar. Want to come?

M What teams are playing?

W I think __________________.

M Sounds great. ________________.

W We're not leaving for another hour, so you've got time to get ready.

M Oh, good. ________________ and then we can go.

Q What is the woman asking the man?

(a) What soccer team he likes most
(b) Which team he is ________
(c) Whether he wants to join her to watch a game
(d) Where they can meet to ________

40>> W Have you seen my cell phone?

M No. Let me call it right now.

W Okay. Well, I don't hear anything.

M When do you remember ________?

W Outside the library, I think.

M Maybe you ________________ around there.

Q Which is correct according to the conversation?

(a) The woman's cell phone is out of order.
(b) The woman left her cell phone in the library.
(c) The woman can't ________________.
(d) The woman has been ________________.

41>> M Want to ________________?

W But class starts in 15 minutes.

M It's alright. We can just get some chips and soda.

W Where can we go?

M There's ________________.

W Alright, ________________.

Q Which is correct according to the conversation?

(a) The vending machine downstairs is broken.
(b) The man and woman will ___________.
(c) The man and woman have 15 minutes ____________.
(d) The man and woman will watch a movie in 15 minutes.

42>> M Did you go to Melissa's party?

W Yes, but ______________.

M I guess ______________ there.

W Did you need to talk to me about something?

M No, I just wanted you to meet my cousin who's visiting me.

W Oh, you did? Maybe we can all have lunch next week.

Q **What can be inferred from this conversation?**

(a) The woman ______________.
(b) Melissa's party was too short.
(c) The man stayed at the party for a short time.
(d) The man's cousin was at the party.

43>> W What should I do about my son? He's ______________.

M What's the problem?

W ______________ and he only plays computer games.

M Have you tried ______________?

W Yes, but it didn't help anything.

M Then maybe ______________.

Q **What does the man suggest the woman do?**

(a) Talk to her son's teacher.
(b) Have a serious talk.
(c) ______________ to improve her son's grades.
(d) ______________.

44>> M Welcome to DFW International Airport. How can I help you?

W Can you tell me ______________?

M Well, there are several three and four star hotels right outside the airport.

W I'm looking for something around $100 a night.

M The Majestic is ______________ and has rooms for $90 a night.

W That sounds perfect. Now I just need to ______________.

Q **What can be inferred from this conversation?**

(a) The woman ______________ the area.
(b) The woman is ______________.

(c) The woman doesn't seem to like the man's suggestion.
(d) The woman wants to ______________.

45>> W I really need to __________.
M Why? The one you have now is huge.
W Yeah, but ______________. I want ________.
M Did you ask your boss yet?
W Not yet. I'm not sure how to ask him.
M Good luck. I heard he ______________________________ ever before.

Q What can be inferred about the boss?

(a) He also likes an office ____________.
(b) He would like to __________.
(c) He might not _____________________.
(d) He has an office ____________.

Part IV

46>> The Kodiak is the number one cruise line that takes you personally into the wilds of Alaska. Our _________________________________ from watching whales from the railing, and the animals can be ____________________. We ________________ to ensure your safety as well as preserve the safety and environment of the animals. The reliable crew also helps to ________________ __________. Call 1-800-555-8078 for more information today!

Q What is mainly being advertised?

(a) A cruise trip to Alaska
(b) ___________________
(c) A trip to the zoo
(d) A program for protecting animals

47>> Good morning, faculty members. I'm so glad to see everyone out to meet and greet our four new _______________. Today's meeting is to ____________ _______________. Also, other members of our faculty can personally meet the new professors as well. These four professors will only be with us ________ _____________. But I'm sure that this is only the beginning of __________ ___________________________. Now ___________________.

Q What is the main purpose of the meeting?

(a) To discuss the salary of the new professors
(b) To ______________________________
(c) To introduce the new president of the university
(d) To welcome new students of the university

48>> In today's class, we'll ________________________ of Ansel Adams, one of the most famous American photographers. He _____________ his dramatic black and white landscape photos of the American southwest. His name is forever associated with the High Sierra and Yosemite Valley areas, which is where he also did some of his work. Adams worked to ______________________________________.

Q What is the main topic of the lecture?

(a) Ansel Adams' activities ________________________
(b) How Ansel Adams became a photographer
(c) Where Ansel Adams worked
(d) Ansel Adams' ___________

49>> Welcome to British Literature 4600. This class will _____________ discussion and comprehension of romantic literature. You'll have two papers ______________________________________ and then another final paper at the end of the semester. The final paper topic will be given to you towards the end of the semester. Each paper is _____________________. The last quarter will come from class discussion and participation.

Q What is the main purpose of this talk?

(a) To inform about _________________________
(b) To announce the paper topic
(c) To give _________________________
(d) To emphasize how important school work is

50>> Thanks for calling the Berkely residence. We __________________ right now, but leave us a name and a number and we'll ____________ as soon as possible. For those of you calling about the car ___________, it's still for sale. If you're interested, please leave a name, number, and when you'd like to come and take a look at the car. We will call you back ASAP ________________. Thanks for calling.

Q Which is correct according to the phone message?

(a) The speaker is moving to a different city.
(b) The speaker is willing to ______________.
(c) The speaker's car is ________________.
(d) The speaker's car is ______________.

51>> Although there is much talk surrounding the release of John Carter's new movie, *Beyond the Dark*, to this critic, it was a complete disappointment. The movie ____. The dialogue is boring _____ _________________. Every other scene is _____________________. The only people that this movie will appeal to are those who just want to see ______ ____________________________________.

Q What is the speaker's attitude toward the movie?

(a) __________
(b) Negative
(c) Approving
(d) _______

52>> Although many people are __________________ in the sky, like Polaris or Ursa Major, what many people don't know is that there are ____________________ ____________________. There are five different groups: supergiants, giants, red giants, ________________________, largest to smallest. Supergiants are hundreds of times bigger than the sun. Our own sun is what is ______________ ____________________________ is smaller than the distance across Asia.

Q What is the lecture mainly about?

(a) The largest star in the universe
(b) Different categories of __________
(c) What category the sun belongs to
(d) What _________________________

53>> Attention all students. _________________________, the rest of classes will be cancelled for today and tomorrow. It has been ___________________________ that the snow will ___________________. Any tests you may have scheduled during the time that we're ____________________________ by your professors. The adminstration office will be open for another two hours today, but will be closed all day tomorrow and reopen the next day at 9 a.m.

Q Which is correct according to the announcement?

(a) The school will be closed tomorrow.

(b) Classes will be ________________ .

(c) School events will be delayed for one week.

(d) ________________ despite the bad weather.

54>> The National Health Center released a news report this week that ________________ than single people. The study was ________________ from over 100,000 single and married people from ages 30 to 80. The study concluded that married people do not smoke as much, drink less alcohol, and are ________________. They are also less likely to suffer from stress or headaches.

Q What is revealed from the research?

(a) Single people are healthier than married people.

(b) Single people are under less stress than married people.

(c) ________________ than single people's.

(d) Having children is ________________ .

55>> Country leaders in Scotland are urging citizens more than ever to watch what they eat since their country has ________________ in the world. ________________ one out of every three Scots has been treated for some form of heart disease. The reason seems that people ________________. So the government has been campaigning to get the people of Scotland conscious about their heart health.

Q Which is correct according to the report?

(a) Fried foods are responsible for heart disease.

(b) Fast foods should be ________________ .

(c) Leaders in Scotland didn't take care of the health problem.

(d) ________________ has decreased.

56>> In Greek mythology, Zeus was ________________ . He was the ruler of the court on Mount Olympus and was ________________, power, and law. As the ruler of all the gods and as the one to uphold morals, it was also Zeus' job ________________. Because he was the ________________, he was ________________ almost every aspect of ancient Greek life, from harvests to weddings.

Q Which is correct about Zeus?

(a) He was ________________ in Greece.

(b) He was the person ancient Greeks ________________ .

(c) He was the king of the gods in Greek mythology.
(d) His primary job was ______________.

57>> There is a huge accident with 10 cars ______________________________ ________, which will ____. It seems like the accident was caused by a truck that ____________________ __________________ and then that ______________________________ ____. It will take several hours ________________, so if you are in downtown heading home take an alternate route.

Q Which is correct according to the traffic report?

(a) ________________________.
(b) Several cars are involved in an accident.
(c) The cause of the accident is uncertain.
(d) The traffic jam will be ___________.

58>> Although not as popular as gasoline powered cars, hybrid cars are _________. The most popular feature, obviously, is that ____________________ _____ that is helped by an electric motor. The hybrid engine is special because it can ____, which is used again and again. Hybrid cars are ________________________________ from the gasoline engine.

Q According to the talk, which characteristic of hybrid cars do people like the most?

(a) The powerful engine
(b) The beautiful design
(c) __________________
(d) ________________

59>> In today's lecture, we will explore global warming. The earth is like a greenhouse: ___________, but doesn't _______. Gases like carbon dioxide, methane, and nitrogen come from human pollution and _____________________ and raise the temperature of the planet. Warmer temperatures around the world can ____ ________________________, more droughts and tornadoes, changed weather patterns, and it may even cause ________________________________.

Q What can be inferred from this talk?

(a) Global warming is caused by a change in weather.
(b) Global warming might ___________________________.

(c) Humans are trying to find a solution to global warming.

(d) The government ______________________.

60>> The period after the American Civil War from 1865 to 1877 is known as Reconstruction. It ______________. The first part was Presidential Reconstruction and the goal was ____________________. The second phase was Radical Reconstruction and it was mostly concerned ________ ______________. Redemption was the last stage of Reconstruction, ____ ________________________ of the southern states and thus ended Reconstruction.

Q What can be inferred from this lecture?

(a) The American Civil War ______________.

(b) Because of the Civil War, America was ______________.

(c) Due to the Civil War, America ____________________.

(d) After the Civil War, voting rights for women were ensured.

Actual Test 4

Part I

1. M What do you think about ______________________?

   W ______________________

   (a) ______ drawing.
   (b) Did you buy it ______?
   (c) I really like the colors ______.
   (d) Your sofa looks cozy.

2. W Have you ever been to this museum before?

   M ______________________

   (a) I often go to the gallery ______.
   (b) No, I didn't have ______.
   (c) When can we meet to go to the museum?
   (d) I knew that you would like to visit the museum.

3. M My car is ______.

   W ______________________

   (a) Your car is brand new.
   (b) You should ______.
   (c) Don't ______ here.
   (d) I thought you were a good mechanic.

4. W Doesn't this bus stop at Stanford Avenue?

   M ______________________

   (a) Yeah, I think so.
   (b) The bus ______.
   (c) I'd rather ______.
   (d) How much is bus fare?

5. M We'll ______ for this movie.

   W ______________________

   (a) But it'll be ______.

(b) I'm sorry to ____________.
(c) What took you so long?
(d) What is the title of the movie?

6>> W I ordered ______________, not fried.
M ____________________________________

(a) ____________ your eggs?
(b) But fried food is so tasty.
(c) Sorry, ________________.
(d) I'd like to _____________.

7>> M I finally finished __________________.
W ____________________________________

(a) I'm planning to _______________.
(b) Good. How many courses ______________?
(c) Congratulations on your graduation.
(d) Fall semester will start next week.

8>> W So who do you think will _______________ today?
M ____________________________________

(a) I have no idea.
(b) How about you?
(c) ________________________?
(d) I don't like playing tennis.

9>> M When do you think Professor Park will ____________?
W ____________________________________

(a) We will __________ next week.
(b) It should be ____________.
(c) You should send me your paper by tomorrow.
(d) It _______________ for me.

10>> W How much more _______________________?
M ____________________________________

(a) It's so expensive I __________.
(b) I guess it's around seventy cents.

(c) Do you think you can finish the large one?
(d) I would like to ______________, too.

11>> M I really need something for my stomachache.
W ____________________________________

(a) I'll go to the doctor's office this afternoon.
(b) Let me ________________________.
(c) I hope ____________.
(d) I didn't ______________.

12>> W Can I open a student ____________?
M ____________________________________

(a) We have ________________________________.
(b) What can I do for you?
(c) Sure, as long as you are a student.
(d) Can you ____________?

13>> M Did you already buy our train tickets?
W ____________________________________

(a) It is very cheap.
(b) I am not sure.
(c) Yeah, ______.
(d) ______________.

14>> W Do you want to __________________________?
M ____________________________________

(a) Fast food is __________________.
(b) Sure, why not?
(c) Where are you going now?
(d) Sure. You can go out now.

15>> W I'm _______. My boyfriend is __________.
M ____________________________________

(a) Don't keep ___________.
(b) Tell me what your boyfriend is like.
(c) I finally have met Ms. Right.
(d) I ____________, too.

Part II

16>> W I think my television is broken.

M Why don't you just ____________________?

W I don't think he is home today.

M ____

(a) He goes out every Sunday.
(b) Just ____________ to make sure.
(c) Mr. Robinson is a good repairman.
(d) He ______________ much.

17>> M That was the hardest test of my life!

W _________________. I'm totally exhausted.

M I studied all night, but I didn't do that well.

W ____

(a) You __________.
(b) Don't be discouraged.
(c) I'm extremely tired.
(d) _________.

18>> W So how's your first semester as a medical student?

M It's so much harder than I thought it would be.

W ______________________.

M ____

(a) It's not that hard.
(b) My dreams will ________.
(c) Don't worry. I'll _________.
(d) This is just my first semester.

19>> M Hey, Jill. Are you at home?

W Yeah, what's up?

M I'm _____________ and wanted to know _____________.

W ____

(a) _______ to call me.
(b) What is your final destination?

(c) I'm free now. You can drop by.
(d) Sorry, I can't visit you now.

20>> W Hey, Allen. Got any plans for summer vacation?
M I'll probably get a part time job. What about you?
W I'm not sure yet. I'd like to ______________.
M ____

(a) My vacation will start next week.
(b) I just got back from a short trip.
(c) Do you ____________________________?
(d) Let's go to the travel agency.

21>> M Did you hear the news?
W No, what happened?
M Someone ____________________ City Hall.
W ____

(a) That's good news to me.
(b) __________________?
(c) I've been to City Hall.
(d) City Hall has __________________.

22>> W Let's go shopping this weekend.
M I thought we were going to the beach.
W I heard on the news ____________________ all weekend.
M ____

(a) Then ________________ is better.
(b) I don't like that shopping mall.
(c) When will I see you?
(d) I was ______________.

23>> M Can I help you with anything else today?
W I also need some stamps, please.
M ___________________________?
W ____

(a) It ________ $2.50.

(b) Both of them.

(c) I'd like to ______________.

(d) It was ____________.

24>> W Did you find your dog yet?

M No, and ______________________.

W Do you think it can ______________?

M ____

(a) Are you ______________?

(b) No idea. But it has _______.

(c) We've been together for some time.

(d) It is a black dog ___________.

25>> M I feel like ordering pizza tonight.

W But _________________ is bad for you.

M I know, but it is so delicious.

W ____

(a) Let me make a pizza for you.

(b) But you should be careful with your food.

(c) When will you ____________?

(d) You ______________ a few pounds.

26>> W ___________ it's my mom's birthday today.

M What are you going to do?

W ___________________. I think I'll send flowers, too.

M ____

(a) I can't _________________.

(b) That sounds like a great idea.

(c) She will like your birthday card.

(d) When is her birthday?

27>> M Where are you going for ________________?

W I'm not sure yet. ________________?

M __________________, like Bali. I heard it's beautiful there.

W ____

(a) But my vacation is at the end of this month.
(b) ______________________.
(c) I've never been to Bali.
(d) Why don't you ____________?

28>> W Did you see ________________________?
M Yeah, they look really nice. I wonder when they'll open.
W I don't know, but I definitely want to find out more.
M ____________________________________

(a) I am moving in this week.
(b) Is there anything else you need for tonight?
(c) The apartment is ________.
(d) Why don't we ask the apartment manager?

29>> M When are you ________________?
W It's going on next Monday.
M And ______________?
W ____________________________________

(a) To help poor children.
(b) We'll __________.
(c) You would enjoy it.
(d) It'll end this Sunday.

30>> W That was ________________ in a long time.
M Thanks. Would you like some coffee or tea?
W No thanks. I'm trying ______________________.
M ____________________________________

(a) I like my coffee with sugar and cream.
(b) Then how about some fresh juice?
(c) Let me take another coffee.
(d) I really ____________, too.

Part III

31>> M Hi, Lisa. What's going on?

W Oh, not much. ____________. What's up?

M I was just wondering if you want to go shopping.

W Sounds great. When ______________?

M I was thinking around 3 p.m. How does that sound?

W Perfect. I'll see you then.

Q **What is the man mainly doing in the conversation?**

(a) Asking the woman ________

(b) Inviting the woman to go shopping

(c) ________________ for dinner

(d) Giving his opinion to the woman

32>> W Did you hear about Jack and Jill?

M No. Did something happen?

W Nothing bad. They're going to ________!

M Wow. When's the happy day?

W ______________, but they seem really happy.

M I'm __________, too.

Q **Which is correct about Jack and Jill?**

(a) They will ________.

(b) ________________________.

(c) They will go on a trip.

(d) They will become parents.

33>> M I have ________________.

W What's the matter?

M I think __________________________.

W You should take a kickboxing class. It helped me.

M Really? Maybe I should try it.

W _____________________________.

Q **Why does the woman suggest kickboxing to the man?**

(a) Because he has been ____________
(b) Because he has many things to do
(c) Because __________________
(d) Because he wanted to try it

34>> W I'm sorry, but ______________?

M Yes, I'm Simon. We met at the company's orientation last year.

W Oh, that's right. You ___________, right?

M That's me. Do you ___________?

W Every day. What about you?

M This is my first time. Maybe we ___________________.

Q **What can be inferred from this conversation?**

(a) The man and woman will _________________.
(b) The man and woman work for the same company.
(c) The man has his meals at the same restaurant every day.
(d) The man and woman _______________________.

35>> M You speak German so well.

W Thanks. I've been studying for a few years.

M Do you speak ________________?

W I just started learning Japanese, but I'm not so good.

M Did you ___________?

W No, ___________ at my university.

Q **What is the conversation mainly about?**

(a) The woman's __________________________
(b) How German and Japanese are different
(c) _______________________________________
(d) The woman's position to teach Japanese

36>> M Can I do something for you?

W I'm looking for ______________________.

M Are you looking for _________________?

W Something ________________, too.

M What about this chiffon? It's very _________.

W I'm looking for something __________.

Q **What does the woman want to do?**

(a) Buy some nice dresses.
(b) Buy warm clothes.
(c) Buy ______________________.
(d) Buy ____________________.

37>> W ________________________!

M That's great! You've been so worried about it.

W I know. ______________________________, too.

M Congratulations. Now you can __________.

W Actually I want to start on a new project right away.

M You are ________________.

Q **Which is correct according to the conversation?**

(a) The woman gave a presentation successfully.
(b) The woman had ___________________________.
(c) The woman completed a hard project.
(d) The woman ______________.

38>> M Why are you still working on the project?

W I just wanted to __________________________.

M I thought everything looked okay when we finished yesterday.

W Yeah, but I just wanted to ____________________.

M Anything I can do to help?

W Nope, ________________.

Q **What is the woman trying to do?**

(a) ____________________.
(b) Ask the man to help her.
(c) Make her work more perfect.
(d) ________________ to the man.

39>> W This suit really looks good on you.

M Thanks. ________________.

W But isn't that really expensive?

M A little, but ______________________________.

W Well, at least it will last you a long time.

M That's true. I've already had this suit for 7 years.

Q **What is the advantage of a tailor-made suit?**

(a) It is expensive.

(b) It has a good design.

(c) It is ______.

(d) It is ____.

40>> M Christine, do you want to _______________ this weekend?

W I'm ________________________.

M Oh, come on. It'll be lots of fun.

W ___________________?

M Maybe some deer or small snakes.

W No, thanks. I think I'll _____________.

Q **What is the main subject of the conversation?**

(a) Visiting a zoo housing wild animals

(b) __________________________

(c) Discussing the woman's personality

(d) Taking a break at home

41>> W Oh, my gosh. Are you hurt?

M No, __________________.

W Take my hand. Let me help you.

M Thank you. I didn't _________________________.

W That could've been a horrible accident.

M You're right, but really, I'm totally okay.

Q **Which is correct about the man?**

(a) He ___________.

(b) He got hurt badly.

(c) He had an accident.

(d) He __________.

42>> M The new photography exhibit at the museum is wonderful.

W When did you go? I've been ______________.

M I just went there yesterday.

W Why didn't you tell me? ____________________.

M ________________________.

W Really? Okay, then let's do it.

Q According to the conversation, what will the man probably do next?

(a) The man will ________________________.

(b) The man will invite the woman to see another exhibit.

(c) The man will join the woman to attend the exhibit.

(d) The man will ________________________________.

43>> W Can you ______________________________?

M Sure. Are you trying to learn more recipes?

W Yeah, I want to try more new foods.

M ________________________. Listen carefully. If you need, take notes, too.

W OK. I really _________________ tonight.

Q Which is correct according to the conversation?

(a) The man and woman will make curry together.

(b) The woman wants to learn how to make curry.

(c) The woman is planning to invite guests.

(d) The man's recipe ______________________.

44>> M Do you think you can help me with my English homework?

W Sure. What can I do?

M I really need to _________________. ______?

W Have you tried _______________?

M That's a good idea. Anything else?

W Just study as much as you can.

Q What is taking place in this conversation?

(a) The woman is _________________.

(b) The woman is ____________________.

(c) The woman is explaining ____________________.

(d) The woman is ____________________________.

45>> W __________ for me?

M Sure, no problem.

W Could I __________?

M What is it?

W Can you stop by the store and get some eggs and milk?

M It's ______, so no problem.

Q **What is happening in the conversation?**

(a) The woman is going grocery shopping.
(b) The woman is asking the man ________.
(c) The woman is ________.
(d) The woman is sending her package.

Part IV

46>> Welcome everyone to an overview of Sociology 401, which is an introduction to women's history in America. The objective for this class is __________ about contemporary women's issues as well as __________. The biggest grade is a project that is due at the end of the semester, and ______ 50% of your overall grade. The topic is your choice but must be __________ in the 20th century.

Q **What is the purpose of this talk?**

(a) To provide historical background
(b) To __________
(c) To ________
(d) To give the topic of the paper

47>> Thanks for ______. On tonight's broadcast of *That's Amazing*! we will interview people who have successfully __________ and lost more than 100 pounds. Some of our guests were even able to keep eating fast food. __________ about which fast food choices are the healthiest for people who don't have time to cook for themselves at home. You can eat something healthy __________. We'll be back right after this commercial.

Q **What can be inferred about the show?**

(a) Viewers can meet the guests of the show.

(b) Viewers can learn how to cook.
(c) Viewers can ______________________.
(d) Viewers are ____________________________.

48>> Nicolaus Copernicus is a Polish astronomer who is ____________ developing the Copernican system, which is also known as the heliocentric system. In the Copernican system, the sun is the center of the solar system and all the other planets, including Earth, ______________. Copernicus' book, *On the Revolutions of the Celestial Spheres*, is ____ ________ and his ideas are _______________________ in the history of science.

Q How can Nicolaus Copernicus be described?

(a) He is the most famous scientist in Poland.
(b) He is __________________________.
(c) He is a writer who produced many books.
(d) He is __________________________.

49>> Claire, this is Russell. I just wanted to call and let you know that the opening of ________________________ at the modern art museum has been ____________ _____ because of the weather, so I won't see you tomorrow afternoon. Sorry this is ______________, but I just found out only a few minutes ago. ____________ _________________________________. My number is 555-9407. I'll talk to you later. Bye.

Q What is the purpose of this message?

(a) To _________________________
(b) To _________________
(c) To ____________________
(d) To give the caller's number

50>> We're sorry to ____. We've just ____ about half an hour ago at Smithson International Airport. No word has been ______________ _______. It seems there was some engine failure while the plane was taking off and the aircraft ____________________________________. Fire and rescue crews are ______________. We'll bring you more news as soon as ________________.

Q Which is correct according to the report?

(a) None of the passengers survived.
(b) The engine of the plane ________________________.

(c) There was a big fire when the plane fell.

(d) Emergency crews are ____________________.

51>> The Amazon Rainforest in South America contains over half of the world's remaining rain forests and also has ________________________________ in the world. But because of deforestation it is getting smaller year after year. The main cause of deforestation is human settlement. Because people ________________ ________________, more animals are ________________, with some on the verge of extinction. People also use the ____________________________, such as soybeans.

Q Why is the Amazon Rainforest being destroyed?

(a) Because of the increasing number of ____________

(b) Because many animals live in it

(c) Because of __________________________

(d) Because of low rainfall in this area

52>> __________________________, I'm amazed to report that there are no major accidents or delays this afternoon __________________. Everything is still slow, of course, but at least drivers ______________________________. Also, don't forget that tomorrow night exit 3 on the 408 highway will be closed because of construction. Please ____________________________________ if you need to.

Q What can be inferred from this traffic report?

(a) Several exits on the highway were closed down.

(b) There was a serious car accident this afternoon.

(c) There will be __________ tonight.

(d) Drivers can use exit 3 on the 408 highway tonight.

53>> The Superium refrigerator is _____________________ that everyone is talking about. ____, but its appearance isn't the only thing _____________. It has a specialized motor that is designed to use less electricity, so it also ____________________. There's also plenty of space in both the freezer and refrigerator, so it can hold anything you can think of. It perfectly combines form and function, so come take a look today!

Q What is NOT the main selling feature of the refrigerator?

(a) Its reasonable price

(b) Its terrific design

(c) Its good efficiency

(d) Its spacious room

54>> When they are sick, many people cannot tell if it is because of ________________, but there are a few ways to ______________. With a cold, a fever is usually rare, but with the flu a fever is expected and normally lasts 3-4 days. A headache is also ______________________________, but very common with the flu. Another difference is that with a cold a person doesn't ________________ but with the flu weakness in the body ____________ 2-3 weeks.

Q **What is the main focus of this talk?**

(a) Several symptoms of a cold
(b) Differences between a cold and the flu
(c) Duration of the flu and a cold
(d) Treatment of the flu and a cold

55>> Attention SuperSaver shoppers. For the next thirty minutes we will be ________ ______________________________. Birthday cakes will be buy ______________________. Baguette bread will be ____________________, and all fresh cookies will be ________. All sliced cheeses and sandwich meats will be ______________. ____________________________________ will come with a free small order of potato salad, so hurry before ____________!

Q **Which is correct according to the announcement?**

(a) The sale is _______________.
(b) SuperSaver sells only baked goods.
(c) Birthday cakes are _______.
(d) Most goods are __________________________.

56>> The sequel to *Road Rage* _______________________. *Road Rage: On the Road Again* is an action film ____________________. Although there were many rumors that Jay Hawking's character, Jack Spade, is killed, we find out in the end that he lives. I won't reveal what exactly happens to him, but ________________. The soundtrack perfectly __________________________ and the acting from all members of the cast was superb. It's definitely four stars.

Q **What is the main focus of the talk?**

(a) Introducing a new movie
(b) Introducing a superb novel
(c) Describing the characters of a movie
(d) ______________________________

57>> There are four categories of deserts. Subtropical deserts are the hottest, with little water and very dry land. Cool coastal deserts have a much lower average temperature because of ______________________________. Then there are cold winter deserts, which are ______________________________________ in different seasons. Finally, ___________________________ deserts because almost all moisture is _________________.

Q What is the main subject of the lecture?

(a) The four steps to ____________

(b) How cold polar regions are

(c) Different types of deserts

(d) Different categories of weather

58>> The last book of the *Wizard Wars* book series was finally released today. Fans were ______________ at book stores all across the country _____________. Melgar, the main character, goes on his last journey and fights his last battle with his biggest rival, Stefan. ____ ____________. Many think that this is only the beginning of a new series but for me, this novel is enough for now.

Q What can be inferred about the *Wizard Wars*?

(a) It is a popular book.

(b) It is a thick book.

(c) ____________.

(d) It sells internationally.

59>> Obsessive-Compulsive Disorder (OCD) is ____________________. The obsessive part __________________________________ about something, for example cleanliness. The compulsive part ______________________ _________, or rituals, to counteract those thoughts. For instance, if a person is constantly worried about germs and getting sick, these are obsessive thoughts. _________________________ the person might constantly wash their hands, which is a compulsive behavior.

Q What is the main purpose of this lecture?

(a) Promoting an understanding of OCD

(b) Difficulties of getting over OCD

(c) __________________________________

(d) Showing ______________________

60>> ____________________________________ this holiday weekend. Thursday will be _________ and there might be ___________ in the afternoon, but it will be ______________________________. Saturday will be the hottest day this weekend, so be sure to pack your hats and sunglasses if you go to the lake. Sunday will be ________, but just as sunny and clear. ____________________ ______________, but at least the weekend will be nice.

Q Which is correct about the weather on Saturday?

(a) It will be hot.
(b) It will be sunny and windy.
(c) It will rain all day.
(d) __________ all afternoon.

Actual Test 5

Part I

1\>\> M Is ____________?

W ______________________________________

(a) Yeah, it came a few minutes ago.
(b) You should __________.
(c) Is ____________?
(d) I'm going to the post office.

2\>\> W ____________. We should've gotten here earlier.

M ______________________________________

(a) Are you _____?
(b) Right. We should've left early.
(c) You must leave earlier.
(d) I just got here by myself.

3\>\> M Where did you ________________?

W ______________________________________

(a) I love that jacket.
(b) At the mall downtown.
(c) It really ______________.
(d) About two weeks ago.

4\>\> W ______ some iced tea?

M ______________________________________

(a) Yes, please.
(b) No ice in my drink.
(c) Let me _______.
(d) How can I thank you!

5\>\> M Let's go a different way. I heard traffic is horrible in this area.

W ______________________________________

(a) But there is ______________.

(b) Then let's ______________.
(c) Which way is your house?
(d) I was ____________________.

6>> W Can you tell me ____________?
M ______________________________________

(a) I'll tell you what.
(b) There's an elevator over there.
(c) Sorry, I'm _______.
(d) You can't walk to get there.

7>> M Oh, no. My car ____________!
W ______________________________________

(a) Used cars aren't that expensive.
(b) I'm ________________.
(c) Let me _________.
(d) Stop complaining about this.

8>> W Did you remember _________ from the store?
M ______________________________________

(a) I'll let you know later.
(b) It _____________.
(c) I just got back from the store.
(d) _________________.

9>> M I think my cat is sick. He ______________.
W ______________________________________

(a) ______________________.
(b) You should ____________.
(c) An eating disorder is a serious problem.
(d) Eating anything might be dangerous.

10>> W What time ____________________ tomorrow?
M ______________________________________

(a) We should be there around noon.
(b) Early morning on Thursday.

(c) We will meet in front of our building.
(d) Can we meet tomorrow instead of Thursday?

11>> M There is absolutely ____________.
W ____

(a) ____________ isn't allowed.
(b) Let's buy ____________.
(c) That's too far from here.
(d) Oh, no. What should we do?

12>> W I'm dead. ______________________!
M ____

(a) Why don't you get some help?
(b) It has never been better before.
(c) Don't be nervous. __________.
(d) Chemistry is ______________.

13>> M I'm sorry. ________________.
W ____

(a) Please ______________.
(b) Don't worry. Accidents can happen.
(c) Sorry I couldn't ______________.
(d) I'll pay for cleaning.

14>> W Can you tell me _____________________?
M ____

(a) Every 15 minutes.
(b) One left a minute ago.
(c) For about one hour.
(d) ____________.

15>> M Thank you for ____________________.
W ____

(a) Really? I don't think I am that great.
(b) Don't mention it. _______________ for me.
(c) Don't worry. I used to work at the store.
(d) If only _____________________.

Part II

16>> W Why are you bringing an umbrella?

M ________ it rains.

W But the forecast didn't mention anything about bad weather today.

M ______________________________

(a) Tell me about it. I was ____________.

(b) But I thought it would be fine today.

(c) I know, but the weather report ________________.

(d) Leave me alone. I've __________ today.

17>> M When is your party? I haven't heard anything about it.

W I sent you an invitation about a week ago.

M But ____________________.

W ______________________________

(a) I would be glad if you can make it.

(b) Thank you for inviting me.

(c) That's strange. __________.

(d) Don't be late. See you there.

18>> W Do you ____________ at your company?

M Yes, but I can't ______________ that I want.

W So when did you ________?

M ______________________________

(a) ____________ next month.

(b) I don't like busy places.

(c) I can't finish the paper by next week.

(d) Mexico sounds interesting to visit.

19>> M You'd better study for your final exam or you'll ________.

W But I'm so busy lately. I can't seem to find the time.

M ______________________ is studying?

W ______________________________

(a) ___________ so busy?

(b) I know. I'll __________________.

(c) ____________________.
(d) What would be on the final exam?

20>> W Hi, could I please speak to Greg?

M Sure. ____________________?

W This is his co-worker, Jenny.

M ____

(a) ____________________.
(b) I'll ____________________.
(c) I will call you later.
(d) Can I call you at your office?

21>> M You look upset. Is something the matter?

W ________________________________!

M That's terrible. How fast were you going anyway?

W ____

(a) 15 miles __________.
(b) It was totally my fault.
(c) I need to pay $100.
(d) I ________________.

22>> W Are you any ______________?

M I'm horrible, but I love to play.

W ________. Do you want to play next weekend?

M ____

(a) Sounds great. I'd like to watch a game.
(b) I know James wants to join us.
(c) Why not? I'm ____________________.
(d) I went to the movies Sunday afternoon.

23>> M Am I allowed to ________________________?

W Absolutely not, sorry.

M ________________________?

W ____

(a) That picture is absolutely beautiful.

(b) Sorry I'm not ________________.
(c) As long as you don't ________.
(d) I'm afraid I _______________.

24>> M Do you need _________________?
W That's alright. My car is ______________________.
M I'll walk with you then since it's so late.
W ____________________________________

(a) I ______________________.
(b) Right. I need to hurry to get there.
(c) Thanks. It's very kind of you.
(d) _____________ for a long time.

25>> M I heard you went to France for vacation.
W Yeah, I ___________________________.
M Which city did you like the best?
W ____________________________________

(a) I just stopped by three cities.
(b) Lyon was my favorite place.
(c) Next time we can go together.
(d) You must ________________.

26>> W What are you making for lunch today?
M What do you mean? It's __________________.
W Don't you remember I made turkey sandwiches yesterday?
M ____________________________________

(a) I usually ___________________.
(b) Today let me get tuna sandwiches.
(c) I like turkey sandwiches best.
(d) You're right. ___________.

27>> M It's ______________________.
W Oh, no. Does this mean we can't go to the beach?
M _____________________ for this weekend?
W ____________________________________

(a) It will continue raining tomorrow.
(b) That sounds good for me.
(c) Let me ________________ for you.
(d) I told you ____________.

28>> W ________________ Helen's work.
M She's only been here for a couple of months.
W True, but she just seems ______________________________.
M ________________________________

(a) You can ____________________.
(b) Helen has had enough time to ______________.
(c) She said she can finish her work by tomorrow.
(d) She will be ______________ soon.

29>> M Did you go to that new French restaurant?
W No, ____?
M The food was excellent. ____________________.
W ________________________________

(a) Of course. I love French food.
(b) I'll let you know where it is.
(c) I will make sure to attend.
(d) The food there is ___________.

30>> W I think I lost my favorite pen. ___________?
M Isn't this it right here _________?
W Yes, but I don't remember __________________.
M ________________________________

(a) I'm sorry I lost your favorite pen.
(b) I saw Jake using it here.
(c) Don't worry. _______________.
(d) __________________?

Part III

31>> M Do you ______________?

W I think so. I packed food, sleeping bags, flashlights. What else?

M What about extra clothes?

W Yes, I got that too, but ________________________.

M Did you remember to ______________?

W Yes. Oh, now I remember. The tent!

Q What are the man and woman planning to do?

(a) To attend the conference
(b) To ________
(c) To __________
(d) To _________

32>> M ______________________________ instead.

W Why? Isn't your spaghetti good?

M It's fine, but it is ___________.

W Do you want to try some of my salmon?

M No, thanks. This spaghetti is fine.

W Just let me know if you _____________.

Q What are the speakers mainly talking about?

(a) Service at the restaurant
(b) Food at the restaurant
(c) _______________
(d) ________ of the restaurant

33>> W Did you ________________ yet?

M Yes, I went today, actually.

W Did _________________?

M Actually the vet told me that _______________.

W Oh, no. Is that very bad?

M No, _______________________________ of medicine.

Q What is the main subject of the conversation?

(a) A sick cat ______________
(b) A serious illness the cat has
(c) ________________
(d) The duration of treatments

34>> M How was your sister's wedding?

W It was just beautiful. Everything was perfect.

M That's great. Were there many people?

W It seems like there were ____________________________.

M Do you guys ___________________?

W Yes, but there were a lot of her friends and coworkers there, too.

Q **What is the main topic of this conversation?**

(a) How many people will attend the wedding
(b) What the woman's sister's wedding was like
(c) How the woman will prepare for her sister's wedding
(d) _________________________ in her wedding

35>> M What are you reading?

W It's a mystery novel I just started.

M Is it any good?

W Well, I'm ________________________, but _____________.

M Could I borrow it from you when you're done?

W Sure. _______________________________.

Q **What is the topic of the conversation?**

(a) ________________________
(b) Borrowing a book from the library
(c) The novel the woman is reading
(d) _________________________ the novel

36>> M What time is it?

W Almost 9:30. Why?

M Doesn't our train leave at 10?

W It actually leaves at 10:30, but I told you 10:00, so _______________.

M Really? I can't believe ______________________________.

W Well, you're ________________.

Q **Which is correct according to the conversation?**

(a) The man is ____________.
(b) The train is delayed for an hour.
(c) The man and woman missed the train.
(d) The man __________ today.

37>> W I'd like to send this package to Ireland by express delivery.

M Okay, you have ________________.

W What are they?

M You can __________ or in 2 to 3 business days.

W ________________?

M ______________ is $20 more expensive.

Q **Which is correct according to the conversation?**

(a) There are only two options for international shipping.
(b) ________________ next day costs more.
(c) The overnight shipping includes insurance service.
(d) The regular service is $12 more expensive.

38>> M ______________________ on my new TV.

W Why? Do you need the money for something else?

M No, ________, but I just ______.

W You work a lot, so I think ________________.

M I guess you're right.

W Besides, you are ________________.

Q **Which is correct according to the conversation?**

(a) The man is ________.
(b) The man needs to buy something.
(c) The man has a financial problem.
(d) The man is ________.

39>> W Did you watch that new movie about the Roman Empire?

M Not yet. Was it any good?

W It was __________!

M What was so amazing about it?

W It ______________________ and the special effects were awesome.

M I'll definitely have to go see it this weekend.

Q What makes the woman like the film?

(a) Its director and actors

(b) Its ___________

(c) Its actors and special effects

(d) ___________ on the movie

40>> M What are you cooking for dinner?

W Some baked chicken. What kind of vegetables ______________________?

M _____________. Something healthy.

W Okay, how about some broccoli and carrots?

M That sounds perfect. ___________________?

W I was thinking ______________________________.

Q What are the speakers mainly doing?

(a) Selecting a menu

(b) Preparing for a meal

(c) __________________

(d) Shopping at the supermarket

41>> W Wasn't that the exit ______________________?

M No way. Our exit isn't for another few miles.

W I'm sure ____________________. I'm going to ____________.

M There's no need. I know exactly where we are.

W You're wrong. The map says ____________________________.

M Really? Gosh, I'm sorry. I'll turn around at the next exit.

Q What problem do the man and woman have?

(a) They don't like each other.

(b) They _____________.

(c) The woman has the wrong information.

(d) They have been driving for a long time.

42>> W What can I do for you today, John?

M Professor Marks, I wanted to talk about my low grade on the final paper.

W Yes, I was ______________________________.

M I really thought my point was clear enough.

W For the final paper, you really need to ______________.

M I understand, but I wish there was ____________________.

Q Why did the man visit the professor?

(a) To __________ how to write a good paper

(b) To discuss his poor grade on the paper

(c) To ________________________

(d) To __________________

43>> W I don't think we can go to the BBQ party today.

M Why not? The weather's perfect.

W But the news said ________________ later today.

M We'll just take an umbrella.

W But I hate _________________.

M A little rain never hurt anybody.

Q Which is correct according to the conversation?

(a) The man and woman ____________________.

(b) The woman decided not to show up for the party.

(c) The man thinks light rain _______________.

(d) The man likes _____________.

44>> W Come on, let's go!

M ___________? It's only 7.

W Yeah, but the department store closes at 8 and the sale ends today.

M What do you need to get?

W I want to ________________ for summer.

M Alright, I'll get my things.

Q What can be inferred from this conversation?

(a) The woman has something to buy.

(b) The department store is _____________.

(c) The department store ________________.

(d) The man and woman often go shopping.

45>> W ________________!

M You can say that again. When is it going to ________?

W I heard it was going to rain this weekend.

M Oh, that's good. ________________.

W It's already the middle of August, so fall ____________.

M I guess that's true, but right now ______________.

Q What are the speakers mainly doing in this conversation?

(a) Talking about ____________________________

(b) Complaining about the hot weather

(c) Cancelling their plans due to rain

(d) Discussing what season they like most

Part IV

46>> You've just finished running five miles. It's hot. The sun is ____________. ________________________, your back, your whole body. All you want to do is ____________________________, but don't just reach for that water in the fridge. Try new Glacier Water. Glacier Water is ____________________________, so it's good for you and satisfies your thirst. After drinking Glacier Water you could ________________.

Q What is being advertised?

(a) A beverage

(b) ____________

(c) A vitamin pill

(d) Running shoes

47>> If you're in the market for a new desktop computer, come to Top Buy's summer sale where you can ________________ for under $1000. The HRX 600 comes equipped with a CD/DVD burner, a 200 gigabyte hard drive, 2 gigabytes of RAM, and a 17" LCD flat screen monitor. If you buy one this weekend, you'll ____. This is ________________, so ________________.

Q **What is the selling feature of this desktop?**

(a) Two years of tech support
(b) A free new printer
(c) A CD/DVD writer
(d) ___________

48>> Welcome to orientation for the 10th biannual Southwestern Birdwatcher's Association conference. I'm so glad all of you came out to Farmington for this year's meeting. We've ____________________ today unlike this summer. The first half of today's conference will ________________________________ with guest speakers, while the second half will ____________________________________. During this second half you can attend lectures, share pictures of past trips, and _________ future trips.

Q **Which is correct according to this orientation?**

(a) The conference is held twice a year.
(b) The conference ___________________.
(c) The participants must make a presentation.
(d) ___________________________________.

49>> For those of you __________________________________ this Fourth of July weekend, you might be disappointed. We're ________________________ Friday afternoon and along with them some showers. Although _______________ ______________________, any outdoor festivities will either be postponed or cancelled, depending on the weather. There will be ________________________ ________ the rain, so ________________________.

Q **Why aren't fireworks expected on July 4th?**

(a) Because it will be humid and hot
(b) Because it will be raining and cloudy
(c) Because there will be thunderstorms
(d) Because ___________________________

50>> On today's show we'll be ____ _____ with their teenage children. Many parents know what it's like when their child starts to grow up and ____________________________________. First and foremost parents need to understand that their children are _____________ __________________________. Just letting your teenager know that you will be there to listen can be a great help.

Q **What is the instruction mainly about?**

(a) How parents can talk better with their children
(b) How children can ____________________
(c) How parents can make their children listen to them
(d) How children can help their parents

51>> Jack Sawyer's new movie *Christmas Killer* was ________________. The simple but complicated plotline involves a killer who dresses up as Santa so that ____________________________ but he is also anonymous. Since there are so many Santas at Christmas time, detective Sam Malone has a hard time finding his killer. Although the acting is a bit weak, there are many ____________________ and ____________________________.

Q **Which is correct about Christmas Killer?**

(a) It is a new detective novel.
(b) The last fight scene is marvelous.
(c) The acting is excellent.
(d) It is not __________________.

52>> In today's lecture we will begin to ______________________ Salvador Dali, a Spanish painter. He began his career in 1924 when his paintings were ________________________ Giorgio de Chirico, but by 1929 he had become well known and was ____________________________________, which focused on the expression of the imagination and dreams. His most famous piece is probably Persistence of Memory, a painting with melting watches. Besides painting, ____________________________, and even ballet.

Q **Which is true about Salvador Dali?**

(a) His paintings sold well.
(b) He is ____________.
(c) His paintings are realistic.
(d) He used ________.

53>> Although most people know that English is ______________________________ _____, there are even some everyday words that surprise many people with their Japanese roots. For instance, most people know that ______________________ but most people don't know that ________________________. It's the same with karaoke. Everyone knows that karaoke is ____________________________.
In Japanese "kara" means "empty" and "oke" is a short form of "orchestra".

Q What is the purpose of this lecture?

(a) To show that certain English words originate from Japanese
(b) To reveal that English is ________________
(c) To explain how "karaoke" developed into a English word
(d) To emphasize studying Japanese to improve English

54>> Although to many people Santa Claus may ________________ ________, there are many Santas all around the world. He just has a different name depending on where you go. For example, in France and Belgium ____ ________ as Pere Noel. In China, he is called Dun Che Lao Ren, ________ ________ "Christmas Old Man".

Q What is the talk mainly about?

(a) Where Santa Claus ________
(b) How many different christmas traditions exist
(c) The different names of Santa Claus from nation to nation
(d) ________________

55>> Even though it's the middle of the week, the traffic ________________. Because of the soccer match at Foute Stadium, ________________ both ways probably for at least another hour. If ________________, there are no alternative routes around the stadium, but if you're ________________ ________, be sure to take route 408 going north ________________.

Q What can be inferred from this report?

(a) There will be a soccer match on Saturday.
(b) There is usually heavy traffic on Saturday nights.
(c) Route 408 is ________________ around the stadium.
(d) ________________.

56>> Hi, Stephen, this is Chloe. I'm just calling to let you know the schedule ______ ________________ this weekend. The opening ceremony is tomorrow and starts at 4 p.m., so don't be late. The rest of tomorrow will be ________________ ________________. If you have any questions about where we're meeting or what time, just ________________. Otherwise just check your schedule. See you soon.

Q Why did Chloe call Stephen?

(a) To set up an appointment

(b) To ______________

(c) To urge him to attend the seminar

(d) To discuss the meeting agenda

57>> Attention all students, this is your principal with the morning announcements. Starting today ____. Each student may buy up to two tickets. SAT prep classes start next week, but ______________________ in the counseling center. One last note: today is Friday and ____________________________ for tonight's football game during last period. Students who are late, are ______________, or leave early will not be allowed to attend tonight's game.

Q Which is correct according to the announcement?

(a) ___________________________.

(b) The registration period for an SAT class is over.

(c) ____________________________ for the prom.

(d) Each student can buy only one ticket for prom.

58>> Dissociative identity disorder is a mental disorder in which ____. Each personality has its own characteristics and each identity regularly controls the individual's behavior. A high percentage of people with this condition have reported ____________________ and many experts claim that this could be one of many reasons to cause this condition to develop. ____ ______________ to help sufferers.

Q What is the lecture mainly about?

(a) How child abuse causes serious illnesses

(b) How to treat dissociative identity disorder

(c) What dissociative identity disorder is

(d) How important it is ____________________________

59>> Tridecaphobia is ____________________________. But why are so many people afraid of it? Many Christians consider it to be evil because it comes after twelve, a lucky number. In the Bible, there were 13 people at the last supper, with the traitor Judas as the thirteenth guest. There is also a Scandinavian belief that the number is evil, which ____________________________. Loki, the thirteenth god, was cruel and ____.

Q What is the speaker mainly discussing?

(a) ______________________ from nation to nation

(b) Explaining how the number 13 is linked with the fear

(c) Revealing that the number 13 ____________________________

(d) Showing the misfortune that the number 13 brings to humans

60>> Jupiter, the largest planet in the solar system, ____________________________ ____________________. The planet is roughly 1300 times larger than Earth. It is distinguishable by "the great Red Spot," which is actually a windstorm larger than our planet. Its atmosphere is ___________________________________, like hydrogen, helium, methane, water, and ammonia. Its average temperature is -148℃ and it has 63 separate satellites. It's also ________________________ that surround the planet.

Q **What can be inferred?**

(a) ___________________________________.

(b) The ancient Romans named the planet.

(c) The surface of Jupiter is rough.

(d) Jupiter has __________________.

MEMO

TEPS 입문자들을 위한 필독서
- How to TEPS *intro* 시리즈

- TEPS 각 영역별 핵심 전략 소개
- TEPS 400, 500점대 수험생들의 취약 파트 공략
- 실전문제와 가장 유사한 Actual Test 제공

서울대 텝스 관리위원회 최신기출 Listening | 서울대학교 TEPS관리위원회 문제 제공 · 넥서스 TEPS연구소 해설 | 320쪽 | 19,800원
서울대 텝스 관리위원회 최신기출 Reading | 서울대학교 TEPS관리위원회 문제 제공 · 넥서스 TEPS연구소 해설 | 568쪽 | 24,800원
서울대 텝스 관리위원회 최신기출 스피킹·라이팅 | 서울대학교 TEPS관리위원회 문제 제공 · 유경하 해설 | 340쪽 | 28,000원
서울대 텝스 관리위원회 최신기출 *i*-TEPS | 서울대학교 TEPS관리위원회 문제 제공 · 넥서스 TEPS연구소 해설 | 296쪽 | 19,800원

독해 · 청해 · 문법

How to **텝스 독해 기본편** | 양준희 · 넥서스 TEPS연구소 지음 | 312쪽 | 17,500원
How to **텝스 독해 중급편** | 장우리 지음 | 360쪽 | 17,500원
How to **텝스 독해 고난도편** | 넥서스 TEPS연구소 지음 | 324쪽 | 17,500원
How to **텝스 청해 중급편** | 양준희 지음 | 276쪽 | 18,500원
How to **텝스 문법 고난도편** | 테스 김 · 넥서스 TEPS연구소 지음 | 160쪽 | 12,500원

텝스 기출모의 1200 | 넥서스 TEPS연구소 지음 | 456쪽 | 18,500원
How to TEPS **실전력 500 · 600 · 700 · 800 · 900** | 넥서스 TEPS연구소 지음 | 308쪽 | 실전력 500~800: 16,500원, 실전력 900: 18,000원
서울대 텝스 관리위원회 텝스 실전 연습 5회+1회 | 서울대학교 TEPS관리위원회 문제 제공 | 200쪽 | 9,800원
텝스 기출모의 5회분 | 넥서스 TEPS연구소 지음 | 364쪽 | 14,500원

어휘

서울대 최신기출 TEPS VOCA | 넥서스 TEPS연구소 · 문덕 지음 | 544쪽 | 15,000원
How to **TEPS VOCA** | 김무룡 · 넥서스 TEPS연구소 지음 | 320쪽 | 12,800원
How to **TEPS 넥서스 텝스 보카** | 이기헌 지음 | 536쪽 | 15,000원
How to **텝스 어휘 기본편** | 고명희 · 넥서스 TEPS연구소 지음 | 304쪽 | 15,500원
How to **텝스 어휘 고난도편** | 김무룡 · 넥서스 TEPS연구소 지음 | 296쪽 | 17,000원

How to TEPS **시크릿 청해편 · 독해편** | 유니스 정(청해), 정성수(독해) 지음 | 청해: 22,500원, 독해: 14,500원
텝스, 어려운 파트만 콕콕 찍어 점수 따기(청해 PART 4 · 문법 PART 3,4) | 이성희 · 전종삼 지음 | 176쪽 | 13,000원

고급 (800점 이상)

How to TEPS **실전 800 어휘편 · 청해편 · 문법편 · 독해편** | 넥서스 TEPS연구소(어휘, 청해, 독해), 테스 김(문법) 지음 | 어휘: 12,800원, 청해: 19,000원, 문법: 16,000원, 독해: 19,000원
How to TEPS **실전 900 청해편 · 문법편 · 독해편** | 김철용(청해), 이용재(문법), 김철용(독해) 지음 | 청해: 17,000원, 문법: 16,500원, 독해: 17,500원

How to TEPS **L/C** | 이성희 지음 | 400쪽 | 19,800원
How to TEPS **R/C** | 이정은 · 넥서스 TEPS연구소 지음 | 396쪽 | 19,800원

How to TEPS **Expert L** | 박영주 지음 | 340쪽 | 21,000원
How to TEPS **Expert GVR** | 박영주 지음 | 520쪽 | 28,000원
How to TEPS **Expert 고난도 실전 모의고사** | 넥서스 TEPS연구소 지음 | 388쪽 | 21,500원